망가진 지구. 한 과학자의 '행성 복사' 기술로 지구를 복사해 그곳을 '티뮬'이라
명명했다. 하지만 의도치 않게 생긴 유기체도 무기체도 아닌 인간의 그림자
'갱어'와 '거울 세계'라는 난관은 새로운 자연법칙을 만들었고 인간의 행성 이주는
더욱 난관을 맞이했다. 점점 인간의 본성을 깨우치는 갱어와 인류의 대립. 인류는
마지막 존속 계획에 필요한 솔라 프로젝트를 마지막 단계에 돌입하는데…
주인공 무시카는 사막에서 만난 꼬마, 람을 만나 어떤 이야기를 듣게 된다.

바슈테림

발 행 | 2024 년 01 월 29 일
저 자 | 박현석
펴낸이 | 한건희
펴낸곳 | 주식회사 부크크
출판사등록 | 2014.07.15.(제 2014-16 호)
주 소 | 서울특별시 금천구 가산디지털 1 로 119 SK 트윈타워 A 동 305 호
전 화 | 1670-8316
이메일 | info@bookk.co.kr

ISBN | 979-11-410-6927-8

www.bookk.co.kr
© 박현석 2024
본 책은 저작자의 지적 재산으로서 무단 전재와 복제를 금합니다.

바슈테림

BASHTERIM

#_ A

'빛의 시작은 저 별이어라' 어느 타르프가 했던 말이 떠올랐다…… 이 상황은 그 말을 애써 외면하지 못했던 탓이다. 그 타르프의 말에는 분명한 맹점이 있었다. 실은 눈을 감으면 빛은 출발선에조차 있지 않은데……

저 흐르는 모래, 유사의 가랑이로 에너지가 쏟아진다, 눈이 부셨다, 눈꺼풀 같은 것들이 제 역할을 하지 못한다, 티몰행성 사람들은 부정한 생각이 들거나 잡념이 터번 사이를 헤집을 때 뙤약볕 한숨 식힌 모래로 얼굴을 비볐다. 나는 그런 행동들이 '기억 없는 행성', 이 티몰에서 누가 가르쳐주지 않음에도 누굴 따라 하게 된 것인지 늘 궁금했다.

그건 그렇고 너무 뜨거웠다. 모랫바닥이, 부푼 공기가, 사방으로 끝없이 펼쳐진 이 사막이. 모래는 능선마다 화끈거림이 널뛰었고 해가 뜨기 전 푸른 대지. 새벽부터 걸었으니 거의 하루 나절을 지독하게 걸은 셈이다. 흡사 광활한 뭇별을 우주 미지적 규율에 따라 뿌려 놓은 듯 알갱이 하나하나가 태양이 떠미는 등쌀에 못 이겨 나를 괴롭혔다. 나는 결국. 그럴듯한 차양이 제공되는 바위 아래에 몸을 숨겼다. 수통은 벌써 대답이 없다. 밤이 되기 전 나는 모래를 퍼 올렸다. 순식간에 구덩이가 만들어졌고 금세 지쳤다. 이 여행의 지난 보름을 돌이켜보면 대체로 이러했다. 그런데도 좀처럼 익숙해지지 않았다. 아니, 그러고 싶지 않았다. 익숙함이란, 그 시작은 낯선 것일지라도 한번 젖어 들기 시작하면 삶에서 도려내지 않는 이상, '나'는 나를 점점 잃어간다…… 그건 애절하듯 슬프고 또 다른 생명의 변화. 즉, 기쁨이라 믿었다. 그러나 기쁨이란 추상과 지금의 나는 몇 발자국 떨어져있었다.

일이 끝난 뒤, 먼저 누워있는 수통을 뒤집어 혀를 내밀었다. 똑. 똑. 똑. 한 방울이 아쉽다.

뜨거운 사막이라도 물이 차가운 걸 보면…… 물에는 그런 서늘한 기운이 늘 있긴 있는 모양이다. 쩍쩍 세로로 줄 맞춰 갈라진 단백 껍질이 뜨거운 열기에 힘입어 돌돌 말려 올랐다…… 눈을 감았을 뿐인데 까만 커튼이 금빛 모래를 거뭇하게 물들인 지 오래다. 사실은 추위 때문에 깬 것이라 생각은 하면서 낮에 파둔 구덩이에 몸을 던졌다.

어쩌랴. 전갈에 찔려 죽으나.. 땅에 묻혀 죽으나.. 그러니 오늘은 저 별을 보자……

앗! 귀가 따끔거리는 바람에 깼다. 어젯밤 꿈에 나온 전갈이거나 말거나. 그것보다 시급한 건 빛을 응축하는 모래 때문에 달아오르는 몸이 화상을 입을까 그게 문제였다.

"으으… 벌써 아침인가?"

생각만 했던 걸 정말 오랜만에 입 밖으로 내뱉는 순간 내 목소리가 이렇게 낯설 수 있다는 것에 놀랐다. 그리고 난생처음

보는 꼬마가 나를 향해 내리 웃고 있었다. 따분함 과의 씨름. 인고의 시간. 이 두 가지는 광활한 에르그[1]와 떼려야 뗄 수 없는 것이었다. 하지만 생글생글 선한 얼굴에 독실한 바슈테림이나 할 법한 터번은 나를 당혹케 함과 동시에 흥미를 끌었다. 더구나 맨얼굴을 들이밀어 킁킁거리기까지 하니 나를 생물로써 인지하는지조차 의심스러웠다. 냄새가 났나….?

"물…."

꼬마는 내 엉성한 타말어를 알아듣고, 나는 대충 들이붓는 물을 받아 마시고, 좀 전에 귀가 따가웠던 일에 대해 다시 생각할 여유를 가졌다. 마침 꼬마의 허리춤엔 폭 10~15cm 길이 2m 가 채 되지 않는 평범한 시미타를 두르고 있었다. 웬 구닥다리 도적이나 가질법한 것이 소형 레일건 대신 걸려있었다. 저건가? 시미타의 숄더였나? 나는 그곳으로 시선을 흘겼다. 사막에서 흔히 볼법한 장식은 아니다. 모래와 마찬가지로 뜨겁게 달궈졌다면 좀 전처럼 귀가 따끔거렸던 일은 충분히 가능한 얘기다. 나는 능청스럽게 꺼내달라기까지 요구했고 갈라진 목소리가 무례하지는 않은지 여전히 꼬마는 싱그럽게 환소했다.

"아저씨, 여기서 뭘 하고 있던 거야? 보아하니 스스로 파묻은 것 같은데.. 나올 힘도 없으면서 죽을 작정이었던 거야?"

나는 타말어로 별이 보고 싶었다고 말했고. 지쳐서 이제는 빨리 모래 밖으로 나오고 싶었다.

"별? 어디?"

---

[1] 모래사막

꼬마는 하늘을 올려다봤다. 뭐 하는 거냐 꼬마. 당연히 낮엔 별이 보이지 않는다고. 나는 그런 식으로 째려보았지만 그런다고 서둘러 여기서 꺼내줄 것 같지는 않았다……

"낮에는 별이 없잖아."

나는 하는 수 없이 입 밖으로 생각을 다시 뱉어냈다. 다시 그런 비생산적인 일에 익숙해져야 할 때가 온 것일까? 입이 마르기는 싫은데…… 꼬마는 내 몸이 점점 모래 뭍으로 드러나는 중에도 질문을 멈추지 않았다. 설령 그게 서로를 불편하게 만드는 체면치레라 하더라도 이상하게 밉게 느껴지진 않았다. 이를테면,

"아저씨는 내 물을 얻어 마셨어. 그치?" "응." "그럼 고맙지?"
"……"

대강 이런 식이었다. 어제와 다름없는 뜨거운 태양에 질려버린 탓이리라.

"아저씨 몇 살이야?"

나는 덜컥 숨이 막혔다. 질문을 받고서 그 직전에 들이켜는 숨이 꽤 난처하게 되었다. 켁켁. 입에 모래가 들어간 척. 그래서 일단은 못 들은 체하기로 했다…… 밉보인 걸까? 작은 팔걸이에 걸려 몸을 다 빼내었을 땐, 아이 치곤 제법 힘이 있는 모양이다. 라는 생각을 했고 몸 구석구석 살펴보니 다행히 내 몸에는 아무런 이상이 없었다. 관심은 곧 아이를 향했고 강한 호기심이 들었다. 여기엔 왜 있는 것이며. 어떻게 온 것이고. 그리고 나이. 나이는 '지구인'의 셈으로 치는지…… 혹시 그런 거라면 나보다 많을 가능성도 있다. 하지만 그래 봐야 티폴인 중 가장 나이가 많은 자칭 '인간'은 68 살이니 더 놀랄 것도 없지만…… 엄연히

위아래가 있는 타말어로 존대를 솔선하지 않는다는 건, 그러니까 바슈테림이라면, 아니, 그럴 리 없지. 쓸데없는 생각이다.

"꼬마야. 이 근처에 마을이나 도시가 있니?"

"여기 매 형상 바위의 부리 기준으로 남서쪽으로 80km 쯤 떨어진 곳에 유오가 있고 북쪽으로 250km 쯤 히엠스, 그리고… 음…. 아무튼 카마하브도 있어."

나는 보름 남짓 동안 고작 250km 밖에 걷지 않았다는 사실에 기분이 퍽 상했다. 그럼, 아이는 카마하브란 곳에서 온 건가? 카마하브…… 어디서 들어봤더라? 나는 고개를 갸웃거렸다. 새하얀 터번과 매듭 아래로 정갈하게 나란히 삐져나온 흑발. 사막에 어울리지 않는 뽀얀 피부. 면밀히 살폈지만 피부가 햇볕에 그을려 상하거나 '닳은' 곳은 없어 보였다.

"카마하브는 어떤 곳이지? '갱어'가 사는 곳인가?" 질문 자체가 어리석었다. 일반적으로 알려지지 않은 곳은 인간들이 거주할 리가 없다.

"나도 잘은 몰라." 아이는 고개를 갸우뚱하며 귀에서 모래를 쏟아냈다. 나는 그를 더욱 수수께끼인 채로 놔두는 것도 사막의 연이 아닐까 싶었다...... (대체로 귀찮아져 버렸다는 것이지만) 적어도 오늘은 논쟁을 피하기로 했다. 너무 뜨거워서. 우리는 아무 말 없이 황금빛 언덕을 그리고 뜨겁게 내리쬐는 태양을 온몸으로 맞으며 걷고 또 걷는다. 지평에서 춤추는 아지랑이. 오아시스의 유혹과 목적 없는 걸음이 오십 걸음쯤 이어졌을까?

"아저씨, 정말 죽으려고 작정했어? 아까도 말했다시피, 근처 대도시라곤 유오 정도라고. 근데 이 방향은…… 도무지 그 짐 꾸러미로는 살아남을 수 없어."

아이는 볼멘소리로 말했다. 사막 한 가운데서 아이의 투정을 듣자니 묘한 행운이 찾아올지도 모른다는 생각이 들었다. 얼핏 그런 소문이 발 없는 말처럼 행성을 떠돌았다. 그만큼 바람에 흩날리는 환상 같은 취급을 당했으니 말이다. 하긴 며칠 전 나는 막 사막을 휘젓기 시작했을 때 저 멀리 능선의 끝에서 웬 남자가 사납고 검은 미친개 등에 매달려 이곳저곳을 질주하던 묘한 신기루를 보기도 했으니. 이 상황쯤이야..

"그냥 죽게 내버려 둘 것이지.."

나는 별 의미 없이 중얼거렸다. 그렇다고 죽고 싶다는 의미는 아니다.

"믿음은 마음에 여유가 없을 때, 흔들리는 법이래."

뜨끔. 나는 일순 무언가로 찔리는 느낌을 받았다. 그리고 그런 행동은 일종의 반증이라고 자각하면서부터 나는 꼬리를 내렸다. 하지만 꼬마가 나한테 말한 것은 아니었고 알고 보니 저 멀리 사람이 모래에 이마를 대고 맨발로 엎드려 있었다. 아마 그를 염두하고 말했던 모양이다.

'누구지?'

우리는 그곳으로 갔다…… 눈에 밟혀서 가깝다고 생각했지만 여긴 사막. 쉽게 말해 지나친 능선을 어림잡아 보니 족히 3km 는 돼 보였다……

처음에 말했다시피 바슈테림은 모래와 믿음을 사이에 두고 긴밀하거나 오묘한 관계가 바탕 된다. 그래서 그자의 성별을 확인하기도 전에 죽어있을 줄은.. 짐작하지 못했다. 그렇게 숙인 모양이 꼭 기도하는 사람이었기에…… 묘한 경외감이 들었다.

의외로 꼬마는 놀라지 않는 눈치다.

"헨마의 가호가 있기를……" 꼬마는 손을 모았다.

사막은 그자의 발치에 옆구리가 터지고 분위기에 짓눌린 콘냐(담배의 일종)를 못 본 체하듯 슬며시 모래를 밀어내고 있었다.

"이름이 뭐냐?"

"음.. 이 사람 이름표 같은 건 보통 붙어있지 않은데?"

"아니, 꼬마. 네 이름." 나의 호기심은 그렇게 불쑥 튀어나왔다……

두 번째 밤이 찾아왔다. 꼬마는 아직 낮에 있었던 내 유일한 질문에 대답하지 않은 채였다. 그는 끔뻑끔뻑 졸며 불을 쬈다. 채근하기 싫었지만 그보다 더 견디기 힘든 것은 휑한 공간에서 느끼는 답답함이었다.

"왜 이름을 말하지 않는 거지?"

나는 용기 내어 다시 물었고. 그는 입술이 약간 벌어져 멀뚱히 나를 쳐다본다. 그걸 아직도 마음에 두고 있냐는 얼굴이다…… 아이는 터번을 풀어 쏟아지는 유성. 그 푸른 빗금처럼 거꾸로 우주를 올려다봤다.

"이름을 말해주는 건 어렵지 않아. 다만 낮의 일은 내가 아니라도 바슈테림이라면 누구든 그렇게 했을 거야. 죽음을 목도한 순간에 이름을 대는 건, 고인에게 굉장히 실례되는 일인 걸." 따닥. 따닥. 나는 어느새 잠이 달아나 사뭇 진지해진 상태였다.

"내 이름은 람이야."

그날 대화는 그걸로 끝이었다. 둘 다 말수가 적은 성격 탓 보단. 아직도 뚜렷이 설명하지 못할 찌꺼기가 우리 사이에 분명히 끼어있음을 느꼈다. 시퍼렇게 날 선 시미타, 대화의 흐름, 이렇다 할 거 없이 치우치지 않고 평평한 주도권, 하지만 동시에 그것들은 이 개성 넘치는 사막에서 서로 동떨어지지 않고 묶어 두게끔 하는 적잖은 요소임을 부정할 수 없었다.

그렇게 람과는 사흘 밤낮을 더 보냈고 닷새가 되던 날부턴 배가 곯아 피골이 상접해지기 시작했다. 나는 이 이상한 불만이 없는 동행에 싫증을 느끼지 않았다. 사실을 말하자면 꽤나 마음이 편했다. 람이 아이의 모습을 하곤 있어도 마음에선 알게 모르게 어렴풋이 실제 나이가 많다는 걸 직감하고 있어선지 어깨를 누를만한 책임감. 그 비슷한 것도 우리 사이엔 있지 않았다. 간혹 그가 칭얼거리는 일조차 '필요에 의해서'라고 생각했다. 그런 말이라도 하지 않으면, 나는 여전히 그의 시미타를 향해 곁눈질하느라 반나절은 더 이르게 푹푹 꺼지는 모래 발판과 바람 위에서 진이 빠졌을 것이다.

밤이 되면 람은 매일 같이 신께 기도 드리곤 했는데, 야생 전갈과 나는 어깨를 나란히 두고 함께 람을 관찰하기도 했다.

람이 땅에 이마를 비빌 때, 숙어지는 배가 하루가 다르게 홀쭉해지니 딱 한 뼘. 그 정도 두께에서 더 이상 벌어지지 않았다. 그런데도 전갈은 람을 괄목한 상대로 보며 꼬리를 치켜들자. 독기가 달아나도록 내가 쫓아버렸다. 내가 람을 길들이는 건지 람이 나를 길들이는 건지. 당최 모르겠으나 어느 쪽이건 상관없이 우리는 쩍쩍 갈라져 가뭄이든 척박한 땅처럼 메말라갔다.

다음 날은 람이 선뜻 모래를 씹다가 말을 걸었다.

"이제 정말 못 걷겠어! 대체 어딜 가는 거야? 말해줄 때가 되지 않았어?"

나는 그런 질문을 받은 적이 있나? 잠깐 생각했다. 분명 우리가 행군한 이래로 그런 일은 없었다. 그의 짜증을 조금 누그러뜨릴 필요가 있겠다는 생각이 들었고 우리는 얘기를 나누기 위해 그 자리에서 밤이 되길 기다렸다.

"람. 왜 나를 따라오는 거야? 내 길은 기약이 없어. 어린 몸으로 날 따라 걷는 게.. 얼마나 힘든지 이해해. 정 힘들면 따로 갈라지는 편이 좋을 거야."

람은 내가 건넨 전갈 쪼가리를 뜯으며 비릿하게 웃었다.

"우리 게임 하자!"

역시 낮에 있었던 짜증도 그저 필요한 과정이었을 뿐인 거였다.

"무슨…… 게임?"

"서로 정답을 맞추는 게임이지. 흐흐흐."

람이 제안한 게임. 방식이랄 것도 없이 너무나 사막처럼 제멋대로여서 그답다고 생각했다. 규칙은 간단했다. 서로 과거에 있었던 복잡한 사정이나, 성격, 성향을 유추하여 아무렇게나 지껄이는 것이다. 그냥 하면 재미도 없으니…… 람은 모래성을 쌓고 시미타에 달린 장식을 떼어 성 중앙에 깃발처럼 꽂았다. 호오.. 그러고 보니 제법 흥미가 났다.

"상대가 이야기를 맞출 때마다 모래성 주변을 무너뜨려야 하고, 틀리면 차례가 바뀌는 거야. 그러다 이 깃발이 무너지면……"

"무너지면…?"

"뭐, 빤한 거 아니겠어? 너무 겁먹지는 마! 사막의 꼬마가 뭘 어쩌겠어. 생각이 더 필요해?"

람은 이렇듯 나의 신경을 긁을 때는 먹이를 포착한 포식자처럼 부지런했다. 나는 단번에 이 서늘한 밤을 때울 마땅한 핑곗거리가 없었으므로 그러자고 대답했다.

"좋아! 먼저 시작해. 난 언제든 준비됐다구."

람의 입꼬리는 슬며시 올라가더니 이야기의 시작을 알렸다. 말은 안 했지만 사실 나는 람의 모든 것을 알아내려 요 일주일간 부단히 노력했다. 이를테면. 시미타를 오른쪽에 찬 이유에 대해. 터번 사이로 삐져나온 곱슬머리를 하필이면 왼손으로 정리하는 것에 대해. 왼손잡이라 할 수 있겠지. 이런 것들은 준비운동 삼아 던지기에 적절한 것이나, 언제나 시간에 쫓겨 죽음에 이르는 티뮬에서는 시간 낭비다.

나는 좀 더 그럴듯하면서도 반항적인 사건에 생각이 이르렀다. 하지만 그 전에 내 머릿속은 굳이 확인해야 직성이 풀릴 것이 뜨거운 뙤약 탓이 아닌 것에서 두통이 해소될 것 같은 찝찝한 게 있었다.

"람은 리본(Reborn)인 이야."

너무 빤한 시작이 아니길 바랐는데…… 람은 벌써 바람이 빠진 건지 피식 웃는다. 모래성 성벽. 그 단단한 기반쯤의 모래가 람의 손에서 한 움큼 크게 무너진다. 역시 보기보다 나이가 많았다. 그런 이유도 있고 해서 나는 꽤나 번잡한 뇌 회로를 거쳐 말문을 꺼내야 했다.

"람은……"

꼴깍. 침을 삼켰다. 문득 아무런 관련이 없는. 있다면 그렇다고도 할 수 있지만…… 약간의 두통과 그런 반작용으로 문득 뇌리를 스쳤다. 그건 어떻게 보나 람에게 질문을 떠넘길 기회를 준 것이었는데 분위기가 이상해졌다.

"람은…… 며칠 전 사막에서 죽은 남자를 알고 있어."

"……"

…… 사르르륵. 람은 조용히 그리고 차분히 모래를 긁었다. 그 의미를 인지하기도 전에 나 스스로 질문 자체에 섬뜩함을 느꼈다. 설마 람이 그 남자를 죽인 건 아니겠지? 저 시미타로. 아니면 저 머리 위로 쓴 비밀 많은 터번의 무언가로…… 차례는 변하지 않았으므로 나는 즉시 화제를 돌렸다.

"…… 혹시 타르프야?" 람의 눈썹이 꿈틀거렸다.

"내가 그렇게 점이나 치는 따분한 갱어로 보여?"

다행히 얼어붙을 것만 같던 분위기는 금방 가라앉았다. 아니, 그보다 질문을 질문으로 맞받아치다니…… 그런 건 규정하지 않아도 암묵적인 규칙이 아니었나? 게다가 티뮬의 점성가는 그렇게 따분하고 고리타분한 놈은 더더욱 아니라는 인식이 있을 텐데.. 이놈은.. 이상했다.

나는 괜히 별, 달 그리고 궤도의 주체 격 축을 나서서 맡고 있는 행성. 지구를 올려다보았다. 가이아의 절반이 새까맣게 소실된 그건 마치 누가 사과를 들고 고열의 에너지를 한 면에 집착적으로 조사한 격의 비참한 모습이었다. 무엇보다 그 참경에 마냥 넋 놓고 간과할 수 없었던 점은. 티뮬 행성의 모래가 정확히는 입자나 미립자가 지구와 티뮬 사이 에테르[2] 길을 만들며 에너지 전이를 일으키고 있다……

파스스스.. 이런. 나는 람이 눈치채기 전에 아주 미세한 모래로 흩어지는 손을 천으로 덮었다.

"아이 모습으로 별을 따라 사막을 떠돌면서 운을 점치는 타르프가 있다고 들었어. 혹시 네가 아닐까 하는 생각이 들었다고."

"흥! 나는 타르프를 싫어하거든? 그런데 나더러 타르프라니! 내가 점치는 거 봤어?"

"아님 말고.."

"나는 타르프 따위 믿지 않아. 다 죽어가는 행성에 유언비어나 퍼뜨리는 자들을 왜 의지하는 거야? 그건 마치, 티뮬인이 자기 삶이 본인의 것이 아닌 걸 방증하는 꼴이잖아?"

---

[2] 한때 빛의 매질로 정의된, 우주의 빈 공간

다 죽어가는 행성. 람은 정확히 이 땅의 모든 생명의 비애와 결국은 한 줌 모래로 점철되는 정해진 운명. 소설책의 엔딩을 연상케 하는 아쉬움을 꼬집었다.

"이제 내 차례지? 흐흐흐. 긴장하라구…… 무시카."

그때쯤에 나는 벌써 이 게임에 빠져들어 내심 맞춰주길 은근히 바라며 독침을 빳빳이 세운 람을 쳐다보았다. 그런데…… 내가 이름을 가르쳐준 적이 있었던가?

"넌 지금까지 어떤 여자를 찾고 있었어."

나는 순간 두 귀를 의심했다. 벌써 귀가.. 고운 모래로, 입자로 변하진 않았을 텐데. 하지만 람의 표정으로 보아 이내 잘못 들은 것이 아니라고 확신이 들자 손이 떨렸다. 람은 천진난만한 얼굴로 계속해서 말했다. 몰아치듯 지속적으로.

"물론, 그 여자는 사막이 아닌... 지구에 있어. 그렇다고 유오를 마음대로 들락날락하는 고위층은 아니고.."

한 번 더. 나는 움찔거린다.

"... 근데 참 우습게도, 여자에 대한 기억 때문에 이 에르그를 뒤지고 있는 거잖아."

"......"

"기억을 지워주는 타르프가.. 사막 어딘가에 있다지?"

분명히 내 손은 몇 줌 모래를 움켜쥐어야 할 일이 있었다. 하지만 선뜻 이 적막을 깨려고 하지 않았다. 지평에서 불어오는 어두운 풍사. 모래성의 깃대를 살랑 움직여도 이미 그것은 내 눈 밖에 난 일이었다. 람이 느지막이 말한다.

"뭐해? 어서 모래를 긁지 않고. 게임이잖아?"

그 말은 내게 출발 총성처럼 들렸고 재빨리 풀어놓은 그의 유일한 흉물 시미타에 손을 뻗었다. 텁! 응? 젠장! 칼집이…! 시미타는 주인을 알아보는 것인지 무슨 이유로 칼집에서 나오지 않는다. 안 되겠다 싶은 나는 그것을 아예 멀리 집어 던져버렸다. 그리고 그간 허벅다리에 숨겨둔 무기를 더듬으며 총구를 들이밀었다. 7mm 구경의 레일건. 컴컴한 사막의 밤. 은은한 별빛을 받아 원통의 끄트머리가 제법 매섭게 흔들렸다. 적개심. 불현듯 놓쳤던 감정이 레일건의 금속탄자처럼 몇 발 장전되었다.

"너 뭐야.. 유오에서 추격이 붙은 거였나?"

람은 이 모든 과정을 자신에게 벌어진 일이 아닌 무슨 2000 년대쯤의 게임 프로모션 보듯이 넋 놓고 본다. 지구의 튀긴 옥수수까지 쥐어주면 그 재미는 배가 될 듯했다. 하지만 순진무구. 천진난만. 낙천적인 모습은 여적이 남아있다. 그것이 이 상황에 대한 설명을 해줄지는 모르겠지만 모면을 기대하긴 힘들 것이다. 람이 말했다.

"역시.. 너는 유오에서 왔구나? 보아하니 쫓기는 중인가?"

"모르는 척 잡아뗄 셈이야? 요전의 남자도 네가 죽였군."

서로 딴 대답을 한다.

사막을 횡단, 혹은 종단하는 사람은 혹시 모를 유사 재난에 대비해 온갖 장비를 챙긴다. 아마 이 총의 주인도 이런 상황을 대비해서였을 것이다. 다만 이 레일건의 주인은 안타깝게도 사막에 머리를 처박고 죽음을 맞이했다. 마치 신께 기도하는 것처럼. 연출된 것이었나? 나는 며칠 전 말라붙은 선인장처럼 숨을 거둔 그를 땅으로 묻으며 품 안에 두었던 레일건을 몰래 챙겼다. 덕분에 이 상황이 피치 못할 수순임을…… 증명하는 꼴이 되어버렸다. 람은 아직까지 별다른 반응을 하지 않았고 다만, 결론적으로 모래성을 무너뜨리지 않은 내 행위에 초점이 맞춰 있는 듯했다.

"뭐야. 시시하게. 정말 내가 같은 바슈테림을 죽였다고 생각하는 거야? 이 터번을 보라고. 물론 헨마 신을 섬기는 자가 아니더라도 쓰긴 하지만……"

생각해 보면 미심쩍은 부분은 있었다. 별다른 상흔이 없었다는 점. 람이 그런 짓을 했다면 몸수색하지 않았을 리가 없다는 점. 여기서 굳이 그럴듯한 얘기를 지어낸다면, 람이 슬쩍 레일건을 남자의 품으로 찔러 넣어두는 것이겠지만 이유가 없다. 사막의 길잡이마저 내가 자처한 것이었고…… 게다가 상식적으로 도저히 칼집에서 뽑지도 못하는 시미타로는 레일건을…… 아! 시미타! 나는 급하게 모래 속으로 시선을 던졌다. 그곳에 있어야 할. 시미타가 보이지 않는다.

"어디로…!"

툭툭. 람의 터번을 총구로 건드렸다.

"뭘 어떻게 한 거야?"

하하하하하. 청명한 목소리다. 고요한 사막의 북풍. 내리깔린 먼지. 모래. 하늘 우러러 반짝이는 별들. 모든 것이 그의 위주로 돌아가는 것만 같았다.

"무시카…… 보이는 걸 너무 믿지 마. 그 뒤에 가려진 간단한 진실조차 잊어버리게 되니까."

그때였다! 람의 말은 나에게 급작스런 사형선고 같이 다가왔다. 귀가 흐릿해지고 단어가 입으로, 더 깊은 기도로 말려들어 갔다. 나는 내뱉어야 할 말조차 떠올리지 못하고 입 주변 근육의 불평만 간신히 끌어올리는 게 고작이다. 레일건? 그딴 건 이미 손에서 미끄러져 땅으로 주저앉은 지 오래다. 으윽! 털썩.

"이런.. 무시카. 깃발이 쓰러졌잖아." 씨익.

시미타 장식은 람의 주머니로 들어갔다. 그 순진무구함. 람의 표정을 아는 사람이라면, 사악한 에르그의 귀신. 사막 괴담이 실재하다 믿을 터다. 아침을 맞이한 명예로운 게으름보다 더 어두운 곳을 향해 내 시야가 좁아진다.

'어...... 어떻게..'

쓰러진 나를 두고 람은 너저분한 내 망토를 들친다. 쯧쯔…

"시간을 많이 소비했네. 보통은 신체의 말단 부분부터 모래화되기 시작하는데...... 이런 경우는 처음 봐. 흐음.. 손은 그렇다 쳐도.. 장기가 다 보일 지경이잖아? 용케도 버텼어. 신기하단 말이지......"

람은 터번 사이를 이리저리 헤집더니 티뮬에서 가장 진귀한 물건. 모래꾼이 다이아, 백금, 레늄, 이박의 희귀 금속보다 더 눈에 불을 켜고 달려드는. 고작 '거울'을 꺼냈다. 그래서 유독 그의 터번이 눈에 밟혔던 건가? 나는 필사적으로 람이 '거울'로 하려던 일을 막으려 애를 썼지만, 도무지 어린아이의 저항으로밖에 비치지 않았다.

"역시.. 안 보이네.. '갱어' 주제에 '인간의 기억이 있다'
라…… 반응을 보니 거짓은 아닌 것 같고.. 신기한 걸?"

하얀 터번으로 거울이 쑥 들어갔다.

이제 나는 모자에 한해서 하얀 것만 보면 왠지 모르게 움찔거리게 될지도.. 나는 안간힘을 다 쥐어짜 난 갱어가 아냐! 라고 말했다. 아마도. 정신이 몽롱했으나 이마에 핏대가 설 정도였으니 모른 체 하는 저 태도가 불쾌했다. 람은 나를 다시 망토로 덮어두고 심드렁히 바닥에 앉아 불을 쬈다. 몸을 옥죄는 불쾌함에 젖어 차라리 의식을 잃었으면 좋겠다는 생각이 들었다. 그러나 이 사악한 귀신은 그것조차 허락하지 않고 나는 여전히 귀가 가려웠다. 람의 포로가 되었다. 게임 승리. 람이 원했던 게 이런 거였나? 푸념인지 뭔지를 늘어놓기 시작했다.

"… 시간은, 적어도 티묠에서는 의미가 없지. 모든 갱어는 몸이 차츰 모래로 변하고…… 죽음을 맞이해. 그 에너지는 행성의 일부. 사막이 되어 지구로 넘어가면서. 펄스 로드[3]를 형성하지…… 아름답지 않아?"

상상 속으로 나는 그 비경을 그렸다. 지구와 약 22 만 km 떨어진 행성 티묠. 공전주기가 적절하게 맞아떨어지면 오히려 티묠이 달과 가깝다. 길게 늘어진 펄스 로드를 따라 발광하는 새끼 에너지와 눈부신 달… 숨이 멎을 듯 아름답다. 그러나 그러한 연유로 바슈테림의 말에 의하면, 신의 질투를 샀기에 반드시 죽음이 뒤따른다……

---

[3] 티묠에서 지구로 향하는 에너지 띠

육안으로도 관측되는 에너지 흐름은 서서히 지는 별의 종말을 의미했고 거대한 달은 사막의 모래 해일을 절기마다 만들어 냈다. 바로 지금…. 알갱이가 서로 부대끼며 아래와 위를 엎지르는. 흡사 파도 소리처럼. 파스스스스스스.. 땅의 울림. 절규가 뒤따르는 해일이 오늘은 포근하다.

"그거 알아? 모래 해일은 우리가 신성한 모래를 밟고 다녀서.. 잔뜩 화가 난 에르그 영혼이 이따금 땅으로 나와서 일어나는 거래."

나는 귀신 따위는 믿지 않는다. 사막에서 폭풍을.. 혹은 도적 떼를 만나, 길을 잃거나, 실종되거나, 목숨을 잃는 자들은 많다. 괴담의 성행은 이해 못 할 것도 아니지만…… 어떤 끔찍한 존재도 저 풍경과 눈이 마주친다면 당장 그 자리에서 돌처럼 굳어 버리리라. 나의 시선은 그의 탐욕스러운 볼을 향했고 오목조목 움직이는 모습이……

"다행히 헨마 신의 노여움이 이곳을 향하지는 않는 모양이야. 오늘 밤은 편히 잘 수 있겠어."

람은 사막의 잔뼈가 굵은 듯 나를 사막의 객쯤으로 여겼다. 이내 에르그 능선으로 너울지는 모래 해일. 그곳을 향해 기도문을 읊었다.

람의 포로를 자처한 지 이틀이 더 지나 다시 밤이 찾아왔다. 우리는 여전히 그 자리인 채다. 람은 무언가 기다리는 것 같았다.

하늘의 별을. 비를. 머리 위로 지나가는 맹금의 외침을. 어쩌면 하얀 겨울을. 근데 어째서지? 왜 내 몸은 아직 움직이질 않는 거야? 그 이유를 알 수 없었다. 람은 내게 무엇을 먹이지도 않았고…… 그렇게 오해나 비스름한 걸 한창 생각할 때 손가락이 겨우 가늘게 모래를 긁자 기가 막히게 람은 알아듣고 말했다.

"네가 모래에 묻혔을 때… 귀가 따갑지 않았어? 쯧쯧 무시카.. 정말 감이 다 떨어졌구나."

..람과 첫만남.. 그때였나? 단지 시미타의 어느 부분이라고 생각했는데!

"아무튼 이렇게 된 이상. 그러니까 네가 깃발을 무너뜨렸기 때문에 이 상황을 네가 자초하게 되었어. 나도 이런 걸 원한 건 아니었다고."

그러더니 람은 터번을 풀어 고운 얼굴을 비볐고 땅에 이마를 몇 번이나 대며 기도했다…… 그런 소리가 났기에 머릿속으로 그릴 뿐이다. 갑자기 시미타의 검집이 스릉! 열리는 소리가 들렸다가 탁!.... 자리를 찾은 모양이었다. 람과 상당한 대화를 일방적으로 나누었기에 사막의 무법자라 불리는 '모래꾼'보다는 위협적으로 느껴지지는 않았다. 그보다 신경 쓰였던 건 이틀 전 일순간 눈에서 사라졌던 시미타가 과정은 모르겠으나 결국은 그에 손에 들려있다는 점이다. 바보 같은 놈이다. 단숨에 적을 모래 속으로 파묻어 버리는 레일건을 두고…… 내가 아는 바로는 그 고전적인 사건에서 종교적인 이유는 없었다. 시미타는 종종 의례용으로 재단에서 쓰였지만. 그런 것으로 치부하기엔 수수하고 재미라곤 찾아볼 수 없는 시시한 칼이었다. 람은 말하지 못하는 나에게 다시 묻는다.

"무시카, 네 표정이 얼마나 웃긴지… 한번 볼래? 하하."

갱어는 거울을 인지하지 못한다. 바로 앞에 두고도 무의 공간에서 이질감을 느낄 뿐이다. 티폴인이 자신의 생김새를 점치지 않고 알 방법은 리본인처럼 다시 태어나는 게 필수 불가결한 것이다. 리본 티폴인은 몸이 모래처럼 바스러지지도 않고 늙지 않는 대신 '시간'이라는 개념이 뺏기고 에너지를 축적하기에 묘한 끌림을 얻어낸다. 그렇기에 종종 나이가 지긋함에도 어린 모습을 한 리본인이 존재한다. 람처럼.. 반면에 나는 거울을 볼 수 없었지만, 어렴풋이 내 얼굴을 똑똑히 기억한다. 조각난 단서들. 과거의 기억. 갱어는 통계적으로 꿈을 꾸지 않지만 나는 꿈이 뭔지 안다. 나는 인간이다. 절대 악마의 사근대는 유희로 나를 잃지 말아야 한다. 그 타르프를 만나기 전까지는……

"심심한데… 우리 게임 하나 할까?"

람은 대화 상대가 정확하게 뻗어 누워있는 것을 두고 아쉬워하고 또 우스워했다.

"걱정 마. 이야기들을 시간은 많을 거야. 네 죽음을 당분간 멈추었으니까. 어쩐지 배가 고프지는 않았어?"

시체처럼 방치된 나는 그 말을 곧 이해할 수 있었다. 모래화가 진행되지 않는 위, 소장, 등. 침식되지 않는 대신 신진대사가 이루어진다. 원활하진 않지만 허기짐. 인간의 원초적 괴로움을 깨달을 정도로. 불편하게 됐군…… 나는 그 이상 생각하지 않았고 그래서인지 딱히 띾이 내게서 죽음을 떨어뜨려 놨다 해도 고맙지 않았다.

"두 번째 게임은 간단해."

이제는 선택지조차 주지 않는 군.

나는 은근히 기세등등한 바슈테림의 행색에 질릴 대로 질릴 터였다. 그러나 다시 내게 자유가 주어진다면 홀로 이곳을 벗어날 자신이 없었다. 아니, 오히려 그가 떠나지 않길 바랐는지도 모른다. 찌든 콘냐에 어김 없이 불 붙이는 티폴인들처럼 말이다. 람의 납치극은 그런 대로의 흥미를 끌었기에 그 부분에서만큼은 어울려 줄 만했다. 거울을 숨기고 다니는 바슈테림이라…… 람은..

"후후 기대되지? 마냥 지겹지는 않을 거야."

매서운 바람이 스산하게 머리 위로 몰아닥쳤다. 모래의 운율이 그의 입을 통해서 절절하게 흐른다.

"... 내가 들려주는 이야기에서 내가 누군지 맞추면.. 무시카, 네가 이기는 거야." 히히히히.

#_ 람의 이야기 1 무시카

AD 2131 년

지겹다. 그것은 내가 대체로 느낀 몇 안 되는 일상의 집합이었다. 물론 처음부터 이 생활에 따분함을 느꼈던 건 아니다. 나도 보람이란 걸 업으로 삼았던 때가 있었다.

면도. 화장실. 물 내리는 소리. 비누칠. 드레스 룸. 출근 복장. 어쩌다 먹는 따분한 아침 식사. 또는 그냥 주스… 냉장고를 열어 간밤의 갈증을 해소했다. 꿀렁꿀렁 텁텁한 목구멍으로 넘어가는 달달함. 하나, 이 냉랭한 문을 닫고 나면 왠지 모를 갈증이 음식이 아니라. 필경사의 창작욕 같은. 인간 고유의 외로움 같은 것들이… 주변을 도사렸다. 인간은 적응의 동물이다. 응당 인간이라면.. 그렇다. 이 생활에 적응한 내 자신이 원망스럽기도 했다. 현재 시각 8 시 18 분… 머리가 지끈거렸다. 나는 늘 아침이면 그렇듯 습관적으로 찬장. 키 닿는 어느 구석을 손으로 더듬었고 두통약을 삼켰다. 으… 울렁거려.. 이것저것 이유 없이 분주한 아침을 맞다 보니 집을 나선 건 9 시가 다 되어서였다. 힘없는 고양이. 도시의 일정한 인공조명. 복잡한 골목. 그곳으로 삐져나온 길게 늘어선 사람들 줄에 합류했다. 우우우웅.. 회사 소유의 소형 부유선. 디지털 추진체와 반중력 부유 장치를 번갈아 변속. 변환. 능란한 운전수의 노련함조차도 지겨웠다. 지구 자원의 고갈만 아니었으면 아침마다 불만 가득한 운전수의 얼굴도 볼 필요가 없을 텐데.. 승객 모두는 비슷한 생각인 듯 눈이 마주쳤을 때 종종 쓴소하며 눈길을 흘렸다. 가끔 이런 곳에서 혼란을 기대하기도

했지만(부유선 내 사람들끼리 사소한 말다툼이 벌어졌는데도 구경하는 다른 사람들의 무관심으로, 어쩌면 저들 간의 적절한 합의점으로, 자존심 문제로 번지기 전에 저절로 진화되었다) ....역시 기우에 지나지 않았다··· 평화로운 지구의 윱지아.

라커룸에 들어서자 따가운 시선이 느껴졌다.

"선배! 어제는 잘 들어가셨슴까?"

두통만 남은 어젯밤의 회식은 솔직히 기억하고 싶지도 않았다. 나는 짤막하게 그렇다고 대답했고 다시 무관심 속으로, 라커로 머리를 들이밀었다. 레일건을 챙기고 구형 전투복으로 환복했다. 포켓이 달린 구형 전투 조끼 역시 기동력을 위해서 부분 자동화로 교체되었다곤 하나, 누구 하나 그런 핑계를 믿는 정규군 소속 대원은 없었다. 신뢰의 문제라기보다는 재정 부족과 자원의 고갈 탓인 이곳 지구의 문제였다. 더구나 지구상에서 가장 융숭한 윱지아 본부가 이 모양이니 다른 범국가 조직의 사정은 두말할 필요도 없었다. 작전실에서 있을 간단한 임무 브리핑 전, 포켓에서 찌그러진 담뱃갑을 꺼내 물었다. 그때, 주위를 신경 쓰지 않고 걸었더라면 분명 타 부대원의 범용 전투 슈트와 어깨가 부딪혀 내가 강하든, 약하든 어느 쪽이건 문제가 되었을 터다. 내 구형 전투복이 저들의 티타늄을 찌그러뜨리는 일은 없겠지만. 가능성에 '제로'는 없다. 확률적인 문제일 뿐.

반면 후자의 경우. 나는 기분이 더 상하고 싶지 않았다.

키득키득.

"됐어. 어디 하루 이틀이야. 참아. 시오." 번잡한 고글 너머 윱지아 직속 특무부 전투 요원들은 나와 시오를 향해 비웃었다.

저들의 조소와 태도는 같은 공간에서 같은 레일건을 두고도 극명한 띠를 나누어 갈렸다.

"저들도 심심해서 저러는 거야." "쳇!!"

시오도 한마디 정도는 남겼다. 총이라곤 사격 말고는 사용해 본 적도 없는 것들이! 라는 표정이 너무나 적나라하지 않았나 싶을 정도다. 다행히 내가 뻐끔거리며 아쉬운 연기를 뱉어댄 탓에 시비가 되진 않았다.

"수고해라. 무시카. 크큭."

하지만 어쩐지 저들의 비웃음과 반짝거리는 행색이 뒤섞이며 저들의 담배 냄새가 더 달달해 보였다. 젠장..

윱지아 본부. 지구의 마지막 심장 격 되는 곳. 정치 따윈 차가운 인공지능체로 대체되었으며 생명 존속의 결정권 자체가 68 년 전, 과학의 비약적인 성장으로 기계의 손에 넘어갔다. 지구 주도권이 유효하지 않은 이상 두 발로 걷고 지면, 지하, 심해, 창공을 활보하는 그들을 인류라고 부를 수 있을까? 기근. 빈부격차. 전쟁. 질병. 종교. 자원의 고갈. 어느 것 하나 명리를 밝히고 해결된 것이 없다. 영생을 꿈꾸는 지구의 부호들. 진리의 사계에 빠진 오만한 과학자. 꼭짓점으로 모여드는 결과물에 더 이상의 낙수 현상이 일어나지 않는다. 지구는 여전히 죽어가고 있는 셈이다.

인류만이 가지는 이러한 반영구적인 현상을 두고 프로그램은, 인간의 고질적 '바이러스'라 정의 내렸다. 마치 감기 같은. 해결보다는 통제가 효율적이라는 완벽한 저들. 기계의 입장이다.

아직도 땅끝 경계에선 동화 속에나 나오는 괴물, 악마, 영물이 아닌, '인간들'끼리 전쟁이. 심장 윱지아에서 은밀하고 차가운 움직임이 멈추지 않는다. 그런 저항 의식 속 저마다 '더 나은 삶'을 바라면서….

이해할 수 없는 실험과 과학자를 양성하는 랩(lab) 지구. 특히, 내 근무지는 땅끝의 경계에 비하면 평화라 할만했다. 호화 장비로 무장한 셀러리 군인들, 턱을 괴고 보초 서는 저 비좁은 눈, 정규군의 군 체계는 대부분 무너져서 오히려 적절한 입찰가에 고개 들 수 있는 우리 같은 용병단의 기강이 그나마 두터운 편이었다.

저벅저벅. 간단한 임무별 브리핑을 듣고 오는 길에 시오가 넌지시 말했다. "선배! 아까 걔네들 말입다.."

"신경 쓰지 말라니까. 괜히 특무부장 귀에 이름을 알려서 좋을 거 없다고."

"아뇨. 그게 아니라. 아깐 그냥 정신이 없어서 지나쳤는데, 가만 생각해 보니 담배 있잖슴까."

"....?" "그게…"

"뭔데 뜸을 들이고 그래? 말해봐." 오히려 시오가 말하길 주저하며 마음 졸였다.

"... 아무래도 티몰에서 태우는 콘냐인 것 같슴다. 호송 품에 손을 댄 게 아닐까 싶은데."

"그건 불가능해. 아마도 뒷골목을 통해서 구한 거겠지." 그래서 달달한 냄새가…? 나는 대충 대답했다.

"내버려 둬."

물론 콘냐는 티폴에 한해서 합법이다. 하지만 융지아에선 엄격하게 티폴의 물건들, 다 삭은 음식들, 이를테면 돌연 모래 자국을 남기며 사라지는 평범하지만 흉흉한, 이상한 물건들. 손톱자국 찍힌 곳을 경계로 반달 모양으로 휜 과일 껍질, 등등. 융지아가 통제하고 실험하고 관리, 검수한다.

"특무부장 귀에 들어가기만 해도 저 녀석들 옷 벗어야 할 겁니다. 그런데도 내버려 두란 말입니까?"

군법을 들먹일 필요도 없이 그의 말대로다. 그러나 나 역시 고집이 만만치 않았다. 결국 시오는 내 뜻대로 투덜대기로 사건의 확산을 그쳤으며 그들을 주시하기로 했다. 어차피 우리 같은 용병들이 할 수 있는 건 그다지 없다.

딸랑.

"어머! 왜 이제 왔어?" "좀 늦었지?"

관능적인 네온사인과 눈을 사로잡는 홀로그램. 그것에 현혹되어 주변과 꿈. 두 경계에서 헷갈리기 시작했다.

익숙하면서도 어색함. 본능이 꺼리는 기시감. 거리에 사람들이 모두 나를 쳐다보는 것 같은 기분… 이상하다. 이미 한 잔쯤 걸친 듯한 나를 자연스럽게 시오의 어깨에 걸쳐 들어선 곳이다. 시오는 반갑다는 여자의 말에 가볍게 대꾸했고 자연스럽게 둥글고 붉은 패브릭 쿠션이 있는 자리에 나를 앉혔다.

"너 여기 와봤어?" "무슨 소립니까. 장사치들 하는 소립니다.…"

시오의 농담은 대체로 무난한 편이었다. 내가 이전에 들은 것도 드문드문 있어서 지루하다면 그렇다 할 구간도 있었지만 귀엽게 솟은 보조개의 들숨 구간에서 야릇하게 눈길을 던지는 건너편 여자의 숨을 아는 듯 모르는 듯 시오는 이미 반쯤 취해 아무 말이나 내뱉고 있었다.

"그러니까…. 웃기지 않습니까? 선배?"

나는 흐름에 맞추어 포마드 머리 바텐더가 주는 이름 모를, 비싼 술을 주는 대로 받아 마셨고, (사실 우리는 알면서도 제 임무인 양 바가지 당하고 있었다) 내일쯤, 우리가 윰지아 소속 용병임을 알게 될 바텐더의 반응 역시 재미있는 구경거리가 될 것이다. 또 이야기는 거의 모든 남자가 그렇듯. 패배의 기억으로. 씁쓸한 입맛을 다시며 수컷과 암컷의 얘기로 접어들었다. 인생의 굴곡과 애환. 나는 담배를 물었고 바텐더는 불을 붙였다.

스으읍… 후우우우…. 한 모금. 두 모금. 그도 담배를 태운다. 한 모금.. 낯선 냄새..

"시오.. 너.." 무섭게 타들어 가는 담배를 시발점으로 나의 이야기에 불이 옮겨 갈 터였다.

하지만 시오의 그 향은. 그 담배는. 또다시 내 말려 올라간 입을 다물게 했다.

"흐흐흐. 선배. 알아보시겠습니까?"

"..... 너 그게 뭔지는 알고!"

"에이. 뭐 어떻습니까. 특무부 애들도 다 태우는 건데. 너무 야박하게 굴 것 없잖습까. 혹시 압니까? 이것 덕분에 이번 특무부

입단 시험에 붙을지." 그의 손은 바지춤에서 담뱃갑과 유사한 콘냐를 꺼내 내게 내밀었다.

마침 복잡한 심경에 퍽이나 괜찮은 제안이었지만 내게는 너무나 달콤한 것이라 딱 잘라 거절했다. 나는 단 게 싫다. 입안에서 느껴지는 안온함이 온몸의 혈관을 통해 들끓고 침샘을 자극하는 이 흥분. 싸맨 비닐 포장을 고작 두 손가락으로 벗겨냈을 때의 야릇함. 그게 싫었던 것은 아니었지만… 어쨌든.

기억하기로 이튿날 악몽에 뒤척이다 꿈에서 깼다. 식은땀이 시트로 스며들어 이미 고장 난 나노 시스템을 긴장시켰다.

그보다 재빨리 공중에 디지털 화면을 띄웠고 이내 안심했다. 밤새 나를 괴롭힌 술집 영수증이 극명한 아침을 만들어 냈다. 인공조명에 내가 느낄 수 있는 최대치의 세로토닌이 분비됐다.

나는 얼굴을 찌푸렸다.

후후.. 아마 시오의 표정이 볼만할 것이다. 물론 그가 재치를 발휘해 직권을 흘렸다면 또 모를 일이지만 아마 그리하진 않았을 것이다. 내심 그러길 바랐다. 괘씸한 녀석…. 탁자에 어색하게 재를 남기고 널브러져 있는 콘냐가 눈에 밟혔다. 하.. 젠장.. 녀석을 어떡하지.

면도. 화장실. 물 내리는 소리….. 그렇게 한참 숙취에 시달리듯 두통을 달래고 있을 때. 일상 같으면서도 어색한 부분을 발견했다. 이게 뭐지? 정확하게 하기 위해서 몸을 이리저리 가눴고 목 뒷부분에 티끌만한 점. 어쩌다 생긴 점과 마주했다. 신경 쓰지 않으려 했으나 주스를 마실 때까지만 해도 얌전하던 것이 거칠게 포효하여 도무지 둘 수 없을 정도로 거슬려서 손톱으로 긁었다. 따끔. 피가 찔끔 났다.

…

"선배! 어제 잘 들어가셨습까?"

락커룸 직전까지 들뜬 내 마음은 차분히 가라앉았다. 어제와 다를 바 없는 시오의 반응에 김이 샜다.

"그 정도는 아무것도 아니란 말이야? 시오? 대단한걸?"

"네? 무슨 말씀을… 아아.. 하하하! 당연한 거 아닙니까? 그걸로는 어림도 없습다!"

락커룸에서 미미하게 올라간 입꼬리를 나는 감지했다. 그렇다고 어색해하거나 달라지는 건 없다. 점.. 아침에 만난 점과 같을 뿐… 오늘 파트너와의 임무는 융지아 CC-009 구역의 수색 및 정찰.

"무시카. 괜찮겠어? 거긴 약 십 년 전에… 과학자들이 실험체 때문에 떼죽음을 당했던 곳이라구."

"크큭. 차라리 우리한테 맡기라고."

귀찮았던 차에 잘됐다 싶었는데 내 파트너는 파트너답지 않게 부쩍 들떴다. 시오의 선택에 나는 할 말을 잃었다.

"무슨 말입니까? 우리 임무에 손대지 마십쇼!"

뭐 괜찮겠지. 오래된 일이고.. 어제 과한 술값도 있으니. 사실 시오를 존중하는 마음이었다기보다는 은근슬쩍 호기심이 고개를 들었던 것이다.

"가자."

미리 발급받은 비행 허가서가 금일 지정된 티메라급 함선 내부. 허벅다리가 은근히 걸거치는 협탁 같은 곳에 준비되어 있었다. 나는 그것을 빠르게 대충 훑어봤다. 작전지 CC-009, 임무 코드 [113], 일자 [2131.9.11~2131.9.16]... 6 일..?

"야. 이거 잠깐만, 함선을 잘못 탄 것 같은데?" 내 눈이 피로한 것이 틀림없다. 눈꺼풀이 무거웠고 순간 후덥지근한 탓에 곱슬머리가 조금 더 휘어졌다. 곧바로 명단을 들추어 함선 번호와 대조했다. 시오의 표정이 가관이다. 씨익. 언젠가 저 익살스러운 보조개를 표적으로 사격 연습을 하리라. 대신 그는 귀찮은 함선 엔진 점검을 자처한 뒤. 그는 늘 그렇듯 조종간을 자신의 앞으로 옮겼다. 자동 항공 시스템이 어련히 알아서 하겠지만 약소한, 그런 의미가 있는 것이다.

"출발하겠습니다."

두어 시간쯤 연료를 소진하던 함선은. 푸쉬쉬. 의외로 굉음을 내며 새하얀 바둑판 같은 드넓은 공터 구석에 안착했다. (일천 평방 정도)

"무시카 선배. 이거 쓰셔야 합니다." 매우 얇은 이리듐으로 특수코팅된 헬멧을 내민다.

"아냐, 이걸로 충분해."

대신 나는 조촐한 복장에 어울리는 고무 띠가 결합된 기본 방독면을 착용했다.

"여기 맞아?" 나는 퉁명스럽게 말했다. 아니나 다를까. GPS 는 오차 없이 이곳을 가리켰다. CC-009 구역. 앞 글자는…… Center 인가…? 흐음..

"그게 고장 나면 안 되죠. 그나마 가진 장비 중에 유일하게 믿을만한 건데…… 설사 고장이 나도, 여기가 맞습다." 황량하기 그지없는 공터에서 이리 갔다가 저리로도 갔다. 하릴없이 쭈그려 앉다가 그대로 엉덩이가 눌어붙었다.

"소식 들었어? 시오?"

"어떤 거 말임까?"

"최근 대원들이 하나둘씩 사라진다는 말이 있던데……"

"보나 마나 근무지 이탈. 아니면 탈영일 겁니다." 그는 퉁명스럽게 대답했다.

"아니, 왜? 본부라 전투도 없고 이 정도 노동에 월급이면…."

"원래 편한 곳이 텃세가 더 심하잖습까." 나는 고개를 끄덕였다.

"하지만 사라진 녀석들 보면 신참이 아니라 중고참이던데?"

하얗고 무너진 벽. 하얗게 회칠한 콘크리트 바닥. 듬성듬성 돌부리. 일정한 간격의 격자무늬. 시선이 흘러가는 곳으로 집중하다가 문득 특수코팅 헬멧 너머의 밉상스러운 보조개를 기다리고 있었다.

"워낙 다들 따분해서…… 사고라도 쳤나 보죠. 그런 일 많잖습니까?"

"재미없기는…… 내가 하고 싶은 말은, 그런 얘기 들어본 적 없어? 외딴곳으로 우량한 군인을 파견해 실험체로 쓴다는 소문 말야. 더 웃긴 건 뭔 줄 알아? 그걸 지시한 결정권자가 인간이 아닌, [인공뉴런복합체]라는 거야."

나는 내심 이 상황이 심각해지길 원했다. 그만큼 따분함과 도무지 친해지고 싶지 않았다.

"베라(VERA) 말입니까? 푸흐흐흐. 그게 사실이라면 저희가 제일 먼저 사라졌을 겁니다." 일리 있는 말이지만, 어쨌든 지금 상황의 순번으로 치면 꽤 앞 번호가 아닌가. 이 하얀 천체에 갇힌 기분이 누군가 나를 노리는 듯해서. 어딘가 불편했다. 괜히 레일건의 탐스럽게 잘 빠진 가늠쇠와 가늠자를 직렬로 알맞게 배치했다.

"선배! 농담 그만하고 이것 좀 도와주십쇼!" 나는 또 튀어나온 돌부리를 걷어찼고 묵직하게 날아갔다. 하마터면 함선에서 막 꺼낸 리플렉션(Reflection) 드론의 메인보드가 박살 날뻔했다.

"선배!"

드론은 가시적인 동력 추진체 없이 공중을 부유했다. 10cm 길이의 비행 젓가락 같은 게 시오와 이 넓고 하얀 공터를 중심으로 두고 큰 원을 그렸다. 얇은 특수 실리카 소재의 단면과 움지아 전체를 덮은 인공조명이 만나자 빛의 줄기라 부를만한 것이 튀어나와 대지와 근방 200m 를 이리저리 비추며, 불규칙을 담아냈다. 그 모습이 마치 몽유병 걸린 환자가 목마름에 냉장고 물을 꺼내는 여행 같았다. 시오와 나는 근처 고지에 올라 데이터 가득한 화면을 보고 앉았다.

"근데 괜찮은 거야?"

"에이. 무시카 선배도 여기가 편하잖습까. 내려다보기도 좋고."

엄밀히 말하자면 고지는 정찰조에 있어서 좋은 판단은 아니다. 감시조면 또 모를까. 당연한 얘기다. 적을 향해 은밀하게 접근, 판단. 때로는 위험한 대치상황에서 적절한 임기응변이 필요한 임무다. 먼저 발각되더라도 전투가 벌어질 일은 없다. 이런 포지션은 적을 쫓는 역할 밖에 하지 못한다. 모기향을 피워놓고 주인공이 나타나길 기다리는 셈이랄까.

"이 근방 2km 엔 눈에 띄는 움직임은… 없습니다."

그렇게 드론에게 모든 일을 일임한 우리는 일광 아래 낮잠을 즐기기로 했다. 어차피 2km 근처엔 아무도 없고….

나는 잠시 후 눈을 떴다. 일정한 조명 탓에 얼마만큼의 시간이 지났는지 모르겠다. 어림짐작으로 꽤 흐른 듯했다.

으…. '컨디션이 좋지 않아..' 꿀꺽꿀꺽 목을 축이는데 시오가 보이지 않았다. 팔걸이에 팔 대신 검은 물체가 있다. 녀석은 레일건도 챙기지 않은 채였다. 고지에서 바라보건대, 그의 흔적은 나름 정찰조답지 않게 너무 눈에 띄었다. 다급했거나 미처 임무에 대한 숙지가 부족하거나... 리플렉션 드론을 회수해 재차 '뺑뺑이'를 돌리면 인스턴트 라면처럼 쉬이 해결될 일이다. 나는 투철한 직업의식에 사로잡혔다. 그동안 참아왔던 흥미가 돋았던 것이다. 무풍지대에 바람이 불고 반드시 인위적이어야 할 일정 온도에 서늘함을 느꼈다..

"어딜 간 거야.." 천천히. 약간의 긴장감을 즐기면서 시오가 남긴 족적을 옆으로 끼고 따라갔다. 다시 격자. 콘크리트 타일에 내 전투화가 닿자 반대로 그의 발걸음은 뚝 끊겨버렸다.

[21 시 19 분, 대기상태 이상 없음]

나는 답답한 방독면을 벗어던졌다. 주변의 엄폐물은 저 하얀 벽들. 다 무너져 내린 무질서함에 이끌려 상상력을 자극했다. 물줄기 소리? 방독면을 파고드는 지독한 냄새? 어쩐지 노르스름한 소리가 들리는 것 같다, 코 주위가 또 시큰거렸다. 큼큼. 단순히 기분 탓이라도 나쁘지 않았다. 저벅저벅저벅. 휙. 나는 묘한 긴장 속에 내던져지는 게 어색하고 낯설어서. 무엇보다 견디기 힘들어서 홧김에 돌아봤다.

시오는 하얀 경계 면에서 피를 흘리며 쓰러져있다. 척! 휙. 나는 레일건으로 주변경계를 늦추지 않은 채 다가갔다.

"괜찮아?! 무슨 일이야?"

"무시… 카 선배.."

"아니야. 말하지 마." 그의 상태를 살폈다.

머리부터 아래까지 하얀 타일과 강렬히 대조되는 검붉은 액체가 흥건하다. 위험신호다. 나는 그것을 따라 시선을 모아 케첩을 엎은 것처럼 난자된 옆구리 쪽에 다다랐다. 옆구리는 레일건이 통과한 흔적이 아니라. 그야말로 야생으로부터 뜯겨나간…. 그런 흔적이다. '이런…. 하필.'

순간적으로 강하고 날카로운 게 적절한 절삭력을 가지면서도 예리함을 절제한다면 이런 흔적을 남길 수 있을까? 숱한 전장을 겪은 나로서도 그게 무엇인지조차 짐작되지 않았다.

"조금만 기다려. 내가 곧 지원을….!"

덥석. 그는 내 손목을 잡았다. 연락을 저지하는 동작이라기보다는 얼마 남지 않은 촛대 불꽃처럼 시오의 지친 눈동자는, '조용히' 그러니까 침묵을 원하고 있었다… 놈이 근처에 있다!... 그러나 광활한 CC-009 구역에서 내 레일건의 총구는 갈피를 잡지 못했다. 그저 흰 타일 영역 밖을 뒤늦게 쫓을 뿐이다. 삐빅.

"Control, Team Eragon 코드 14, 적색, 지원 바란다."

... 삐빅.

"copy that."

서둘러 본부에 연락을 넣은 뒤, 시야 너머. 300m 쯤 멀리. 활엽수로 가득한 풀 숲으로 몸을 옮겼다. 바스락. 거기냐?! 소리가 난 쪽으로 달렸다. 짙은 토후를 밀어내며 바로 앞을 휘저었다. 정면으로 즐비한 나무. 풀. 그것들의 가느다란 허리가 꺾이며 내 얼굴을 후려칠 정도였으니 얼마나 코앞에서 나를 농락했는지 닿을 듯 말 듯하였다. 그러나 어두워서. 수풀의 나뭇잎이 거칠거나 가득해서. 급작스런 상황에 눈이 건조해서. 이런 이유로 그때까지만 해도 나는 무엇을 쫓고 있는지 이해하기 힘들었다. 파스스스. 거기서! 막 이족보행을 깨우친 원인류의 그림자 같기도 했고 네발로 들야를 활개 하는 금수 같기도 했으며, 이런 말까지 하면 우습게 들릴지 모르겠으나 직접 쫓아본 바로는 하늘을 배회하는 맹금의 깃털. 그런 본새가 났다. 타다다다. 나는 발에 불이 떨어져라 달렸고 숲이라고 부르기 부끄러울 정도로 좁았던 그곳은 금세 푸릇한 풍광을 소진하여 내 가파른 숨이 차오를 때쯤. 다시 드넓은 풍광이 펼쳐졌다. 화아아악.

…..

이럴 수가! 귀신이 곡할 노릇이다. 내 시선은 곧바로 드러난 아찔한 절벽 밑으로 떨어졌다. 그곳이 바다였다면 또 모를까… (그럼에도 여전히 그 형체가 뛰어들만한 높이는 아니었지만) 모래. 몇 km 나 이어지는 무지막지한 모래가 언덕을 만들지도 않고 평평한 사야(四野)를 이루고 있었다. 샛노란 갈증. 거리가 멀어질수록 서서히 인공조명을 벗어난 완전한 색채의 소실. 아! 제기랄. 넋을 잃고 추적대상을 놓쳤다는 현실을 받아들이자 분통이 났다. 우우우웅. 때마침 소형 구조 함선이 이곳을 향해 접근한다….

함선 내부

"상태는 좀 어때?"

"상처가.. 심하긴 하지만, 괜찮을 겁니다. 그보다 대체 뭐에 당한 겁니까? 반란군이라도 있었습니까? 그렇다 하더라도 뜯겨 나간 상처라뇨…?"

나는 그제야 상처를 제대로 볼 수 있었다. 금세 레이저로 지혈된 상처는 짐승이 크게 한입 파먹은 듯이 혹은 벌레들이 갉아먹은 듯. 생명과 죽음의 경계에서 약 1cm 가량의 빌미를 주고 줄다리기를 하고 있었다. 시커먼 자국… 열에 의한 건 아니다. 거의 낙서자국에 가까웠다.

"나도 잘은 몰라.. 분명한 건 혁명군 따위는 아니었어. 조금 더…"

나는 말을 하려다 내 입술에 집중하는 그 모습이 낯설어 멈췄다. 단순하게 찜찜했던 탓이다. 정확한 이야기도 아니니 차라리 하지 않는 게 나았다. 그런 B 급짜리 정보는 지루함에 절어있는 윰지아 사람들의 입에서 입으로. 귀에서 귀로. 표정에서 표정으로 옮겨가면서 잡다한 살이 덧붙어 언젠가 발목을 잡게 될지도 모른다.

"아무튼 상부에는 반란군의 기습으로 보고해 두겠습니다."

"... 잠깐. 아냐. 미확인 생명체 출현….이라고 해줘."

"죄송하지만, 무시카 님. 그건 제 권한이 아닙니다."

그는 생각보다 단호한 태도여서 인공 혈액을 공급 중인 시오의 손을 괜히 잡아본다.

"부탁이야. 그렇게 되면 윰지아 내에서 팀 내 평가가… 응? 뭔 말인지 알지? 같이 입에 풀칠해 먹고사는 처지에…"

그는 내 눈을 마주치기 꺼려했고 그럴수록 나는 더 집요하게 파고들었다. (아마 그는 이전에도 이런 부탁을 꽤 받았던 걸로 보인다) 기어코 긍정적인 대답을 받아 내곤 나는 안도의 한숨을 내뱉었다. 함선은 윰지아 본부를 향했다. 가는 도중 본부로부터 내일 정식으로 보고하라는 서문을 받고 나는 집으로 복귀했다. [02 시 14 분…] 덕분에 다음날, 작전용 소형 함선을 타고 퇴근하는 개념없는 병사가 되어있을 것이다.

피곤하다. 침대. 푹신한 베개. 낮은 조도. 짧은 탄식을 안겨준 머리말의 안락함까지. 나는 너무 지쳤다… 한 가지 걸리는 건. '보고를 내일 하라고?' 의무병의 작은 입김이 있었던 건가? 신경 쓰이는군.

…

"네? 없다고요?"

융지아 병동. 구석구석을 뒤지다 얻어낸 소식은 황당했다. 꼬르르륵… 배가 근질근질거렸다. 후드를 깊게 내리깔아도 피곤함은 가시질 않았다. 어처구니없다는 말투와 볼 품 없는 내 꼴이 심기를 한 번 더 건드린 모양이다.

"예! 그런 환자 없어요!" 간호사는 나를 귀찮아했다.

"아니, 잘 좀 찾아보세요. 분명 어제 새벽 2 시경에 들어온 외상환자가 있을 거예요. 아, 물론 함선에서 치료를 받았겠지만."

그녀는 게슴츠레한 눈초리로 나를 바라보았다. 하지만 내가 너무 당당해서 조금은 움츠리게 만들었으리라. 내가 거짓말할 이유가 뭐란 말인가?

"혹시.. 회복실은 가보셨어요?" 내가 그렇다고 대답하자 그녀는 다시 공중으로 화면을 띄웠다.

나 역시 곁눈질하게끔. 스르륵. 스르륵.

"아무래도 없다니까요?" 휙. 돌아서는 그녀를 향해 손을 뻗었다…

그러나 그것이 미처 간호사 옷의 깃이나 소매, 팔꿈치, 단추 부분을 상하게 만들기 전에 도로 빼버렸다. 손톱이 언제 이렇게 자란 거지…?

나는 곧장 병동을 벗어나 본부로 향했다. 본부로 가는 동안 동료들의 조롱 섞인 말을 대충 흘려버리고(작전용 함선이 네 자가용이냐? 와 같은 것들. 에너지 고갈에 예민한 인류의 반응이긴 하지만 어떻게 보면 더 효율적인 것인데도 그들은 지껄였다) 자리에 앉아 조용히 손톱을 깎았다. 따각. 따각. 따각. 따각. 따각……

일정한 데시벨과 박동수에 그들의 눈초리가 따갑게 섞였다. 뜻밖에 시오는 특무부실 앞 의자에 앉아 발을 동동 굴리며 안절부절못하고 있었는데 나는 마침 그 천장 높은 복도를 지나가려던 차였다.

"시오! 어떻게 된 거야? 몸은? 괜찮은 거야? 거대한 음모에 휘말려 다른 녀석들처럼 사라진 줄 알았잖아."

"하하하하. 물론 입죠. 선배는 어떻슴까?"

"나? 나는 괜찮지 뭘. 근데 대체 뭐였던 거야?"

"글쎄요. 저도 잘은 모르겠슴다. 그냥 시커먼 게 보여서 드론을 날렸는데도 반응이 없었슴다. 이상해서 다가갔더니 갑자기 나자빠져 있었슴다. 선배 혹시…. 그거…. 티폴인이 아닐는지?"

그런 말을 하는 것도 무리는 아니다. 티폴과 지구. 두 행성은 오로지 윰지아와 유오. 두 지역으로만 이어져있다. 하지만 지구의 모작. 티폴에서 윰지아로 넘어올 수 있는 방법은 없다. 그러니까 티폴인을 타깃으로 하는 수색정찰은 종종 들리는 괴담이나 그저 의례적인 구실일 뿐이다.

"티폴인이라면 리플렉션 드론에 감지 됐겠지.."

그렇다고 지구의 혁명군도 아닐 텐데.. 혹시 그런 거면 문제가 복잡해진다. 하필 CC-009 구역의 미확인체 출현은 미확인 생명체가 아니고서야 필시 곤란한 일이었다. 대신 6 일짜리 임무를 만 하루도 되지 않아 징계를 먹는 것이 훨씬 나은 선택이다.

"그런데 특무부엔 웬일이야? 아직 지원기간 아닌 걸로 아는데."

"아, 특무부 한 명이 며칠째 실종됐나 봅니다. 혹시 자리가 남을까 싶어서 말입다."

"뭐?"

어푸 어푸푸. 뚝뚝. 거울. 나는 삐죽 내민 물로 얼굴을 수차례 문질렀다. 늦은 세수. 뚝뚝. 갸름한, 그렇다고 날카롭다곤 하지 않는 턱선으로 피로의 노폐가 씻겨 내려간다. 듬성듬성 까칠까칠한 수염의 굵직한 경도에 노선이 비틀린다. 주르륵 미끄러진다. 은연히 난백을 띠는 거울 속 내 얼굴. 오늘따라 더 침체되어 보인다. 몇 년 만에 이 꼴을 보는지.. 새삼 낮에 스치듯 지나간 사람들에게 죄스러웠다. (특히 '그' 간호사에게)

보시는 바와 같이 나는 피곤했다. 세면대에 겹쳐 올린 두 손도 산만한 세면대 높이가 거슬렸고 화장실 앞에 버젓한 소파 하나 없는 것도 마음에 들지 않았다. 다른 사람들이 사소하게 여길 것들… 도시의 조도가 틔미해지거나 공기의 이질감, 알 수 없는 두통, 출근길 나를 노려보는 고양이, 해결해야 할 일이 윱지아 건물 층고를 다 헤아리고도 남았다.

그나마 다행인 건 시오와 달리 내 눈 밑엔 있을 법한 다크서클이 아직까지 모습을 드러내지 않았다는 점. 그것을 위안으로 삼았다… 앞서 열거한 것들을 일상으로 치부하더라도 아무래도 이상했다. 윱지아 사람들…. 자꾸 사라진다. 군인뿐만이 아니었다. 셔틀 부유선을 운행하는 A 씨. 연구원 B 씨. 등등.

아무래도 이상하다. 그들의 관계를 잇는 연관성은 치밀하게 '아무 관련이 없음'이다. 어쩌면 융지아 사람에 국한한 것이 아닐지도 모른다. 납치? 감금? 누가? 무슨 이유로? 더 심각한 것은

'왜 다들 심드렁한 거지? 아무런 조치도 없잖아? 본부는 대체….'

시오는 내 노파심이 늘었다고 했다. 그는 별일 아니라고만 한다. 내가 부쩍 예민해진 거라고.. 그에게 경각심이라곤 없어 보였다.

점심때쯤 우리는 정식으로 본부 호출을 받아 꽤 높은 층으로 갔다. 식당에서 간단한, 정말 따분할 정도로 '간단한' 식사를 한 뒤. (항상 쌀, 콩 고기, 김치, 등등. 어쩌다 에너지바) 본부를 정확하게 하늘에서부터 깊숙한 지하까지 꿰뚫은 중앙 홀로 갔다. 수백 개의 고정 부유 패널이 아래위, 좌우로 고속이동으로 사람들을 실어 날랐다. 나는 그 속도를 눈으로도 쫓을 수 없었는데 가늠코자 한다면, 눈 깜짝할 새보다 미세하게 더딘 정도라 할 수 있었다.

"다른 사람들은 저걸 타고도 멀미하지 않는다는 게 신기할 따름이야..."

"네? 선배는 어지럽습니까? 언제부터…"

"원래부터 그랬거든."

... 위이이잉. 지이잉. 엉뚱한 바닥면이 꼬리를 흔들며 접근했다.

"여긴 계단도 없습다! 어차피 타실 거면서. 투정은.."

나는 시오에게 떠밀려 네모나고 벌써부터 귓속 깊은 곳에서 뜨거운 울렁임이 치밀어 오르는 직사각형 패널에 올라섰다.

위이이잉~ 패널은 순식간에 바닥면에서 솟구쳐 당도하기 싫은 층으로 기어이 안내했다. 면도날이 턱선을 매끄럽게 지나갈 정도의 짧은 시간이었지만, 입을 틀어막고도 내 다리는 휘청거렸다. 관성을 무시하는 공간차막시스템 이란 것도 사람을 가려 멀미에 예외를 두는 모양이다. "엄살은.."이라며 시오는 먼저 아래층보다 훨씬 세련되고 고급진 문의 버튼을 눌렀다. 순식간에 반투명 문이 양옆으로 길을 비키고 제일 먼저 소파에 앉아있는 여인이 눈에 들었다.

"야! 잠깐. 기다리라고…" 시오가 앞장섰다.

나는 예의상 한번 고개를 숙였다. 높은 사람인가? 저런 소파가 화장실 앞에 있었어야 했는데! 널따란 방은 상상속 즐비한 사치품이나 고층의 비밀스러움 따위는 없었다. 단지, 꿀꺽 침도 넘기기 버거운 높은 지대의 한정적 산소와 여인의 실루엣 너머로 보이는 풍경. 나는 그곳으로 시선을 빼앗겼다.

"오른쪽 분이 시오 중위님… 그리고…"

"무시카 소령입니다."

여인은 여전히 돌아보지 않은 채였다. 그래서 나는 그녀의 목소리를 따라 앞모습을 머릿속으로 그릴 수밖에 없었다. 빨간 입술, 뚜렷하진 않지만 슴슴하지도 않은… 동양적 이목구비, 물방울 귀고리, 차가운 목소리, 세심함, 고양이 같은, 도톰한 입술…. 이런 것들을 연상하면서 차라리 데면데면한 이 순간이 패널의 부유함처럼 아슬아슬하게 지속되길 내심 바랐다. 그런 편이 훨씬 나았다. 야트막한 침대 비슷한 소파의 구겨진 주름 사이로 내 시선이 떨어졌다.. 이러지 말자. 나한텐 히나가 있다고!

하지만 내 눈은 다시… 그녀의 손등으로, 작은 상처로, 사각사각 부드럽게 종이를 쓸어가는 펜으로..

"상부에서는… 사실, 이번 작전 실패에 대한 책임을 여러분의 부주의로 보고 징계를 하달했어요."

흰 셔츠…. 아니, 가운인가? 연구동 사람? 슬쩍슬쩍 빛이 내 눈으로 간드러진 바람에 여인의 옆모습을 훔치는 일이 종종 발생했다. 눈을 감으면…

"대원이 다친 마당에 너무하다 싶겠지만.. 뭐, 제 권한으로.. 감봉에서 그칠게요."

나는 그럭저럭 괜찮았지만, 벌써부터 시오의 이마엔 핏대가 섰다.

"실례지만, 누군지도 모르는 사람이 그런 얘길 하는 게 맞는 겁니까?" 나는 조용히 시오를 응원했다.

"2 개월."

"예? 그게 무슨…."

"원래 윗분들 뜻은, 강등에 1 년 감봉이었는데… 괜찮으시겠어요?"

시오는 금세 이마를 닦고, 꼬리를 마구 흔드는 순한 강아지가 되어버렸다. 대신 그녀는 그날 있었던 상황 진술을 요구했고 이러한 이유로 여인과 시오는 소파를 사이에 두고 이런저런 얘기를 나눠서 내가 끼어들만한 틈은 없었다. 왜 굳이 싸구려 사내 식당을 이용하면서까지 시간을 아껴 부유 패널에 올랐는지. 짜증이 밀려왔다.

"여기 화장실이 어디죠?"

"저쪽으로…." 여인은 이쪽을 보지도 않고 짧게 대답했다.

질투? 무시? 나는 여인의 붉다고 생각한 입술에 상상과 맞닿았는지도 모른다. 나는 거친 얼굴에 찬물을 끼얹었다. 손등의 잔 상처들, 흰 가운, 꼰 다리. 역시… 여인은 나에게 관심이 없다. 젠장… 나는 물끄러미 거울을 바라보았다. 긴 침묵과 탄식. 시간낭비에 환멸을 느끼고 있을 때였다.

지지직. 흠칫. '뭐였지?' 순간 나는 눈을 비볐다. 착각한 건 아닌지 뜬눈을 꽤 열심히 유지했다. 거울이… 거울이 움직였다… 마치. 다이얼 TV 의 불협, 고장 난 무전기 괴담, 디지털 화면의 픽셀 깨짐, 슈퍼컴퓨터 계산 회로의 저항과 같은. 나는 내가 보았던 것을 확신으로 만들어야 했다. 최근에 일어난 사건의 모호함 속으로 다시 뛰어들기 싫었다. 나는 거울을 속인다. 스스로를.. 하지만 어떻게? 그건 단순한 호기심이었다. 어쩌면 이 따분한 일상에 대한 저항.

휙. 휙. 휘-익! 몸을 이리저리 가눴다.

내가 봐도 어처구니없는 몸동작. 빨간색이 주황이 되도록. 보라색이 빨강, 파랑으로 나뉘도록. 그러다 무채색이 모두 검정으로 수렴하도록. 색의 향연, 단순한 기분 전환. 그래, 나는 미친 건가……? 숨이 차기 시작하자 나는 춤을 멈췄다. 잠시 시냅스의 정보처리가 모종의 이유로 난항을 겪은 거겠지… 어쨌거나 원인을 알 수 없다는 것…. 그러니 손을 씻고…? 지지지직…..@#@!%%#@

시오는 벌써 소파에 앉아 나를 기다리고 있었다. 나는 아무렇지 않게 소파의 주름으로 몸을 맡겼다. 털썩.

"... 선배?"

시오의 눈동자를 보았다. 정확히는 그 안에 비친 내...

"아무것도 아냐." 휙!

나는 창가 쪽으로 고개를 돌렸다. '환기가 필요해..' 하늘의 인공 광원. 도시 밖 지평선. 자연. 아니, 인위적이고 작위적인 사소함들.. 으으…. 점심으로 먹은 콩고기 따위가 울렁거리기 시작한 이후로 사건의 중심 속에서 버티지 못한 나는, 그대로. 바닥으로... 바닥의 오밀조밀한 직물과 함께…. 소파 아래? 저건 뭐지?

"무시카 선배!!....."

#_ B

우우우우웅. 기계음.

"그래. 이 일만 잘 처리되면, 우리는 드디어… 리본한다… 그러니 끝까지 방심하지 마."

내가 의식을 차렸을 땐 낯선 목소리와 함께였다. 의지 잃은 몸은 어딘가로 향하고 있다. 람은….? 분명, 그 꼬마 놈의 이야기를 꽤 오랫동안이나 듣고 있었는데. 외로움이 가신 건 둘째 치더라도 저 왁자지껄한 웃음은 도무지 들어주기 힘들었다.

와하하하하!! 걸걸한 목소리. 코를 정통으로 때리는 지독한 콘냐 찌든 내. 그리고 그대로 잿더미가 내려앉은 수염이 연상된다. 그들은 컵을 부딪히며 다시금 우애를 다졌다.

스읍…. 후우….

"그런데 확실한 거야? 이 남자를 넘겨주는 대가로 우리 대신 지구에 있을 본체를 찾아 죽여준다니… 좀 미덥잖아서.. 아 물론 대장이 그렇다는 건 아니고.."

"확실히. 지구인들은 믿을만한 족속은 아니지. 하지만 유오에 남은 지구인은 엉덩이가 무거운 만큼 손이 자유롭지 못한 자들이야. 그러니 우리 같은 '모래꾼'이 필요하지. 티뮬인에게 리본이 어떤 의미인지 알고 있으니 언약을 쉽게 생각하진 않을 거다."

그는 약속을 저버린 날엔 헨마의 이름을 팔아서라도 인간을 처단하겠다고도 말하려던 차였다.

"으악!! 이 녀석 좀 봐. 대장!" 한 남자가 호들갑을 떨었다.

"뭐.. 뭐야! 어떻게…"

그들의 눈에 들어온 건 나의 소실된 일부였다. 그들은 끔찍한 내 몰골을 보고 망토로 도로 덮었다. 적나라게 드러난 장기. 유황 냄새.. 개중 가장 겁을 먹은 남자는 점심을 뭐로 때웠는지 포도즙으로 버무린 귀뚜라미 튀김. 그런 냄새를 풍기는 토물을 쏟아냈다. 부유선 안은 역겨운 것으로 가득 찼다. 코가 근질근질했다. 적응할 낌새가 보이지 않자. 이 안일한 상황에 약간 짜증이 치밀어 올랐다. 유오에서 보낸 '모래꾼' 수준이 고작 이 정도라는 것은 적으로서 좋은 징조를 내포한 것이라 썩 기분 나빴다.

"저거 살아있는 거 맞아? 배 안쪽부터 모래화되는 건 처음 보는데.."

"자잘한 건 집어치워! 저 정도 별종이니 인간들이 찾는 거겠지. 우린 배달만 하면 돼."

유오의 용병. 모래꾼. 말이 좋아 용병이지… 나는 그들의 임무에 딴죽을 걸고 늘어지고 싶지 않았다. 그러나 바람은 이루어지지 않을 것이다. 유오는 단순한 연구 지역구가 아니니..

콘냐의 적나라함이 부유선을 가득 메우기 시작해서 환기가 필요했다. 그리고 천지가 뒤집어졌다.

"으아아아악!!! 뭐.. 뭐야!!!" 사막의 바닥을 3m 남짓 스치며 유오를 향하던 부유선이 중심을 잃고 휙! 하며 뒤집어져 버린 것이다.

"무슨 일이야!"

"윽.. 기체 내 자기장 제어 시스템이 가.. 갑자기 말썽입니다!"

"고도 조정하고! 현 위치 반중력치값 대신 고유 동력 장치로 치환해!!"

대응은 나무랄 데 없이 좋았다. 그러나 선장의 지시는 고주망태가 되어 조종간조차 제어 하지 못하는 B 급 대원에게는 역시나 무리였다. 아래위로 비틀거리는 부유선. 왠지 주인을 닮아 연료 일부가 휘발성의 무엇인지 알 것도 같았다. 동체는 아예 뒤집혀 모래언덕의 비탈로 접어들더니 샌드보드를 타듯 미끄러진다.

"으아아아아!!!!"

쏴아아아아아!!!!.... 부유선은 600m 가량 연기와 함께 애를 쓰더니 이내, 배면이 하늘을 향한 채로 숙명을 달리했다.

처음에 무슨 일이 벌어졌는지도 이해하지 못했다. 단순한 환기감에 큰 쾌감을 얻었다. 이대로 차오르는 모래에 묻혀버리는 것도 나쁘지 않겠다 생각했다. 퍼억. 퍼억. 누가 삽질을 하나…? 소리는 점점 커지고 내게 다가와 눈이 부셨다.

"이런, 내가 잠든 동안 이렇게 갑자기 사라지면 곤란하다구. 친구들과 여행은 재미있었어?"

"...."

나는 대답하지 않았다. "말을 안 하니까 답답하긴 하네. 그렇다고 풀어줄 수도 없는 노릇이고… 아!"

람은 거꾸로 된 부유선 안을 구석구석 뒤지기 시작했다. 좌석 밑 양쪽으로 난 함실에서 콘냐 찌꺼기들을 발견해낸 게 고작인 모양이지만, 팔을 아래로 축 늘어진 B 급 대원의 목에서 길다랗게 반원을 그리며 걸려있는 플라스틱 장치를 발견했다. 주파 공명 장치였다.

"역시 없을 리가 없지!"

그것은 이제 내 목에 걸렸다. 그리고 흔해 빠진 구식 아날로그 라디오처럼 조절 레버를 돌려 주파수를 그의 터번 쪽으로 맞췄다. 흐흐흐.

"이제 말없이 사라질 리는 없겠지? 그.리.고. 너는 일단 입을 막을 필요가 있어. 그런 어눌한 타말어로 이 사막을 헤쳐나가겠다고? 티폴인 주제에 타말어를 제대로 사용할 줄 모르는 '갱어'는 너뿐일 거야. 이참에 그걸로 대화하면서 좀 배우라고."

나는 늘 하던 것처럼 속으로 욕을 퍼부어 대다 람의 사악함이 미소처럼 번지자 그가 나에게 무슨 짓을 했는지 깨달아버렸다. 칫! 람은 내 생각을 엿듣고 있다. 기분 더러운 장치 같으니… 나는 정신을 가다듬고 그 속을 정연하게 배치했다.

-너는 대체 누구야?

"아니지 아니야. 이 게임은 그런 질문 자체를 내포해선 안 돼. 무시카. 크크크. 아직도 내가 누군지 모르겠단 말야?"

람은 벌써 게임의 승리를 예고하듯. 몸을 가볍게 떨었다. 그러면서도 부유선 아래 갑판. 즉, 뒤집혀 위로 솟은 갑판에서 모래썰매를 꺼낸다. 성인 2 명 정도는 거뜬히 누울 수 있는 넓이에 별다른 부속 없이 초라한 썰매 밧줄만 덩그러니 고정되어 있었는데, 바닥 판엔 마찰저항장치가 있어선지 모래와 썰매 사이의 뜬 공기가 미끄러워 제어하기 힘들 정도였다. 람은 능숙하게 손바닥에 침을 뱉었다…. 이내 갈 길을 정한 듯했다.
카악~ 퉷….

"걱정 마. 친구. 또다시 저런 어중이떠중이들이 접근하면, 오늘처럼 오래 두진 않을 테니…"

내가 알기론 '모래꾼에게 납치당하기 전'까지 들은 이야기엔 람은 없었다. 람. 나는 그를 모른다. 하지만 그는 나를 알고 있다.

그러니 결국은 내가 또 게임에서 진 건가? 나는 예견된 패배에 도취해 자존심에 스크레치를 입었다. 하하! 람은 시미타를, 나의 손엔 걸걸한 수갑이(이런데도 친구라고?), 그는 썰매를 끌며 말했다.

"우주엔 다양한 불변의 진리가 있지. 그건 지구에서나, 물리법칙에 지배되지 않는 티폴에서나 마찬가지야. 이를테면, '무'의 공간에 질량체의 출현만으로 시간이 발생하거나, 직장인들은 출근 알람보다 1, 2 분이나 일찍 눈을 뜨지만, 알람을 맞추지 않으면 일어나지 못하는 일 같은 것들 말야…. '윱지아 로저' 같은 천재 과학자들이 수식으로 많은 인과를 풀었지만, 나는 그들조차 모르는 하나를 알고 있지. 후후. 궁금하지 않아?"

진리고 나발이고. 나는 머릿속으로 몇 번이나. 어떻게 고속으로 이동하는 부유선을 격추했는지 궁금했다.

람은 다분히 의도적으로 주파수를 무시한 건지. 뭔지. 한동안 묵묵부답이다. 그가 가진 유별난 특징 중에 공격적이라 의심할만한 요소는 시미타. 역시 시미타뿐이다. 시미타로 그랬던 것일까? 검집에서 뽑지도 못하는… 애당초 뽑은들 날붙이가 제 역할을 할 리가 없었다. 어쨌든 나의 추리는 완벽하게 무시당했다.

썰매는 나름 누울만했다. 생각은 잡념. 나는 잡념을 떨치기 위해 별을 헤아렸다.

하나.. 둘.. 나는 정말 궁금하지도 않는데, 람은… 젠장.. 말이 많다.

"그건, 인간의 생. 평생 자신을 알아가지만 거울이 없으면 자기가 어떻게 생겨먹은 지조차 몰라. 내면은 더 심오하지. 오죽하면 비가시적 신앙을 찬동하는 마음이 전쟁을 일으켜 인류를 몇 번이나 멸망으로 인도했잖아…. 인간은 타인을 비추어 자신을 반성하고, 질투하고, 위로하며, 진화해…. 바슈테림으로서 장담컨대 헨마 님께서는 분명 인간을 두고 이렇게 말씀하실 거야. '이 얼마나 비효율적인 생명체란 말이냐?' 하하하하!"

-신자가 그런 소릴 해도 되는 거야?

"무시카, 인간은 결코 타인 없이 스스로 인격을 완성할 수 없어." 피식. 그는 이런 식으로 자주 웃었다. 재수 없긴.

"그런 의미에서 너도… 만들어진 셈이지."

-그러는 넌 아니냐?

"나는 리본인이거든~"

람은 혀를 빼꼼히 내밀었다. 만약 내 손이 건사하고 신께서 허락한다면 거기에다 모래를 퍼부어 다시는 빛을 보지 못하게 하리라..

"야. 다 들리거든?"

썰매에 의탁한 나는 그가 정말 밉다고 생각했다. 게다가 저 뙤약볕의 모래꾼들… 분명 신자였던 것 같은데…

"유오가 고용한 모래꾼이 그렇게 쉽게 죽는다고? 차라리 그랬으면 좋겠어."

진담인가? 가끔은 저 웃음이 노인의 것과 겹쳐 보일 때가 있다. "하하하!! 네 걱정이나 하셔! 그건 그렇고… 하던 이야기는 마저 해야겠지?"

-잠깐, 잠깐만. 이야기엔 명백히 네가 없었어.

"음…" 그는 잠시 했던 이야기를 되짚어보는 것처럼 보였다. 의도된 행동일까?

씨익.

"나를 떠보는구나." 하하하!

-아니, 진심이었어.

또 웃는다. 람은 장난스러웠다. 확실히 나는 그의 장난거리이자 적당한 간식거리였다.

"흐흐. 그래, 그렇겠지. 근데 무시카. 기억을 너무 믿는 거 아냐? 헨마께선 자비롭게도 인간에게 '의심'을 심어주셨지. 그러니 백분 발휘해보라고."

나는 적당히 받아칠만한 것을 생각하고 뱉었다. 그러나 '그'만큼 유쾌한 느낌은 들지 않은 것이 꽤 불만이다.

-....나더러 인간이 아니라면서?

"하하하! 그랬지! 어쨌든, 너는 계속 들어야 할 의무가 있어. 지금까지는 그저 모든 사건의 일부일 뿐이니까 말야." 람은 썰매끄는 속도를 높이기 시작했다. 목적지도 없으면서… 사막의 여름이 곧 불어온다면서…

#_ 람의 이야기 2 박사

시오가 있었다, 그밖에 또 하얗고 둥근 방. 아, 병실이군…
그가 건네는 물을 마시는 동안 낮에 작은 해프닝으로 인연을 맺은
간호사가 들어왔다. 어쩐지 심드렁한 얼굴로 응수하는 걸 보면
나만의 생각은 아니리라…

"음… 별다른 이상은 없고. 단순한 현기증이네요. 환자분도
깨어나셨고.. 귀가 조처하시면 돼요."

간호사는 더 할 말이 없다는 듯이 연신 재채기를 뱉었다.
꺼지라는 말인가? 그러지 않아도 나갈 참인데. 섭섭하게 굴긴.
시오는 아직 비틀대는 나를 부축하며 더 있기를 바랐지만, 나는
그래서 그런 건 아니고 단순히 간호사의 반응이 보고 싶었던
것뿐이었다. 나는 위문용 음료를 챙겨 병실을 나섰다. 병동 사람,
의사, 간호사의 시선, 화학약품과 중간중간 간 덜 된 잔반이
뒤섞인 냄새…. 으윽.. 구역질이 난다.

"선배 무슨 일 있슴까? 꼭 못 볼 꼴 본 것처럼… 파랗게
질려서는.. 게다가 화장실 거울은 왜 박살 내신 겁니까?"

"아무것도 아니야. 그보다 아까 그 연구동 사람이랑 무슨
얘길 한 거야?"

"연구동이요…?" 시오는 잠깐 고개를 갸웃거렸다. 내가
잘못짚었나?

"아, 그 여자 말입니까? 그게 말입니다. 정황 설명이랑
이것저것 얘기했는데, 실은 저는 그다지 기억나는 것도 없고 해서
선배를 기다리고 있었습니다. 아무래도 '미확인체'를 직접 쫓은

건 선배였으니까.." 음… 그래. 띠리리링. (전화) 어떻게 알고 마침 전화가 오네요 라고 말하고 시오는 앞으로 화면을 띄웠다.

공중으로 그녀의 실루엣. 아닌, 얼굴이 드러났다. 나는 일순간 실망했다. 아름답지 않아서가 아니라 내가 상상했던 그대로의 모습에 더는 진척이 없을 상상의 간질임이 벌써 그리워진 까닭이었다. 붉은 입술. 도톰한 입술, 고양이, 동양적 이목구비, 물방울 귀고리, 차가운 목소리. 그녀는 말했다.

"이상하네요. 무시카 소령님. 보고서엔 외상 흔적이 없다고 했는데… 혹시 미확인체와 접촉하셨어요?"

"아니요. 그렇진 않았습니다."

나는 벌써 가물가물한 일을 가져다가 하필 이 타이밍에 말해야 한다는 사실이 싫었다. 닿았었나? 잡목들이 내 몸을 스쳐 지나가긴 했다. 시커먼 금수의 잔재가 헐떡거리는 와중에 길을 열고, 나는 절벽으로 유도되면서 재차 스쳤을 가능성도 있다.

그러나 단지 가능성을 두고 이야기를 나누고 싶진 않다. 내게 몰아닥친 불행스러운 상황은 그렇게 여의치 않았으니까.

"괜찮으시다면.. 소령님은 다시 방문해 주시겠어요?"

"네? 아니요!" 얼떨결에 나는 대답했다.

시오는 조금 놀란 눈치다. 옷으로 스며드는 물줄기. 식은땀. 물어뜯은 손톱자국. 그녀와 대면한 일이 실제가 아닌 화면을 통했기에 다행이었다. 동시에 불안했다. 아찔한 사건의 중심과 경계 선상에 놓여있는 이 처지가 한탄스럽고 두려웠다. 미지의 존재와 마주해 꽁무니를 쫓으며 긴박한 와중에 돌부리와 사투를 벌여도. 이 정도까지는 아니다! 차라리 '그날' 있었던 하얀 콘크리트 바닥으로 둘러싸여 미지적 공간으로 수렴되는 과정을 조용히 음미하며 '사냥개'를 기다리는 게 낫지!

"그렇담.. 소령님의 더미 테스트 기록 열람을 해도 될까요?"

그 말을 듣고서 '알겠습니다.'라고 대답하는 군인은 없다. 자질을 의심했던 것이다. 그러므로 나는 기분이 나빠야만 했다. 하지만 어쩐지 묘한 아집 때문이었을까?

"그러시죠."

내심 봐주었으면 싶은 마음이 든다.. 대신, 거울. 내가 깨버린 거울에 관한 얘긴 없었다. 삑. 통신종료. 나는 옆에서 멀뚱멀뚱하게 이 대화를 모두 지켜본 시오에게 말했다.

"저 여자. 신상 좀 알아봐."

집에 오자마자 나는 자켓을 아무렇게나 던져버렸다. 하아.. 하아.. 젠장! 곧장 화장실로 뛰어들어가 또다시 거울 앞에 섰다. 나는 아주 천천히 상의를 벗었다…

거울은 '표면적'으론 아무런 문제가 없었다. 규소와 석영의 배합. 그것을 의심하려면 아무렇게나 찍어대는 공장의 더미, 생산 판단을 일괄적으로 일임한 인공지능체의 사정까지 고려해야 한다. 다만.. 만 하루 동안 두려움을 사로잡은 일은 거울에 비치지 않는 내 신체 일부였다. 어떻게 된 일이지? 도대체 무슨 일이 벌어진 거야!

뜬 눈으로 병동에서부터 나의 온 신경은 사실상 내 몸의 중심에 쏠려있었다. 아닌 척하느라 벌인 이상한 짓거리들 때문에 꽤 지친 상태였다. 거울 속 나완 반대로 내 복부는. 정확히는 점점 모래의 '무너짐'처럼 소실되는 뱃가죽은 이미 피부가 벗겨지고 근육 섬유조직이 붉은 핏기와 함께 드러났음에도 고통스럽지 않았다. 따끔거리거나 들짐승에게 살점이 뜯기는 섬뜩함마저도 없었으며, 그런 정보의 데이터까지 시각적 요소를 제외하곤 전무했다.

내가 놀란 것은 이런 신체 문제뿐만이 아니다. 밝혀지지 않은 우주 바이러스에 의한 것이라면 이해 못할 것도 없다. 눈과 입과 귀와 같은 신체의 모든 구멍에서 검붉은 피를 뿜다 마침내 행성 내 고유 중력과 마치 링크가 끊어진 듯이 우주로 날아가 버리는 바이러스도 있다. 최초로 발견한 과학자 이름을 따, '하마'역병이라 했던가? 아무튼! 내가 재차 놀랄 수밖에 없었던 건 여전히 고장 난 디지털 TV 처럼 '지지지지직' 전파장애를 일으키며, 상처를 정보화하지 않는 거울 때문이었다. 거울 속 나는 상처가 없다. 어떻게 된 거지? 죽을 때가 된 건가? 괴한에게 납치될 차례? 연구원의 음모 따위가 아니었다고….? 털썩. 나는 주저앉았다. 앞으로 어떻게 되는 걸까? 병동에 찾아가보는 건? 아냐.. 차라리 히나에게….

그것은 나름 괜찮은 해결책이었다. 히나는 윰지아에서 한 랩(Lab)의 책임을 질 만큼 유능한 연구원이었으니. (일에 관해선 서로 간섭하지 않고자 했기에, 어떤 분야인지는 말해주지 않았다. 그래도 바이러스 쪽으로도 도움을 받을만한 정통한 인맥이 있지 않을까 싶다) 다만, 나는 절대적으로 유용한 수단을 이용하지 못한다는 걸 자신도 너무나 잘 알고 있었다. 미래를 약속한 사람에게 누가 폐를 끼치고 싶을까!

이러지도 저러지도 못하는 벼랑에서 나는 마음을 다잡으려고 노력했다. 일상과 일탈, 벗어난 범주, 이상한 일련의 사건들. 나를 혼란케 하는 미지 요소들이 불과 며칠 새 난동을 부리고 있는 것이다.

잠깐, 시오는 괜찮은 건가? 벌어진 내 뱃가죽은 그렇다 치더라도 시오는…. 확인해봐야겠어. '그도 다쳤으니까, 뭔가 알지도 몰라.' 일단 서둘러 창고 어딘가 켜켜이 먼지를 일으키는 구급함에서 붕대를 꺼냈다. 하얀 실오라기 뱀처럼 얼룩지고 붉은 살결을 몇 바퀴 휘감았다. 그렇다 해서 소실되는 모래의 잔재를 막아내진 못했다. 공간의 틈. 붕대의 사계. 어쩌면 직물의 좁고 미세한 격자보다 더 작은 입자가 자가진동을 일으키며 붕대를 관통하는 걸지도 모른다. 그러나 역시 가능성의 연장… 아직도 지지직거리는 거울을. 나는 내버려 둘 수 없었다. 시끄러운 잡음이 나는 가전제품을 어떻게 켠 채로 방치한다는 말이야…. 쨍그랑! 유리조각이 여러 갈래로 피부를 스치고 욕실에 퍼져 나가는 순간. 섬섬이 붉어지는 타일의 규칙성에 나는 미약하게나마 해방감을 느꼈다. 하아… 하아..

"택시!"

창문 밖, 호버택시(Hover taxi)가 내 앞에 멈춰 기계음을 낸다.

"목적지를 말씀해 주십시오."

"E204523." 시오의 고유번호다.

"검색대상이 아닙니다. 목적지를 다시 말씀해 주십시오."

"망할 호버같으니라고.."

거친 말이 익숙한 듯 기계는 차라리 나에게 핸들을 내어준다. 지이잉. 나는 오랜만에 운전대를 잡았다. 그렇게 해서라도 돈을 쓸어 담을 생각인 모양이다. 똑똑한 녀석. 우우우웅! 쉬이잉! 네온의 붉음과 푸름을 지나치고 보라쯤, 번잡한 빌딩과 지하로 보이는 오물 사이를 내달리다가 옆 구역과 다를 바 없이 기울어지다 만 듯한 건물의 돌출부에 다다라 택시에서 내린다.

시오가 사는 집의 테라스 격 되는 구조체였다. 거기엔 꽤 넓은 공터와 산책로가 있었고. 바람 빠진 축구공, 모종삽, 담배꽁초, 드문드문 풀 비스름한 잡목들이 불규칙하게 심어져 있었다.

"시오." 스캐닝을 통해 방문 목적과 노상 검문을 통과하자 그가 마중을 나왔다.

"선배! 안 그래도 상의드릴게 있어서 찾아뵈려 했었는데.. 근데, 다음부턴 정문으로 좀 와 주십쇼."

"여기가 네 집이랑 훨씬 가깝지 않아?"

"그렇긴 한데, 저는 눈에 띄고 싶지 않단 말입니다. 특히나 저런 비싼 호버는.."

"그치만 우리 집 주변은 저런 것밖엔…."

"아 됐습니다. 근데 무슨 일로…."

"상처 좀 보자!"

다짜고짜 내 손은 그의 바지춤과 옆구리를 향했다. 맨살이 드러났다. 어라?

"너.. 상처는 어떻게 된 거야?" 그는 한발 물러서며, 주춤거리더니 바지춤을 정리했다.

"에이 난 또 뭐라고, 흉지면 보기 싫잖습니까. 저도 장가는 가야지요. 하하! 말이 나와서 말입니다만, 동생분은 언제 소개해주시는 겁니까?"

나는 그의 농담을 가볍게 지나치고 싶지 않았다. 그래, 그럴 수 있다. 하지만 그의 미세한 입꼬리는, 빨간 거짓은, 조소는, 우거진 메트로 빌딩 숲에서 어쩐지 유쾌하지 않았다.

"다음에."

또 뻔한 소릴 뇌까렸는데도, 시오는 지겹지도 않은 지. 척. 깍듯하게. 호버를 호출하고 떠나는 내게 경례했다. 아! 녀석이 무슨 할 말이 있다 했던 것 같은데… 뭐 중요한 얘기면 나중에 하겠지.

나는 언제든 수기로 적을 수 있도록, 들고 다니던 펜과 노트를 꺼냈다. 사각사각사각. 무엇이든지 써내려갔다. 미심쩍은 일들로 시작되어 마침표가 찍히지 않은 따옴표의 연속성.

[시오의 고유번호, 할 말, 사라진 사람들, 점심, 내 상처, 시오의 멀쩡한 상처, CC-009 구역의 짐승, 빨간 거짓, 그리고 입술]

종이와 펜의 기나긴 타협으로 내 생각은 곧 한 점으로 다다랐다. 급한 상황을 꺼뜨리기 위해서는 일단 여자를 만나야 한다. 적어도 그녀는 우리에게 대체로 호의적인 것에 확신은 있었다. 내가 "아니요!"라고 외쳤을 때, 뜻밖에 얼어붙을 것만 같았던 그녀와 나 사이의 공기는 나름 작위적인 의미나 온도는 있었지만 선전했던 것이다. 어쩌면, 정말 어쩌면 내 상처에 대한 실마리를 해결해 줄 수도 있는 노릇이다. 적어도 연구동 사람이라서 그 특이한 인격체들의 기질. 집요함. 특징적인 호기심과 탐구욕의 끄트머리라도 자극할 수 있다면, 거슬리는 두통만큼이라도 어떻게든 되지 않을까 하는 기대감이 들었다… 히나의 걱정을 사지 않도록 조심스럽게… '좋아!' 인공 광원이 닿지 않는 빌딩의 한참 아래. 오로지 은밀하고 침잠한 네온 아래. 매일 같이 콘크리트 바닥을 밟으며 걸어 다니는 사람들. 그 사이에 섞여 걸음을 전전하던 중. 어깨가 툭 하며 펜이 손에서 미끄러져 바닥에 떨어졌다.

다행히 쿠션 역할을 해주는 신발의 부지런함 덕분에 아찔한 불상사를 면했다. 나는 어깨를 다시 의식하고 지나친 대상을 돌아봤다. 뭐지? 혹시 몰라 몸에 달린 주머니를 재빨리 양손으로 훑어본바, 저 단발 여자의 표정은 더더욱 이해가 가질 않았다.

이 상황이 꽤 낭만적이었던가? 입 모양을 빠끔 거리며(전혀 알아듣지 못했지만) 곧바로 인파에 뛰어든 여자는 나를 단순히 이곳에 지내는 사람으로 얕잡아보거나, 옅은 '땅 냄새'를 풍기는 이곳 주민 취급은 하지 않았다. 금방이라도 메마른 이 땅에 짠물을 뿌려댈 것 같았던 구름 속 이슬의 차련함. 도움을 청하려고 했던 건가? 덧붙이기 모호하지만, 향수. 그런 종류의..

'……'

누가 누굴… 내 일이나 신경 쓰자.

오후 9 시 17 분.

호버 택시에서 내렸다. 간만에 어스름한 옷장 후미를 장식하던 정장 하나 빼입어 호텔을 찾았다. 약속 시각은 9 시 50 분… 어떤 의미가 있는 시간인가? 정각 10 분 전이라는 점은 어쩌면 분침이 이동할 여지를 준다는 뜻일지도 모른다. 그래서 내가 이곳에 들어서는 시간이 상대로 하여금, 트집이나 빌미를 마련해준다면 그 자체로 불리한 입장이 된다. 사자 우리에 잘못 들어온 양 한 마리 신세일 것이다. 어쩌면 이 호텔의 이름이 정해진 순간부터 시작된 딜레마가 아니었을까 싶으면서 로비의 의자에 기대어 다리를 떨었다. 구두 바닥의 짝짝거림. 시간의 먹잇감. 딱딱딱딱딱딱딱딱…

나는 혹시 몰라 붕대 안으로 손을 쑥 집어넣었다. 손은 더듬거리다 배에 닿았다. 칫. 이 초조함의 필요성을 다시 느끼고 지루할 차에 한가한 벨보이에게 말을 걸어 무료함을 달래고자 했다. 노랑으로 물들인 머리 탓인지 약간은 날티가 나 보였고, 나비 귀고리, 그리고 보타이, 시간이 맞지도 않는 손목시계, 그만큼 젊고 어려 보였다. 베티의 (유니폼에 달린 명찰을 보아, 가명이 아니라면) 관심을 뺏으려 적절한 단어를 떠올렸으나 또래에 어울릴만한 말을 찾지 못했다. 마침 로비로 전화가 왔기에 그냥 관찰하는 것도 괜찮겠거니 싶었다.

"네~ 비스트 호텔입니다."

손톱을 딱딱거리는 반복 소리…. 상대가 제법 말이 많은 모양이다. 지루해지려던 차에 벨보이가 입을 열었다.

"....... !@#$$@"

뭐지? 나는 그가 입으로 슬며시 뱉어내는 단어들과 언어의 조합이 문득 기존 규칙의 틀과 개연성을 벗어난 함축적인 의미를 내포함과 문법적인 영역 외의 규명할 수 없는 악센트가 존재했고, 결정적으로 포괄적인 뉘앙스를 풍기고 있다는 걸 뒤늦게 깨달았다. 타말어. 티뫁인들이 쓰는 언어였다. 그에게 약간의 경외감이 들었다, 물론 전화 너머의 상대가 티뫁인일리는 없다. 아마 게이트를 통해 유오를 들락거리는 소수 과학자가 임무를 마치고 여태 남은 여독을 빼기 위해 들르는 모양이다….

어라? 문득 내가 미지의 언어를 알아챈 것에 최근 기분을 잡친 어둑어둑한 사건들을 밀어내고 뿌듯함이 들어섰다. ~~후후후~~.

전화를 끊은 뒤 벨보이는 딱히 분주한 것 같지도 않았고 빈둥거리는 모습도 영특해보였다.

로비 한 켠에 비치된 바(bar) 역시 그가 이런저런 뒹굶을 동시에 행해도 고객들의 눈을 애달프게 하는 일은 없었다. (적어도 내가 있는 동안은) 벨보이 치곤…. 제법.. 베티는 언제나 손님을 상대함에 있어서 시선을 아래로 두었다. 기껏해야 인중과 입술. 그 사이. 턱과 입술. 그 사이. 미묘한 공간 속 선을 간질이며 넘지 않는다… 그렇다고 해서 과한 저자세와 처세술이 몸에 배지 않아, 태에서 드러나는 특유의 당당함을 곧게 유지하였고 보통사람 같으면, 억지스러움에 눈살을 찌푸리는 경우에도 이 묘한 공간에 한해서 귀엽게만 느껴졌다. 나는 조금 더 완성된 조화를 보고자 엉덩이를 약간 옆으로 옮겼다.

비스트 호텔. 조촐한 회전문을 지나 소녀의 첫 입술을 연상케 하는 붉은빛의 귀하디귀한 카디믈랑제 직물 카펫과 그것과 세트

격 커튼. 로크나 양식의 인테리어 구조가 적절하게 어우러져 특히나 포근한 안갯속 이슬비를 내리 맞는 듯한 재즈(jazz)가 인상 깊었다. 간간이 나는 오크 향, 넘실대는 포도주, 연출을 맡는 담배 연기, 고즈넉한 샹들리에가 첫 층고의 전반적 고풍을 지휘했으니… 10분만 더 이대로 있었으면, 저 몽마가 주는 황홀함에 깔린 엉덩이가 의자에 치근덕거렸을지도 몰랐다. 후우우우우….. 미친 병동(하얀 방)과 비할 바가 안 되었다.

정신병자를 없는 병도 생길 것 같은 하얀 방에 가둬놓고 환자에게 진정을 요하는 이상한 의사들이란… 나의 눈은 더 가늘어졌고 깊어졌다. 벨보이가 다가온다.

"손님. 이쪽으로 안내해 드리겠습니다."

눈치가 정말 빠르군! 하마터면 베티의 안내에 탄복한 나머지, 팁 대신 담배를 권할 뻔했다. 얄팍한 주머니에 보탬이 되고자 했던 돈은 사실 유복한 베티에겐 아무래도 필요 없겠지만… 나는 일단 담배를 끈 다음 자리를 옮겼다…. 뚜벅뚜벅뚜벅

"즐거운 시간 되십시오."

그곳에는 내가 기대했던 변기가 아니라 비밀스러운 또 다른 바(bar). 그리고 여인이 있었다.

"나를 보자고 한 이유가 뭐죠?"

빗장뼈 근처까지 떨어지는 귀걸이와 함께 중앙으로 시선이 쏠린다.

"저… 일단 통성명부터 하는 게 어떻습니까?" 나는 자리에 앉았다.

".....? 무시카 소령님 아닌가요?"

"물론 그렇습니다만, 제가 뭐라 불러야 할지…"

"아. 그렇군요. 무심했네요."

"이곳 연구원들이 다 그렇죠 뭐."

그렇게 말하고선 슬쩍 눈치를 살폈다. 관계의 미묘함. 이 부분에 대해서 나는 명확한 것이 좋았다. 상하면, 상. 하. 혹은 수평. 신분까지. 그녀의 방에서 나는 서 있었고 그녀는 앉아 있었다. 시오도 서 있었고 그녀는 앉아 있었다. 그러나 저 어중간한 존대. 군인으로서가 아니라 아주 거슬렸다.

"그냥.. '베티'라고 부르세요."

벨보이와 같은 이름. 우연인가? 어쩌면 둘러댄 걸지도.

"그러지요."

나는 선을 그었다.

"그나저나 더미 테스트는.. 볼만했어요. 혼자 보기 아깝더라고요." … 그녀는 더 말을 붙이지 않았지만, 확신하건대 최근 본 대원의 테스트 중 으뜸이리라. 나는 그런 자부심이 있었다.

"더미 테스트는 왜…?"

"관심이 있었어요."

지금은 없다는 말인가? 그녀는 술 한 모금 홀짝거렸다. 잔에서 입술이 떨어지고, 유체가 넘실대자 정갈히 정돈된 그 사잇길로 잡음이 가셨다.

"우리가 할 말이 남았던가요?"

…. 뭐야 저 태도는. 나는 얼음 잔을 들이켰다. 쓰다. 하다못해 '깨뜨린 거울'이라는 주제가 있지 않은가? 의뭉스러운 입술, 그녀의 말. 나는 조심스럽게 입을 뗐다.

"사실.. CC-009 구역에서 생명체와 조우 후에… 제 몸에 이상이 생겼습니다. 마땅히 도움을 청할 곳이 없어서…" 거짓말. 나는 일부러 말끝을 흐렸다. 그녀에 대한 불신. 그리고 형언할 수 없는 우리의 유대. 신뢰라는 것이 실체화하여 주변에 있다면 분명 저 둘 사이에 끼어있다고 나는 생각했다.

"한가지 짚고 넘어가자면, 당신이 접촉한 그건 '생명체'가 아니에요. 프로토타입. 그러니까 어떤… 사념에 가까운 거죠."

"네? 무슨 말씀이신지 잘.."

사념이란 단어가 익숙하지 않았다. 정확하게는 과학자의 입에서 나올법한 그런 말들은 정해져 있다. 물리, 천체, 역학, 등등. 구성하고 신랄하게 표현할 수 있는 인류의 지식.

"소령님이 걸린 바이러스는 쉽게 나을 수 있는 게 아니거든요."

나의 눈은 유리잔 속 얼음만큼 휘둥그레졌다. 빨간 웃음이 다시 한번 나를 덮쳤다.

"어떻게…"

"그렇게 거울을 깨부수고 모를 줄 알았어요?"

"그럼.. 시오는 왜 멀쩡한 겁니까? 왜 진즉 말씀해주시지 않으셨죠?"

그녀는 재미있다는 듯이 잔을 바라본다.

"… 글쎄요.. 일단, 보는 눈이 많으니까요."

시오의 경우는 예외로 보는 모양이었다. 그녀는 계속해서 말했다.

"로크나 식 실내장식도 마음에 들지만 이곳은 특히, 보안이 훌륭하죠."

비스트 호텔은 연구원 지인이 운영하는 곳이라 보안프로그램을 직접 깔았으며. 허울뿐인 정치나 연예계의 추문의 도피처로 종종 쓰인다고도 설명했다. 최근 보안이 반란군에 한번 털린 뒤로 사람들 발길이 뚝 끊겼다고 한다. 하지만 번개는 내리친 곳에 연달아 두 번은 내려치지 않는다고….

"몸의 어느 부위죠? 손은 아닌 것 같고… 발? 그것도 아니면…."

스읔, 베티 박사의 시선은 나의 아랫도리를 향해 더는 내려가지 않고 그쳤다. 불그스름하게 변하는 내 얼굴이 볼만한 모양이다. 나는 차라리 화장실 쪽으로 몸을 돌렸다. 피식. 그런 상태에서.

"배에서… 지금은 내장까지 파고들었습니다."

그녀는 이 재앙의 근원이 신체 말단 부분에서부터가 아닌 것에 대해 약소하게나마 실망하는 것 같았다.

"보여줄래요?"

바지춤으로, 비좁은 살과 면직물의 사이로 나는 손을 집어넣었다. 스읔. 차가운 내 온기, 촉감, 박사의 시선. 나는 웃옷을 들추고 붕대를 약간 벌렸다. 베티 박사는 허리를 약간 숙여 머리카락을 흩트렸다. 어두운 음영이 가슴 밑으로 드리우면서 귀에 딸린 진주 장신구가 돋보였다. 음....

"그래서 고칠 수 있는 겁니까?"

생각보다 찬찬히 그녀는 충분한 시간을 가지고 진찰했다. 모래처럼 사라지고 있는 내 배를.

"증상이 더 심해질 거예요. 거울을 보면.. 충동이 일어날 거고요." 그러더니 돌연, 그녀는 가방에서 손바닥만한 크기의 종이곽을 꺼내 손가락을 틱 하고 퉁기며 무엇을 내민다. 그리고 라이터. '일단 모른척해야 하나?' 불행히도 나는 그것이 무엇인지 알고 있었다. 박사는 아직도 말이 없었고 특유의 손 모양으로 먼저 불을 붙였다. 틱. 틱. 스읍… 후우우우…

"태워 볼래요?"

그것은 본디, 적어도 내가 꺼려야 할 물건. 일찍이 시오가 섭섭할 것임을 감안하고 비스트 호텔의 보안등급에 기대어 슬쩍 눈을 감기로 했다. 여긴 비스트 호텔. 오늘 일어난 일은 이곳에서…. 그런 모든 것을 떠나서 본능에 몸을 맡겼다. 스읍 하아아….. 뭉게뭉게 피어오르는 연기…. 내 손은 입술과 그 너머의 객실 문을 잡아당겼고, '가로막음' 사이와 틈을 흐리멍덩하게 만들었다. 더듬거리는 손에 끌려 어딘가로 빨려 들어간다. 아무렇게나 벗은 신발과 옷가지. 뒷걸음질치는 망설임 따위에 우리는 아무렇지 않게 미끄러진다. 손과 손의 겹침. 그녀의 허리가 솟음치다가 침몰한 배처럼 가라앉다가. 문득 돌아본 암초에 나의 이성은 여지없이 난파된다. 짧은 키스. 성난 파도의 해우가 끝난 뒤, 한 가닥씩 늘어뜨린 검은 물결은 참으로 고왔다. 그녀는 중간중간에 내 이름을 불렀다. '무시카...'라며. 미묘한 신음에 귀가 간지러웠다. 모든 일이 잔열로 남았을 때,

비로소 몰래 귀를 긁었다. 탄생의 반란, 광휘의 기쁨, 파괴와 선동적인 힘이 오가는 에로스에서… 푸근한 둥지의 요람까지… 나는 그날 꿈을 꾸었다. 분명 꿈을..

빽빽빽. 10 시 22 분.

으으… 나는 거의 만성적으로 진행된 두통에 반응하여 눈을 떴다. 제일 먼저 히나를 향한 죄책감이 곧은 깃발처럼 고개를 들었는데, 그런 마음과는 반대로 흰 시트는 덩그러니 주인을 기다리며 나를 깨웠다.

협탁 위, [몸조심해요] 라는 쪽지를 남겨둔 채.

'그래서 고칠 수 있다는 뜻인가?' 젠장.. 비즈니스 때문이었다고.. 히나.. 하루 새 뱃가죽은 조금 더 닳은 모양이다. 붉은 색감이 더 선명해져, 어제 마신 테킬라가 격정으로 치달았던 몸부림에 위장 속에서 부대껴 보였다. 아그작. 으… 쓰다. 콘냐를 입에 대고 난 뒤부터의 대화는 기억나지 않았다. 사실 박사와 서로의 입술을 견제하느라 바빴다고 하는 게 맞겠지만 대체로 콘냐에 취해있기로 나의 시각과 후각, 미각 세포들은 극상을 맛봤고 지금은 반동 때문인지 손가락조차 까딱하기 버거운 상태였다. 화장실에 들르고 싶어도 그럴 수 없었다. 정말… 지랄맞은 이유 때문에.

삐빅. 시오의 긴급호출이다.

'아침 댓바람부터….'

나는 주섬주섬 뒷걸음치듯 옷을 주워입고 호텔을 빠져나왔다. 호텔 비스트. 베티라는 벨보이. 같은 이름의 연구원과 하룻밤. 사소하지 않은 사건들. 연관성. 나는 수첩에 받아적었다.

삐빅. 삐빅. 삐빅.

"무슨 일이야. 시오."

"선배! 대체 왜 연락이 안 된 겁니까? 큰일 났습니다!"

다급한 목소리다. 마치 옆구리 터진 톱니의 스프링 부품처럼 어떤 불안함이 물레에서 벗어나려고 한다…

"어제 만난 여자 있잖습니까?"

"아, 어.." 괜히 내 마음이 따끔거린다.

"뭐 알아낸 거라도 있어?"

"그게 말이죠… 오늘 아침 사무실에서 변사체로 발견됐답니다." 뭐…? 나는 머리가 핑 돌았다. 똑같은 대기상태. 귀가 먹먹해진다. 윱지아의 창공이 본 적 없던 괴이한 노랑으로 점차 물들어간다.

#_ C

창백한 달과 푸른 지구. 가끔 저 동그란 미지의 구체를 동시에 볼 때면 불과 몇 세기 전, 기술적 진보에 팽개쳐진 우주정거장에 덩그러니 혼자있는 듯 한 기분이 든다. 티폴은, 엄밀히 말해서 달과 같은 지구의 위성이다. 위대한 과학자의 행성 복사 기술. 성간 거울[4]이 발명되었지만, 그런데도 아직 사람들은 달의 뒷면에 품은 낭만에서 벗어나지 못했다. 가속하는 인류의 진보가 유전적 진화로 직결되지는 않았다. DNA 의 열등적 기질이 똑같은 실수를 되풀이하게끔 진리의 앞에서 늘 퇴보시켰다. 오만함의 테두리에 갇혀 세속적 영역을 단순히 1 에서 2 로 넓힌 것뿐이다. 여전히 오답은 정리하지 않은 채. 다음 차원의 질문으로 계속해서 도달한다. 선과 선의 당김. 면과 면의 밀어냄. 인연의 꼬임. 애석하다. 정해지지 않은 삶이라 하지만 정해져 있고… 직선으로 뻗은 의식은 사실 인간의 착각이며 구불구불하고 질척거림의 연장이다. 지금의 티폴은 딱, 그런 행성이다.

사막이 저물어가고 후덥지근한 더위가 한숨 가셨다. 거울. 람은 거울을 보고 있다. 나에겐 아무것도 비치지 않는. 사실 거울은 존재가 존재를 볼 수 있는, 판단하는, 유일무이한 창구. 자아의 조합이다. 지난밤 람은 특별할 곳이 없는 이곳에 썰매를 끌다 멈추고 아예 자리를 튼 모양인지 짐을 풀었다. 평평한 모래 위 고급 러그를 깔고 람은 기도했었다. 지금, 저 거울을 보는

---

[4] 성간 양입자 치환기

행위는 그에게 어떤 의미가 있는 일일까? 바슈테림만의 특별한 의식? 나는 알지 못한다.

람이 말했다. "그거 알아? 무시카. 빛은 투과되거나, 차단되거나, 반사된대.. 근데 거울은 반사율이 90%가 채 되지 않는데다 10%의 자연 손실이 발생하고 자각 괴리의 과정에서 정보의 20% 손실이 추가로 발생하거든. 게다가 티폴-지구를 잇는 거대한 펄스 로드. 그 상상도 못할 막대한 정보 에너지의 파장이 괴짜 과학자가 잘못 고안해낸 '거울 방정식' 때문에 온전히 전달되지 않고 세로축으로 X 선 데이터를 방사하잖아?"

람은 잘난 듯이 어디서 주워들은 지식을 계속 늘어놓았다.

"무시카는.. 거울을 믿어?"

그게 무슨 말이지? 글쎄.. 아무래도 이제는 상관없지 않을까.. 무엇보다 질의 자체는 내 대답이 필요 없어 보였다.

"이제부터라도 좀 불신해보도록 해. 의심하고.. 타협하지 않고.."

-대체 그게 무슨 말이야?

"거울에 비친 모습이 본판보다 30%가량 매력이 떨어진다고!"

그걸 뭐 그렇게 어렵게 설명하는지 원. 내 표정은 아무래도 퉁명스러웠다. 람은 내 외모를 칭찬한 것인지 지식을 늘어놓아 나를 눌러버리려던 속셈인지. 어느 쪽이든 뜻대로 되지 않았을 터다.

"어라. 기쁘지 않은 거야?"

그때까지만 해도 평이하게 듣고 있던 람의 말은 돌연 뾰족한 오아시스의 끝 맛이 되어, 여름의 태양이 되어, 내 가슴을 짓눌렀다. 곧 섬뜩함이 등골을 비껴…. 조금 더 위쪽… 얼굴... 내 얼굴이 기억나지 않는다. 흩어진 기억 퍼즐을 재배열하기 위해 코를 문지르고, 눈을 비비고, 볼을 꼬집어도. 애당초 없었던 일처럼 홀연히 사라졌다.

"생각이 많아 보이네."

-.....

"푸흐흐흐흐. 뭐, 기억나지 않는 걸 억지로 끄집어낼 필요는 없잖아? 아니면 네 기억이 잘못된 거겠지. 이를테면 네 뇌의 기억 중추를 담당하는 기관이 망가졌다던가……"

나는 대꾸하기가 싫어졌다.

-내게 뭘 원하는지 모르겠지만 확실한 건. 지겨움 밖에 줄 게 없단 거야.

아직도 손가락 하나를 까딱할 수 없던 나는 눈만 뜬 식물인간처럼 온 신경이 한 곳으로 집중되어 눈꺼풀을 열심히 끔뻑끔뻑거렸다. 사막에서 좀체 볼 수 없는 특이한 생명체가 되서는 사생활이라곤 없는 야생에 노출되었다.

"하하하! 확실히 그렇긴 해! 하지만 내 이야기를 끝까지 들어보면…." 하!

-말귀를 못 알아 먹는군! 나는 적어도 내가 기억하기로 너 같은 바슈테림을 만나 친분을 쌓았던 적은 없어! 네가 무슨 이야기를 지어내도 너를 기억할 일은 일어나지 않는다고!

나는 답답함을 넘어서 머리끝까지 화가 치밀어 올랐다. 이 불만의 토로가 육성으로 나왔다면 7 할은 거의 타말어로 된

비속어였을 거라고 장담했다. 그러나 야속하게 람의 조소를 재차 받아낼 뿐이다.

"그래서 내가 말하잖아. 네 기억에 이상이 생긴 거라고. 흐흐흐."

내 말을 전혀 안 듣고 있잖아? 이 사막의 탕아는 오로지 자신의 하얀 터번이나, 신, 식량으로 쓸 전갈 정도가 중요한 게 틀림없다. 아니, 그러면 나는 어찌 되도 상관없는 것 아닌가?

확실히 나를 흔한 모래 한 줌 정도도 미치지 않는 취급을 했다. 람은 잊을만하면 빈번하게(기도를 핑계로)광활한 사막에 러그를 덮었다. 람은 나를 꽁꽁 묶었다. 이런 짧은 대목만 보아도 나는 온전하지 않은 처우를 받고 있음이 틀림없었다. 나는 항의한다.

-이 미친 개 같은 짓거리를 그만두고 어서 나를 놔줘!

라고… 그러나 어림 반푼어치도 없었다.

"움직이려고 애쓰지 마. 네 뒷목에 심은 중력 코어는 임시방편일 뿐이야. 몸이 전부 모래로 사라지고 싶지 않으면 얌전히 있으라구."

다시 한번 말하지만 람은 내 목숨에 관심 없다. 오히려 언제든 버릴 준비가 됐으면 됐지. 내게 접근하는 은밀한 전갈 꼬리만 해도 벌써 두자릿수가 넘어간다. 이제는 그도 은근히 나를 미끼로 삼아 절지동물의 비릿한 꼬리를 입으로 즐기는 중이었다.

그건 그렇고 이 녀석은 타르프도 아닌 주제에 어떻게 내 일을 자세히 알고 있는 걸까? 나도 안다. 이런 생각은 어차피 공명 장치를(우스꽝스러운 검은 헤드셋 띠) 통해 그에게 닿는다. 하지만

기억은? 심지어 내가 알던 것보다 정교한 말솜씨와 회상에 나와
사막을 부지런히 공략했다. 그 점이 기분 나빴다. 꼬마
주제에…… 감히 무슨 생각을 하는 건지 알 수가 없다.

얼핏 보면 람은 이야기꾼을 자처하는 중이었고 나는 마지막
잎사귀를 기다리는 산송장. 혹은, 뻔한 결말을 모른 체 해야 하는
영화시사회 중간 열쯤의 평론가였다.

관객 수가 한없이 모자라도 람은 개의치 않았다. 밤, 별들,
모래언덕과 썰매, 람, 나, 정도로 충분한지 언제나 흡족한
얼굴이었다.

나는 문득 이 납치극의 목적이 알고 싶었다. 오늘 하루 동안
모래썰매 머리는 동쪽과 남쪽으로 미끄러졌으며, 뜬금없이
서쪽을 향하기도 했다. 이딴 항해법이 다 있단 말인가? 후퇴와
전진. 위에서 아래로 뜨는 바느질. 한마디로 그냥. 람에겐 뚜렷한
목적지가 없다는 뜻. 목줄 찬 가축처럼 이리저리 끌려다니긴
싫었다. 말 그대로 '개'같은 일이다.

다신 모래에 파묻혀 잠을 청하지 않으리…… 답해주지 않을
걸 알면서 혹시나 싶어 납치범의 자비에 기대본다. '나'는 그가
들려주는 이야기의 끄트머리이자 일부였으니까.

-....이런 시시한 게임을 하려고 날 납치한 건 아닐 테고. 람,
대체 네 진짜 목적이 뭐야?

"하하하! 네 머릿속이 다 어지러워질 정도로 그게 그렇게
궁금했어? 음… 좋아! 우리의 우호 관계를 위해 특별히
말해주지!"

곧바로 대답이 들려온다. 유독 바람이 강하게 불어서가 아니라 이상하게 순간. 타말어를 절반가량 알아듣지 못했다. 다만, 한가지는 분명히 또박또박 알아들었다.

"... 이 행성을 훔치는 거."

#_ 람의 이야기 3 마도카

웅성웅성. 윱지아 본부 내, 높은 층. 대낮부터 문전성시를 이루었다. 감찰국 사람들, 사람의 홀로그램과 역시 실루엣만 비치는 이상한 홀로그램(신분을 숨긴 고위급 인사) 둘, 그 밖의 사람들 그리고 시오, 등 각자의 이유로 박사의 집무실에 모였다.

소파 위 나신으로 뉘인 차가운 시신. 허락되지 않는 자에 한해서 중입자 블로킹 기술로 나와 시오 역시 모자이크 유리 조각처럼 보일 뿐이었다.

"자자, 다들… 오신 것 같으니 진행하죠. 다들 바쁘신 분들 아닙니까?"

나는 감찰국 사람들이 마련해놓은 짤막한 의자 중, 가장 구석진 곳에 앉았다. 관찰하기 좋은 곳이다. 시야에 사각을 없애고자 더 벽 쪽으로 붙었다. 입회인이면서도 용의자인 내게 사람들은 묘한 시선을 한 번씩 건네는 듯했다. 개중엔 막연한 두려움을 내 쪽으로 던져 털어버리려는 사람도 있었다.

"아! 선배, 말씀드릴 게 있는데… 일단 이것 좀.." 시오는 암호화된 파일을 건넸다. 나는 그걸 바지 주머니에 넣었다.

"이따 얘기하자."

큰 키에 검정 구두. 거의 정석으로 트렌치코트를 둘러 앞도 잠그지 않은 저 사나운 신사. 클라크라는 이름의 남자가 현장 지휘를 맡은 감찰국 사람으로 실내 기억장치에 손을 대 이리저리 만졌다. 병적으로 '검정'을 선호하는지 저 시커먼 옷이 코트란 것을 알게 되었을 때, 누구든 왠지 '뭐하자는 거지?'라는 반응이 입 밖으로 튀어나올 뻔했다.

"실내 메모리 가동." 감찰국 사람이 운을 뗐다. 공중으로 화면이 나타났다. 어제의 일이 투영된다. 이 공간은 하나의 생명이 되었고, 우리는 사건의 중심으로 우뚝 서서. 이 방이 내뱉는 기억을 하나씩 따져가며 충격적인 박사의 죽음과 검은 트렌치코트의 연계점을 찾으려 애썼다. 〈화면〉

1. 무시카 소령과 시오 중위는 방으로 들어왔다 2. 여인과 만남 3. 들리지 않는 대화. 테잎 속 잡음과 기술적 스크레치 4. 멋쩍음과 불편함을 느낀 소령은 화장실로 간다

뚝. 방의 기억은 거기까지였다.

"... 맙소사. 어떻게……"

"왜요? 뭐가 문젭니까?"

홀로그램으로 입회한 남자가 운을 떼자 모두의 관심이 쏠렸다. 그는 과학자인 것 같았고, 때문에 온 기대를 한몸에 받았다. 베티의 지인이라기엔.. 사건 자체엔 관심이 없어 보였다.

"공간 기억 장치는…… 단순한 기계가 아니오. 말 그대로 기억입니다. 공간의 원자가 획득한 양전하 정보와 반발력으로 누락된 부분을 기계장치로 미세하게 마찰시켜 상위차원으로 랜딩, 시각화한 거라.. 해킹이 불가능합니다. 굳이 계산하자면…… 22.4L 당 기체 원자 $6.02x10^{23}$개. 그러니까…… $1m^3$ 공간만 해도 $2.687x10^{25}$개나 되는 원자를 모두 속여야 하는데…… 여긴.. 무려 '넓은' 집무실이잖습니까?"

"당신의 말대로라면, 정말 어려운 일이겠군요."

감찰국 사람이 말했다.

"아니, 불가능한 일이라니까요! 그것보다 문제는 말입니다…."

사람들은 과학자가 하려는 말을 이해하려고 애썼다. 특히 클라크 경장은 코트에서 수기 노트를 꺼냈다. 혹시 낙서를 쓰는지. 후에 공간 기억 장치를 통해 염탐해야겠다는 생각이 들었다. 도무지 신뢰가 가질 않는다..

"정말 만약, 해킹에 성공했다 쳐도. 기억이기에 흐릴 순 있습니다. 그러나 저렇게 특정 시점을 기준으로 말끔히 잘리진 않는단 말입니다. 그건 디지털 캠코더 같은 구시대적 기술에서나 사용되는 방법이니까요."

기억 영상은 내가 화장실을 간 뒤부터…… 현기증으로 쓰러져 시오에게 업혀간 구간까지. 메모리가 말끔하게 잘려있었다. 나는 박사의 죽음에 대해 결백했다. 소실된 정보 따위로 감찰국이 나를 엮을 수는 없을 것이다.

영상을 보자마자 나는 알 수 있었다. 베티 박사가 나를 위해서 기억을 지워줬다는 걸. 박사와 나 사이의 비밀, 배의 자국, 지긋지긋한 거울. 깨진 거울, 붉은 입술…. 전문가도 해킹 방법은 모르기에 그러지 않아도 없는 골머리를 앓는 모양이지만. 무엇보다 내가 신경 쓰였던 건 이런 날이 올 줄 알고 박사는 어떻게? 예고 살해? 죽음을 견지했었다? 그녀가 그 어렵다는 기억까지 조작한 걸 보면 적어도 자기 죽음을 짐작하고 있었다. 이 장소! 소파 위에서! 여기까지 생각이 미치자 '시간'이란 좌표와 '나체'라는 점은 적절하게 맞아떨어져(아침의 살인, 발가벗음), 지난밤 비스트 호텔, 배꼽을 맞춘 사건과 연관이 있을까? 라는 문제에 직면했다. 죄책감…… 아니, 일어날 일이 일어난 것뿐이다.

"흐음…… 이 부분은 아무래도 감식이 필요할 것 같은데……"

이에 홀로그램 연구원이 대꾸했다. "잠시만. 사망시각은 오늘 아침인데, 어째서 전날 기억을 훔쳐보는 거요? 아침으로 돌려보죠."

감찰국 사람은 그가 원하는 대로 장치를 조작했고, 결국, 어째서 처음부터 나와 시오가 나온 장면을 틀었는지 이해할 수 있었다. 다시 기록에 따르면, 베티 박사는 집무실에 출근했고 외투를 벗어 소파 위에 걸쳐두었다. 그리고 화면은 커피와 입술. 그 사이를 담아냈고….

하지만 결국 야릇함 과의 연계에서 나체로 이어지는 비극의 접점을 발견해낼 수 없었던 것이다. 0 에서 1 로. 그 구간은 아날로그적 성질을 띠지 않고 살해당했다.

"이 기억만으로.. 범인을 특정하긴 어렵습니다만 무시카 소령의 심문이 필요할 것 같긴 하군요."

"뭐요?! 지금 선배가 살인을 저질렀다는 겁니까?!" 시오가 발끈했다. 그리고 실랑이가 번지기 전에 내가 말했다.

"한 가지를 말하자면.. 최근에 '사라진 사람들'과 관련된 게 아닌가 싶습니다."

클라크 경장은 나와 처음으로 눈이 마주쳤다. 선명한 초록색 눈동자. 이내 미간을 찌푸렸고 볼펜을 딱딱거렸다.

"사라지다니.. 그런 일은.. 없습니다만? 괜한 혼선으로 사건을 흐리지 마시오. 소령." 휙. 내 눈은 시오를 쫓았다. 시오는 슬며시 내 시선을 피하더니 다른 이야기로 넘어가고자 했다. 아니, 잠깐. 왜지?

"이건 그냥 넘어갈 게 아니라고요!" 나는 흥분해서 소리쳤다.

이상한 시선들. 클라크의 초록빛 눈동자. 좁아지는 공간, 삐걱거리는 의자의 리듬에 맞춰 숨이 차오르기 시작했다. 하아.. 하아.. 답답했다. 이 인간들은 오로지 나체로 있는 여인의 일에만 매달려있는 건가? 이 현실을 뒤늦게라도 받아들이기 힘든 상태로 놓인 탓에 화장실로 뛰쳐 갔다. 도넛 모양 플라스틱에 머리를 밀어 넣었다. 우욱.. 우웨에에엑!!!..... 하아… 몇 합 정도 변기와의 씨름으로 얻어낸 것은 이제야 떠오른 현실이었다. 박사의 죽음으로 내 질병은 미궁으로 빠졌다… 젠장. 이제 어떡해야 하는 거지? 나는 화장실을 벗어나고 싶었지만 그럴 수 없었다. 밖에는 토악질보다 더 끔찍한 거울이 지친 나를 기다리며 공격적인 충동을 일으킬 게 뻔했다. 지극히 당연하고 연쇄적 반응에 사람들은 내 지위와 곧 깨질 유리를 어떻게든 엮을 것이다. 지나친 비약에 살인 사건까지…… 나도 모르는 연관점을 그들이 찾아낸다면…… 칫! 여기 오는 게 아니었어…… 그런데 문득. 바깥 잡음이 들리지 않는 걸 깨달았다.

귀를 쫑긋 세웠다. 어둠의 침묵. 슬금슬금. 이곳의 분위기는 순식간에 비위 약한 자들의 보금자리였다가 뒷골목 승냥이의 싸움터가 되어버렸다. 떨리는 본능. 살기. 내 목구멍이 타들어간다.

꿀꺽. 고동치는 심장박동을 진정시킨다. 머리가 차가워졌다. 나는 혹시 몰라 허벅다리에 결속시켜놓은 단검을 찾는다. 한 명? 바깥사람들은? 탐색자의 움직임을 놓치지 않으려 온 신경은 화장실 입구를 향했다. 아차 싶은 순간 게임은 끝난다… 긴 정적. 답답한 마음에 물줄기가 흘러내린다. 코끝을 간질일 때 나는 참지 못하고 머리를 들었다. 아!... 콰지직! 챙 챙! 괴한은! 변기의 고지를 점령한 상태였고 목을 스치는 서슬 퍼런 칼. 간발의 차로 칼날을 막았다. 쿠지지직! 데굴데굴.

임기응변에 능한 나는 곧바로 탈출했다. 그러나 구르는 과정에서 적에게 제압당했다. 제법 강한 손아귀 힘이 내 목을 짓눌렀다. 켁! 쉬익!!! 바람을 베어 괴한의 칼이 내 얼굴로 날아들었다.

아슬아슬하게 단검으로 충돌시켰다. 깡! 괴한 또한 내 칼을 쳐냈다. 쉬익! 그 뒤로 나는 몇 대 얼굴을 가격당했고 손등이 얼얼한 것을 느끼고서야 그동안 옆구리를 쳐냈던 일이 무용지물이란 것을 깨달았다.

빌어먹을 전투복! 퍼억퍼억퍼억… 아아… 정신이 아득히 멀어져간다. 으… 괴한은 복면을 벗는다.

"작전 종료다. 방 정리해." 지직. "알겠습니다." 여자 목소리?

…

하얀 방. 마치 CC 구역을 복구해 빼다 놓은 듯 한 일정한 간격, 패턴, 돌부리. 나는 그곳에 누워 있었다. 천천히 몸을 일으켜 보랏빛 하늘과 어울리지 않는 권적운 구름을 향해 시선을 던졌다. 데이터로 이루어진 세계. 나의 의식은 이곳에 갇혀버렸다.

시작과 끝. 끝과 릴레이. 무한히 재배열되는 데이터에서 나흘째, 나는 걷고 또 걸었다. 뚜렷한 목적 없는 걸음이 나흘째 이어졌다. 지침도 없고 목도 마르지 않았다. 은근한 허기짐에 견디지 못할 때는 몇 걸음을 떼고 스토리지의 출발선으로 다가서면 여지없이 1L 짜리 물병이 놓여있었다. 꿀꺽꿀꺽꿀꺽. 있지도 않은 갈증을 해소하고 대자로 누웠다. 푹신함과 단단함의 중간. 겹칠 수 없는 두 개념의 양립은 이제 익숙해질 때도 되었는데…. 인간은 늘 배고픔에 시달린다. 종족적 특성을 제외하고 비만이 있는 유일한 포유종이다. 필요 이상의 에너지를 과포화 상태로 흡수해왔다. 지식의 부재는 도리어 신의 영역을 건드렸다. 언제나 인간은… 너무 과하다. 제 갓 무게에 꺾이고

마는 버섯. 뜨거운 태양 아래 녹아내린 캐러멜과 뒤엉켜 죽은 개미떼. 그런 수준이 아니란 말이다… 그때! 위잉. 시각정보를 차단한 검은 형체가 나타났다. 나는 벌떡 일어나 소용없는 뒷걸음질쳤다.

"그렇게 경계할 필요는 없어. 굳이 말하자면…. 한 편이야." 그렇게 말을 걸어왔다.

"칼까지 겨누고 나흘 내내 감금한 녀석이 할 말은 아닌 것 같은데. 신뢰를 강조하고 싶으면 일단 그 흐릿한 모습부터 어떻게 하지 그래." 나는 대꾸했다.

"그건, 당신의 신체능력을 확인해야 했어. 기억과 신체가 몇 퍼센트 정도 구현이 된 건지… 대략 74%.. 어쨌든 좋아."

녀석은 알 수 없는 소리를 하며 나를 혼란케 만들었다. 혹시 지난번 더미 테스트를 말하는 건가? 하지만 박사 외에 열람권한을 준 적은 없을 텐데…

"네가 사람들을 납치했나? 베티 박사도…"

녀석은 나를 언제든지 죽일 수 있다. 몇백만 년 죄수처럼 가둬둘 수도 있다… 그럴 가능성을 내포한 대화는 꽤 까다롭고 피곤했다.

"음… 오히려 그 반대야. 너를 제거하려는 세력이 있어. 현장에 있던 검은 실루엣의 홀로그램 기억나?"

클라크 경장 옆에서 묵묵히 상황을 관망하고 있던 자! 분명 고위층이었을 텐데. 신분을 숨기고 현장에 있는 것이 궁금하긴 했었다. 그저 높으신 괴짜의 유희라고 생각했다. 알 수 없는 시선처리로 '나'를 관찰하고 있었던 건가?(저자의 말이 사실이라면) 변태 같은 놈…

"꽤 고위층인 것 같아. 그자가 널 찾는 과정에서 희생이 발생한 거고. 공격당하기 전에 내가 화장실에 덫을 쳐놓았지. 너를 살리려고. 아슬아슬했지… 게다가 박사의 죽음. 용의자인 네가 현장에서 사라진 거라 감찰국까지 널 추적하는 중이야. 네가 나흘 동안 이곳에 있어야 했던 이유도 그것 중 하나지."

"난 박사를 죽이지 않았어!"

"알아." "뭐?… 설마.. 너! 내게 덮어 씌울 생각이군!" 하아… 검은 실루엣은 머리를 가로저었다.

"감은 좀 떨어지는군. 그리고 박사는 일단… 다른 문제야."

그녀의(분명 여자임을 확신한다) 말엔 앞뒤가 맞지 않는 어떤 장치가 있었다. 나를 찾는데.. 나와 상관없는 사람들이 사라졌다? 무언가 빠뜨린 대화. 답답함. 논점이 무엇일까? 곰곰이 생각했다.

"너.. 박사와 아는 사이군."

그녀는 대답하지 않았다. 긍정도 부정도 하지 않겠다는 투로 부동했다. 그렇다면 나는 살해 용의자와 대화를 하고 있는 것이다. 그럴 수도 있다는 거다. 이자를 신뢰할 이유가 없다. 진실을 섞은 교묘한 거짓말. 옅은 미소… 보이지 않아도 그런 느낌이 들었다.

"이럴 시간이 없는데.. 으음.. 좋아. 우리 사이에 신뢰 같은 게 필요하다고 생각하진 않지만, 그렇다고 불신은 일에 방해가 될 뿐이니 관계를 환기할 필요가 있긴 있겠어. 내가 굳이 이럴 필요가 없었다는 걸 나중에 깨닫게 된다면 그것만으로 훗날 도움이 되겠지."

그때까지만 해도 반죽처럼 뭉친 시커먼 안개가 사람형체로, 데이터 삼원색의 조합으로, 이내 단발머리 여자로 변모했다. 녀석이다! 나의 어깨를 치고 갔던 여자!... 싱그러운 복숭아를 연상케 하는 연분홍의 뺨은 고유의 매력인 듯 가상현실에서도. 아니, 가상현실이기에 더욱 머릿속에 새기고자 정신을 차리고 뚫어지게 쳐다보았다. 앳되어 보이는 까닭에 한 번 놀랐다. 성격은 까칠한 편이었다.

"뭘 봐?"

어쨌거나 저 모습이 사실일까?

"나를 알아보겠어?……" 물론…

"쳇! 됐어. 그러기에 경고했을 때, 도망쳤으면 좋았잖아."

경고라니 그게 어떻게 경고가 되었단 말이지? 일면식 없는 자와 어깨를 스친 일은.. 인연이라고 해도 모자랄 판에!

"네 옷에 쪽지.. 못 본 거야?"

그녀는 내 상의 포켓을 가리켰다. 문득 내 생각은 집의 한 곳에 미쳤고 세제를 흠뻑 적시고 있을 바지 주머니를 상상했다. 이미 거센 물살에 찢어발겨 져 있을…. 아! 세탁기.. 크흠.

"당연히 봤고 말고. 하지만 주변 사람들을 저버리고 갈 수는 없어."

"주변 사람이라…"

그녀는 의미심장한 쓴웃음을 짓는다. 그리고 더 말을 하려다가 말끝을 흐렸다.

"무시카… 나는 곧 유오를 떠야 해. 그러니까 지금부터 내가 하는 말을 명심해. 현실로 돌아가면 '크롭케이프' 쪽

바리케이드를 잠시 열어둘 테니 곧장 그곳으로 탈출해. 태양을 동쪽으로 끼고 사막 끝으로 가서. 에르그, 하마다, 레그[5] 어딘가에 있을 사막을 떠도는 아이 모습을 한 타르프를 찾아. 잘못된 기억을 고쳐줄 거야. 그 누구도 믿어선 안 돼. 힘든 일이 될 거야. 네가 가진 기억조차 의심해야 하니까. 모든 게 복잡하겠지만.. 시간이 없어."

"잠깐 무슨 소리야. 유오라니? 타르프는 또 뭐고?"

또다.

저 눈빛. 애달픔. 이유 없는 목가적 향수. 상황이 상황인지라 잠자코 숨어있던 감정이 싹처럼 움텄다. 왜 저 여자는 나를 보며 표정을 짓는 걸까. 무덤덤함 속에 억눌렸던 감정이었다.

"반드시 그 타르프를 찾아."

"잠깐만! 나는 아직 더 할 말이…!"

"아, 그리고 콘냐는… 적당히.. 역겨운 냄새가… 진동하잖아."

화아아악!

일그러지는 공간 속 흐름에 변기처럼 빨려 들어가 데이터화 되었던 내 몸 일부가 분해되고 재조립된다. 차원이동에 필요한 고통은 나를 마구 혼미하게 만들었다…

삑.

"말씀대로 코어를 잃어버린 것 같아요. 며칠 지난 것 같은데.. 카운트다운 들어가겠습니다."

-…네 생각은?

---

[5] 모래사막, 암석사막, 자갈사막

"그만한 가치가 있다면.. 스스로 입증하겠죠."

-...알았어. 지구로 복귀해 마도카.

"네."

끔뻑끔뻑. 방금 막 잠에서 깬 듯, 나는 이미 비행 승인된 함선에 누워있었다. 코가 삐뚤어진 건 아닌지 콘냐 떨이가 주변에 흩어져있는 건 아닌지 확인했다. 다행히 나는 온전히 제정신이었다. IFR(invisible floating ray) 스크린을 펼쳤다. 삐빅. CC-009…. 여기가 크롬케이프였어… 시오! 함선은 약속된 장소를 한참 벗어나기 시작했다. 우우웅!

드넓은 사막의 반대편으로. 해를 서편으로 두고.

…

집에 도착한 나는 서버에 접속해 데이터 공간에 갇히기 전 시오에게 받은 파일을 뒤지기 시작했다. "분명 여분을 보냈을 텐데!"

말이 끝나기 무섭게 나는 파일을 열었다. 그건 어떤 연구원에 관한 신상정보였다. 사진이 첨부되어 있었고 손바닥만한 스크린을 대강 훑어가며 스크롤을 내린다.. 이상한 점은 없다. 윰지아 연구원, 스캐닝 기술, 프로젝트 솔라… 등등 의미를 알 수 없는 카테고리가 있었는데 내가 놀란 것은 그녀의 이름.

"가명인 줄은 알았지만…. 이게 무슨…"

나는 읽고 또 읽었다. 난독증세가 있는 어린아이처럼 그냥 읽기도 했고 데칼코마니처럼 겹친 그림으로 보기도 했다. 그러나

'베티'라고 적혀있어야 할 이름이 익숙한 것으로 탈바꿈되어있었다. '히나'. 분명 히나다. 윰지아 어느 연구동에 있을 나의 히나. 이름은 그러할진대.. 얼굴은 아니다. 내가 기억하는 얼굴은…. 갑자기 납치극을 벌였던 여자의 말이 떠올랐다.

-네가 가진 기억조차 의심해야 하니까

무언가 잘못되었음을 느낀 나는 당장 이곳을 벗어나야 한다는 생각에 사로잡혔다. 나는 곧바로 들었어야 할 여자의 말을 어긴 일로 또 다른 골칫거리에 휘말리고 싶지 않았다. 타고 온 함선이 보이질 않는다. 놈들이 몰려온다. 앞마당 먼지를 일으키며 육중한 무게로 이곳을 포위하는 검은 소형선. 난잡한 싸이렌! 초록색 눈의 감찰국 놈들이다!

"무시카! 당신을 히나 박사 살인혐의로 긴급체포한다! 거기섯!!"

피융- 팟! 피융-! 함선에 장착된 레일건은 내 발치를 아슬아슬하게 따라붙었다. 좌우로 빗발치는 에너지 펄스. 땅을 후비고 곧 귀 옆을 스쳤을 때, 소름이 돋아 자리에서 나자빠질 뻔했다.

하아 하아… 나는 아래로. 지하로 몸을 숨겼다. 쳇! 옆구리를 스쳤나? 리플렉션 드론이 어두운 도시의 곳곳을 누빈다. 음습한 건물과 건물의 구조물 그리고 골목. 급조된 검문소. 사람들은 통제되고 기계에 의해 어수선해진 급랭 된 분위기에 토로를 뱉기도 전에 그런 생각을 내비치는 것만으로도 제압당해 주위로 스파크를 일으켰다… 뜨겁다. 웅크린 자세에서 부여잡은 옆구리. 콘냐가 급하게 땅겼다. 그곳으로부터 몇 걸음 가지 못하고 어느 건물 앞으로 고꾸라졌다. 철푸덕! 나는 마음속으로 계속 히나의 이름을 불렀다…

스읔.

"거참 말 안 듣는 아저씨네."

…

"혹시 이 사람 보지 못했소?" 노인은 장을 보고 집으로 가는 길이었다. 물론, 몸소 음식을 산다는 건 비생산적이고 번거로운 일이다. 하지만 과학 기술이 집약된 인공 광원 아래 완벽한 일조와 뙤약 밑에 살더라도 종교나 신념으로 무장한 이들의 내면 속 게으름까진 빼앗지 못했다. 그런 까닭으로 감찰국 완장을 찬 클라크가 딴죽을 건 것이 못마땅했다. 특히 늘어진 트렌치코트가.

"모르오만."

클라크는 덤덤히 걸어가는 노인을 더 붙잡아둘 수 없었다. 이곳은 학식과 격 높은 자들의 도시. 어둑하고 아랫동네에 산다고 하층민으로 분류된 것은 아니다. 오히려 괴짜에 다다른 과학자들... 대답해준 것만으로 경장의 소명은 다한 셈이다.

"인간은 참 신기하지 않아? 스스로 퇴행을 자처하는 동물이라.."

"예? 무슨 말씀이신지.."

"아무것도 아냐. 저쪽으로 가보자."

클라크 경장은 범인이 갈만한 곳을 누볐다. 깨진 유리가 있는 곳. 음습하고 찬 기운이 사각으로 내몰리는 곳. 감찰국 특유의 촉으로 지명된 곳. 그중 세 번째가 경장의 마음을 움직였다. 그런 부류의 사람이 아니고서야. 고지식한 수사를 해댈 리가 없지 않은가? 그의 조수는 투덜대며 구색만 맞추는 중이었으리라.

"저, 그런데 클라크 경장님. 리플렉션 드론은 갱어를 잡을 때 쓰는 거 아닙니까? 놈들에게 어정쩡한 반사체는 소유욕을 일으키지만, 90%에 근접한 반사체를 보면 파괴하고 싶은 욕망에 사로잡혀 달려든다고 들었습니다. 하지만 인간에게는 고작 '맑은 거울'이 따라붙는 것밖에 되지 않을 텐데요?"

"본부 지시다. 놈들이 현장을 뭘 알겠냐." 에휴.

"현장요원들더러 그렇게 에너지를 아껴쓰라고 하더니.." 그는 투덜대며 눈에 불을 켜고 샅샅이 주변을 뒤졌다.

"어! 여기 혈흔이 있습니다!" 드디어 클라크의 실력이 발휘할 때가 되었다.

"정신이 좀 들어요?" 으…. "여긴..?"

익숙한 실내가 먼저 눈에 들어왔다. 비스트 호텔 내부 어디쯤이었다. 벨보이 베티는 한 시간 전쯤 쓰러져있는 나를 데려다가 겨드랑이에 목을 걸고 침대에 눕혔다. 지금 나는 한낱 살인 용의자로 지목된 군인. 그는 깨어난 나에게 먼저 물을 권했다. 꿀꺽….

"참 미련하신 분이군요. 마도카가 친히 살 길을 알려줬는데도 도시로 돌아오다뇨! 제가 구태여 당신을 크롭케이프에 함선과 놔둔 것이 무용지물이 되었잖아요. 하…."

그의 한숨은 짙었다.

그 여자의 이름이 마도카였나? 옆구리가 날아간 와중에도 그 이름이 꽤 예쁘다고 생각했다.

"넌 그 여자와 무슨 관계지?"

"뭐, 관계라기보다는 이곳 '유오'에서 일을 정리하는.. 비싼 심부름꾼 정도로 생각하면 되실 거예요."

"아까부터 자꾸…. 유오. 유오 하는데…. 여긴 윱지아 본부. 지구라고." 나의 반응이 재미있다는 듯이 벨보이 입꼬리가 슬며시 올라간다.

"정말 그렇게 생각하세요? 윱지아 끝자락에 광활한 사막이 있던가요? 아니면 새벽 여명이 지평과 겹칠 때, 보이는 대기 상태는요? 크큭. 잘 떠올려보세요."

그렇다. 윱지아 외곽엔 메마른 대지 따위는 없다. 즐비한 이웃 도시의 부러움이 윱지아를 흉내 내고 있을 뿐. 그들의 빈 껍데기는 우리가 더 잘 알고 있었다. 그럼 내가 맡았던 임무는 뭐지? 임무코드. 작전지역. 그리고 시오 중위… 나는 할 말을 잃어서 잠깐 멍한 상태로 있었다.

"그럼 네 말은 여기가 티몰 행성이란 거냐?!"

벨보이의 멱살을 낚아챘다. 쿠웅! 하는 소리. 베티의 찡그린 얼굴이 떠오른다. 그런데도 그는 금세 짜증을 거두고 웃고 있다. 오히려 충격으로 벌어진 옆구리가 시려왔다. 크윽!...

"하하. 혼란스러운 건 알겠는데. 지금 이럴 때가 아니라고요. 지금 놈들이 이 호텔로 오고 있어요. 그게 감찰국이라면 그나마 다행이지만··· 만약, 아니라면요?"

베티는 돌연 붕대로 스며드는 선홍빛 자국. 붉은 지도를 그리는 천 쪼가리에 베티는 의료용 건을 쏘았다. 푸슉! 으악!! 비명이 새어나왔고 바닥을 찾아 엎드렸다.

"고맙긴요. 팁은 됐어요! 응급처치는 이게 마지막입니다. 비상용 함선을 빌려 드릴 테니 마도카 말 들어요. 뒷일은 생각하지 마시고."

“아니, 난...!”

“거기까지 계약이니 빚진 마음은 접어두시길.”

그는 나를 호텔 깊숙한 지하 격납고로 안내했다. 함선 하나가 언제든 출발할 수 있도록 레일 위 위용을 자랑하고 있었다. 삐이익. 삐이익!! 귀를 찌르는 날카로운 소리가 격납고 천장을 흔든다. "놈들이 벌써.." 꼬리 내린 함선에 발을 디뎠다.

내부 갑판을 지나 조종석에 앉았다. 메인 스위치, 마스터, EPU.... 중력 제어장치 가동, 엔진 점화. 벨보이는 마지막으로 내가 모를 법한 수신호를 해댔다. 나는 창밖으로 그 둥글고 비대한 몸짓을 이해하고자 엉덩이를 잠깐 들었다가 중력장치를 살짝 건드린 바람에 다시 나자빠졌다. 쿠당! 우와! 함선은 내 엉뚱한 수신호를 알아듣고는 재빠르게 격납고 바닥면을 미끄러지듯 스치며 나아갔다. 슈웅-! 함선 꼬리가 바깥 바람을 만나자 동체는 90 도로 꺾이더니 민간 호버들이 서로 문짝을 부대끼는 난전 속으로 급강하한다. 으아!!!! 중력이란 게 무엇인지.

있다면 어느 방향으로 동체를 잡아당기는지 모를 정도로 무서운 속도가 지속되자 이 난봉꾼을 지나친 호버들은 하나같이 죄다 밖으로 침을 뱉어댔다. 길들지 않은 이 함선을 달래려 안전벨트에 몸을 맡긴 채 여러 차례 엉덩방아를 찧어야만 했다. 최근 학계에 따르면, 지능이 없는 동력 장치도 길들이기 나름이라는 오로지 과학적 추론으로만 입각한 연구 논문이 발표되었지만 아류로 치부되었다. 문외한인 나도 아는 사실을! 바보 같은 학자 놈들. 그렇다면 사람을 많이 거친 중고 호버는 왜 그렇게 잔고장이 많은가? 라는 문제는 곧 섬뜩함으로 치달았다. "속도 좀 줄여!!" 시속 300km 로 자동비행하는 함선. 한 줄기 빛으로밖에 보이지 않는 캐노피 밖의 세상. 점점 바깥과 벌어지는 시간의 밀도. 등등… 함선은 도심을 완전히 벗어나서야 일부러 벨보이가 해둔 설정 값이 나를 괴롭혔다는 사실을 깨달았다. 하아… 아껴둔 숨을 몰아쉬고 있을 찰나.

[경고! 경고!]

나를 따라 도심에서 나온 기체 3 기가 굉음을 내며 따라붙었다. 나는 그들의 과녁이었고 발사체의 초점이 초라한 내 함선 꼬리를 조준하자 붉은 스크린이 눈앞을 가렸다. 게다가 저들은 서버를 통해서 끊임없이 함선 해킹시도를 하는 바람에 나는 거의 감탄스러울 지경이었다. 놈들의 집념과 비스트 호텔 벨보이의 뛰어난 방어 시스템 역시. 푸슛!

"이런!!!"

첫 발사체는 고의적인 예열 탄. 진짜는 두 번째부터다. 기다란 푸른 광선이 이번엔 거꾸로 앞지른다. 슝! 슝! 슈슝! 슝!

결국은 세 번째 대치점에서 여지없이 배면을 강타한다! 한두 개가 아니다! 연속적으로 퍼붓는 공격이 함선 방어 시스템이 정신을 차리기도 전에 옆구리에서 연기를 뿜어댔다. 탄소의 잔재가 적들의 시야를 가렸지만 적외선 탐지 시스템에 의해 무용지물이다.

-삐익. 삐익. 비상탈출을 권고합니다.

"메이데이! 메이데이!" 어느새 나는 조종간을 잡으며 땅으로 추락한다.

…

쿨럭. 쿨럭! 나는 깨진 창문으로 멀쩡하게 걸어나왔다. 레그(자갈사막)인가? 정녕 지구가 아니라 유오였단 말인가? 생전 본 적 없는 기이한 돌. 울퉁불퉁하다. 무엇하나 대표하지 않는 모양새와 딱딱 알맞게 끼어 틈없는 자갈 풍광에 놀랄 틈도 없이 놈들은 드넓은 자갈에 긴 꼬리 자국으로 팬 곳을 수 키로미터나 지나쳐 다시 이곳으로 회항한다. 빌어먹을! 나는 뛴다. 다리를 절었다. 다리가 아파서라기보다는 옆구리가 불편해서. 이럴 줄 알았으면 히나에게 하고 싶은 말이라도 마음껏 해 둘 걸….! 동생에게..! 시오에게….!

문제는 다른 곳에 있었다. 마도카가 알려준 모래사막 쪽이 아니다…. 놈들의 함선은 대열을 맞춰 순식간에 내 머리 위로 다가왔다. 나는 고작 스무 걸음을 막 뗐는데. 젠장.

나는 레일건을 겨눴다. 개중 정중앙을 차지한 함선에서 기계음이 들린다. 좋은 소리는 아니다…

-무시카 소령. 히나 박사 살해혐의로 긴급체포합니다! 투항하시죠!

"무슨 말을 지껄이는 거야? 나는 누굴 죽인 적도 없거니와 그 여자는… 더욱이 히나가 아니라고!"

-호텔에서 당신이 히나 박사와 접촉한 영상은 이미 확보했습니다. 그래도 부인하시겠습니까?

"그건….!"

직접적인 증거는 될 수 없을 터다. 그러나 만에 하나. 내가 잠든 뒤 일어난 일에 대해선 명료한 일이 없다. 어디까지 알고 있는거지…. 나는 그때까지만 해도 놈들이 '체포' 따위를 운운하거나 있지도 않은 '혐의'를 씌우기에 감찰국이라고 생각했었다. 잠깐 투항할 생각도 있어서 손에 쥔 초라한 레일건에 힘을 빼고 총구를 내렸다.

사막의 바람이 거세게 불기 시작하더니 내 마음을 다그친다… 아. 그래서 그런 거였나? 티몰.. 머릿속의 이상한 코드. 처음 본 사막. 생각 이상으로 많이 유통 중인 콘냐. 호텔 손님의 낯익은 타말어. 이유 없이 지겨운 일상. 들어맞지 않던 퍼즐 조각이 이제야 서로의 연계점을 찾아 맞아떨어진다. 이곳은 티몰… 애초에 난 지구가 아닌 티몰에 있었던 것이다.

-총 내려놔!

망연자실한 나는 감찰국 놈들의 말대로 총을 자갈에 내려놓는다. 함선은 1mm 조차 흐트러짐 없이 대열을 유지하며 배면이 자갈에 닿을 듯 낮게 앉았다. 어둠이 드리운 꼬리 문으로 코트의 실루엣이 춤을 춘다. 클라크는 직접 대원 둘을 데리고 모래를 밟았다. 개중 한 명이 내 손목을 낚아챘다. 철컥.

"무시카 씨. 조사에 협조해주시길 바랍니다."

그렇게 나는 체포되어 그의 실적에 보탬 될 일만 남았다.

"뭐.. 뭐야 뭐 하는 거야!!" 나를 일으켜 세우는 남자의 표정이 하얗게 질리더니 나보다 더 빨리 몸을 앞으로 숙였다. 피융!! 콰과광!!!!!! 검은 트렌치코트를 입은 남자 역시 다를 바 없다. 넋을 놓고 목숨을 부지했다는 것에 만족해야 할 것이다. 그가 타고 온 함선이 자갈이라 부를만한 돌멩이의 둥근 면을 사정없이 후들겨버린다. 45 도가량 기울어진 선체가 아슬하게 클라크 경장의 옷깃을 스쳐 굉음을 냈다. 그리고 추락. 우측 후미에 있던 감찰국 에키드나급 기동 함선이 냅다 자기편에게 쏴버린 것이다. 그리고 왼편의 날개를 자처하던 나머지 함선 역시 상황인지를 할 새 없이 두 번째 희생양이 되어버렸다.

콰광!!!! 이번에 튀어 오른 자갈은 불꽃을 튀며 클라크 경장 부하들의 후두부를 강타했다. 흡사, 포수 주위를 얼쩡거리다 투수가 던진 강속구를 영락없이 맞아버린 격이다. 퍼벅. 고꾸라지는 병사들은 다시 눈을 뜨지 못했다. "이런, 제기랄!" 곧, 유유히 함선을 제압한 자가 투명한 유리로 모습을 드러냈다.

조종간을 잡고 이곳을 조준하는 사람. 감찰국과는 또 다른 세력. 나를 제거하려는… 그 익숙한 얼굴을 보더니 클라크가 더욱 아연실색한다. 시오? 아니, 그럴 리 없다. 말도 안 돼. 피융! 한 줄기 빛이 감찰국 직원의 심장을 정확하게 관통했다. 컥! 단말마의 비명도 못 지르고 클라크의 초록빛 눈동자는 자갈밭에서 점점 차갑게 식어갔다. 살인. 시오가 함선에서 내린다. 아니, 누군지 모를 그가. 내게 레일건을 겨눈다. 붉게 물든 자갈 바닥에서 나는 눈을 치켜떴다.

".. 대체 넌 뭐지?" 늘 따뜻한 미소가 어려있는 시오의 입가에 냉소가 걸려있다.

내가 놓친 무언가가 있는 걸까? 수수께끼 같은 웃음이 레일건보다 앞서 내 신경을 곤두세웠다. 객지에서의 처형이라… 이런 결말을 생각해 본 적은 없었는데.

"흐음.. 이런 상황이 달갑지는 않네요. 선배." 시오는 한쪽 입가로 콘냐를 씹으며 말했다.

"하지만 선배.. 당신은 애초에 군인이 아니라고. 이제 그만하지 소꿉놀이는 재미없으니까."

끼긱대는 방아쇠의 긴장감. 뒤섞인 땀 냄새와 척박하기 그지없는 돌 바닥. 나는 침을 꿀꺽 삼킨다. 아… 나는 시오 너머의 함선. 함선 너머의 하늘을 응시했다. 완벽하고 편하기 그지없는 광원. 따뜻한 파장 에너지마저 태양의 것과 흡사하다. 동공의 미묘한 불편함을 배제한 환경과 이곳의 척박함은 내 머리에 겨둔 총구에 대해 그다지 위안이 되지 않았다.

아… 눈을 간질이던, 피부를 그을리던, 일사로 생명을 빼앗아 가던.. 태양을 본 지가 얼마나 되었을까? 죽음을 눈앞에 둔 나는 사막의 바슈테림이나 지구의 토속적, 또는 인류애를 기원으로 둔 신자가 아니었기에 내 입술이 어떤 미지적 대상을 향하여 간절히 떨릴 이유는 없었다. 그저 기다림과 시오의 손가락 사이 끼워진 콘냐에. 연기처럼 사라질 것들에 속삭였다… 달콤한 연기가 서서히 걷힌다. '마지막으로 한숨 들이킬 수 있다면 좋을 텐데.' 피식. 이런 상황에 그런 생각이 드냐? 나는 웃었다. 그러자 반대로 시오의 얼굴이 일그러진다. 피융! 좌아아악!

"괜찮아?"

철컥. 손에 찼던 수갑이 땅으로 떨어지면서 나는 아래로 고개를 돌렸다. 간발의 차로 주검이 바뀌어버린 것이다. 시오는 죽었다. 범용 슈트를 입은 자들이 땅에서 불쑥 솟아났다. 물론, 바닥으로부터 두 줄기 에너지가 솟구쳐 정확히 시오의 손목과 머리를 관통한 뒤였다.

"자, 설명해 줄 테니까. 먼저 이곳을 벗어나야 해."

그들은 어버버거리는 나를 얼른 데리고 감찰국 소유 함선에 태웠다. 털썩. 나를 앉힌 놈은 옆에 찰싹 달라붙어선 집요할 정도로 내 팔을 더듬었다. 한 사람은 함선 조종을. 나머지 한 사람은 언제 챙겼는지 클라크의 도려낸 초록빛 안구를 생체 인식 장치에 가져다 댔다. "어서 출발해!" 위잉 위잉.

슈-웅. 레그의 땅이 다시 멀어진다.

"무시카… 살아있어서 다행이야.." 다들 분주한 순간 나는 기회를 노려서 내 팔에 의식적으로 눌어붙은 녀석의 레일건을 낚아챈 뒤 밀쳤다. 철푸덕!

"이번엔 뭐야?"

"진정해. 무시카. 우린 적이 아니야."

"미친놈들… 죄다 그 말을 하더군!"

"많이 힘들었지…?" 먼저 나가떨어진 녀석은 헬멧을 벗었다. 기억에 없는 여자다. 내가 고개를 젓자 그녀는 사진 한 장을 건넨다. 끄트머리가 아직도 빳빳한 손바닥크기의 사진엔 나와 저 여자 그리고 이놈들.. 인 것 같았다. 사진은 이상함 그 자체였다. 보통은 오래된 추억을 헤집거나 특별한 순간을 담아 필름에 인화한 것이지. 잉크도 덜 마른 듯한 빳빳한 코팅지는 어쩐지 자그마한 향수도 일으키지 않았다. 킁킁. 조작? 의외로 조잡스러운 것에 웃음이 났다.

"별 오래된 사진도 아닌 것 같은데."

"그래 맞아. 불과 한 달 전에 찍은 거니까."

"풉. 내 동선조차 잡지 못한 아마추어들이야? 나는 그때.. 그때.."

갑자기 머리가 핑 돌았다. 뭐지? 기억이.. 기억이 또 없다. 크윽… 마도카가 했던 말은…. 그러니까 그녀가 주의를 주었던 것들이 막연히 목적 없는 거짓이라도 확인해야만 한다.

"네가 말도 없이 사라진 탓에 이렇게 찾아왔잖아! 애인을 지구에 두고 티폴에 있어도 되는 거야? 앙?!"

여자는 천천히 몸을 일으키면서 말했다. 애인이라고? 적어도 사나운 타입을 좋아하지는 않다만? 백번 양보한다면… 아니 그 정도도 부족할 것 같다.

"내 치맛자락을 잡고 눈물까지 보인 일을 벌써 잊은 거야?" 벌써 신뢰가 떨어져…

"자자. 라미아. 내가 중재하지. 무시카. 근무지 이탈은 더는 용납 못 한다." 빠악! 그는 내 레일건이 무섭지도 않은지 머리를 세게 치고는 단순한 해프닝으로 치부할 모양이었다.

"넌 뭐야!"

몸을 획 돌려 그에게로 향했다. 하지만 순간적으로 그의 움직임을 놓치고 말았다. 밑? 위? 그런 것과는 상관없이 이미 내 어깨는 바닥으로 내동댕이쳐졌다.

크윽! "야야. 무시카. 아무리 정신이 온전치 않아도 그렇지 상관에게 총을 겨누냐?"

순식간에 나를 무장해제 시킨 그는 아룬이라 불렸다. 짤막한 턱수염과 매부리코가 인상적이며 이 소대를 이끄는 인물이었다. 나는 더 이상의 저항은 무의미하다는 걸 깨달았기에 아예 바닥에 주저앉아 대화를 택했다. 그건 그런대로 허락되는 모양이었으니, 에라 모르겠다. 함선 내 거치 된 생수 한 병을 깐다.

"나는 여기 쭈욱 있었어. 너희도 본 적도 없다고. 그리고 내 팀은… 방금 전 레일건에 손과 머리가 날아간 시오라는 녀석이었어." 나는 쓴 입을 다셨다.

"나를 배신해야만 하는 이유가 있었던 건지. 아님 정말로.."

"뭐야. 설마 특무부 녀석을 말하는 거야?" 함선을 조종 중인 타무무라는 남자였다.

"특무부가 아니라.."

"아니, 녀석은 특무부가 맞다. 애초에 너는 우리 팀이고. 그의 가슴에 달린 뱃지를 못 봤나?"

공중으로 스크린 하나가 나의 시야를 방해한다. 인적사항. 시오. 특무부를 상징하는 세 개의 기둥. 분명 그런 모양이었다. 실제로 본 적은 없지만.. 손으로 스크린을 휘이휘이 저었다.

"네 기억에 놈들이 장난질을 쳐놓은 모양이군… 하.. 곤란한데.."

"놈들이라면?"

"실험에 미친 윰지아 과학자들이지 누구겠어? 보나 마나, 너를 강제로 데려다가 어떤 실험에 참여했고 이제 쓸모가 없으니 처분명령이 떨어진 걸 거야. 시오라 했나?... 아무튼, 특무부가 감찰국 요원을 쳤다면, 그런 이유밖에 없을 거야. 야! 우리가 너 때문에 얼마나 개고생 한 줄 알아? 지구로 돌아갈 걱정도 접어두고 구하러 온 거라고. 조금은 고마워 좀 해!"

타무무라는 남자의 말을 듣고 나는 아예 입을 다물어버렸다. 생각이 어떤 꼬리를 물고 의뭉스러운 곳을 향해 전진한다면. 머리가 터질 지경이었다. 이자들을 만난 사건은 마도카가 의도한 그림일까? 라는 생각과 함께..

"어쨌든, 어디로 갑니까? 대장." 이놈들. 대책이 없다. "에… 샤르하입니까?"

"이 바보야! 유오보다 위험한 곳엘 왜 가?!"

"그러니까겠지."

여자는 손을 휘둘렀다. 늘 그렇듯 타무무는 피했다.

"우리는 히엠스로 간다." 아룬이었다.

"거긴 왜요? 지구로 가려면, 유오에 있어야 하는 거 아녜요?"

"융지아를 적으로 돌린 이상, 유오에서 얼마나 버틸 수 있을 것 같아? 기억이 불안정한 무시카를 데리고 지구 게이트를 찾는 건 무리야. 다행인 건, 지금의 유오는 불안정해. 티폴 행성 내, 대규모 내전이 곧 번질 수도 있어. 일단 히엠스 쪽으로 붙은 뒤 후일을 도모하는 수밖에. 지구로 돌아갈 방법은… 당장 그것뿐이야."

"갱어의 편에 서자는 말이에요? 무시카는 어쩌구요? 기억을 잃은 채로 계속 있을 수는 없어요."

라미아는 그렇게 말하면서 바닥으로 기어 내려와 내 옆에 바싹 붙어 팔짱을 꼈다. 어렴풋이 얇은 슈트 바깥으로 부드러운 촉감에 나는 조금 들떴다.

"그래. 표면적으로는 갱어 쪽에 붙을 거다. 어쨌든 우린 히엠스에 숨어들 거야. 괜한 반감을 사지 않도록 주의하고. 미안하지만, 무시카 일은…. 보류하도록 하지. 지구에 아는 과학자가 있으니 도와줄 거야."

라미아의 반응은 안심했는지 어쨌는지는 잘 모르겠다. 그저 초롱초롱한 눈빛으로 내 얼굴을 뜯어볼 뿐이었다. 이들은 얇은 천으로 가려진 내 배에 일어난 일을 모른다. 내 처지를 모른다. 내가 겪은 사건들과 관계가 없어 보였다. 뒤죽박죽 섞인 내 기억의 단서는 사막, 혹은 지구로. 하나였던 가능성이 조금 더 열린 셈이었다. 그런데 마도카의 말대로 아이 모습의 타르프를 찾는 일은 어쩌지? 모르겠군.

"만약 그들에게… 우리가 인간인 걸 들키면 어떻게 되는 겁니까?"

선실은 연료를 모두 소진한 엔진룸만큼이나 적막이고, 두려워졌다. 가만 보면 타무무는 종종 날카로운 질문을 던질 줄 아는 녀석이다.

"그럴 일이 없도록 해야지.." 아룬은 그렇게 못 박아 두었다. 나는 이 중대한 사안들을 가만히 들으면서 질문이 떠올랐다.

"잠시만요. 내전이라뇨? 제가 알기에는.. 이미 오래전, 티폴의 정치적 문제가 해결된 줄 알고 있는데요? 더구나 유오 내부에서 전혀 내전이라는 낌새는 없었습니다. 바깥으로 파견 가는 인원들도 없었고요."

"그야 그렇겠지. 지휘부는 평화 선전 통제를 선호하니까. 적을 만드는 방법도 있지만, 자존심이 센 인간들이 갱어 따위를 적으로 뒀다고 표명하는 순간 수뇌부 자질을 들먹이며 가장 먼저 물어 뜯을 거다."

"...그건 폴프의 결정입니까?" 내 말에 타무무가 웃는다.

"무시카. 인간이 결정권을 가졌던 시대는 이미 끝났어. 아마 베라(VERA). 그녀의(생물학적으로는 아니지만, 구분 짓기 좋아하는 인류는 그렇게 명명했다) 뜻이겠지. 피곤할 테니 푹 자둬. 히엠스 근방 70km 부터는 함선을 버리고 걸어 가야 하니까."

"그래.. 그랬지…"

혼잣말로 중얼거리며, 나는 어색한 분위기 속에서 총구가 축 늘어진 레일건을 계속 만지작거렸다.

…

유오에서 조금 떨어진 곳. 매캐한 연기가 풀풀 나는 레그의 현장은 처참했다. 두 동강 난 함선 선체 속으로 돈이 될만한 자그만 부품들을 배곪은 자들이 너도나도 해체 중이었다.

"야! 그것 좀 줘봐!" 툭. 남자는 해체장비를 건넨다.

짜증에 짜증의 꼬리를 물어 머리를 한 대 쥐어박고서 작업은 계속되었다. 퍽!

"빨리 좀 해라 새꺄! 감찰국 애들 기다리냐?"

태양은 저물고 땀이 한 바가지나 흘러 자갈에 눌어붙은 탄소 찌꺼기를 적셨다. 어! 한 남자가 탄성을 내지르며 주변을 주목시켰다. 퉤! 아예 손바닥에 침까지 묻혀 장비를 다잡았다.

그그그극! 뚜둑. 환한 미소가 번진다. 그는 머리 위 인공 광원을 향해 물건을 추켜올렸다. 이리저리 각을 돌려 빛을 반사해보고 이따금 노르스름한 에나멜질 이로도 문다. 그게 뭔지도 모르겠다는 둥. 자리를 뜬 사람들은 초심자들뿐이었다. 남자는 너무 기쁜 나머지 소리를 질렀다. 와아아아!!!!!!!!

"저게 뭐요? 내가 보기엔 그냥 시커멓고 아무것도 아닌 기분 더러운 판떼기로 보이는데. 혹시 저 사람 정신병잡니까?"

"쯧쯔. 이 양반아. 이 일하기엔 안목이 없으니 다른 일 알아보는 게 좋을 거요."

"그래서 뭔데 그래요?"

"반사체다."

외외로 대답은 뒤에서 들려왔다. 분명히 쓰러져있어야 할 사람이 턱과 목을 조립하듯 짝짝거리며, 이곳을 보고 있다. 그리고 서슬 퍼런 기운이 맴돈다. 피융! 피융! 퓻! 푸슉! 빛이 여러 갈래로 갈라져 함선 주위를 벌떼처럼 달려든 사람들을 난자했다. 살려줘!! 괴물이다!!! 으악!!! 동료의 희생으로 간신히 멀리까지 달아난 자도 결국은, 모래 한 줌에 비릿한 피 냄새를 보탤 뿐이었다.

컥!.... 남자는 날아간 손목에서 피를 철철 흘리며, 가쁜 숨을 몰아쉬었다.

"거울이 뭔지도 모르는 벌레 새끼들이… 그깟 반사체를 봤다고…" 그렇게 주변은 순식간에 정리됐다..

삐빅. "어, 왜?"

-무슨 일 있으세요? 연락이 안 돼서..

"아, 별거 아니야. 그냥 쓰레기 치운다고… 그나저나 프로젝트 실험체가 사막으로 도망쳤다. 감찰국 함선 실시간 해킹 돼?"

-지금 이동 중인 함선을 말씀하시는 거면요.

"싱겁긴."

-어… 그런데 신호가 점점….

"됐어. 그 정도 능력은 있는 놈들이겠지. 그냥 모래꾼들 불러."

-알겠습니다. 시오 님.

#_ D

우리는 거의 메말라갔다. 은유적 표현이 아니라 이야기 속에 내던져져 시원한 물 한 모금 허락하지 않은 불투명한 음모와 아지랑이에서 지칠 대로 지쳐 뇌에 모래가 낄 지경이었으니. 이야기하는 자도, 그것을 쉼 없이 듣는 자도, 어느 쪽도 불만이 쌓였을 터다. 그래서 그런지 오늘 람의 입술에선 굵직한 단서들이 쉽사리 나오지 않았다.

…

분명 람은 티뮬을 훔치는 게 목적이라고 말했다. 아니, 정확하게는 행성이라 했던가? (그게 그거지) 무슨 뜻일까? 누구로부터? 행성이 누구의 소유라고 정해진 것은 아닐 텐데.. 윰지아 로저를 말하는 걸까? 람은 무언가 착각을 하고 있다. 자신의 목적에서 나를 긴밀히 엮어버린 탓에 '납치'라는 극단적인 상황에 내 처지가 내몰린 것이다. 나와 티뮬. 무시카와 티뮬. 대체 뭔 상관이라고! 으드득. 나야말로 이 행성에서 벗어나고 싶은 유일한 사람이란 말이다! 젠장..

"크흠…. 근데 어디까지 얘기했더라?"

비쩍 말라 침묵 속 죽은 줄 알았던 람의 입가로 초록 전갈의 독한 액체가 주르륵 떨어진다. 모르는 사람이 보면 그의 죽음을 미리 애도했을지 모르나. 독에 대한 그의 내성은 이 거친 사막을 누구의 도움 없이 헤쳐갈 만큼 뛰어났다. 오히려 들짐승의 입장에서 람이 위험하다. 범 인류적 영역에 다다른 걸까? 나는 여전히 더러운 포로 꼴을 당했다. 태양의 따스함이 밀려와 밤새 굳은 모래를 풀어헤칠 시간에 종종 얼굴을 문대는 일을 겪었다. 거의 수세미로 문지르는 격이라 아주 서러움이 도지는 바람에 속으로 욕을 멈출 수 없었던 일도 있었다.

-히엠스로 향하는 부분이었나….

나는 지쳐서 생각조차 흐려졌다.

"그치 그치. 일단 잠시 미뤄둘까? 잠시 나랑 갈 데가 있어."

그러더니 스릉. 하는 날카로운 쇠가 미끄러지는 소리가 들렸는데 모래 한 톨조차 허용하지 않을 정도로 청명하고 맑은 것이었다. 밤과 낮이 푸른 새벽을 두고 팽배한 줄다리기를 할 때, 으쌰! 람은 다시 모래썰매를 끌기 시작했다. 하지만 가져왔던 모든 짐은 자리에 두고 나, 시미타, 썰매, 담요, 람. 이것들이 호송품의 전부였다고 감히 확신할 수 있었다. 내 귀는 극도로 예민한 상태였다.

스르르륵. 스르르르륵. 그렇게 쌀알이 솥에서 한 번 인고를 겪은 시간이 지났을 무렵이었다. 따끔. 아얏! 나의 온 신경은 귓가를 향했다. 달아오르는 감각을 애써 진정하고자 람은 모래를 부어준다….? 잠깐! 나 지금 묻히는 건가?!

"쓸데없는 걱정 마셔. 네 목에 심었던 중력 코어도 수명이 다했고… 너를 여기 다시 데려오느라 얼마나 진을 뺐는지 알아? 눈은 뜰 수 있을 거야."

썰매 바닥이 땅과 마찰을 일으켜 움직이지 않는다. 나는 슬며시 실눈을 뜬다. 주변이 보인다. 착각이 아니었구나! 돌고 돌아 온 곳, 개미의 페로몬을 따라.. 결국은 페로몬까지. 매 모양 바위. 결국 나는 체크포인트. 제자리로 돌아왔다.

-여긴 왜….

나는 정말이지 머리끝까지 화가 나 지난 고생들을 참회하듯 무작위 방향을 향해 기도하는 람을 저주하기에 이르렀다. 근래에 벌어진 일들은 철부지 아이의 농락이었음을 증명한 셈이다. 하.. 됐다. 까짓 거 죽기 전에 어울려주지. 어차피 있지도 않은 신기루… 유치하고 멍청한 단순 납치극의 결말이 이런 초라하기 짝이 없는 것이라니. 내심 모험을 기대했던 내 마음은 허탈감에 할 말을 잃었다. 람은 또 그런 나를 보며 웃는다. 젠장..

"너무 실망할 것 없어. 이런 게 우주 아니겠어? 결국은.. 다시 한 점으로 돌아오는.."

이 작은 바슈테림은 죄를 지은 것처럼 고개를 푹 숙였다. 언뜻 보기엔 여행 중 봐왔던 기도와 다를 바 없었지만, 야윈 모습 때문인지 더 애달프고 신중해 보였다. 그리고 계속 기도문을 읊조렸다.

"아! 온다."

람은 또, 썰매 머리에서 의미심장하게 웃었다. 그는 저런 표정을 지을 때마다 무슨 일이 벌어졌다. 이를테면, 사막에서 주검을 발견했다거나, 모래꾼으로부터 나를 탈환한 일, 그리고 지겨운 이야기를 아랑곳 않고 몇 시간이나 뱉을 때….. 그런데 뭐가 온다는 거지…? 조금은 기대하지 않았다고 말한다면 분명 거짓말일 것이다. 나는 속고 또 속아도.. 저 기대 가득한 람의 표정을 다시 볼 수만 있다면 예측할 수 없는 보랏빛으로 스며드는 현실에 은밀히 던져진다면.. 또 속으리.

"숨 딱 참아. 흐흐흐. 살아서 보자고."

람은 아예 얼굴을 파묻었다. 뭘…?

그때였다. 한적하고 지겹기 짝이 없는 사막의 풍광이었다. 번쩍!! 쿠과과과광!!!!! 저 멀리 황량한 대지가 기이한 소리를 내며 까맣게 물들었다. 거대한 구멍. 사건의 여파로 인한 거뭇한 연기가 하늘 가득 덮었다. 탄 냄새. 그리고 먹먹히 귀에 몰려있던 내 신경세포가 비명을 질렀다. 모래 한복판에 빛 기둥이 덩그러니 출현했다. 하늘에서 내리꽂힌 것이 아닌! 아래와 위. 대지와 우주의 연결점.

-저.. 저게 뭐야!!

나는 람을 본다. 람 역시 의도한 바가 아닌 듯, 화들짝 놀라 토끼 눈이 되었다. 그러다 미친 듯이…. 웃는다. 하하하하하하!!!!

"장난 아니잖아?! 이게 말로만 듣던….!"

한 번으로 끝날 줄 알았던 에너지 굉음과, 거대한 에너지파가 연속으로 바닥에 난무하기 시작한다. 콰과광!!!! 쾅!!!!! 한차례, 두 차례, 세 차례…. 심장이 터질 것처럼 뛰었다. 거인의 발자국처럼, 타이탄의 분노처럼, 불가항의 힘으로 모든 것을 파괴하며 우리 쪽으로…. 마치… 아! 죽음의 기적이자 신이다. 틀림없이 그분이다! 헴마… 드디어 나는 바슈테림의 광기를 인정할 수밖에 없는 건가? 그런 생각에 잠겨 계속해서 산발적으로 다가오는 공격에 몸이 굳어버렸다. (어차피 움직일 수 없는 처지지만)

"무시카!"

람은 터번 속에서 뭔가를 주섬주섬. 빠르게 꺼낸다. 휙! 따끔! 스멀스멀. 심장으로부터 가장 변두리 쪽 근육조직이 시냅스의 반응에 움찔거린다. "아… 으…" 그때쯤 벌써 말 할 수 있게 되자, 실수로 흘린 폭죽처럼 내 장딴지 근육이 튀더니 썰매 밖으로 나를 밀어냈다. 아직 몸을 가누기 힘들다. "저쪽!" 그는 이상하게 반대 방향을 가리켰다.

"이번엔 뭐야?!" 그제야 그간 거드름을 피우던 내 감각의 일부가 곤두선다. 땅의 진동. 푸른 달. 항상 앞서 가던 바람이 새벽이슬을 맞더니 걸음을 멈춘다. 람의 말을 빌리자면 헨마가 티뮬 생명체를 향한 분노. 모래의 조수(潮水)였다. 대지가 일렁이고 거대한 자연 병풍에 현기증이 났다. 이럴수가! 나는 눈을 비비고 다시 보았다. 모래 해일이다…! 나는 순간 경직된 표정으로 람의 꽁무니를 쳐다본다. '사막귀신!' 사람을 조롱하고 가지고 놀다 지겨워 질 때쯤 죽여버린다는 그런 괴담이 있었지. 아마. 그러나 그것을 깨달았을 때는 이미 늦었다. 50m 를 훌쩍 뛰는 거대한 모래 해일이 올려다본 하늘의 별을 헤집고 썰매를, 람을, 나를, 덮친다.

"살고 싶으면 뛰어!" "뭐? 미.. 미친!" 람은 타버린 뼛조각이 되느니 차라리. 온전한 무덤을 택했다. 모래 해일 방향으로 그는 달린다. 사면초가다.

뒤로는 빛의 천둥이. 앞으로는 까마득 먹색 치마가 입을 쩍 벌리며 죽음과 오물 냄새를 풍긴다. 나는 눈을 질끈 감았다. 겁쟁이. 나는 겁쟁이다. 비스트 호텔, 유오, 히엠스에서. 내 꼬리는 점점 말려들어 갔다. 나는 혼란으로 범벅된 존재였다.

명료한 색채를 입은 사소한 물건보다 무가치했다. 그것들의 기원은 분명 내 감정과 삶을 짓누르고. 보다 활발히 생명을 띠었다. 이런 나에게 생명의 자격이 있을까? 나는… 그래. 어쩌면 기약 없이 티몰을 떠도느니 이런 결말이 나은지도..

나는 람의 뒤를 쫓는다. 길동무 정도로는 괜찮지 않은가! 제기랄! 스스스스사사사사사사삭!!!!
히나..

#_ 람의 이야기 4 NOTE

지구와 티몰 행성 간, 관측 가능한 22 만 km 길이의 펄스 로드. 가시적인 정보 티끌과 별개로 윰지아와 유오는 이어져 있다. 공간의 뒤틀림. 차원영역 간의 에너지 전도성. 암흑물질의 팽창과 고착점. 행성 거울 프로젝트. 그런 복잡한 이론을 지구에 있는 논문에 일장연설하게 설명해 놓았지만 그것만으로 역사 속으로 사라진 한 남자의 천재성을 설명하긴 부족했다. 티몰 행성은 '윰지아 로저'의 작품. 유작이다. 그것이 인류가 기억하고 정의하는 윰지아. 하지만 생전 로저는 티몰 행성을 두고 '실패작'이라 자서전에 회고했다. 그의 책 첫 페이지에 불안정한 유사 복사의 고질적 문제를 비평하는 것을 시작으로…. 그 유일한 해결책이자, 인공뉴런복합체. 베라(VERA)의 설계도를 남긴 채…

.

.

.

히나…

…

….

님… 님!

"히나 님?"

등받이를 쭉 뺀 카디믈랑제 고급 가죽 시트로 덮인 의자. 검은 포니테일 머리칼을 허리까지 늘어뜨린 여인이 단잠에서 깼다. 머리 위로 소매를 걷어붙이며 기지개를 켠다. 가벼운 하품. 아침을 짜는 소리는 마도카가 매일 듣는 일상이다.

"어 왔어?" 히나는 아무렇지 않은 척 의자를 돌린다.

"네."

"유오 일은 고생 많았어." 책상 위엔 결제가 필요한 궁색한 서류 뭉치가 나름의 규칙성을 가지고 정리와 널브러짐. 그 모호한 배열 사이에 있다.

"그래, 직접 보니 어땠어?"

"경과보고를 말씀하시는 거라면…. 나름.." 푸핫. 어떤 수치를 나타내는 그래프를 들여다보다 히나는 내려놓는다. 마도카의 시선이 흘끗 종이에 닿았다가 방금 요구한 대답과 연관성이 없음을 깨닫고는 땅으로 툭. 눈을 흘겼다.

"내 말 무슨 뜻인지 알잖아."

"...결함은 없어 보였습니다." 히나의 표정이 차갑게 식었다. 무어라 더 말을 하려다 상대의 쓴 얼굴을 보더니 주저했다.

"네 심정 이해해. 하지만 너도 알다시피 인류의 존속을 다루는 매우 중요한 연구야. 베라(VERA)의 결정을 흔들만한 것인 만큼 말야." 마도카는 입을 꾹 다물고 있다. 아무래도 저 탐스러운 입술에서 오늘 안에 좋은 말이 나오긴 글렀다.

"정 그러면 이번 연구는.. 너 대신 다른 팀 서포트를 받도록 할게."

"아뇨. 그건…!"

반응이 만족스러운 듯 히나는 빙긋 웃는다. "그래, 역시. 그래야지. 너와 내가 아니면…. 솔라 프로젝트를 누가 맡겠어. 이제 시작이야. 모두 무시카를 위해서…"

마도카는 눈동자를 떨궜다.

"어쨌든, 마침 잘 와주었어." 하암.. 으그극.

"이사회에 가야 하거든. 방금 전까지 좋은 꿈을 꾼 것 같은데.. 이제 기분만 잡치겠어."

히나는 의자에 걸어둔 흰 가운을 집어들었다. 아, 참!

"....?"

"책상 위에 선물. 파트너는 네가 골라."

몸을 돌리자 마침 책상 위의 물건과 부딪히더니 땅으로 떨어졌다. 반사적으로 손을 뻗는 액션에서 마도카는 그친다. 쨍그랑! 날카로운 소리. 몇 갈래로 찢어진 물건의 앞면을 확인한다. 한 점에서 퍼지는 직선과 곡선의 불균형. 곡선은 직선의 등에 올라타고 직선은 길게 늘어져, 조각조각 다양한 모습을 연출한다. 거울.. 휙. 마도카는 히나의 얼굴을 급하게 쳐다봤다. 그녀는 의미심장하고 그런 미소를 짓다가 검정 구두를 옮길 뿐이다. 또각또각또각.

지구, 윱지아 188 층. 정갈하지 않고 상징적인 단출함과 부스스하고 떡진 머릿결. 드문드문 민머리. 각 분야 랩(lab)의 최정상 연구소장들이 자리했다. 저래 봬도 넥타이 등으로 구색 정도는 맞춘 걸 보아 저들 나름 전투적인 아침을 맞이했을 것이다. 원형 경기장을 방불케 하는 드넓은 공간. 특히, 187 개의 개인 소형 부유 장치의 메카닉한 풍경과 막 집을 나선듯한 그들은 극명한 대조를 이루었고, 개중 21 석가량은 약 십 년 전 유오에서 휘말린 '사건' 때문에 기약 없는 빈자리를 맞이했다. 각 분야의 최정상이기에 전임자를 능가하는 인원을 배출하지 않는 이상, 공석에 변동은 없으리라. 세계는 오로지 그들의 연구와 성과. 그리고 적절한 부패에 유지해왔다. 그리고 앞으로도..

윱지아 이사회 의제는 매회 주제를 달리한다. 정해진 날짜도 없다. 다만, 빈번하다고들 툴툴거리면서도 대개 자기 연구소마다 성과를 자랑하다가 인류의 난제를 해결할 신기술과 비약적 합의 관계에서 도덕적 양해를 구걸하거나, 불완전한 연구에 실마리를 풀어줄 타 랩(lab)의 기술을 엿듣고 따분하기 짝이 없는 이사회 결정 사안이 끝난 뒤, 은밀한 제안이 서로의 울타리를 넘나들었다. 그 외 무리는 연구비 강탈 목적으로 하이에나 같은 자들의 집합이라 해도 무방했다. 그런데도 인간의 욕망. 그 미명 아래

암묵적으로 모든 일이 용인되는 곳이다. 눈부신 여러 줄기 조명 아래 중앙 홀에 서 있는 남자가 첫 입을 뗀다.

"융지아는 티폴 탄성 이래로 68 년 동안 명맥을 이어오던 곳입니다. 여기 계신 분들 각각 분야는 다르지만, 로저가 구축해 놓은 메커니즘에 보은을 입고 있다는 걸 부정하는 사람은 없을 거라 믿습니다."

누구는 고개를 주억거리고 누구는 묵묵히. 그리고 딴청을 피운다. 간혹, 이런 따분함 속 지식인들 사이에서 초록의 탁한 반점성체가 탁자 아래서 똬리튼 걸 발견할 때면, 청소부는 뭐 이런 놈들이 인류를 끌어가나 싶기도 할 것이다..

".... 하지만 로저의 업적이 아니더라도 폴프는 엄연히 과학계에 큰 파장을 일으킨 과학자요. 폴프의 자리는 선대의 명성으로 빚어진 게 아니란 겁니다. 그러니 융지아 폴프 의장 탄핵은 오히려 시커먼 자들에게 권력만 보태는 꼴이 될 겁니다."

"그럼, 폴프. 저 망나니를 가만히 두고 보란 말이오? 그리고 업적이라 하셨소? 약 십 년 전, 유오에서 '그 사건' 때문에…"

크흠! 누군가가 헛기침이 그의 말을 막아섰다. 덕분에 그나마 데면데면하던 분위기만 썩 가셨다.

"베라(VERA)는 뭐랍니까?"

"그녀는 로저에 관해선 되도록 함구하고 있소."

“그럼 알아서 하라는 뜻 아니겠소?”

“그러다 폴프의 공백으로 문제가 생기면 누가 책임집니까?”

"별것 아닌 의제에도 그깟 기계에 의존하지 않으면, 윰지아가 존속할 수 없단 말이오?" 그 말을 듣고 인공지능, 기계공학을 다루는 박사들의 원성이 높아졌다.

"뭐요? 그깟 기계? 이런 무식한 놈아! 아직도 베라(VERA)를 양자 컴퓨터쯤으로 취급하는 자가 상석을 차지하고 있다니.. 쯧쯧."

"뭐.. 뭣!! 저… 저런…!" 상대는 혀를 찬다.

다툼이 잦아지자 중재하던 자는 난처했다. 그는 슬쩍 한 달 전부터 이 의제를 가져와 지금의 분란을 만든 장본인. 어떤 박사로 눈을 흘겼다. 검은 눈동자. 구두. 상황을 즐기는듯한 날카로운 눈빛. 일종의 신호였을까? 보이지 않는 바톤을 건네고 싶었다. 말이 좋아 이사회지 실은 고집불통. 대단한 옹고집으로 빈틈없이 무장한 자들을 어찌 중재한단 말인가? 이것 또한 난제라 속이 타들어 간다.

마침내 히나가 입을 열었다.

"사실 폴프 탄핵 건은 그다지 중요한 사안이 아닙니다."

젊은 여자의 낭랑한 목소리가 청중의 신경을 꽉 잡았다. 유리구슬같이 투명한 피부. 당돌한 말투. 무엇보다 젊음. 어쩌면 변두리에서 괴짜 영감의 뒤치다꺼리나 맡을 법한. 전에도 봤지만 예쁘장한 얼굴이다.

"그럼 뭐가 중요합니까? 다들 바쁘신 중에 저번 의제에 대한 이사회 결정을 내리러 온 것 아닙니까?" 이에 기다렸다는 듯이 히나의 입꼬리가 올라간다.

"최근 폴프가 몇몇 비주류 연구를 이유나 상의 없이 폐기하고 있습니다. 여기 계신 분 중. 이미 진행 중인 연구에 브레이크가 걸려 조사관이 찾아오는 등. 다소 어처구니없는 일이 벌어지고 있습니다만, 전임자의 명성에 누를 끼칠까 다들 묵인하고 있습니다."

중간중간 움찔거리는 소리가 입구까지 들려온다. 믿을 수 없다는 반응도 있고 두리번거리는 사람. 괜히 시선을 피하고 손톱을 물어뜯는 자도 생겨났다. "그게 사실이오?"

"네. 부끄럽지만, 저 또한 그런 상태입니다……"

히나가 대답했다.

"실례가 안 된다면 제 말에 손들어 줄 박사님 계십니까?"

그러자 슬쩍. 청중 가운데 힘없이 부실거리고 나풀대는. 손이 무려 스물을 넘어간다. 개중 퀭한 얼굴. 뒤집은 반달 눈으로 초로의 남자가 슬쩍 입을 열었다.

"인가를 낸 건 윱지아 폴프인데.. 이제와서 연구중단? 로저는 천재였지만 결코 자만하지 않았고 이외의 분야에 대해 도외시하지 않았습니다. 아무리 폴프가 그분의 핏줄이라곤 하나, 행보는 전혀 다릅니다. 저대로 둔다면 윱지아의 존속 방향이 틀어질 겁니다. 다른 분들 역시 당장은 괜찮을지 모르나. 자기 연구가 언제 어떻게 될지 누가 압니까? 티몰의 점성가들한테 물어보시렵니까?"

이후, 몇몇 사람이 우후죽순 항거를 시작했고, 이를 맞받아치는 자들도 있었으나. 굵직한 매듭 없이 장내의 분위기는 한쪽으로 기우는 양상을 띠자 각자 표를 던지기 시작했다.

… 탄핵 건 찬성 68. 반대 55. 채워지지 않은 나머지 숫자는 비교적 여유로운 유망한 연구를 맡은 랩(lab)의 기승이자 백지장. 기권표.

"에.. 그럼 다음번 의제는 윰지아 새 지도자 선출입니다. 이것으로 마치겠습니다."

썰물이 돼나가듯 사람들은 유유히 원형 경기장을 빠져나갔다.
"나름 아슬아슬했었나?"

때마침 잠시 승리의 환희를 맛본 히나의 표정이 찌그러졌다. 누군가 그녀의 여린 손목을 무리해서 낚아챈 것이다. 상대도 아차 싶었는지 곧바로 결례를 인정하고 정중하게 말했다.

"저.. 히나 박사님. 메모리입자 연구를 맡고 계시죠? 『태양풍과 뇌간의 공명성 증명』 논문은 인상 깊었습니다."

겉치레 인사에 히나는 괜히 심술궂은 이러저러한 따분할 자기 연구 논문에 대한 질문을 하려 했으나 빼낸 손목이 저렸다.

"저는 메카시냅스 분야의…"

"인사는 됐고. 방금 여기서 나온 거예요?"

"아, 그게. 아시다시피 저희 소장님은 참석할 수 없는지라…"

하. 제멋대로인 녀석. 메카시냅스의 권위자라 하면 그 녀석이다.

사물을 꿰뚫은 듯한 날카로운 눈과 짙은 다크서클. 고집스런 매부리코와 올린 머리가 스스로 어울리는 줄 아는 재수 없는 자식. 머릿속으로 떠오르는 이미지만으로 상당히 건방진 느낌을 받았다. 그더러 '휜칠하다'라 말하는 아첨꾼 때문에 버릇만 나빠졌다. 히나는 그 사람이 더 몹쓸 놈이라 생각했다.

"용건이 뭐죠? 그쪽 소장이랑은 따로 볼 일이 없는 거로 아는데요?" 그건 나름 맺음말이라서 걸음을 돌리려는데 그는 다시 히나의 손목을 잡았다.

"뭡니까?"

"제가 박사님과 접촉한 건, 크리스 님도 모르는 일입니다." 텁. 손에 뭔가 잡혔다. 그러더니 제 볼일이 끝나자마자 그도 의회장에서 미처 빠져나가지 못한 인파에 곧 몸을 맡겨버렸다. 히나의 손엔 막 아무렇게나 접힌 쪽지가 있다. 아니, 씹다만 껌을 뱉기 위한 종이 쪼가리. 그 정도의 쓰임에 있어야 알맞은 것이다. 히나는 구깃구깃한 종이를 펼쳐 본다…. 양지의 잉크 자국. 휘갈긴 필체. 그러나 믿을만한 것인가? '크리스는 모른다'는 말은 제법 솔깃하나, 그걸 넘어서 수상쩍다... 게다가 쪽지의 내용은 더 가관이다.

"시답지 않은 소릴.."

종이는 수납 플라즈마 폐기 장치 안으로 재가 되어버렸다.

…

삐빅.

"네." "축하합니다. 히나 박사. 드디어 폴프를 무너뜨리는군요." "어차피 일어날 일이었어요. 누군가는 대체해야 할 자리니까.." "외람된 말이지만, 그 자리에 직접 오를 생각입니까?"

히나는 잠시 고민하는 척했다. 딱히 다른 이유는 없지만.

"아뇨, 따로 생각해둔 자가 있어요. 그렇다고 걱정할 필요는 없고요. 특무부엔 섭섭한 일 없도록 할 테니."

크눌프는 흡족한 듯 미소를 띤다.

"실험체는 어떻게 됐죠?" 히나가 물었다.

"사실은.. 그쪽에 우리 출신 요원 한 명와 솜씨 좋은 해커가 붙어선지 애먹고 있습니다."

".. 요원이요? 상투적이네요."

"그래서 일단 모래꾼을 불렀는데.." "그런데요?"

"... '무영'으로 분류된 자더군요. 혹시 짚이시는 게 있는지…"

"글쎄요. 질문의 저의를 모르겠네요." "그러시다면야…"

전화를 끊으려다 히나의 입술이 달싹였다.

"폴프를 찾으면 처리하세요. 유오 어디서 개 한 마리 키우는 것 같던데. 이제 쓸모없잖아요?" 뚝.

188 층에 이젠 볼일이 없는 히나는 중앙 홀에 유유히, 외딴 섬처럼 부유 중인 패널 하나를 잡았다. 삑.

“665 층으로..”

...

"여기가 맞아?"

붉은빛 도는 호텔 로비. 대낮부터 부스러기를 흘리며 샌드위치를 우걱우걱 씹어댔다. 스읍.. 호텔 실내를 보는 것만으로 영감이 샘솟는 카디플랑제 고급 가구를 죽 훑었다. 그러나 시오는 별 이렇다 할 감흥이 없었다.

-일단은 클라크 경장의 개인 서버 흔적은 그쪽이던데요? 왜 그러세요?

"아니, 그렇다기보다는.. 뭔가 좀.." 꿀꺽. 커피와 함께 진한 단내가 남은 손가락을 아낌없이 쪽쪽 빤다. 호텔 같지 않다. 그런 생각이 들었다.

"수복한 신체 부위가 아직도 얼얼한데 너무한 거 아니냐? 연달아 임무라니. 요원이 나밖에 없는 것도 아닌데."

괜히 손목이 요란스럽게 아린다. 가루가 된 뼛조각을 마치 접착제로 이어붙인 듯한 바이오 프린팅 기술은... 두 번 다시 겪고 싶진 않다.

-뭐, 칭찬해주길 바라요? 꿈도 꾸지 마세요. 어쨌든 시오 님은 저한테 빚지신 거예요.

"블로킹.. 아니, '실리만 코딩'은 왜 동시에 두 군데가 안 되는 거야…"

-불만 있어요?

그는 혼자 중얼거리며 다시 붉은 호텔 로비로 관심을 두었다. 비스트 호텔이라.. 정말 짐승의 아가리를 본떠 놓은 건가? 커튼. 하얀 송곳니. 억지로 생각하면 그럴듯해 보이긴 했다. 그렇다면 시오가 있는 곳은 혀 돌기 끝 선홍빛 공간이다. 몇 시간 째 이곳을 오가는 사람들 얼굴을 달달 외울 지경이다. 얼굴. 얼굴. 또 얼굴. 흐릿한 물감의 배경처럼 호텔 아가리 풍경에 번진다.

"저녁까지 샌드위치는 싫은데.." 시오는 호텔을 빠져나왔다. 차라리 길바닥이 낫겠다는 판단에서였다.

-나오시면 어떡해요! 부장님께 이를 거예요? 귀가 간지럽다.

"히나 박사가 여길 들른 것도. 그녀의 죽음과 폴프의 관련성도.. 미심쩍지만 여기 무작정 있는다고 폴프가 나타나는 건 아니라고. 아냐, 됐어. 네가 현장을 알겠냐?..."

시오는 볼멘소리를 터뜨렸다. 확실히 박사 살인 사건. 그 현장에 있던 홀로그램 실루엣은 폴프가 틀림없었다. 그런 전제가 되어야 꼬리 정도는 밟을 수 있을 터다. 당시 검은 형체의 실루엣 정보 접근 권한은 홀로그램으로 참여했던 연구소장에게도 없었다.

"그런데 전혀 알아보질 못했으니 직위가 높은 사람인 건 분명해. 일단 그가 폴프라 가정하고 접근하자."

-아무렴요.

시오는 호버 택시를 탔다. 아래로, 바닥으로, 지면으로 이동한다. "폴프와 박사의 관계를 알아봐. 그리고.. 실험체 예측 반경 50km 로 광역 트랩 깔고. 할 수 있지?"

-그럼, 제가 못하는 걸 누가 할 수 있겠어요.

그녀는 의기양양하게 말했다. "베라(VERA)를 말하는거야?"

-그녀는 인간이 아니잖아요!

다시 뾰로통해진다.

"그러는 너는 인간이냐? 나는 우선, 뭐에 끼여 샌드위치가 된 것 같은 이 기분을 지워버려야겠어." 꼬르르르륵.

...

위우우웅. 푸우… 쉬이이이이…. 위용을 자랑하던 함선. 부푼 모래를 헤치며 배를 깔고 지면으로 내려앉았다. 꼬리 문이 열리고 레그에서 에르그로… 바뀐 풍경에 나는 내던져진다.

정말 태양인가? 일정하지 않은 빛의 안일함에 나는 놀라고 말았다. 푹푹. 꺼지는 모래. 나만큼 놀랐을 놈들이 예열 된 채로 나를 맞이했다. 눈을 가늘게 좁혔다. 동료라는 이들은 익숙한 듯 전혀 개의치 않은 눈치다, 아. 이 순간을 얼마나 기다려왔던가. 부대끼는 인류애로 넘친 대기를 대가 없이 품어주는 대지. 실로 거룩하다.

"히엠스는 이쪽으로 70km 정도 가면 돼." 라미아는 함선에서도 그러더니 내 옆자리를 차지했다. 한숨 섞인 내 반응도 아무런 소용이 없다. 이어붙인 듯 똑닮은 풍경. 라미아, 타무무, 아룬, 그리고 나는 걷고 또 걸었다..

"라미아, 아직 멀었어? 그리고 걔 좀 내버려둬. 너 때문에 입술이 거의 다 말랐다고."

타무무는 반복되는 풍경에 질린 나를 걱정해주는 건지. 괜히 딴죽을 걸고 싶은 건지. 침묵을 깬다. 당연히 라미아는 혀를 날름 내밀었고. 오히려 답답해하던 사람은 다른 쪽이었다.

"라미아." 아룬 대장도 상당히 지친 기색이 역력했다.

"거의 다 왔어요. 농담이 아니라. 정말로 거의 다요. 2km 남았다고 나와 있어요." "그럼 대충 보이기라도 해야 하는데…."

방향은 틀림없다. 행성 GPS와 유독 민감해진 내 감이 그러했다. 더군다나 누구도 그녀의 실수로 보지 않았기에, 때마침 선 자리에서 쉬기로 한다. "어찌 된 거지?" 시야에 닿는 너울진 지평은 대략 15km. 은밀히 지워진 앞선 발자국과 앞으로 남은 2km 역시 걸림 없이 뻥 뚫린 채. 티폴 행성의 건재함을 자랑했다. 털썩. 타무무는 아예 대자로 누워버렸다.

"귀신이 곡할 노릇이군! 누구 히엠스 가본 적 없어?"

웃긴 질문이다. 다들 지구인 주제에 티폴인 거주 지구를 무슨 수로 가본단 말인가! 나는 피부로 따가움을 느낀다. 창으로 쿡쿡 찌를만한 것이 이 사막에 무엇이 있지 싶어 고개를 들었는데 그들은 나를 막연하게 쳐다보는 중이다.

"아니 난, 유오에서 벗어난 적이 없다고요. 계획이 있어서 날 여기로 데려온 거잖아요." 모두 그럼 그렇지. 라는 반응이다. 그들의 기대에 먼저 부응할 필요까진 없다.

"... 어렴풋이 그래야겠다고는 생각했지만, 설마 진짜 유오에서 탈출할 수 있을 줄은 몰랐다. 감찰국과 특무부의 마찰은 예상외의 것이었으니까. 어쨌든 히엠스를 잘 알아보지 못한 건 미안하군."

우리는 한동안 태양을 피해 감찰국과 특무부. 그들의 사계에 있는 권력 투쟁을 안줏거리 삼아 얘기를 이어갔다. 윱지아 내부 감사를 위해 창립된 감찰국. 그리고 폴프의 상징으로 여겨지는 대외 특수무력작전본부. 이하. 특무부. 두 집단의 구도는 서로의 창이며 방패이자 활이었다. 한 가지 확실한 건, 이번 사건을 통해 겉으로 평평히 유지하던 체제의 민낯이 사실은 특무부 쪽으로 기울어 가고 있음을 시사했다. 그러나 흐름은 또 이상하게 흘러간다. 폴프의 탄핵이 그러한 경우다.

"그럼.. 특무부 크눌프가 쿠데타를 일으켰다는 말이군."
"정확히는 배를 갈아탄 거겠지. 어떤 배인지는 아직 밝혀진 게 없지만. 확실한 건 특무부는 감찰국과 척을 지려는 거야."

모두 그런 합의로 도출된 결과에 이견 없이 끄덕이고 있을 때였다. "아룬 대장… 저 구름 원래 저기 있었어요?"

타무무는 몸을 일으키며 말했다. 구름을 더 자세히 보기 위해서 어쩌면 있어선 안 될 것이 머리 위에 차양 역할을 하고 있었다.

"글쎄 잘 모르겠는걸?"

그러자 타무무의 입가가 미소로 번지기 시작했다. 기분이 나쁜, 하지만 좋은 신호다.

"사막에 저런 커다란 구름이 있을 리가 없지…. 대장.. 타말어 할 줄 알아요?" "갑자기 왜?" "아무래도.. 필요할 것 같아서요. 라미아, 지금 당장. 타말어 번역 프로그램 깔아."

타무무의 다급한 목소리에 그녀는 정말 그러고 싶었다. 지속적 네트워크 방해만 아니라면 말이다!

"칫! 누가 막고 있어서 뚫으려면 시간이 좀 걸려."

"그럴 시간이 없는데…" 그는 여전히 하늘을 보고 있다. 거대한 점으로 보이는 구름의 밑면. 단숨에라도 메마른 대지에 단비를 뿌려댈 준비를 하고 있다. 까맣고, 부풀었다. 눈치 챈 대장 아룬이 느지막이 말했다.

"히엠스다." 휙. 나는 그제야 차양을 제공하는 푸름을. 비스듬한 빛줄기를 올려다본다. 마침 배설물처럼 구름 똥 같은 것이 뭉게뭉게 하강하기 시작한다.

…

우린 적잖게 당황했다. 경계할 필요도 없이 사람을 닮은 '어떤 것'과 마주했다. 우리의 안일함 속에서 이루어진 첫 만남은 묘한 긴장을 불렀다. 소곤소곤. 타무무가 라미아에게 속삭였다. 간질임에 라미아는 눈살을 찌푸렸다. "뭐라는 거냐?" 그렇게 물어본들 어쩌라는 기색이 역력했으나, 그녀도 알아듣지 못했다. 다만 여전히 내 팔을 붙들고 있을 뿐.. 갱어. 그들은 '타말어'라는 외계 언어를 쓴다. 고작 지구의 무장집단이 알아들을 리가..

"저 사람… 귀가 없어.."

몸의 말단으로부터 서서히 모래처럼 바스러지는, 일종의 '물질 모래화' 때문에 눈이 없고, 혹은 손이없고, 또 머리칼이 없었다. 펄스 로드는 그런 생명 에너지를 지구로 이송하는 일종의 저주.. '레일'. 그들이 신으로 섬기는 헨마는 어째서 티폴인에게 가혹한 벌을 내린 걸까? 무슨 대단한 잘못을 했다고.. 타르프는 그 답을 알고 있을까? 나는 문득 궁금해졌다. 이렇듯 티폴인의 생체는 온전함이 없다. 인간과 갱어. 비슷하면서도 전혀 다른. 그러니까, 바나나와 인간쯤의 관계라 생각하면 되겠다. 유전적 성질. DNA 가 50%가량 일치한들 바나나에 손이 달렸는가? 아니, 하다못해 인간들은 노르스름한 단내조차 풍기지 않는다.

귀에서부터 얼굴의 반쯤 뚝뚝 흩날리는 모래를. 그 갱어는 터번을 감은 채로 신체 일부를 주우려조차 하지 않고 계속 중얼거렸다. "......"

그 티폴인은 계속 말을 걸었다. 지독한 놈. 한마디를 못하는 지구인의 목구멍만 타들어 갔다. 기억에 없는 동료. 갱어. 사실 그들의 존재는 목에 걸린 가시만큼이나 불편하기 짝이 없는 것들이었다.

…

답답했는지 수컷 갱어는 휴대전화를 꺼냈다. 그리고 조금 닳은 검지로 여기 저기 똑. 똑. 앙증맞은 소리를 낸다. 역사서에나 볼 법한 모습이 아직도 의아하다. 갱어는 이렇게 말했다.

"나, 참… 벙어리 모임인가. 왜 여기 사막 한가운데 있는지 모르지만, 택시를 불러줄 테니 히엠스까지 타고 가쇼. 에잇. 돈만 날렸네.."

그는 우리더러 손짓하는 모양이지만, 기분이 상한 나는 단호히 말했다.(택시가 필요함에도 괜히)

"괜찮습니다."

그러자 남자가 놀란다.

"아.. 실례했소.. 보호자 되시오?"

"... 그런 셈이지요. 그나저나 히엠스엔 어떻게 가는 겁니까?"

저 찢어지는 눈초리가 심상치 않다. "외지인?"

"그게…."

"하! 내 그럴 줄 알았소. 멀리서 보니, 딱 복장이 모래꾼인 것 같더니.. 흐흐. 다행이오. 내 저기 위에 있는 친구와 내기를 했거든. 아마 망원경 같은 걸로 이곳을 보고 있을 거요."

남성의 반쯤 뜯겨 나간 얼굴이 반달모양으로 하늘을 향해 웃었다. 손도 흔든다. 뭐가 있긴 한 건가? 나는 뜬구름을 몇 초 동안 보다가 휙 하고 뒤돌았다. 타무무, 라미아, 아룬은 멀뚱멀뚱서 있었다. 은근슬쩍 레일건을 등 뒤로 매며 고작 2ft 짜리 흉물을 아예 치워버린다. 나는 내심 순한 양이 돼버린 그들에게 안도했다.

"아, 그러십니까?"

문득 그 내용이 궁금해서 묻지 않을 수가 없었다. 우리 인간은 알코올과 농담으로 살아가는 하루살이 동물이니까.

"내기 내용이 뭡니까?"

하하하! 그는 내 반응이 재미있는지 크게 웃었다.

"이것도 인연인데 올라가서 말합시다. 저는 유사학자 자마라고 합니다. 같이 가시겠소?"

'유사학자'라.. 음.. 그래서 그런 거구나. 티폴인이 가진 특성. 진화의 거부.. 그들의 종족 특성을 뒤로하고 나는 순순히 그의 말을 따르고 싶었다. 분명 나는 타말어를 배운 적이 없다. 유오에서 간간이 들어본 적은 있지만, 우리를 앞에 두고 학자들끼리 속어로 사용하는 정도였다. 그런데… 말이 술술 나온다. 스스로 놀란 나머지 확장된 동공을 들키지 않으려 괜히 태양과 모래 언덕을 번갈아가면서 훔쳐본다. 다만, 버벅댔고 어설픈 것이 혀끝을 자주 요동을 쳤다. 나는 일부러 그것이 자연스러운 것마냥 되레 더듬게 두었던 것도 있었다.

"좋습니다. 무시카입니다." 꾀를 부린 셈이다. 혀나 목, 또는 매우 드문 경우로 폐부터 -모래화 되고 있다- 정도로 얼버무리면 그만이니까. 어쩐지 상대도 그렇게 짐작하는 눈치다. 나는 일행을 본다. 라미아의 눈빛, 타무무, 대장 아룬. 어느새 그들은 나의 연기에 숟가락을 얹는다. '다행히..' 우리는 갱어가 타고 온 선체에 몸을 실었다. 멀어지는 땅으로 타무무는 침을 뱉었다. '왜, 뭐?' 그런 표정을 짓는다.

아래서 구름이라고 생각했던 뿌옇게 칠해진 거대 부유체는 가까이서 보니 더욱 이해되지 않았다. 아예 수증기 같은 성질을 띠는 유기 셀 입자가 주위를 감싸고 있는 게 아닌가? 그리고 그것은 아래 공기를 들이쉬면서 우리를 맞이했다. "꽉 잡으세요." 슈와아아악. 우리는 이 미지에 불시착한다. 눈이 휘둥그레진 우릴 위해 그가 설명했다.

"히엠스는 땅을 그대로 퍼올린 도시입니다. 원리는 모르겠지만, 예루라는 옛 타르프가 설계했다지요. 참고로, 바슈테림들은 어마어마하게 큰 삽으로 헨마 신이 퍼올린 곳이라 믿고요. 하하하!" 타르프가? 꿀꺽 나는 침을 삼켰다. 오히려 짤막한 헨마 신화 쪽으로 믿음이 기울었다.

"지금 갱어가 이 도시를 만들었단 말입니까?" 그는 끄덕인다.

"대단하지 않습니까?"

"그럴 리가요.. 뭔가 착각하신 거겠죠. 어떻게 갱어가.." 나는 슬쩍, 기분이 상하지 않을 정도로 반발했다.

"하하! 제가 인간처럼 거짓말이라도 한단 말입니까?" 나는 속이 뜨끔했다. 선체는 여전히 에너지를 뿜으며 비행 중이다.

"인간이 어떻게 겁도 없이 여길 온단 말입니까? 내가 아는 한 68 년 티뮬 역사에서 그런 일은 없습니다. 자기와 똑닮은 갱어를 만날까 겁이나서 고작해야 유오에서 벗어나질 않는데."

이번에는 일행들의 목 깊은 곳에서 침 넘어가는 소리가 들린다. 타말어를 알아들은 것도 아니면서.

"하하. 그렇긴 하죠. 그런데 자마 씨, 아시다시피 갱어는…"

"아, 저길 보시오."

그는 흐뭇한 표정을 지어 턱짓한다. 나는 입을 꾸욱 다물었다. 자마는 미소를 지으며 말한다.

"사실, 수업이 있어서… 기다려주시겠습니까?"

…

"와아….." 연신 감탄을 연발하는 일행들은 자마가 학자로 재직 중인 학교 창밖으로 펼쳐진 석순과 종유석, 또 그것들이 만난 거대 석주를 경이로운 마음으로 목도했다. 땅과 땅이 맞닿은 사이에서 아슬하게 물려있는 태양의 따스함과 종유석의 무작위 패턴만큼 막무가내로 갈라지는 에너지.. 그 바위에 쌀 알갱이처럼 박혀있는 건물 하나하나의 수준이 유오의 것과 견줄만한 것이었다. 유유히 노니는 함선 역시 전혀 뒤처질만한 구형 기종도 눈 씻고 찾으려야 찾을 수 없었다. 숨 쉬는 대지와 메카트로닉한 도시. 대체로 차가운 느낌이 드는 히엠스는 진즉 완벽한 양립을 이루어냈다. 타무무의 떡 벌어진 입이 이제 서서히 제자리를 찾아온다.

"윱지아는 이 정보를 알고 있는 건가? 솔직히 못마땅하게 생각했는데.. 유오 정도는 치고도 남겠어…"

"그것보다 베라(VERA)가 어디까지 숨기고 있는지가 중요하지.."

타무무의 감상평에 라미아가 뒤통수를 후들겨깐다. 베라(VERA)… 그녀의 견지는 절대적이다. 그녀가 우주의 '뇌'라면,

인간은 방대한 우주데이터 속 무한한 수열. 겨우 일의 자리를 담당하는 1 비트(bit)일 뿐이다. 그것조차 가당키나 한가? 싶다. 양자 특성을 가진 미시 우주에선 실재하지 않은 사건이나 존재는 사실 아무 의미가 없다. 애초에 일어나지 않은 일로 치거나 정확히 정의할 수 없는 믿음. 이를테면 '신'은 기적을 보이기 직전까지 존재 효력을 잃기에. 상식적으로, 아파트 단지 옆집에 코끼리라는 생물이 없겠지마는 관측하기 전까지는 있을 수도 있다는 뜻이다. 극히 작은 확률로써… 그러나 우습게도 인류는 주관적 믿음만으로 세상을 바꿔버리는 유일한 생명체다. 보이지 않는 걸 맹신하고… 파괴하고… 새로운 걸 창조하는… 어쩌면 인간은 신을 흉내 내고 있는 건 아닐까? 싶은 생각도 든다.

베라(VERA)가 히엠스를 모를 리 없다.

…

"그나저나 자마 씨가 뭘 가르치는지 궁금하지 않아?"

나는 기다림에 지쳐 먼저 입을 뗐다. 아룬은 묵묵히 들을 뿐이고 타무무가 대꾸한다.

"글쎄, 적어도 요리사나 역학자는 아니겠지."

"이 바보야. 무시카 말은 어떻게 갱어가 학습을 하느냐야. 여기 사람들은 모두 지구에 똑같이 생긴 본체를 둔 가짜야. 아시다시피 갱어는.. 본체에 대한 기억이 없지. 즉, 학습도 되지 않은 채로 덩그러니 '존재' 복사가 된 셈이야. 누구는 여자로, 남자로, 아이, 또는 노인으로... 펄스 로드를 따라 지식과 같은 모든 정보와 물질 에너지가 소실되는데. 이로 인해 모든 갱어가 평행을 이루지. 어느 학자는 정말 '유토피아'라고 하더라고."

타무무는 못마땅하게 조소했다. "유토피아는 무슨…"

"아무튼 지구어 학습이 불가해서 자체 언어를 쓴단 말이지. 신기한 건 티폴 탄생이 백 년이 채 되지 않았는데도 타말어의 기원을 추적할 수 없다는 거야. 많은 학자는 산발적인 지역에서의 자연 발생을 주장하고 있지만… 로저의 행성 복사 설정 값이라는 얘기도 최근엔 떠돌고 있어… 로저의 연구 일지가 발견됐다나 뭐라나.."

그게 사실이라면, 정말 이상했다. 그럼 티폴은 인공 행성인가? 자연계 법칙을 따르는 행성인가? 아. 복잡하다. 라미아는 계속 말했다.

"그러니 지금 히엠스의 모습도 말이 되지 않는 거야. 여길 설계한 예루라는 녀석은… 틀림없이 사람이야. 유오를 탈주한 과학자겠지."

"리본인 일 가능성은?"

"정보 에너지가 자연계로 흩어지진 않겠지만, 근본적으로 티폴인의 용량 한계는 분명 있어. 히엠스는 그런 수준으로 설명할 수 없어."

리본인이라도 정말 히엠스만 문명의 발전을 이룩한 건가? 티폴의 나머지 도시도 어쩌면… 나는 지금같이 찝찝할 때면 머리가 지끈거렸다. 지식 축적이 허용되지 않는 죽어가는 행성 티폴. 자마가 자신을 '유사학자'라고 소개한 이유는 그 때문이었다.

"만약 그게 아니라면? 정말로 이들이 학습하고, 히엠스를 만들었다면 어떻게 되는 거야?"

조용히 지켜보던 대장 아룬이 무겁게 입을 연다. "인과율이 깨지지 않는 이상 그럴 일은 없다. 베라(VERA)도 그렇게 두진 않을 테니…."

… 거기서 대화는 한동안 더 이어지지 않았다.

학교라지만, 모습은 지구의 것과 상당히 달랐다. 주름이 자글자글한 노인이 수업을 듣는가 하면, 막 아장아장 걷는 아이가 작대기를 들고 강당 앞에 서 있기도 했다. 저들의 지적 수준과 겉모습은 전혀 관계없었다. 그런 강의실 모습이 마치 아이들의 재롱에 힘입어 원기를 회복하는, 무슨 시답잖은 비싼 테라피 수업 같았다. 타무무가 창 너머로 슬쩍 엿보는 듯하더니 혀를 내둘렀다.

"이게 무슨 일이야…." 어쩌면 자마가 우리보다 나이가 어릴 수도 있다는 생각을 하니, 괜히 그의 주름이 신경 쓰인다.

"저.. 근데 타말어를 다들 알아들은 거예요?"

내 물음에 자신감 넘치는 목소리로 라미아가 대답했다. 누군지 모를 서버 방해 때문에 다운로드가 느렸을 뿐이지 거의 마지막쯤엔 모두 알아들었다고..

"음.. 그치 우린 벙어리고. 너는 보호자고." 타무무도 눈을 가늘게 뜨며 덧붙였다. 윽. 의도한 바는 아니지만, 앞으로의 모래꾼 역할에서 나의 임무가 3 인분가량 늘어날 것으로 예상하니, 입맛이 퍽 씁쓸해졌다. 조금 후에 수업을 마친 자마가 학생이라 부르는 갱어들 사이를 비집고 나왔다. 그단새 파리한 얼굴로 흐르는 땀 방울을 닦아낸다. 아룬 대장을 비롯한 일행은 곧바로 입을 다물고 이전과 조우한 대로 마스크를 썼다. 아마도 자마의 상상으로는, 우리는 턱이 빠진 갱어였을 것이다.

"아, 이거 죄송합니다. 생각보다 오래 기다리셨습니다." 그는 내 대답을 가로채고 좀 더 한적한 곳으로 걸음을 옮겼다.

"저.. 자마 씨. 바쁘신 것 같은데. 저흰 가보겠습니다. 도시에 들여주신 걸로도 충분히 감사합니다."

하하하! 그는, 내 어설픈 타말어를 감싸주려는 듯 사람들 사이서 조금 더 짙게 웃었다.

"아까 친구와 했던 내기가 궁금하지 않으십니까?"

그의 입꼬리가 살짝 올라갔다. 아니, 얼굴의 반쪽이 없어서 그렇게 보였는지도 모른다. 거기서 약간 선득함을 느꼈다.

"모래꾼들 대접은 언제나 후하답니다. 메마른 티폴의 이야기를 실어 날라주니 말입니다. 초면이긴 하지만.. 그 타르프 친구를 꼭 소개해주고 싶은데.."

나는 화들짝 놀라 물었다.

"타르프요?"

"음.. 그게 이제 막 타르프가 된 친구가 있는데.. 이것도 헨마께서 주신 기연이 아닐까 싶어서요."

이자도 바슈테림이었나? 아까 했던 헨마 신화는 떠본 거였나? 삽으로 어쩌고저쩌고하더니.. 나는 넓은 면적으로 소실된 자마의 광대 부분을 보며 오만 잡생각이 떠올랐다.

"… 타르프가 뭡니까?" 그는 질문의 저의를 모르겠다는 표정임에도 자마는 친절을 잃지 않고 답했다.

"별을 보며 점을 치는 점성가들입니다. 그런데 왜…?"

"아, 오래 모래꾼 생활을 하다 보니, 지역마다 부르는 말이 달라 잠깐 헷갈렸습니다."

"그렇습니까?"

유오에서 언어를 연구하던 과학자가 스치듯 하던 말이 불현듯 떠올랐다.

-타말어는 말야. '모래화' 법칙으로 신조어 발생이 불가능해. 그들은 발전이나 진화가 허락되지 않는 존재라고.. 뭐? 왜 연구를 하느냐고? 이 사람아! 그게 내가 묻고 싶은 말일세! 껄껄껄-

다행히 자마는 '언어쪽 유사학자'는 아닌 모양이다. 자마는 어물쩍 넘어가듯 우리를 자기 집으로 초대했다. 티폴인의 문화로써 낯선 방문자를 집으로 들이는 건 특별한 일이 아님에도 나는 약간 긴장했다.

-괜찮아?

라미아의 위로도 별 도움은 되지 않았다. 알 수 없는 불안감. 이상하리만치 일이 잘 풀리게 되었을 때 묘한 성취 뒤에 숨어 호시탐탐 비수를 노리는 불행. 그 불쾌한 미소가 나를 향하지 않기를..

자마의 집에 도착했을 땐, 웬 여자아이가 우리를 맞이했다. 그 모습이 당혹스러워서 우리는 티를 내지 않으려 애를 썼다. 조심스럽게 말하지만 나는 유오에서 편견이 없는 축에 속했다고 자부한다. 딸이 아닌가? 타무무는 속삭였다.

-저래도 되는 거야?

"몰라."

여자애는 자마와 입을 맞춘 뒤, 미리 불을 붙여 놓은 담배를 자마의 입에 밀어 넣는다. 끔뻑. 스읍… 후우.. 은은하게 퍼진 농도 깊은 단향이 복도를 우선 가득 메운다. 스르륵 감기는 내 눈이 황홀하다 못해 잔재로 남은 연기 끝을 향한다. 이건… 콘냐다. 꿀꺽. 나는 저 맛을 안다. 그렇기에 무서운 것이다. 여자애는 우리 쪽을 다시 한번 쳐다보았다. 그러고는 까치발을 들어 자마의 귀에 입을 가져다 댄다. 소곤소곤. 올망졸망한 눈. 이따금 곁눈질이 귀여워서 하마터면 그 상태로 머리를 쓰다듬을뻔했다.

"음…. 그래?"

달곰한 입술로 어떤 말이 떨어졌을지.. 소녀. 그래, 소녀는 갑자기 성큼성큼 다가왔다. 나를 지나, 아룬을 지나, 타무무의 앞으로… 움찔. 마스크 뒤의 그 표정을 상상하느라 웃음이 절로 났다. 이유는 모르지만 소녀가 요구한 건 악수였다. 손과 손의 만남, 온기를 확인하는 작업. 별것 아니면서도 관계의 전반을 좌우한다고 말할만하다. 그런 면에서 악수를 타무무는 멋쩍게 받아들였다. 홍홍. 바람 소리가 들릴 정도로 세다. 냅다 도망가는 소녀. 타무무는 '뭐야…?'라는 표정이다. 그러거나 말거나 나는 복도를 가득 메운 이 환상에 집중했다.

"저기.. 자마 씨. 실례가 안 된다면 저도 한 모금 태울 수 있을까요?" 그의 입꼬리가 올라갔다.

“여기 계시는 동안은 얼마든지요.”

나는 입을 짝짝거리며 일행과 응접실로 들어섰다. 삐딱한 흔들의자엔 늙수그레한 남자가 앉아 어디서 구했는지 커피를 마시고 있었다. 아마도 타르프일 거라 생각했다. 자마의 집은 작고 단출했는데, 또 그만큼 정갈하고 깔끔했다. 둥둥 떠다니는 도시의 외곽에 위치한 터라 창밖으로 뿌연 증기와 한데 섞여 컴컴한 어둠이 펼쳐졌다.

"뭐라도 보여?" 자마가 늙은 사람에게 한 말이었다. 엄연히 타말어엔 존대가 있었음에도 상대 역시 대답이 짧다.

"자마! 어때 내 말이 맞지?! 하하하!" 그는 몸을 일으켰다.

"아니라니깐. 후후. 네가 못 믿을까 봐 손님들을 모셔왔지." 짧은 인사 후, 우리는 직사각 나무 협탁에 빙 둘러 앉았다. 마치 태초의 이야기를 들으러 온 아이들처럼 붉은 조명과 내 콘냐 연기가 기묘한 분위기를 만든다. 공간과 공간의 충돌, 지구인과 티폴인, 신뢰와 불신, 낯선 사람과 또, 어색한 갱어들. 그러나 누구 하나 볼멘소리 없이 침잠하고 폭신한 소파에 앉아. 누가 먼저 모임의 노고를 이끌어 갈지 눈치를 살핀다.

그 선두에 자마가 숟가락을 얹었다. 스윽. 손을 내밀며 말했다.

"이분들은 모래꾼일세. 뭐, 확인해 보겠나?"

주름이 자글한 타르프는 양옆으로 길게 늘어뜨린 하얀 눈썹, 역시 힘겹게 치켜뜬 듯 옅은 신음을 뱉더니. 끄응. 주머니에서 지폐를 꺼낸다.

"정말.. 유오에서 탈주한 실험체를 이송 중인 게 아니었단 말이야?"

눈썹을 헤집고 드러난 눈동자가. 아래위로 움직였다.

"이 사람아! 그랬다면, 바보처럼 함선을 버리고 하루나절 걸어올 리가 없지!"

거기서부터 지켜보고 있었나?.. 꿀꺽. 나는 멋쩍게 웃었고, 내 일행들은 일부러 못 들은 체하느라 진을 빼는 중이었다. 실은, 자마가 내뱉은 단어가. 몹시 거슬렸다. '사람'..

가짜 주제에. 우리가 어쩌면 인간이라는 걸 들키는 날엔… 사막 한가운데서 시체로 발견될까? 히엠스를 입국했을 때 슬쩍 보았던 대함전용 레일포의 위용에 일순, 등골이 서늘해진다. 사막 한가운데 내리퍼붓는 육중한 에너지의 일방향을 상상만 했는데도, 솔직히 유오의 과학자들이 상대나 될지 의심스러울 정도다.
자마가 또 만족스럽게 말한다.

"그런데 뭘 그렇게 보고 있었나?" "빛을 보고 있었네."

나는 창밖으로 시선을 돌렸다. 왔을 때와 마찬가지로 일섬의 그림자만이 까마득히 나를 빨아들일 것처럼 막연했다. 자마의 눈에도 다를 건 없는지 고개를 갸웃거렸다. 타르프라는 존재는 참으로 묘했다. 나와 눈을 마주치는 방법도 다양했다. 당당히 하찮은 생명을 압도하는 맹수의 눈으로 보다가도 피식자의 움츠림처럼 눈치를 살피기도 했고 벌거벗은 여인을 훔쳐보는 양 가늘게 뜨기도 했다. 다시 말해 나는 전반적으로 그에게 못마땅한 상태에 놓여있었던 것이다.

"모처럼 이렇게 모였으니, 타르프인 제가 이야기 하나 꺼내겠소. 타르프는 그런 의무가 있으니 말이오." 그는 처음으로 빙그레 웃었다.

"그 전에 통성명이나 합시다. 무시카입니다." 여태 받아왔던 관심에 나는 가볍게 화답했다.

"나는 타르프요." 그는 악수를 건넨다. "설마 이름은 아니시죠….?"

"나뿐만 아니라, 타르프는 이름이 없소. 자신을 내려놓고 별과 행성의 뜻을 읽을 줄 아는 자가 돼야 하기 때문이오. 우리는 우주에 티끌만한 존재잖소."

"그럼 서로 어떻게 지칭합니까?"

"하하. 별의 흐름을 읽다 보면.. 대개는 그럴 필요가 없소."

그가 뱉는 말은 거의 수수께끼라 나는 해석하지 않고 아예 질문을 틀어버렸다.

"혹시 아이 모습을 한 '타르프'를 본 적 있습니까?"

흐음.. 그는 그런 용도로 있는 턱수염을 쓸어내리기 바빴다. 천천히 삼각 모양을 잡으며 흐트러지지 않도록. 길지도 않은 탓에 괜히 요상스럽다.

"그런 자는 없소." 그는 단호하게 말했다.

"아니, 그래도 티몰에서 모든 타르프를 아시는 것도 아닌데…"

"그런 타르프는 없다지 않았소." 타르프는 기분이 나쁘다는 듯 호통을 쳤다. 그리고 곧바로 경직된 분위기를 무마시키려 자마가 설명을 덧붙인다.

"타르프가 되기 위해서는 두 가지 조건이 있습니다. 우선 리본을 해야 하는데 그 시기가 성체를 넘겨야 합니다. 그러니 갱어가 성체가 되기 전, 지구에 있는 본체가 죽음을 맞이하면 어린 모습으로 영영 리본 되기 때문에 타르프가 될 수 없습니다."

나는 그 얘기를 듣고 속으로 아연하여 크게 절망했다. 마도카. 그녀가 말했던 어린 타르프 얘기는 모르페우스가 꿈에서 심어주는 희망과 같은.. 미몽이 되어버렸다. 이후 몇 차례 대화가 오갔으나, 역시나 전혀 소통될만한 것이 아니었다. 타르프라는 존재는 사실, 점쟁이라기보다는 지난 두 시간을 돌아본 결과 이야기꾼에 가까웠다. 피로와 허탈감에 젖은 나는 끔뻑 졸며 구색을 맞췄고 동료들은 언제부터 받아든 히엠스의 첨단 문물로(벙어리를 위한 장치) 오히려 귀를 쫑긋 세웠다.

".... 무한한 수의 별이 우주를 빼곡히 채워 있음에도 거뭇하기만한 이유는 몇억 광년으로부터 오는 별빛. 그 방대한 정보처리를 맡을 우주 메모리카드가 없다는 말이오. 시스템적 한계에 봉착한 셈이지. 인간이 티폴인을 게임 속 NPC 정도로 생각하는데, 천만의 말씀. 이런 맥락을 봤을 때 인간과 갱어는 본질이 같소. 시스템 일부니 말이오. 누가 오류니 바이러스니 할 것 없이 살아남은 쪽이 메인 시스템이 아니겠소?"

"우주가 밝아지지 않는 건 팽창하는 만큼의 공간 격이 늘어나기 때문 아닌가요?" 라미아였다.

타무무는 아닌 척 그녀의 팔뚝을 꼬집자 돌아오는 화답은 옆구리에 강렬하고 따끈한 멍 자국만 생겼다. 타르프쪽보다는 자마가 크게 놀란 눈치다. 리본인이오? 어떻게 그런 지식을. 이라는 말을 목구멍으로 꿀꺽 삼킨듯했다.

"음.. 그렇게 생각하는 학자가 있긴 있다고 들었소. 하지만.."
타르프는 잠깐 입을 짝짝거렸다. 그 피로가 눈에 보일 정도다.

"우주는 정해진 것인 양 진리로 포장되어 보이지만 실상은 그렇지않소. 그러니까.."

"잠깐만!" 타무무가 껴들었다. "다음에 얘기하면 안 될까? 배도 고프고..."

재떨이에 소복이 쌓인 '저것' 때문일까? 나는 그때까지 죄일 아무것도 먹지 않은 사실을 잊고 있었다.

다만, 나는 정말 아무렇지 않았고 타무무, 아룬, 라미아는 아까 그 여자애를 따라 식당으로 갔다. 나는 잠이 오더라도 콘냐에 취한 것으로 생각하고, 그의 입방정을 기다렸다.

"무시카 씨는 인내를 아는 분이군요."

"아니 뭐, 끝을 맺지 않는게 찝찝해서랄까요."

"하하. 그렇담 제 이야기가 꽤 마음에 든 모양입니다."

나도 내심 그의 이야기와 이 낯선 곳이 마음에 들었고 이 기회에 그간 아껴뒀던 별 시답잖은 질문을 꺼냈다.

"타르프는 정말 별과 대화를 할 수 있나요? 아니면 은유적 표현이라거나…?" 질문 자체엔 악의가 없었다. 그 타르프는 습관적으로 인상을 찌푸렸다. 이럴 땐 꼭, 자마가 입을 열었다.

"제가 대신 대답하겠습니다. 물론, 사실입니다. 타르프는 별이 하는 이야기에 귀를 기울이고 대화합니다. 그건 의심할 여지가 없습니다."

나는 재떨이에 미세한 마찰로 콘냐를 비비며 일단은 찝찝하게 고개를 주억거렸다.

"... 그러니까.. 어디까지 얘기했더라… 아! 진리.. 그랬지.. 크흠.."

타르프는 수염을 긁었다.

"우주는 뚜렷하게 정해진 진리가 없소. 인류가 생각해왔던 당연한 지식의 근간이 어느 순간 손바닥 뒤집듯 몇 차례나 아예 바뀌어왔고 그게 지금의 겸손을 만들어 냈지요. 오죽하면 방증이니, 뭐니 떠들어대다 머리가 하얗게 질린 학자들이 수두룩하고. 이전 시대 주류였던 고전 역학이, 슬쩍 끼어든 양자 역학에 밀릴 줄 누가 알았겠소. 다시 탐구 한계에 봉착한다면 같은 일이 벌어질 것이오."

나는 그의 말을 온전히 이해하기가 힘들었다. 인간과 갱어. 드문드문 불쾌한 표현도 있었다. 그러나 적어도 반발의 여지는 없어 보였다.

"모래꾼은 사막에서 곤란한 인간들의 심부름을 맡거나, 의뢰가 없을 땐 유오 주변의 폐기물을 챙겨 생계를 꾸린다고 들었소. 언제까지 그들 밑에 있을 겁니까? 자식을 낳을 수 없고 자신의 모습을 보지 못하고 눈을 뜬 순간부터 생명을 뺏기는 시한부 삶에 결정권조차 없는 생이 무슨 의미가 있겠소?"

그는 감정을 갈무리하는 듯 옅은 호흡을 내뱉었다. 그런 모습이 점차 하얗게 질리는 것처럼, 달의 뒷면으로 숨어든 환희처럼, 고요하고, 무섭고, 섬뜩하면서도 아슬아슬하기에 나는 온 신경을 곤두세웠다.

"난 단 하루라도 자유롭고 싶소.."

너저분한 수염 사이로 나오는 처량함에 나는 정말로 동정을 느꼈다.

"우리가 만난 시간은 얼마 되지 않았지만 다 같은 사막인 아니겠소? 솔직하게 말씀드리지. 히엠스는… 아니 갱어는 유오와의 전쟁을 꾀하고 있습니다."

"이 사람아! 아직 그 얘긴…!"

자마가 당황했다. 타르프는 또 묵묵하게 하고 싶은 말을 할 것이다. 그런 눈이었다. 나는 순간 일행들이 남긴 빈자리만 덩그러니 원망스럽게 보았다. 자마도 짧은 고집을 꺾고 옆에서 거들기 시작했다. 하아..

"무시카 씨. 단도직입적으로 말하겠습니다. 히엠스에 힘을 보태주십시오. 보자마자 확신이 들었습니다. 이렇게 견문이 풍부한 모래꾼이라니… 적잖이 놀랐습니다. 분명 평의회도 이점을 높게 평가할 겁니다."

"왜… 하필 저희입니까? 모래꾼이 저희만 있는 것도 아닌데.." 나는 인간이란 말이다. 이 멍청이들아. 젠장.

"실은, 처음은 아닙니다. 모래꾼들 성격이 워낙 자유분방한 탓에… 타협이 잘되지 않았습니다. 평의회는 그런 오합지졸이 오히려 방해만 된다는 계산이지만.. 유오를 완전히 장악하는데 모래꾼들의 힘이 절실히 필요합니다."

"어째서죠? 히엠스 방어 시스템이 바탕되는 대공 레일포는 만만한 기술이 아닐 텐데요."

"그렇긴 합니다만.. 문제는…" 그는 없는 손톱을 딱딱. 물어뜯으며 머뭇거렸다. 이번엔 타르프가 다시 어두운 창. 탁

트인 사막의 웅장한 침묵으로 시선을 던졌다. 이쪽은 보지도 않은 채. 말한다.

"거기엔 몇 가지 이유가 있소. 첫째로 당신들은 그러니까 모래꾼은. 인간을 위해서 일을 하고 있소. 같은 갱어지만 입장이 다르니 적으로 두느니 서면으로나마 묶어두는 게 좋소."

"갱어도 결국.. 인간을 모방한 생명이니 동족을 배신할지도 모르는데요?"

"그럴지도 모르지만 돈으로 움직이는 모래꾼에게 민족성 정도는 심어줄 수 있을 것이오. 전쟁이 성공하거나 실패했을 때를 대비하기 위함이지요…" 나는 그의 두 번째 이유를 기다리느라 목이 조금 늘어났다.

첫째로. 라는 말을 뱉은 순간 응당 둘째가 있어야 하는 것이고 이는 적어도 둘 이상의 기다림이 필요하다는 뜻이다. 이야기꾼의 입은 언제나 간지러웠다. 시간이 조금 걸릴 뿐.

"...둘째로 로저 박사의 연구 노트를 확보해야 하오."

나는 순간 터져 나오는 웃음을 주체할 수 없어 허벅지를 꼬집었다. 요즘 같은 때에 노트라니. 있을 리가 없지 않은가? 나는 모른 척 되물었다.

"연구 노트요?"

"티뮬은 아시다시피, 한 위대한 과학자 때문에 만들어졌소. 윰지아 로저…."

나중에 알게 된 일이지만 티뮬인의 절대다수는 인간이 부여한 삶을 축복이라 생각하지 않았다. 생각하고, 글을 쓰고, 음식을 먹어도. 결코, 생산이 허락되지 않는 저주. 그래. 고름

같은 저주였다. 창조주에 대한 저항이 행성의 어두운 면을 생성케 했다. 증오. 갱어가 거울을 보지 못하는 이유는 어쩌면 배은의 징벌일지도..

"무시카. 저기 저 별을 한번 보시오."

타르프는 이번엔 천장의 투명도를 높였다. 조명을 잡아먹듯 이름 모를 항성의 빛줄기가 내리꽤 아득한 어둠을 몰아낸다. 뜬 먼지가 팝콘 부스러기처럼 선명히 보이다가 그의 벌어진 입. 사이로 가늘게 떨어진다.

"별은 생명… 그 자체라오. 우주가 작은 씨앗을 잉태하고 암흑 공간을 매체 삼아, 어미로서 행성을 밴다오. 주변에 흩뿌려진 광명을 받아 무럭무럭 자라 결국 지구 같은 행성이 만들어지지요. 그런데, 티몰은 흉성. 생명체라고 할 수 없소. 왜냐면 홀로 일어설 수 없는 절름발이 행성이거든... 그 노트에는 행성 설계도와 함께 해체 수식이 있소. 우린 그걸 이용해서 독립적인 행성으로 만들 생각이오."

인형사가 인형에 영혼을 바라듯 말인가?

"그런 거라면… 조금 더 현실적인 조언을 해드려도 될까요?"

"얼마든지요." 타르프는 빙긋 웃었다.

"모래꾼과 굳이 시간 낭비할 필요 없습니다." 나는 그들 습성을 잘 알고 있다.

"방랑한 삶, 리본에 대한 갈망, 그런 일차원적인 자들은 승기를 잡은 쪽에 저절로 붙을 테니까요. 실제로 보니, 얼추 히엠스가 유오에 못 미친다 생각지는 않습니다. 공격 후 갈피를 잡는 모래꾼의 대응을 살펴도 늦지 않을 겁니다. 그리고 무엇보다 노트는… 존재하지 않습니다. 그저 입이 가벼운 자들이 만들어낸 소문이죠."

"음… 어느 정도 납득은 됩니다. 하지만 노트는 있지 않을까요?" 반쯤 턱을 괸 자마가 말했다.

고즈넉한 불빛에 두꺼운 그림자가 너울질 때 간혹, 소실된 턱 부분의 상처가. 섬뜩함을 자아냈다.

"하하. 절대 그럴 수 없습니다." 자마는 이제 눈을 가늘게 떠 나를 쳐다본다.

"어떻게 장담하죠?"

"그러니까, 그건…"

뒤죽박죽 섞인, 엉망진창인 내 기억으로는 과학자들도 눈에 불을 켜고 찾아다녔던 걸로 기억한다. 그것도 무려 5 년 전의 일이다. 언제 한번은 그 종이쪼가리를 찾는다는 명목으로 외지 임무에 파견된 적도 있었다. 그러나 대원들의 볼멘소리에 치이며 얻은 건 '실적 없음'과 '임무 실패'뿐이었다. 그때의 시오는….

칫. 나는 고개를 내저었다.

"다.. 당연히 내가 모래꾼이니 소식이 빠르지 않겠습니까? 예전에 그런 비슷한 걸 찾으면 값을 쳐준다는 임무도 있었죠. 허탕쳤지만요…" 알만하다는 표정으로 타르프는 웃었다. 그 웃음에 내포된 의미에는 기묘하고 지대한 에너지가 있었다.

흐흐흐. "한번 보시겠소?"

무슨 말이지? 나는 그 의미를 미처 파악하기도 전에 그의 눈에서 빛을 발견했다. 자글자글한 손은 재킷 안 따스함이 남은 주머니를 뒤적인다. 스윽.

꾸깃꾸깃 흰 종이가 환하게 모습을 드러내고 나는 입이 떡 벌어졌다.

#_ E

흐음… 음냐음냐. 나는 달콤한 꿈을 꾸고 있었다. 정말 그렇게 믿었다. 꿈, 정말 꿈을 꾸고 있는 거라고…

"일어나! 무시카." 날 선 목소리가 들렸다.

"꿈이라도 꾸는 거야? '무시카. 사막 어딘가서 잠들다' 크크크. 뭐, 이런 걸 원했어? 사람 행세는 그만하고 이제 일어날 시간이야."

그래, 나는 눈만 감고 있었다.

기절에 가까운 것이겠지. 의식이 내 머릿속 주변을 공전하며 맴돌다가 궤도를 틀어 원래 있던 곳으로 안착한다.

"너… 너.. 이… 귀신."

람은 입꼬리를 올렸다. 어처구니가 없다는 표정이다.

"누가 그래? 내가 귀신이라고."

내 턱은 큰 충격을 뒤로하고 제 주인을 만난, 마치 고장 난 라디오가 주변 잡음을 지우려고 고작 안테나를 바로 세우는 것처럼. 아구가 딱딱 맞아떨어지면서 우스꽝스러운 소리를 연신 뱉어댄다.

후우… 하아… 부드러운 천으로 감싼 몸이 천천히 공기 온도를 측정했다. 아늑함에 가까운 탓에 원망 섞인 소리가 잦아들었다. 나는 분명.. 모래 해일을 만났었는데?

"크크. 다행히 말이 나오는 모양이네."

"알게 뭐야! 이 꼬맹이 귀신 녀석!" 자리에서 일어난다.

흐느적거리는 몸. 나는 최선을 다해 그에게 다가간다. 결국은 후들거리는 다리 때문에 보기 좋게 나자빠졌다. 쿠당! 파리한 눈빛으로 그를 쫓는다.

"하하. 정말 운이 좋았어. 하마터면 뼈도 못 추릴 번했다고. 그런데 마지막에 나를 믿어주다니.. 좀 감동인데?"

선택지가 없었을 뿐이다.

나는 몸을 추스르고 난간에 손을 얹었다. 주변을 둘러본다. 올려다볼 하늘이 없다. 총총 수놓은 천장의 작은 숨구멍 같은 곳으로 별빛이 떨어진다. 아래로는…. 아무것도 없다. 눈을 비벼도 후들거리는 다리뿐이다. 하지만 곧 이런 상황이 익숙해졌다.

나는 더욱 의연해진다.

"발뺌해도 소용없어. 너, 타르프지?"

말이 끝나자마자 무섭게 별이 머리 위를 스쳤다. 따콩! 아야야…..

"너 진짜 멍청하구나? 이름있는 타르프 봤어?"

… 말로 할 것이지. 나는 분을 삭이고 말했다.

"어떻게 된 거야?"

"널 죽이고 싶어 안달 난 사람이 많은 모양이야. 그리고 살리고 싶은 사람도…" "그게 무슨 말이야."

"인간들이 비밀리에 꽁꽁 숨기던 뮤텐 위성의 조준경이 틀어질 리 없어. 누군가 의도적으로 빗겨나게 한 거지. 출력도 생각보다 약했고.. 아무튼 넌 운이 좋아."

"참나! 뒤에서 그러지 좀 말고 앞에서 도와주면 어디가 덧나나?" 씨익.

"기운 차렸구나?"

"아니거든?" 그의 익살스런 미소가 이렇게 평온한 것인지 처음 알았다.

"여긴 어디야?"

"카마하브." 카마하브라면….? 람과 처음 만났을 당시, 유오, 히엠스와 함께 언급됐던 도시였다.

"여긴 타르프의 성지야."

휙. 나는 다시 눈을 비비고 아래로 가늠 못할 싱크홀을 바라본다.

거대한 생명체가 직경 5km 맨틀을 갉아먹으며 수직으로 꼬불꼬불하게 지나간 듯한 모습이 기이하고 경이로웠다.
자그마한 유등에 의지한 채, 꺼질 듯 야리야리한 빛으로 사방으로 숭숭 난 구멍을 비추었다.

유오의 타워에 있는 싱크홀과는 비교되지 않았다. 상상 속 용이라도 지나간 것일까.

유오에 있는 건 여길 본떠서 만든 건가? 만약 그렇다면, 윱지아에도 갱어가 숨어있을지도 몰라. 윱지아와 유오의 도시 설계는 같으니까. 적어도 고위급의.

나는 순간 섬뜩함에 람을 쳐다보았다.

"나 참. 걱정 마. 더는 네 생각이 들리지 않으니까!"

아쉬운 듯 말하지만 글쎄… 이거 아예 내 뇌에 직접 장치를 설치했나? 귀신 같은 놈이다…

"성지라고 하기엔 좀… 척박한데?"

"티몰 답잖아."

"뭐, 그렇긴 하지." 나는 짧게 대답했다.

지면에서 불어오는 스산한 바람이 웅웅거리며 몸의 한기를 앗아간다. 찬 기운을 쓸어간 공기가 하늘로 비상하더니 천장의 부동함을 맛보고는 추풍낙엽처럼 우수수 떨어지기를 반복했다. 약간의 빛이 반사되며 폭죽이 아스스대는 잔열. 그런 비경을 자아낸다.

때마침 지면으로 추정되는 곳에서 요란한 소리가 났다. 콰광콰광콰광!!!! 헨마… 분명 그 거대한 병기 소리였다. 내 몸은 자동반사 적으로 움츠러들어 경계 태세를 갖추었다.

"아까 그 소리 같은데… 여기 혹시 나 때문에 위치 노출된 거 아니야?"

"하하! 걱정 마. 딱히 정해진 입구는 아니었으니까. 인간들이 카마하브를 잡으려면, 없는 자원으로 티폴 전체를 쑥대밭으로 만들어도 힘들 거야."

람은 의기양양하게 허리에 손을 올려 말했다.

그리고 증명이라도 하듯 소리는 점점 잦아들었다. 얼마 지나지 않아 들리지 않게 된 것이다. 이를 두고 람은, 카마하브가 텅 빈 맨틀을 따라 이동하기 때문이라고 설명했다. '사막을 떠도는 타르프…' 그런 뜻이었나?

"람, 네 목적은 나를 이곳으로 데려오는 거 였구나." 그는 끄덕거렸다. 약간은 지쳐 보이는 눈을 하고 있다.

"바로 여기 지상은 우리가 만났던 장소잖아. 왜 그때 바로 들어오지 않고 고생고생하며 빙 둘러온 거야? 모래꾼한테 납치당하고, 또 벼락 맞아 죽을 뻔 했다고! 게다가…."

"물론, 너를 이곳에 데려오는 게 목적이긴 하지만.. 착각하는 모양인데. 자격 미달이면 그걸로 끝인 거야. 애당초 아닐 녀석은 운명의 수레에 휩쓸려 벌써 모래가 되었겠지."

내 비죽 튀어나온 입은 람의 적절한 설득으로 도로 들어갔다. 아이에게 어리광을 부리다니. 뭔가 스스로 마땅찮았다.

칫! 내가 기억하기론 람은 카마하브를 잘 모른다고 했었다. 그런데 그가 여길 안내한다? 방법도 특이했다. 모래 해일에 몸을 던져, 대지가 토해내는 심연에 깊숙이 몸을 넣어 되새김질하는 사막의 소화에 일말의 저항 없이 자신을 맡겨야 한다.

그건 정말 신자. 사막의 신이자 티몰의 주인, 헨마. 그를 섬기는 진정 타르프가 아니고서야. 도무지 할 수 없는 미친 짓이었다. 나로서는 약기운 때문에 혼절한 것이지만.

대체 람은….

"아무튼, 그런 이유로 네가 어떤 놈인지 파악할 필요가 있었어. 무턱대고 카마하브에 들여보낼 순 없었거든. 보다시피 아무나 들어올 수 있는 곳이 아니잖아? 카마하브를 찾는 건, 하늘의 별 따기만큼 어렵고, 또 그것을 도전하다가 목숨을 잃은 타르프가 많아. 늙진 않아도 죽지 않는 건 아니니까. 여긴… 전설이잖아?"

람은 씁쓸한 표정을 지었다. 저런 얼굴도 할 줄 아는구나. 카마하브는 타르프만 갈 수 있는 곳이라 알려졌지만, 사실 그렇지만은 않았다. 단지, 목숨이 덜 아까운 타르프에 제한한 것이었을 뿐.

찾는 데 성공만 한다면 헨마 신의 인정을 받은 셈이다. 그래선지 이곳을 지키는 병사조차 없었다.

"난 이곳을 찾으려는 친구를 많이 잃었어. 두 자릿수가 넘는다구."

람의 눈두덩 밑에 켜켜이 쌓인 어둠이 드리웠다. 그리고 미친듯이 웃기 시작했다. 하하하하!! 반달의 입꼬리가 귀밑으로 찢어질 듯, 명료하고 청명했으며, 또… 아프다.

"멍청이들아! 이, 람 님께서는 성공했다구!!"

하하하하하!!

왜일까? 낭랑한 목소리가, 붕 떠버린 미소가, 답답하고 먹먹한 까닭은.. 그러다 카세트 테잎의 마지막 소음처럼 뚝 끊긴다. 휙. 갑자기 람은 내가 누워있던 침대 바로 옆 침대. 이불을 한 손으로 끄집어 내렸다. 스르륵. 뭐지?

시신이 옷을 입고 있다. 해진 옷과 풍사에 휩쓸려 마모된 광대뼈와 금 간 하트 모양 코뼈가 인상에 남았다. 나는 미간을 찌푸리고 가까이 다가갔다. 익숙함.. 아직 내 기억에 남은 도돌이표를 찾다 이내, 나는 놀람을 금치 못했다.

"이… 이 사람은.. 이… 이자가 왜 여기에 있는 거야…?!"

람은 시신의 손등뼈를 쓸어내리며 깍지를 꼈다. 심장이 쿵쾅거리고 온몸에 난 털이 쭈뼛 설 지경이다.

"지상에서.. 본 적 있지? 이자의 콘냐를 네가 몰래 챙겼었잖아." 쿵.

이번엔 단단한 망치로 뒤통수를 한 대 얻어맞은 기분이다. 람과 첫 번째 게임을 할 때, 저 남자를 아느냐고 물었던 기억이 떠올랐다. 기도하듯 죽어있던 시체…. 여지없이 그 시체다. 나는 람의 입이 떨어지기만을 기다렸다. 시간이 무심하게 너무 느려서. 아니, 람이 시체를 쓰다듬는 행위가 소름이 끼쳐서. 내 심장 소리가 밖으로 튀어나오는 것만 같았다. 오늘따라 람의 허리에서 아래위로 춤추는 시미타가 더욱 날카로워 보인다.

"약 십 년 전, 당시 나는. 아덴에서 콘냐 재배 사업에 열 올리는 친구 놈을 돕고 있었는데, 근처 사막에서 이 남자를 처음 만났어. 이름은 페고에르 하며. 복장도 그렇고 바슈테림 기도문을 읊길래 갱어인줄 알았는데… 나중에 알고 보니 인간이더라고.

유오의 모래꾼에게 쫓기고 있다고 했어. 그런데도 콘냐를 어찌나 태워대던지…" 람은 땅으로 떨군 이불을 주섬주섬 주워든다. 작은 키가 무릇 가엾어 보이기까지 했다.

"학자라 그런지. 누구완 다르게 타말어는 잘하더라."

윽.. 그럼 그렇지. 나를 또 놀린다. 그는 다시 시신을 덮고 페고에르를 위해 기도를 했다.

"따라와. 무시카." 그는 발걸음을 돌렸고 나는 주춤거렸다, 긴장했던 탓에 미미한 약기운이 가시질 않은 모양이다.

"안 갈 거야? 뒷얘기가 궁금할 텐데?"

…… 람은 나를 너무 잘 알았다. 나보다도..

저벅저벅저벅.

우리는 한 동굴을 따라 걸었다. 벽을 짚었다. 울리는 발소리가 어디까지 새어가나 가늠하며, 그럼에도 귀가 거드름피우는 걸 놔두지 않았다. 크크크.

"이거 관광료를 받아야 되는 거 아닌지 몰라."

"누구 마음대로!"

종잡을 수 없는 녀석…

"분명, 와본 적 없다고 하지 않았어?"

"그랬지."

짤막한. 무관심한 대답. 어떻게 길을 다 아는 건지 그 발걸음에 망설임이라곤 찾아볼 수 없는 리듬이 있었다.

또 싱글벙글. 뭐가 그렇게 기분이 좋은지 원. 그의 터번이 날릴 대로 날려서 깜깜한 어둠에 대항하는 깃발처럼 나부댔다.

"페고에르는 왜 쫓긴 거지? 혹시.. 나처럼.."

"아니. 미친 거지."

"미치다니? 무슨 일이 있었기에?"

"일이 있다기보다는, 자기가 쫓기는 줄 알더라고. 실제로 어느 날은 매섭게 사막을 횡단하는 모래꾼들을 본 적 있었는데, 우릴 그냥 선인장 보듯 하더니 가버렸어. 혹시 '못 보고 지나친 게 아닐까'라고 생각한다면, 접어두길 바라. 그들의 능력은 네가 더 잘 알 거 아냐. 끝끝내 모래에서 손톱만한 바늘이라도 찾아내는 집요함 말이야."

나는 조용히 고개를 끄덕였다.

"그것보다. 인간인 그가 카마하브를 왜 찾아 헤매던 건지 아직도 그걸 모르겠어."

람은 골똘히 생각에 잠긴 듯 턱을 쓸었다.

"메카… 음… 뭐시기를 연구하는 과학자였는데, 어떤 사건에 휘말려 유오를 탈출했다고 했어. 목에 출입카드가 덜렁이는 게 거짓말 같진 않더라고. 하지만 대부분 지구어로 중얼거려서 정작 중요한 부분은 알아듣지 못했어. 난 위험한 일에 엮이고 싶진 않아서 다시 물어보진 않았지만, 대단한 비밀이 있는 것 같긴 했어."

나는 감찰국이나 나를 쫓는 윰지아에게 따지고 싶었다. 윰지아 군인으로서 나는 알고 있는 비밀이 없노라고.

"내가 놀란 건 페고에르는 여느 타르프도 잘 알지 못하는 카마하브의 존재를 이미 알고 있었어. 마침 나도 카마하브를 찾고 있었던 터라. 적적하기도 하고.. 같이 사막을 떠돌았지. 그러다 어느 날, 사막의 바람. 하르마탄이 참새가 양동이의 물을 모두 마시는 속도로 천천히 잦아들고 기세가 꺾여 그 자리를 서늘한 새벽에 넘겨주기 시작할 무렵. 페고에르는 갑자기 모래 해일을 관찰, 분석하기 시작했어. 탈수증, 꽁무니 쫓는 태양과 희비를 번갈아 주는 신기루, 모래꾼들, 신의 노여움 때문에 심심찮게 먼 거리를 돌아가는 일이 따분해서 그런 줄 알았던 게 며칠 동안 이어졌지."

람의 그림자는 유등의 흔들거림에 따라 좌우로 번갈아 색을 바꾸었다. 적어도 지겹도록 땅 위를 막연하게 걷는 것보다 짙은 고동색 등판이 눈앞을 아른거리도록 두는 게 차라리 나았다. 후끈거림도 한껏 가시니 머리가 명쾌해진다.

"일주일 째 되던 날, 오히려 내가 말동무도 없는 쌓인 불만과 지겨움에 지쳐서 페고에르가 잠들었을 때, 그가 평소 뒤적거리던 노트를 훔쳐봤어. 물론 지구어로 되어있어서 읽을 순 없었지만… 거기엔 어마어마한 것들이 쓰여있었던 게 틀림없어."

혹시…? 나는 잠시 머리를 식혔다. 노트… 노트라..

"여하튼, 계속 넘기다 보니 그제야 내가 알아볼 수 있는 수식이 적혀있었어. 모래 해일 계산식. 그래 한눈에 봐도 그거였어. 태양, 지구, 달. 삼체! 거기에다 에르그의 해일을 대입해서…"

람은 걸음을 멈췄다. 그리곤 곧장 발견한 바위틈. 해먹의 형상처럼 탐스럽게 만곡한 구간을 지나치지 않고, 작은 몸을 둥글게 말아 아예 자리를 깔아버렸다. 하아.. 하아..

"람?"

나는 그의 이름을 불렀고 그는 괜찮다는 시늉을 했다. 잠깐 쉬면 괜찮을 거라고. 들리지 않을 소리로 잔잔히 속삭이면서…

아이는 새근새근 눈을 감았다.

#_ 람의 이야기 5 윱지아 폴프

삐빅.

-시오 님.

후루루룹. 사방으로 붉은 아성을 튀기며 탱글한 면이 솟구친다. 꼬불꼬불 춤추는 우스꽝스러운 면발의 몸사위.

"한 그릇 더!" 이렇게 해야 맛도 좋다. 주인장은 아침부터 날 잡았다. 벌써, 네 그릇째인 남자를 보면 미소가 절로 나 평소보다 손에 힘이 들어간다.

뮤텔리안에서 출퇴근하는 보람은 이 꼴 사나운 단골 놈 때문에 맛이 난다. 근래 들어 대폭 오른 월셋값에 발맞춰, 부득이 라면 값을 부추겨 올려도 우수수 떨어진 손님의 자리를 홀로 메꾼다. 그러니 흐뭇할밖에. 오로지 과학자들만 주거 가능한 윱지아. 그러나 라면에 고춧가루를. 조금 보태어 한 바가지씩 들이붓는 이 단골 놈은.. 더더욱 학자가 아니다. 아닐 것이다. 독한 놈이 다 된 밥에 고춧가루를 뿌리는걸.. 적어도 상인은 아직 본 적 없었으니까. 근처 상인들 역시 동의를 구하지 않아도 '과학자는 무슨! 독한 투기꾼들이지!'라고 말했다.

그러니까. 이 손님은 집이라고 부르기도 뭐한 숙소 사람이겠지. 잡무만 떠맡는.. 괜히 계란 하나를 더 얹어. 말을 보탠다.

"서비스요."

후루루룹. 크으으.

-시오 님!

" 아.. 넌 왜 먹을 때만 연락하냐." 단골 놈은 젓가락을 내려놓고 혼잣말을 시작한다.

-그게 아니라 제가 연락할 때마다 뭘 드시는 거겠죠!

"한마디를 안 져… 으휴.." 시오는 고개를 내저었다.

-일단 알아봤는데요. 죽은 히나 박사와 폴프는 딱히 직접적인 연결점이 없어요. 왜 비스트 호텔의 연결고리가 감찰국 레이더망에 걸렸는지 의문일 정도예요.

"호텔은 미끼였나?" 하지만 어째서.

누구의 장난일까? 지금 당장은 그렇게 보이는군.

-폴프는 티몰에 있는데, 지구는 왜 오신 거예요?

"라면 먹으러." 후루루룹.

-.......

"농담이야. 정색 말라고. 스텔라." 도무지 농담밖에 할 줄 모르는 이 남자. 속이 터진다.

"윰지아와 유오는 건물 흠집 하나 빼지 않고 빼다 박았어. 행성 링크 시스템 덕분에 유오에서 발견하지 못한 단서를 여기서 찾을 수 있을지도 몰라." 스텔라는 의심의 눈초리를 거두지 않았다.

평소에 시오가 늘 하던 말이 있었다. '그럼에도 라면은 윰지아가 최고'라고. 지금도 그의 입술 주변으로 화끈함이 아른거리는 저 붉은 기운이 그것을 증명해주고 있지 않은가.

-그것보다 이 여자… 꽤 명망 높고 촉망받던 과학자더라고요. 어린 나이에 서브팀이긴 해도 메카시냅스 연구팀과 공동 연구를 했어요.

"공동 연구라면…?"

-아, 베라(VERA) 개발요.

뜬금없군. 아직은 막연한 단서들이 조각으로 있을 뿐이다. 과거 베라(VERA) 연구는 극비 중 극비 연구였다. 그 방대하고 무한에 가까운 우주 데이터 처리 복합체의 설계도면이 윰지아 로저의 몇 십 장짜리 수기로 쓰여 아직도 데이터화되지 않고 윰지아 은밀한 지하에 보관 중일 터다. 그런데 그 설계도로 베라(VERA)를 개발한 과학자가 죽었다? 윰지아 내 여파가 클만한 일임은 분명했다.

그렇기에 거룩한 빛으로 무장한 인류의 자랑스러운 부산물. 윰지아 첨탑에 연일 지속한 침묵은 도저히 용납되지 않는다. 누군가의 음모. 시오의 머리는 조금 더 복잡해진다.

-그 업적으로 최연소 소장직을 역임했구요. 항간에서는 그게 베라(VERA)의 입김이라 하는데, 그냥 형편없는 자들이 지껄이는 질투인 모양이에요. 간단한 이력을 살펴 봐도.. 이 여자… 그냥 천재예요.

"... 보통 일은 아닌 것 같네. 흐음…" 시오의 표정이 서늘해졌다. 회사에서 신메뉴랍시고 심상치 않은 점심 메뉴를 마주했을 때 나오는 표정이다.

"어떻게 그만한 여자의 죽음이 가능했을까? 겨우 행성 단위 변숫값을 베라(VERA)가 예측하지 못할 리가 없을 텐데 말야."

-그녀가 박사를 비호라도 한단 말이에요?

"못할 것도 없지. 자기를 만든 과학잔데.. 뭔가 수상한 냄새가 나지 않아?" 돌아오는 대답이 꽤 매섭다.

-안 씻으셨어요?

시오는 표정 하나 변치 않고 때가 잔뜩 낀 목 주변을 자랑스럽게 긁적였다. 다행히 아래를 향하던 손이 멈췄다.

"네 생각은 어때? 스텔라."

-잘은 모르겠지만 어쩌면 의도한 게 아닐는지..

탁. 마지막 국물까지 들이킨 시오는 숟가락을 내려놓았다. 수신기 건너편에서 볼멘소리가 터져 나온다.

-아~ 몰라요. 어쨌건. 죽은 여자한테 그렇게 집착하니까 매력이 없죠!

얘기가 옆으로 샜다. 시오는 기가 차서 탄식조차 잊어버렸다. 하긴, 특무부라고 별다를 건 없다. 야근에. 과업무에. 망할 복지에. 불투명한 미래까지. 삐걱대는 건강은 덤이다.

"그게 뭔 상관이야."

-상관이 왜 없어요. 이 임무는 윱지아 폴프 제거라고요. 종결된 사건을 왜 건드려요?

"그러니까 더 이상하잖아."

-그럼, 실험체는요? 아예 모래꾼에게 맡길 작정이세요? 안 그래도 크눌프 님이 채근하시는데…

"실험체는 지금 당장 어쩔 필요는 없어. 아마 크눌프도 눈치를 보느라 그렇게 말할 수밖에…. 아니! 내가 왜 이런 걸 일일이 다 설명해줘야 하는 거야?!"

시오는 대뜸 울분이 치밀어올랐다. 조수라는 녀석은 척하면 척!하고 뜻대로 움직여주지 않는데다. 상관의 꼬락서니를 보니 윱지아를 향한 알랑방귀만 늘어서 고약한 냄새가 통신장비 너머로 날 지경이었다.

-어쨌든 그 죽은 여자에 관해선 더는 협조 안 해요. 전.

"스텔라. 내가 괜히 그러는 거 봤어? 다 연관된 것 같아서 그렇다고. 응?"

-하아…. 누가 감찰국 출신 아니랄까 봐….

순간 그의 표정이 서늘하게 굳었다. 그러나 스텔라는 늘 그렇듯 어물쩡 넘어가는데 능숙한 편이라 어서 말을 잘랐다.

-됐고요. 시오 님. 상부에서 히나 박사 건은 건들지말라셨습니다. 더 들어가지 말자구요 우리. 분명 전했어요!

"스텔라.."

시오는 목소리를 낮게 깔았다. 같은 식당 옆자리에서 두 그릇째 묵묵히 국수를 들이켜던, 아무런 상관없는 남자가 움찔할 정도다. 그는 맨눈으로 식당을 두리번거리다 다시 둥그런 대접으로 머리를 처박았다.

"내 성격 알잖아. 그런데도 크눌프가 임무를 맡겼다는 건. 내 실력을 신뢰했다기보다는 내가 어찌 나올지 그도 알고 있는 거라고. 우린 예상대로 움직여주면 돼."

시오는 약간 막무가내 식이었지만, 그건 또 다른 측면에선 상부에 대한 확고한 신뢰를 의미했다. 그런 자의 고집을 꺾는 메뉴얼이 있다면 이렇게 고생할 일도 없을 텐데..

-아… 진짜..

"뭐, 일단 폴프 추적은 그대로 진행할 거니까. 내가 준 자료를 토대로 예상 시뮬레이션 돌려봐. 오늘 내로 걸리는 게 있을 거야."

시오는 값을 계산을 하고 가게를 빠져나왔다. 점점 얼굴살이 피는 주인장 얼굴을 보자니 얇아지는 지갑이 억울했다. 돈이 없는 건 아니지마는. 그냥 괜히 괘씸하다.

"누군 쌔빠지게 고생하는데…" 카운터 팁으로 받은 사탕. 시오는 그걸로 이를 쑤신다.

-네? 뭐가요?

"아무것도 아니야." 다신 이 악덕 가게에 오지 않으리.

스르르륵. 건네받은 자료를 스텔라는 빠르게 훑으며, 동시에 가상 시뮬레이션을 돌린다. 그 양이 제법 된 까닭에 시오의 농땡이가 너그럽다.

-다른 건 뭐… 그럭저럭 알겠는데.. 이 자료는… 무슨 상관이죠? 십 년도 더 된 사건이잖아요? 구한 것도 신기하네.

스텔라는 화면을 띄웠다. 하지만 시오는 보지 않고도 뭘 말하는지 대충 알 것 같았다.

"종결된 거로 보여도 CC-009 사건은 진행 중이야… 생존자가 아직 살아있으니까."

-그때, 생존자 윰지아 폴프가 재판부에서 사면받은 건 알고 있어요. 물론 '사면'이란 단어를 쓰는 게 적절치 않아서 당시 또 다른 여파를 가져오긴 했지만…

"내 말은, 나머지 생존자를 말하는 거야."

-네? 그럴 리가요. 자료에는 분명….

어떻게 보면 그 연장선이 지금의 상황까지 오게 만든 건지도.. 시오는 으쓱한다. 은은하게 퍼지는 박하향과 도시의 매캐한 기관 냄새가 입술 경계를 넘나들었다. 거기다 폐로 들어오는 달곰한 콘냐. 그 거친 강진에 힘입어 머리가 아찔하다. 좋은 기분. 틀림없이 그랬어야 했는데. 안색이 나쁘다.

"사건 이후로 '무영'으로 분류됐어. 조회가 안 될 수밖에."

-그건 정말 이상한 일인데요?

무영. 그 지칭 명사를 접하는 일은 매우 드문 일이다. 그것도 두 번이나!

신원이 지워진 존재들.. 어떻게 그런 일이 가능한지 일각에선 베라(VERA)에게 규명을 요구했다. 하지만 그녀는 명확한 대답을 내놓지 않았다. 그건 마치 늘 아무렇지 않게 지나가는 연례행사처럼. 소리 내는 소수는 그녀를 맹신하는 학자들에게 짓밟혔다. 완전무결의 존재의 뜻을 미물인 우리 인간이 어찌 알겠느냐고.

스텔라는 키보드의 한 행. 끝자리에서 숨죽이던 엔터키를 눌렀다. 탈칵. 질서와 그렇지 않은 걸 뒤적이며 데이터는 미로를 만든다. 빛이 전산 회로를 들락날락거리며, 산란하는 입자. 섬광을 일으킨다. 고도의 연산처리가 연쇄반응으로 IFR(invisible floating ray) 스크린을 통해 가시화된다. 그 시간까지 겨우 8 초. 깊숙이 묻힌 과거의 잔해를 발견하는 일치고는 혁신적이라 할만한 것이었다. 쉽게 말해, 루꼴라 파스타를 맛보고 미뢰 수상돌기 역추적 8 초 만에 루꼴라 종자 계보 데이터와 생산 농가의 주인 이름과 병세까지 알아낸 격이다.

-찾았어요!

"좋아, 간다."

위이이잉. 범용 플랫 바이크. 플라즈마 코일에 요란한 스파크가 튀기 시작했다.

...

나는 잠시 몸이 굳었다. 자마와 그 친구 타르프가 슬며시 내밀었던 종이는 펼치기도 전에 내 심장을 두근거리게 만드는 무언가가 있었다. 그런 까닭에 우선, 이 방에 정말 나와 자마와 타르프만 있는 건지 돌아봤다. 내 일행들이 식사를 마치고 올 시간이 되었는데.. 이제 디저트 식기를 깨작거리는지 싶기도 했다. 그러나 역시 나뿐이었다.

"한 번 보시겠소?"

나는 종이를 조심스럽게 건네받았다. 내 그런 태도는 오히려 타르프를 긴장케 했다. 종이쪼가리일 뿐인데, 뜨겁게 달군 화로를 꼬챙이에 걸어 아이에게 맡기는 양 행동한다. 암호? 저들은 내 해독능력을 시험하려는 건가? 눈꼬리가 올라갔다.

"알아보겠습니까? 무시카 씨?"

"아뇨, 전혀 알아보지 못하겠네요. 고대언어라 해도 믿겠어요."

"하하하! 듣고보니 그렇긴 하겠네요. 하지만 지구언어로 되어있는 티폴 행성 설계도입니다. 당연히 처음 보실 수도 있습니다." 나는 눈을 비볐다.

저게 지구언어라고? 그러고 보면 상당수 글자 끄트머리가 휘날리는 걸 보니 필기체 정도로 합의 볼만 했다.

"하지만 이 정도로는 로저의 노트라고 해석하기엔 서두르지 않았나 싶은데…"

나는 도저히 지렁이가 사방으로 기어간 흔적을 토대로 과학자들이 인류의 문명을 앞당겼다고 믿을 수 없었다. 그랬다면,

그래야만 했다면, 필히 해독기술이 제일 우선으로 발달했어야만 했으니까.

"사실, 그렇긴 합니다. 읽을 줄 모르는 건 둘째 치더라도 가운데 있는 그림은 부정할 수 없는 티뮬입니다. 윰지아 로저의 행성 설계도지요."

알 수 없는 수식과 글자에 나는 재차 눈살을 찌푸렸다. 눈을 가늘게 만들어도 흩어진 글자가 중첩되거나, 더 선명히 보이진 않았다. 더 의미심장할 뿐.

"이게 무슨 글자야?" 마침 타무무와 그의 대원 둘이 초콜릿 하나씩 물고, 내 뒤를 포위했다.

"글쎄요 저도 잘… 근데 이거 어디서 난 겁니까?"

"타르프한테 받은 겁니다." 우습게도 타르프가 대답했다.

"그게 누굽니까?"

"말했잖소. 타르프라고." 그는 대답을 꺼렸다.

타르프가 이렇게 고집스러워 보이는 것은 그가 자리에 앉고 처음 있는 일이었다. 그전에는 깜깜한 어둠을 훑으며, 빛을 보고 있다고 하더니…

"무시카 씨. 지구-티뮬. 두 행성 간 얽힌 양자성을 풀기 위해서는 노트는 반드시 필요합니다. 그리고 앞서 말한 것을 제외하더라도 모래꾼은…. 베라(VERA)를 없애는 데 도움이 될 겁니다."

"... 그녀는 지구에 있을 텐데요."

"그렇기 때문입니다. 지구로 가는 유일한 게이트가 유오에 있지요. 그걸 통해 윰지아로 진입할 겁니다. 내부 해킹으로 방공

시스템을 다운시켜서… 총공세를 퍼부은 뒤. 베라(VERA)를 체크메이트. 말이야 쉬운 작전이지만 침입을 대비해 수시로 좌표가 변하는 양자 게이트 시스템을 오차 없이 복호화하고 윰지아 토면에 처박은 무인 스텔스 특수 기동대를 꺾어야 합니다. 그 전제가 되기 위해선 군대보다는 기동력이 뛰어난 모래꾼들이 필요하다는 전략가의 소견이 있었습니다."

나는 그저 초대된 손님이라. 그런 처지에 놓여서 굳이 태클을 걸고 싶지 않았다. 나는 게이트를 통해 지구로… 복귀만 하면… 하지만 '라플라스의 악마'라 불리는 그녀가 이 일을 진즉 견지하지 못했을까? 게다가 총공세라니. 기껏해야 입구가 하나뿐인 공성전으로밖에 보이지 않는데! 나는 인공뉴런복합체라는 생명 시스템 공학과 알고리즘을 잘 알지 못한다. 하나 확실한 건. 그녀는 인간과 인간이 구사할 수 있는 공학 장치를 아득히 초월한 존재다. 설령 지금까지 윰지아 로저가 살아있다 해도 피조물인 베라(VERA)가 인간을 뛰어넘은 일은 없던 일로 될 수 없다. 역전성. 이러한 창조주의 치욕을 맛보고 싶지 않았기에 로저는 죽을 때까지 베라(VERA) 설계도를 꼭꼭 숨긴 게 아닐까?

… 타르프는 그런 내 표정을 읽는다.

"막무가내라 생각할지 모르나, 뜻을 모은 도시가 제법 있소. 샤르하, 아덴, 곤여, 뮤텔리안, 서울…" 생각지도 못한 도시 이름이 불쑥 튀어나왔다. 무엇보다 내 귀를 의심하게 만든 이름. 아덴 그리고…. 지구에 있는 도시 국가 몇몇.

"저더러 그걸 믿으란 말입니까? 가뜩이나 아덴은 콘냐를 재배하는 불로의 몇몇 리본인이 기득권을 잡고 있는 도시라 아쉬울 게 없을 텐데요."

"뭐, 이해관계란 복잡한 게 아니겠소?"

그런 거라면….. 그래서 방공망을… 어쩌면 인간이 위험하다.

…

어제의 늦은 담소가 끝난 후, (대화가 조금 더 오갔으나 영양가 있는 내용은 아니었다. 음식 이야기, 늙수그레한 남자의 자랑처럼 늘어놓는 타르프 서임식. 등) 모두 곯아떨어졌다. 딱딱한 접객용 침대. 실밥이 다 튀어나와 내 눈을 끌던 이불은 예상외로 내 불만과 틀이 잘 맞아떨어지면서 오히려 편했다. 나는 방을 나섰다. "잘 잤어?" 라미아다.

기다리고 있었나? 정오의 태양. 낮은 창으로 빼꼼이 광휘했다. 대답할 필요가 없을 것 같다. 대신 손뼉을 쳤다. 짝!

"여기 모기들은 리본 한 건가? 꽤 전투적이던 걸?" 티폴 생태에 불필요한 시스템 생명체는 없다. 그런데 모기가 있을 리가. 라미아는 웃었다. 대신 그녀가 잠을 못 잤나? 검은 눈두덩이가 광대까지 내려와 짙은 그늘 만들었다.

"네가 궁금해하는 것 같아서 행성 데이터베이스를 모두 뒤져봤는데 예루라는 타르프는 없었어. 인간과 접촉이 전무한 타르프거나, 종교적 가상인물이 아닐까 싶어."

"고마워.."

그녀의 눈빛이 초롱초롱하게 빛난다. 고마우면, 밥 사!라는 말이 튀어나올 것 같아 나는 시선을 피했다.

"아 참! 그리고…. 어제 그 타르프가 보여준 종이를 몰래 스캔해봤는데, 행성 설계도가 아니라. 모래 해일을 계산한 수식 같더라고. 그것도 아주 정밀한.."

"모래 해일?" 그게 뭐지?

"무시카는 아직 본 적 없으려나? 사막은 처음이니까."

"그러는 너도 티폴은 처음일 텐데?" 푸흐흐흐.

"고맙긴!" 그녀는 농담처럼 넘겼다. 나는 진심으로 비꼰 건데...

"어쨌든 요는, 로저가 이런 시시한 걸 적었을 리 없다는 말이야."

"좀 전엔 정밀하다며?"

"로저는 아니야. 게다가 해일 계산? 쓸모없는 걸로 누가 뭘 하려 했는지 짐작도 안가네."

"노트 일부가 아니란 말이군."

"그럴 가능성이 높지. 난 이만 자러 갈게." 라미아는 가볍게 몸을 빙 돌았다. 부스스한 머리칼이 코앞을 스쳐 미끄러진다.
"라미아, 잠깐만." 다시 적갈색 머리칼이 반대쪽으로 살랑거렸다.

"왜?" "혹시, 누가 타르프에게 종이를 준 건지 알 수 있을까?"

"그걸 알면 내가 밤을 새웠겠어?!" 라미아는 객방으로 들어가버렸다. 대개 저런 식으로 들어가버리면, 저녁 먹을 때 즈음에 퉁퉁 부은 얼굴로 질질 끄는 슬리퍼를 신고 바닥을 기며 기어나올 것이다.

자마는 유사학자로서 이미 출근을 한 것 같았다. 어떤 분주한 소리 때문에 새벽 몇 차례 잠을 뒤척였던 일이 진즉 자마의 외출로 나는 알고 있었다. 그런데 어제 그렇게 이야기를 늘어놓던 이야기꾼. 타르프는 어디로 갔을까? 궁금했다.

타르프는 흔하지 않다. 티몰인 중, 리본인 비율만큼. 리본인 중, 타르프의 비율은 대강 비슷했다. 그야말로 '독실한' 바슈테림은 또 여기서 크게 두 가지 계급으로 나뉘는데, 일반 평신도와 점성술에 근간을 둔 정신도로 나뉜다. 후자의 경우에서, 성체 리본인을 전제로 타르프의 서임과 반드시 '별의 인정'을 받아야만 되는 길이었다. 그러니 무조건 바슈테림이라 해서 점성술사. 즉, 타르프를 고위 사제로 취급하는 일은 무식하다거나 [인간] 소릴 들을 것이다.

그들은. 타르프는. 앞이 깜깜한 티몰인의 등불. 희망의 빛. 별의 뜻을 읽는 견지자. 자유를 명리하게 밝히고 인간과 소통하는 유일한 전서구다. 바슈테림이 말하길, 타르프는 별과 대화할 수 있다고 한다. 별의 종류와 수는 개인 능력이지만 대부분 하나의 행성에 그친다하며 그건 마치, 그 덩치에 반비례하여 크면 클수록, 갓난아기를 아무런 상관없는 젓가락 하나로 달래는 일과 비슷하거나 같은 정도로 힘들고 고된 일이라 했다. (갑자기 젓가락은 왜..? 역시 종잡을 수 없는 놈들이다. 게다가 갱어는 아이를 길러본 적도 없을 텐데)

또한 그들은 밤엔 별을 보고 낮엔 주로 잠을 잔다. 그리고 이야기한다. 이야기꾼은 언제나 은하 자락에 걸터앉아 슬며시 등 떠미는 운명과 '옛날 옛적에…'라는 시구를 읊으며, 남색 치마가 물결치는 가까운 자정에 왕성한 법이니. 눈이 푹푹 꺼지는 땅올빼미가 될 수밖에.. 아마도 자마가 낯선 우리를 받아들인 이유는 모래꾼이라 할지라도 어떤 식으로든 타르프의 보증이 면식으로나마 있었던 덕분일 것이다.

(정확하게 그들이 하는 일을 잘 알지 못한다. 늘어지는 이야기로 티폴인 고질적 불면을 치료한다든가. 점을 봐주는 등. 몇 가지를 제외하면, 알려진 바가 많지는 않다. 타르프의 자연 발생에 관해선 학자들의 견해가 분분했는데, 그중. 비이상적 행성 생태를 어느 정도 진화(鎭火) 하는 역할론과 인과율 붕괴를 우려한 행성체 면역 반응. 혹은, 애당초 행성 유치를 위한 로저의 설정값이라는 것이 정론으로 받아들여지고 있다. 어느 쪽이든 실제로 타르프의 존재는 수많은 티폴인의 길잡이 역할로 혼돈의 이름에서 질서를 만들어낸 건 사실이다. 대체로 이상한 소릴 하거나. 막무가내로 알아듣지 못할 말을 구시렁거리긴 하나, 같은 바슈테림이란 명호 아래. 미래를 향한 견지가 틀려도 그들을 탓하는 이는 없었다)

어쨌건.. 그놈도 '별의 인정'을 받았다는 말이네. 그게 뭔지 물어볼걸.. 쩝.

나는 요깃거리가 될만한 걸 찾으러 부엌으로 갔다. 좀 전부터 복도로 슬며시 느껴지던 바깥 바람이 그곳에서 비롯된 것을 깨달은 나는 곧바로 히엠스 낭떠러지로 이어지는 테라스 문을 닫으려고 했다. 흠칫. 나는 벽을 방패 삼아 주저앉았다.

...

".... 외부와 연락망이 끊겼습니다. 갱어가 헨마의 저주를 푼 걸까요?"

타무무의 손엔 담배가 활활 타고 있다. 여기선 취급하지도 않는 물건인데 들키면 어쩌려고 저러는 건지.

"그건 불가능해. '혁명군이 히엠스를 돕는다' 정도겠지. 행성 서버망을 피해 연락을 취하고 있었다니.. 대체 무슨 수로.."

...

나는 들어선 안 될 비밀스러운 얘길 들은 것인 양. 몸을 웅크렸다. 참.. 어정쩡한 타이밍에 이러지도 저러지도 못하는 때에 소녀가 보였다. 소녀는 하늘색 머리를 가지고 있었고 또 제 빛깔인 양 어울렸다. 등 뒤에서 부는 바람이 원망스럽지 않을 정도로..

좀 전의 눈부심이 무색하게 소녀의 청완한 얼굴은 이른 새벽 아직 가시지 않은 달처럼 푸르게 빛났다. 나는 어떤 생각이 들었지만 그대로 삼켰다. '소녀의 본체는 분명 더 아름답겠지' 그러나 감히 말하지만, 소녀의 위풍당당함은 오히려 이쪽이 더 하면 더할 것이다.

"거기서 뭐 해요?" 소녀의 목소리는 예상과 아주 다르게 날이 섰고 매우 거칠어서 송곳으로 귀를 찌르는 듯했다. 타무무와 아룬 역시 흠칫 놀라 마지막 한숨 담배를 깊게 빨더니 급하게 털어버린다. "무슨 일이야?"

히끅 히끅. 소녀의 눈시울이 삽시간에 붉어졌다.

"무시카··· 너···"

"나.. 난 아니야."

우리가 놀란 탓에 소녀도 겁을 먹어 눈물을 뚝뚝 흘렸다. 감정의 분화구가 아직 폭발하기 전이라 나는 얼른 안았다. 어라?

어젯밤 소녀는 자마와 입을 맞추었는데… 부인이 아니던가..?
히끅….. 널뛰는 소녀의 어깨를 달래고 나름 예를 차려 말했다.

"어.. 저.. 부인. 놀라셨다면 미안합니다."

조금 진정이 되었는지 붉은 눈이 된 소녀는 덥썩. 한 손으로 내 귀를 제압하고 또 속삭인다.

-죄송해요. 제 귀가 잘 들리지 않아서요. 혹시 제 목소리가 너무 컸나요?

너무.. 가까웠다. 소녀는 귀에 무슨 장치를 넣는다.

"아뇨.. 그냥 조금 놀랐습니다. 저.. 그런데 부인. 지금 자세는 좀.."

-어머! 저는 자마의 아내가 아녜요. 그런 흉내를 내고 있었을 뿐이에요. 어디까지나 놀이라고요…

소녀의 돌발 행동은 계속되었다. 이번엔 타무무의 품으로 폭삭 안겼다. 물론 한 쪽에서 양팔을 벌려야 하지만 타무무는 얼떨결에 그것을 해내 버렸다. 놀란 그는 비명도 아니고 뭣도 아닌 소릴 지르며 집 밖으로 끌려가 버렸다.

"에…? 으아악..."

"대체 무슨 일이 벌어진 거죠?" 아룬이야말로 그 까닭을 알고 싶은 사람이었다.

"하여간 복에 겨운 놈이야."

…

타무무는 영문도 모른 채 마땅한 보호자 없이 히엠스를 구경하게 생겼다. 볼모로 잡힌 동료를 생각하면 눈물이 핑 돌았다. 그런데도 요상하게 걸음이 경쾌한 것이 모순적이었다. 그녀는 말을 할 때마다 타무무의 귀를 잡아당겼다. 가능한 한 낮게 말하다가도 그의 반응이 시큰둥하거나, 미미하다 생각이 들면, 또 데시벨이 높아졌다. 이 거대한 림스톤 지형 도시는 괄목할만한 상태를 지속했다. 입성했을 때와는 또 다른 색채들이 눈에 들어온다. 새벽의 자수정색. 아침의 루비색. 한낮의 이끼색. 태양 빛을 반사하는 지형의 질감과 감정에 따라 풍광을 덧칠하고 있었다. 소녀는 빛을 쬐었을 때, 가장 환한 푸른 색을 뽐낼 것 같은 곳으로 타무무를 이끌었다. 타무무는 오묘한 빛깔을 품은 바위에 조심스럽게 손을 올렸다. 으악! 손이 닿자마자 폭신 내려간다. 그렇게 급하게 손을 떼자 닿았던 부분이 용수철처럼 반원을 그리며 하늘로 튀어 올랐다.

"뭐.. 뭐야!"

-구름 나비잖아. 뭘 그렇게 놀라는 거야? 바위에 낀 이끼를 온종일 고름처럼 빨아 먹는다고 네가 저번에 알려줬으면서.

피식. 그녀는 웃었다. 저 푸른 나비도 시스템상 필요한 개체일까? 아무렴 어떠랴, 아름답기만 한데.

"아.. 그랬지 참." 하하하. 타무무는 멋쩍게 웃었고 소녀는 그걸 의아하게 바라보았다. '어쩐지… 젠장. 비슷한 사람이랑 착각하는 모양이야. 이를 어쩐다…' 소녀는 다시 타무무의 귀를 간지럽힌다.

-어제 말도 없이 와서 놀랐어. 우리 집엔 어쩐 일이야? 모래꾼 같은 그 옷은 또 뭐고?

"어.. 그게 말이지…" 타무무가 보기에 소녀는 나이를 속여 골탕먹이는 리본인은 아닌 것 같았다. 귀 안쪽부터 문드러지는 특이한 케이스로 보였는데. 그래서 그런지 자기가 하는 말이 잘 들리지 않아 아까와 같이 서로 놀랐다.

"친구들이랑 모래꾼 흉내를 내고 있었어." 타무무는 적당히 둘러댔다. 소녀는 눈을 가늘게 뜬다. 마치 자기가 바본 줄 아냐는 얼굴로. 소녀는 또 갑자기 수화를 한다. 애석하게도 알아듣지 못했다. 이래서 다방면으로 라미아가 필요한 건데. 타무무는 한참을 해석해 보려다 지쳐. 그냥 고개를 크게 끄덕였다. 환하게 웃는 걸 보니 제대로 먹혀 들은 모양이다. 뭐라고 한 걸까..?

타무무와 소녀는 보폭을 맞춰 드넓은 언덕을 올랐다. 산이라고 해도 될 높이였고 세 시간이나 흘렀지만 걸음이 가볍고 목도 마르지 않았다. 간간이 젖은 토양을 밟으며 소녀가 무게중심을 잃고 비틀거렸다. 이윽고 정상, 양지바른 곳에 누웠다. 발아래로 야트막한 능선이 보기 좋게 도시의 그림자와 수평으로 걸려있었다. 만난 지 하루밖에 되지 않은 사람과.. 아니, 갱어와 이런 삶도 나쁘지 않겠다는 생각이 들었다.

대부분의 대화가 끊기고 귀를 잡아당기는 일이 세 시간 동안 벌어져도 소녀의 미소엔 무거운 마음을 움직이는.. 그런 힘이 있었다. 어쩌면 인간이 아닐까 하는 구슬같이 투명한 눈은 형형색색으로 뻗어 나가는 히엠스의 모든 것을 담았다. 타무무는 그곳에 시선을 빼앗겨 한동안 말이 없다. 지구에도 이런 풍경을 견줄만한 게 있었던가? 질문의 꼬리를 물다가 결국은 한가지 결론에 도달했다. 분명 그렇겠지. 여긴 모조품의 세계니까.

삐빅. 기계음. 소녀는 귀가 어둡다. 덕분에 타무무는 조심스럽게 메시지를 확인했다.

".. 젠장 할."

-뭐라구 했어?

"아니, 바람이 차다고."

"야! 너 어딜 싸돌아 다닌 거야?!"

"시끄러워. 온종일 귀가 아파죽겠단 말야. 나도 그러고 싶어서 그런 게 아니라고."

타무무는 속이 뜨끔했다. 말은 '끌려갔다'라는 뉘앙스가 강했지만, 사실은 그런 자가 어찌 세 시간이나 자처해서 산을 오를까. 목적 앞에 물불 가리지 않는 모래꾼의 습성을 닮아가는 건지도 모른다.

"갱어가 어떤 목적을 가졌는지도 모르는 데 따라갔단 말이야?" 라미아는 매서운 눈으로 째려보았다.

"아니, 그 애는…"

"애? 애라고? 미성체 갱어는, 같은 나이 지구인보다 훨씬 성숙한 거 몰라? 재 정신연령이 너보다 낮을 것 같아?" (인간과 달리, 그들의 지식습득은 로저가 설정한 임계점 내에서만 한정적으로 이루어진다. 그렇기에 특정 포인트까지 빠르게 성숙할 수밖에 없는 동물적 특성을 지닌다)

"그리고 이름도 모르면서 무슨…! 잘 들어. 여긴 가짜의 소굴이야. 정신 똑바로 차려! 집에 안 갈 거야? 네 행동이 팀 전체에 어떤 영향을 미칠지 잘 생각해야지."

"그걸 누가 모른대?"

그는 입술을 깨물었다. 칫. 라미아는 내심 신경 쓰여도 식사하라는 말을 잊지 않았다. 타무무가 그녀의 말을 따르는 것은 별개의 문제지만.

자마는 저녁이 다 돼서야 집으로 돌아왔다. 그리고 확실히 놀이가 맞은 모양인지 어제와 같이 소녀와 입을 맞추는 모습은 볼 수 없었다. 다만 소곤대는 것은 같았고 함께 저녁을 먹었다. 빵과 스프. 그리고 얇은 햄이 조금 올라간 면 요리. 붉은 조명에 클래식 음악을 틀어 놓으니 그럭저럭 별 네개 짜리 평판 좋은 레스토랑에 온 것 같았다. 반 접시쯤 비워갈 때, 배고픔에 못이긴 타무무가 슬금슬금 모습을 드러냈다. 라미아는 그의 처지를 보지도 않고 빈자리에 그릇을 올리고 음식을 당겨놓는 것으로 앙금을 걷어냈다.

나는 혹시 언제까지 머물러도 좋겠느냐고 자마의 대답을 기다렸다. 그는 뚜렷한 대답은 하지 않았다. '모래꾼은 언제든 환영입니다' 라는 식이어서 엉덩이에 가시가 돋칠 지경이었다.

…

"우리가 협조할 때까지 가둬 놓을 생각인가 봐."

"그런 것치고는 대접이 후하잖아. 먹을 것도 꼬박 주고..."

"모래꾼이 비협조적으로 나오길 경계하는 것 같아. 어쩌면 자마는 이러지도 저러지도 못하는 상황일 거야."

"어떡할까요 대장?" 우리는 동시에 그를 쳐다본다. 아룬의 어깨가 이럴 때만 무게가 실린다.

"음…. 어차피 우리는 티폴의 내란에 가담해야 지구로 돌아갈 수 있어. 다만 문제는. 우리는 인간이라는 거야. 진짜 모래꾼이 나타나면 곤란해."

내가 대꾸했다.

"그럼 그냥 인간이라고 밝히면 안 될까요? 어차피 혁명군 쪽과 손을 잡았다면서요."

"그건 안 될 말이야. 종교적으로 얽힌 문제라 복잡한데… 바슈테림은 혁명군이 헨마의 혈통이라 생각하고 있어. 그렇기에 표면적으로 받아들이는 것처럼 보일 뿐이야. 본체와 마주하면 살인 충동을 억누를 수 없을 거야." 라미아의 말에 모두 고개를 끄덕였다.

초기 티폴이 그러했다. 끔찍한 살인 사건이 빈번하게 일어나 윱지아는 똑같이 생긴 유오를 갱어의 행성에 세우고 외부와 단교했다. 그리고 군인들로 도시 주변을 무장했다. 무시카 일행의 목적은 지구로 돌아가는 것. 그러나 티폴의 컨트롤 타워인 유오가 무너지게 두기엔 그다음 징검다리인 지구가 위험에 노출된다.

"칫. 이러지도 저러지도 못하잖아."

우리는 그 문제를 두고서 일단 긍정적으로 표명하기로 했다. "타무무." 나는 그의 이름을 처음으로 불렀다.

"으.. 응?" "노트 쪼가리를 줬다는 타르프 말이야… 혹시 그 애는 알고 있을까?"

"글쎄, 뭘 알만한 것 같은 애는 아닌 것 같던데.."

"물어봐 줄 수 있을까?" "내가 왜?" "그야. 너랑 친하잖아."

"아.. 아냐." 타무무의 얼굴이 붉그스레지다가, 찬 공기가 뺨에 닿자 차츰 누그러졌다.

"기회가 되면 한 번 물어는 볼게. 그런데 그 타르프는 찾아서 뭐 하려고? 아는 자야?"

나는 콘냐에 불을 붙였다. 못들은 체 하듯이.. 그렇게 생명이 숨쉬기 시작하는 히엠스에서의 이튿날이 연기처럼 지나간다.

“그럴 리가 없잖아.”

"지겨워.."

-네.

"지겹다고."

-알아요.

"하아… 재미없기는.."

-조금만 더 기다려 봐요. 오늘 나타날 거니까.

"저기, 스텔라. 재미있는 얘기 좀 해봐."

-아무거나?

"아무거나."

-뭐, 잠깐이라면…. 시오 님은 갱어에 대해서 얼마나 아세요?

"많이 알지는 않아. 거울을 보면 이성을 잃는 거? 누구보다도 본체의 죽음을 원하는 정도? 아! 그리고 절대 티폴 행성 밖으로 나갈 수 없다는 거."

-정말 대충 알고 계시네요.

"마지막을 아는 사람은 거의 없을걸?"

-음… 그것 말고도 『공명인간원론』이라는 책을 보면, 여러 가지 흥미로운 연구 결과가 있는데요. 유전자 복제 능력이 없어서 번식이 불가능하잖아요? 그런데 새로 생성된 개체는, 티폴 각 도시 한가운데서 불쑥 솟아난대요. 그래서 그런지 가족이라는 개념이 약하다나 봐요. 한마디로 유대가 없다는 거죠.

"그게 뭐가 흥미롭단 말야. 보나 마나 방학을 맞은 인기 없는 대학교수가 심심풀이로 쓴 영양가 없는 책일 테지."

-적어도 저는 시오 님하고는 유대가 있는 것 같은데… 히히. 갱어보다 내가 낫죠?

".. 됐고. 다른 건 없어?"

-피이.. 그럼.. 심심할 때, 남녀노소 모든 갱어가 하는 놀이가 있대요.

"뭔데?"

-흉내놀이요.

"흉내…? 애들이나 하는 거잖아."

-갱어들은 재미있나 봐요. 진짜 사람 흉내를 내니까요…

"아! 됐어. 넌 역시 지루해."

-흐흐흐. 칭찬 고맙습니다.

시오는 저 음성의 주인이 누군지 정말 궁금했다. 농담이라곤 주고받을 수 없게끔 설계된 건가? 어떻게 한마디를 지지 않고서 장작 패듯 댕강 잘라먹을 수 있는지. 목소리만 들으면 애교 넘치는 대학생 새내기이거늘… 하는 짓은 영..

칫. 시오가 불만을 곱씹을 때였다.

-저기 보세요!

"나타났군." 검은 형체가 윰지아 외곽 폐허를 달린다. 시오는 망원렌즈로 중형 플랫 바이크에 몸을 기댄 채 그걸 가만히 지켜보았다. 동그란 렌즈에 상이 맺힌 물체는 시오의 눈살을 찌푸리게 했다.

"이거 아무리 골동품이라지만 너무 한 거 아니야? 기껏해야 15km 정도 거리인데… 이렇게 흐려서야.." 보급품이 그럼 그렇지 하며, 시오는 뇌까렸다.

"저게 맞긴 한 거야?"

-그런 것 같은데요?

그는 의심의 눈초리로 스텔라. 그녀와 비슷한 대상을 본다. 기계. 별. 저 멀리 쓰러진 구시대 전봇대. 스텔라의 정보망에 따르면, 폴프가 게이트를 넘어 지구로 온 기록은 없다. 그러니 시오는 조금 날카로운 상태다. 티폴에 있어야할 폴프가 보란 듯이 지구에 있으니 말이다. 스텔라가 거짓말을 할 리는 없고… 능력 역시 의심할 여지가 없을 텐데… 어떻게 지구에 있는 걸까?

여전히 인공 광원은 쨍쨍하다. 물론 태양도 있다. 그러나 태양으로부터 얻는 유익한 에너지보다 과한 태양풍 때문에 인류는 진즉 차단해버렸다. 그래서 하늘을 향해 찡그릴 필요없이 인간 최적의 조도와 광도로, 대상은 시각 정보 상에 맺혀야만 했다. 그러나 저 멀리 폐허에서 의미 없이 질주하는 물체는 그저 흐리멍덩했다. 인공 문물을 거부하는 것처럼. "어! 사라졌다."

심지어는 사라지고 또 나타나기를 반복한다. 어쨌든 눈에 밟히니 사냥꾼은 움직일 수밖에…

-저렇게 사라졌다 나타나는데 어떻게 잡으시려고요?

"생각이 앞서면 이런 일 못 해!" 시오는 바이크 시동을 걸었다. 우우우웅!!!

막상 근처로 가니 더 막막하기만한 것 같다. "플레임탄!" 바이크는 주변을 빙글빙글 돌며 폐허의 길목을 불길로 막아버렸다. 불기둥이 한 곳을 기점으로 사방으로 번졌다. 뜨거운 열기를 견디지 못하고 바이크는 근처 공터에, 반중력 장치 동력을 잃고 착륙했다. 시오는 범용 전투 슈트를 착용한 상태로 불길을 헤쳐나갔다. 그의 허리엔 근거리 전투를 책임질 칼집 고리에 끈을 드리워 찬, 환도와 레일건이 걸려있다.

"어디 뭐 좀 보여?"

-세 시 방향!

그는 쏜살같이 레일건을 빼 들었고 동시에 쐈다. 피융!!

-일곱 시!

얼른 몸을 숙이고 스프링처럼 튀어 올라 한 바퀴 공중제비를 펼쳤다. 피융! 휙.

벌써 표적이 사라지고 없었다. 일렁이던 불길이 사그라들고 다시 그 자리를 뜨거운 화염이 메웠다. 샤샥! 팅! 시오는 무의식적인 발도 기술로 무형에 가까운 공격을 막았다. 샤샥! 티팅! 쇄에엑!! 이번엔 반격도 피했으나 보이지도 않는 적을 일도양단하기는커녕 스치기도 만무했다. 시오는 시가지의 폐허. 쓰러진 전봇대를 발판삼아 뛴다. 콘크리트를 뚫고 나온 철근 빔을 밟는다. 하나. 둘. 발은 쉬지 않고 2 층 높이의 비탈진 벽을 차고 순식간에 3 층 높이로 안착했다. 착!

주변은 아무런 흔적도 없다. 짓다 만 건물 덩어리와 아픔만 불길에 보탤 뿐.

스텔라는 적의 움직임을 계산했다. 연산했다. 현존하는 양자 컴퓨터 먹이사슬 중, 정점에 있는 그녀조차 시간이 필요했다. 수집되지 않는 가상의 데이터를 고작 뜨거운 열의 변화, 바람의 변속, 시오가 받은 공격의 가역적 에너지에 대입하여 추산했다. 복합적 왕복 시냅스를 거치지 않은 동물의 거친 움직임을.. 결과는 '계산 불가'였다.

-제가 도움이 안 될 것 같은데요?

"어차피 혼자로도 충분했어!"

그 와중에 시오의 몸은 옅은 자상이, 유리 조각이 몰아치는 회오리바람을 만난 듯 베이고 있었다. 지금처럼 비틀비틀 부지런히 몸을 움직여야 했다. 환도를 아무렇게나 휘둘러봐야 소용없다.

"제길! 이게 뭔 꼴이야!" 시오는 높은 곳의 이점을 과감히 포기하고 옆 건물 틈으로 낙하했다. 콱! 환도는 낡은 콘크리트벽을 관통하여 떨어지는 시오의 속도를 늦췄다. 시오는 불길이 닿지 않는 엄폐물로 미끄러져 안착했다. 하아… 하아…

-본부에 지원요청 하겠습니다.

"아냐, 그러지 마. 녀석은 나를 사냥하고 있어. 이건 녀석과 나의 승부야."

-어쩌시려고요?

스텔라는 걱정이 앞섰다. 그녀는 중입자 블로킹(baryon blocking) 시스템을 응용해 치환하는 독자 기술을 개발했다. 로저의 '성간 거울'을 모티브로 한 것이지만 덕분에 상처 하나 없이 말끔하게 시오는 특무부 핵심 요원으로 자리 잡았다. 실리만 코딩. 그 기술은 정보처리 과정을 속인다. 이를테면, 신체조직 손상을 일으킬법한 사건을 순간적 대응을 통해 물리세계에 어긋나지 않는 범주 내에서 이미지를 연출한다. 연극만 잘 맞춰준다면, 적들은 난자된 시오의 모습에 승리를 도취한다. 일전에 무시카를 놓쳤던 레그의 일처럼.. 하지만 예상을 웃도는 로딩처리 속도 탓에 동시 다발적으로 적용할 수는 없다. 시오의 손목이 뻐근한 것도, 환도가 무겁게 느껴진 것도, 그런 이유에서다. 그러나 문제는 이 실리만 코딩의 연산처리가 적의 공격을 따라가지 못했다. 시오를 죽일 뻔 했던 레일건보다 비교가 안 될 정도로 빨랐다.

-이번엔 정말 죽을 수도 있다구요!

하아.. 하아.. 우주 공간만큼 차디찬 폐허 도시. 불길이 치솟는 데도 입김이 나왔다. 시오는 말없이 다시 일어섰다.

-뭐… 뭐하시는 거예요!? 안돼요! 전 분명 안된다고 말했…..!

삑. 수신기를 아예 꺼버렸다. 잡음이 들려오지 않는다. 뜨겁고, 춥고, 황량한 무대에서 춤을 출 준비가 되었다. 저벅저벅저벅. 한 곳을 응시하며 걸어가더니 한 지점에서 우뚝 섰다. "반갑다. 폴프."

원을 그리며 빙 두른 불기둥 속. 아지랑이와 함께 검게 타오르는 금수(禽獸)가 네 발을 버티고 서있다. 늑대? 사자?

호랑이? 그와 비슷한 반생명체. 3m 에 달하는 커다란 몸집은 마치 커다란 바위와 마주한 것 같았다. 맹수는 안다. 숨어있던 피식자가 숨바꼭질을 멈추고 얼굴을 드러낸 까닭을. 포기한 것이다. 삶을. 생명을. 그러나 목숨을 내려놓고 지난 삶을 반성해야 할 피식자의 태도가 사뭇 달랐다. 옆구리로 피가 줄줄 새는데도 빤히 노려본다. 검은 눈동자. 그 안의 짐승. 금수는 시커먼 이빨을 드러냈다. 검은색이다. 이빨 끝으로 맺히는 검은 침방울이 땅으로 떨어진다. 비명이 들리는 듯했다.

크르르르르…

금수의 울부짖음은 두려워서가 아니다. 어딜 감히. 사람 따위가 맹금을 흉내 내고 있는가? 건방지기 짝이 없다. 시오의 등골이 서늘해졌다.

"근데 사람 맞아…?"

환도를 뽑았다. 어차피 레일건은 닿지도 않을 터. 침을 꿀꺽 삼켰다.

"스텔라. 듣고 있지? 안 들어도 무조건 들어야 해. 이번에야말로 죽을지도 모른다구.." 시오는 침을 꼴깍 삼키고 턱을 치켜들었다. 저 멀리 윱지아. 지나온 곳을 바라본다. 15km 쯤 떨어졌었나? 이 정도면…

"지금 당장 뮤텔리안 서버 접속해서 호환 가능한 오징어잡이 메뉴얼 중, 네 번째 거 결재해. 반경 5m 에너지 고립 상태 유지하고.." 시오는 온 신경을 눈에 집중했다. 검은색으로. 끝으로 이어지는 금수의 검은 갈기로. 지구에서 저런 생명체를 보게 되리라곤 생각지도 못했는데… 혹시나 이계의 것과 마찰을

빛으면 지구 반대편 카디플랑에서나 그럴 줄 알았는데. 재수 옴 붙었다.

"녀석이 고립 반경 내에 들어오면, 3m 공간 중첩 시키고 1m 접근하면 다시 중첩해. 너라면 타이밍을 맞출 수 있을 거야."

시오와 녀석은 서로 노려보았다. 경계. 그렇게 눈치를 살피다 먼저 첫발을 내디딘 건 금수 쪽이었다. 녀석은 빌딩 세 채를 사이에 두고 사납게 달렸다. 온다. 크아아앙!!! 이번엔 사라지지 않는다. 금수의 시커먼 앞발이 먼저 하늘을 가렸다. 그대로 낙하한다. 후우우웅!!!!!!!! 스샤!!!

운명을 가른 것은 순식간이었다. 눈부신 일섬. 그리고 주변은 얌전해진다. 타오르던 불은 꼬리를 내리고 스멀스멀 땅속으로 기어들어간다. 동시 다발로 유효하지 않은 실리만 코딩이 제대로 작동할 리가 없다. 시오의 어깨 쪽에서 피가 분수처럼 뿜어져 나온다. 크윽….!!!!! 그나마 자랑할만한 반사신경에 목숨은 건졌다. 하아… 하아….. 삐빅!

-시오 님!!! 괜찮아요?

"하아…. 뭐, 그럭저럭.. 하아.. 집중 안되게시리."

-한 번만 더 꺼봐요. 진짜… 죽여버릴 거야…

"….. 쿨럭 쿨럭."

-근데, 방금 메뉴얼은 뭐였어요? 어떻게 잡으신 거예요?

시오는 그제야 뒤를 돌아보았다. 폐허는 언제나 그렇듯 탄 자국, 부러진 철근, 썩은 잡목들이 상관 없이 뒤죽박죽 섞여 있다. 불이 나긴 났었던가? 그리고 금수. 야생의 그것을 향해 시선을 둔다. 좀 전까지만 해도 거대한 몸집을 자랑하던 금수는 옆구리를 깔고 바닥에 쓰러져있다. 하지만 덩치는 마당에 키우는 개만큼 작아졌고 거적때기를 두른 사람도 같이 숨을 고르며 누워있다.

"그거? 말 그대로 오징어 잡을 때 쓰는 거야."

강한 조명. 공간을 단절한 뒤 빛에너지를 응집한다. 단순한 빛이다. 그리고 중첩, 또 중첩을 적용하면 그 응집된 빛은 단지 강할 뿐이다. 단절된 공간 안에서만. 자연계의 에너지평형 때문에 좁은 공간에서 빛에너지를 뽑아낼수록 공백 상태에 돌입한 곳은 마이너스 에너지로 수렴한다. 금수는 때마침 중첩 공간에 들어선 이유로 능력을 사용하지 못했고. 시오는 그저 환도로 베어버렸다. 정말 그뿐이었다.

-대단하네요.

"됐고.. 어서 치료나 좀 해줘."

-쑥스러워하기는..

가끔 그가 일하는 방식을 보면 경이로울 때가 있다. 베라(VERA)를 모방해 만든 양자컴퓨터 스텔라조차도. 스텔라가 느끼기엔 지금이 그런 순간이었다. 인간들은 종종 신의 계시 혹은, 행운에 기대야만 앞으로 나아가는 나약한 존재다. 그러나 시오는 외부에 의탁하지 않고 행운을 만든다. 어쩌면 동화 속 마왕과 용사쯤. 그런 이야기의 '마력'이 그런 게 아닐는지… 인간. 인간은 신기한 존재다… 꼬르르륵. 시오의 배에서 요란한 소리가 울린다. 고갈된 에너지. 다시 라면을 욱여넣어야 할 시간이다.

-연비가 좋진 않군요.

"응? 뭐가?"

-아무것도. 아녜요.

요즘 부쩍 스텔라는 혼잣말이 늘었다. 저벅저벅. 시오는 절뚝거렸다. 다친 어깨를 감싸고 다리를 전다. 쓰러진 인간과 금수가 있는 곳으로. 스윽.

"윱지아 폴프.." 창백한 피부, 뽀얀 살결. 부스스한 흑발과 송곳처럼 난 수염. 혹시나 싶어 몸에 부스러진 곳이 없나 살폈다. 폴프는 다친 곳 하나 없이 콘크리트 바닥과 흙먼지 위에 곤히 잠들어있었다. 하아… 철컥.

"... 히나 박사 살해 혐의로 긴급체포한다..."

#_ F

풍부한 감성의 씨앗은 어디에서나 잘 자란다. 인류의 문학적 서사는 그 명맥을 잇는 보존 수단일 것이다. 그러나 과학자들의 논리 중추에 뿌리내리기에는, 코로 물을 마시는 일만큼 어렵다. 그런 수많은 윱지아의 과학자가 언젠가 본부의 거의 세 층이나 차지하는 '그녀'의 실물을 접하고 감정을 표현해 본바, 하나같이 이렇게들 말했다.

[황홀하다]

….

"요즘 자주 들르네."

히나는 막 부유 패널에서 내리던 차였다. 윰지아 타워 665층. 그녀가 방문한 곳은 저명한 과학자라 하여 들어갈 수 있는 곳은 아니다.

매번 크리스 이놈은 흰 가운을 걸친 보안요원처럼 문 앞을 서성였다. 관례처럼 히나가 늘 '넌 일 없어?'라고 물으면, 그는 '항상 내가 여길 지나가면 나타나던데. 스토킹하는 거냐?'라고 반문했다. 모르는 사람들이 보기에, 히나는 삭막한 연구동을 환기시킬 아름다움을 가진 이유로 크리스의 치근덕거림이라 했겠으나, 정작 당사자들은 몇 마디 이상 나누다 보면 살벌한 세렝게티의 진면을 보여주는 그런 사이였다.

"신경 꺼." 크리스는 미간을 좁혔다.

"또 저번처럼 우리 랩의 데이터베이스를 훔쳐 복제품을 만들려는지 누가 알겠어."

"말도 안 되는 소리를 하네. 무슨 수로 '그녀'를 복제를 하겠어." 히나는 고개를 절레 저으며 대꾸했고 큰 나선형을 그리는 복도를 걸어갔다. 크리스가 그걸 놓칠 리가 없다.

"그래서 실패했다고?"

"애초에 훔친 적도 없는걸."

히나는 벌써 귀찮음을 느꼈다. 걸음을 재촉해 어서 크리스를 지나쳤다. 그런 무의미한 감정소비를 해서라도 이곳에 와야만 했다.

"부정하진 않는군."

꽁무니를 쫓는다. 삑. 꼬리 문이 벽틈으로 거의 미끄러지다시피 부드럽게 열렸다. 내부는 작았던 입구와 아무런 상관이 없다고 말하듯 거대한 케이블 회로와 복잡하게 얽힌 세포 세라믹 코팅 막이 윰지아 665 층에서 667 층까지 세 층을 잡아먹었다. 중앙 홀을 당당히 차지한 기계는. 어쩌면 생명체라 불리는 저것은. 검고 푸르고 붉고 노르스름한 오묘한 색을 번갈아 띠고 있었다. 히나는 언제 비슷한 것을 본 적이 있다. 프로그래밍 된 우주 빅뱅 시뮬레이션, 그리고 카디블랑의 노래.. 스읍. 히나는 드높이 뻗친 천장을 올려다보았다. 옛 지구의 광명을 퇴염하듯, 어쩐지 생명의 줄기에서 신묘함마저 느껴졌다. 반면에 공기는 입김이 나올 만큼 차가웠고 누가 위에서 물이라도 뿌리면, 정육각 프랙탈 구조가 반짝거리며 살포시 땅으로 내려앉을 것만 같았다.

그렇게 거대한 나무처럼 뿌리내린 그것을, 사람들은 인공뉴런복합체. 베라(VERA)라고 불렀다.

먼저 있던 연구원이 하얀 입김을 뿜으며 코트를 건넸다. 히나는 받지 않았다. 얼른 뒤쫓아온 크리스가 그것을 대신 가로챘다.

"폴프 일… 네가 꾸민 거야?" 크리스가 말했다.

"수장은 그런 자리야. 폴프는 책임을 지는 것뿐이고."

"생전에 로저가 널 무지 아꼈던 건 안중에도 없나 보군."

"....."

핏줄이라 해도 폴프는 폴프고 로저는 로저다. 적어도 그녀는 그렇게 생각했다. "네 몸속에 피가 있긴 있는 거냐? 그 자리에 행스를 앉힐 모양이던데.. 어반행스는.."

"그녀가 알려줬어?" 크리스의 입꼬리가 올라갔다.

"미리 안다는 건 부럽네… 그럼 이후 이야기도 알겠지. 시시콜콜한 안부는 그만하자. 어차피 이 대화 내용도, 미래도 베라(VERA)의 프로그래밍 답습에 지나지 않잖아."

크크크크. 크리스는 낮고 께름칙한 소리로 웃었다.

"너는 뭔가 불안한 게 있으면 항상 이곳을 찾았지. 결정된 미래가 미칠 듯이 궁금하면서 동시에 두려웠으니까. 결국은 베라(VERA)를 쳐다보기만 하고 항상 돌아가잖아? 바보 같긴.."

"....."

히나는 그의 말을 애써 무시하고 조금씩 가까이 다가갔다. 턱. 발에 무언가 치였다. 가느다란 전선 줄기였다. 순간 정말 나무뿌리처럼 보였다. 색깔부터 투명한 게 그럴 리가 없겠지마는. 분명 저번보다 커졌다. 눈에 띠지 않을 정도로 천천히.. 그리고 분명히.. 히나는 그곳에 눈을 잠시 두다가 빠져들기 전에 그 투명한 선을 넘었다. 또각또각또각.

천장을 헤집던 인공 신경망 튜브는 아래에서 히나의 눈높이에서. 은백색 오브(orb)로 이어져 있었다. 어떤 미술 작품의 전시처럼 주변의 스포트라이트를 받아 놓으니 금속인지, 유기체인지 구분되지 않았다.

"최근… 베라(VERA)의 동향에 특이한 점은 없었어?"

크리스는 머리를 반쯤 뒤로 꺾었다가 다시 기울인다. 그 잘난 히나에게 질문을 받아본 적이 없었거늘.

"그건 왜 묻는 거지?"

크리스는 그녀를 쏘았다. 한때 같은 연구를 진행한 동료라지만 지금의 경우는 어찌 보면 타 랩에 대한 월권이라 할만한 것이었다. 크리스는 엄연히 이곳의 소장이었다.

"... 그냥. 꿈자리가 뒤숭숭했나 봐. 별일 없으면 됐어. 신경 쓰지 마."

히나도 조심스러운 부분이 있었다. 플라즈마 폐기 장치 안으로 재가 돼버린 종이쪼가리 하나로, 여기까지 온 것이 과한 처사로 비춰질까여서다. 수상한 자가 건넨 종이는 분명 흔적도 없이 타버렸다.

"네 손으로 베라(VERA)를 만들어 놓고 별걱정을 다하는군. 늘 그렇듯 그녀의 의식은 렘(REM) 상태에 있으니, 외우주의 심연을 떠돌고 있겠지.." 그 대단하다던 인공뉴런복합체도 인간의 꿈까지는 어쩌지 못하는 모양이다.

"그런데 이렇게 크게 만들 필요 있었어? 베라(VERA)의 초기 모델은…" 이번엔 크리스가 묻는다.

"모르는 소리. 이게 크다고….?" 히나는 오브에 눈이 빼앗긴 상태다. 이리저리 역동적으로 공중에서 회전을 하다가 한 방향으로 고이는 에너지를 비가역적 상태로 다시 돌려놓기도 했다. 순간의 멈춤과 곧바로 몰아치는 회전체는 자신을 부추기고 일으켰다. '하긴. 그럴 리가 없지…' 완전한 구체. 초당 천회에 임박한 그 회전 운동을 보니 히나는 문득, 그런 생각이 들어 저도 모르게 입 밖으로 내뱉었다.

"인공뉴런복합체 건조는 로저 아저씨 생전에도 아주 불가능한 기술은 아니었잖아.. 아저씬.. 어째서 손수 베라를 만들지 않았을까?"

"... 글쎄. 로저만 알겠지."

로저는 역사의 뒤안길로 사라질 뻔한 베라(VERA) 설계도를 노트 마지막 페이지에 수십 장이나 낙서처럼 끄적여두었다. 너무나 광휘한 그의 업적 중 일부를 후대에 양보하기 위함이었을까? 히나와 크리스가 그러길 바랐던 걸까? 하지만 왜…? 이렇듯, 로저에 관해선 누구도 명쾌한 대답을 내놓을 수 없었다.

은백색 오브 주위는 우주만큼이나 추웠고 크리스는 그와 연관된 침묵을 깨고 싶었다.

"로저의 죽음은 명성만큼이나 석연찮은 부분이 많았어.. 자살이라니. 그걸 누가 믿어. 성격이 거칠고 억척스럽고 왈가닥 하긴 했지만, 낭만 있는 사람이었어. 그 명맥을 잇는 사람들이 얼마나 있을까? 너도 귀에 딱지가 앉도록 들었을 거야. '신과 팔씨름하고 싶다'고 말야. 지금의 윰지아 수준이 어느 정도인지는 모르겠지만, 어쩌면 신은 지금쯤 정말 손에 초크를 묻히고 인간의 도전을 기다리고 있는지도 몰라."

"이제 와서. 로저 아저씨 이상에 동조하는 거야? 꽤 진저리친 거로 기억하는데." 크흐흐흐흐. 그로서는 폭소에 가까운 웃음이었다.

"가끔.. 렘 상태의 그녀를 연구하다 보면 말이지… 실체된 논리정연한 사건의 연계성보다 비이상적인 우연으로 새로운 질서가 정립되는 걸 종종 발견하거든. 인간은 미래를 견지하고자 많은 시간과 에너지를 쏟았어. 그만큼 예측할 수 없는 일들에 가장 두려움을 느끼는 동물이니까. 인류는 미래를 얻어냈지만 오히려 더 공포심이 그득하지. 행성 단위의 반란군, 수상한 티폴의 움직임, 불안한 부동산 경제, 폭락하는 주식. 이제는 모두 예측 가능하지만, 예전과 달라진 건 아무것도 없어. 기술의 발전이 곧장 신인류로 도약하는 열쇠로 직결되지는 않아. 그런 관점에서 원시 인류는 지금과 차이는 없다고 봐. 고작 볼일을 보고 나뭇잎을 쓰느냐, 휴지를 쓰느냐의 단순한 말장난에 불과하지. 크로마뇽이니, 네안데르탈이니, 호모 에렉투스니…. 그게 다 무슨 소용일까. 로저 역시 그렇게 생각했고… 우리는 만년 단위의 유전질 진화 덕분에 흰색 가운을 입는 게 아니라, 감성 인지의 세분화된 스펙트럼을 받아들이는 수용체가 늘어난 것뿐이야."

진화? 그런 것 따위는 아무래도 상관없었다. 우주가 내재한 진리는 한 발짝 내디딜 때마다 두 발짝 멀어지는.. 탐구의 팽창화를 인간은 따라잡지 못했다. 그렇기에 인간은 영원히 패배할 수밖에 없는 운명을 껴안고 살아왔다.

베라(VERA)를 만들기 전까지는….

"풋. 다른 사람도 아닌 네가 그런 소릴 하다니. 제법 웃긴 소리도 할 줄 알잖아?"

히나는 곧 대화에 흥미를 잃고 고개를 돌렸다. 어쨌든 히나는 본질을 흐리게 만드는 인지 과해석엔 관심이 없었고 요상한 철학을 껴안은 크리스를 불쌍히 여겼다. 베라(VERA)는 인간의

고작 1.4kg 뇌로 도저히 풀어내지 못하는 진리의 실마리를
많이도 해석했다. 하지만. 이젠 베라(VERA)는 답이 없다. 막
요람으로 뛰어든 아이처럼 잔다. 차가운 숨을 고르며 오브의 회전
속도는 계속해서 지구-티몰의 에너지를 갉아먹으면서… 엄청난
속도로 무작위 자원을 먹어대는, 배꼽이 더 큰 유기체인 셈이다.
이쯤 되면 이를 쑤시거나 뭔가를 뱉어낼 법도 한데. 축적. 또
축적한다. 다행히 그녀가 잠에 빠져들고 지난 8 년 동안은 응축된
데이터양만으로는 18t 짜리 TNT 폭탄과 맞먹는 폭발은 발생하지
않았다. (잠에 빠진 베라는 지금으로선 정보 과다로 인한 선택적 배출이
불가하다. 하여 주기적으로 고밀도 커널 덤프나 캐시를 셀망으로 거르는
일과 반대로 죽요한 데이터 일부를 토렴식으로 덧씌우는 작업을 동시에
진행해야 한다. 그렇지 않을 경우 심각한 발열로 연구소가 통째로
날아간다)

크리스는 그녀를 연구하며, 때로 부하가 걸리지 않을 극소량
메모리를 신경망 튜브로부터 추출했다. 그렇게 추출된 점액질과
그녀가 내뿜는 렘수면 뇌파 해석만으로도 인류 역사를 몇 번이나
위기에서 건져냈다. 사람들은 그런 사건이 있었는지도 모를
테지만..

하지만 역시. 잠에 빠진 베라(VERA). 위기일까? 이대로도
괜찮지 않을까? 지금 당장 알 수는 없었다.

히나는 오브를 감싼 투명막에 손을 가져다 댔다. 로저가 살아
있었다면, 로저는 어떻게 했을까? 답답했다. 존속 위기를 고작
손바닥만한 구체에 의지해야 하다니. 꽈아아악. 투명한 막,
레일건으로도 뚫을 수 없다. 하지만 히나의 두 손이 그 목을
조른다.

"뭐하는 거야!"

크리스는 히나를 밀쳤다. 물론 아무 일도 일어나지 않았다. 끔뻑끔뻑. 오히려 히나가 당황한 듯 눈이 커졌다. 그리고 입김. 빨간 입술이 말려 올라갈 정도로 뜨거운 증기.

"쫄기는.. 고작 내 힘으로 어떻게 되겠어?" 크리스는 그녀를 눈으로 쏘았다.

"그런데 말야. 아저씨 필체가 남아있는 게 있었나?"

"아니.. 너도 알다시피 노트는 잃어버렸잖아."

"모르는 척하는 거야?"

"무슨 소리야."

"그녀에게 물어봐."

"그건 이미 해봤어. 단지 대답이 없을 뿐. 베라(VERA)의 무의식이 거부하고 있는 거야. 아예 없었던 것처럼… 그 박사를 애당초 존재하지 않은 '무영'으로 분류한 것처럼. 사람이 아닌 고작 노트를 말이야."

"거기에 얼마나 소름 끼치고 대단한 게 적혀있는데 고작이라니.."

"박사…?" 크리스는 갑자기 심각한 고민에 빠졌다. 그 행동이 의아할 정도로 깊이가 있었다.

"이름이.. 기억 안 나.. 페고… 뭐였던 것 같은데."

"… 그게 누구야."

"아니, 그…"

생각을 되짚을수록 쇠 끈이 머리를 죄어오는 것같이 아팠다. 고통을 호소하다 말고 크리스는 그냥 생각을 내려놓았다. 그러자 거짓말처럼 편해진다. 침대에 누워 천장을 바라보듯 스윽 하고 생각을 덮는다.

"아무것도 아냐. 착각했나 보군. 분명 여기서 그런 이름을 들었던 것 같은데……"

"싱겁긴."

휙. 두통은 윱지아 사람들의 고질병인 만큼 별 대수롭지 않은 일이다. 또각또각또각.

"벌써 가? 다음엔…"

"이제 올 일 없을 거야. 크리스."

하하하하하! 크리스는 귀청이 떨어져 나갈 정도로 앙천대소했다. "그걸 믿으라고?! 흐흐흐. 히나... 베라(VERA)를 향한 네 집착은… 그 정도로 얼버무릴 수준이 아니라고. 크흐흐흐흐."

"....."

"설마 내가 모를 거라 생각하는 거냐? 히나! 네가 베라(VERA)에게 한 짓은 천인공노할 일이었어! 죽은 로저와 시그너 아저씨가 네 편을 들어줄 것같아?"

그녀의 표정 변화가 거의 없었다. 무슨 생각을 하는지 히나는 그저 볼일이 끝났을 뿐이다. 그녀는 등을 돌렸다.

"네가 여기 있는 이유가 뭐라 생각하는 거야? 그리고 착각하는 모양인데 난 원래 혼자였어." 또각또각. 차가운 공기가 어깨로 내려앉아 크리스가 타르프만큼이나 나부대서 도망치듯 나가는 건 아니다.

"그럼 안녕.."

… 혹자는 665 층 출입을 영광처럼 받아들였지만, 히나는 찬 공기를 한숨 들이킬 때마다 매번 후회했다. 이번이라고 달라질 건 없었다. 괜히 마음 한 편에 거슬리던 문구 하나 때문에,
비생산적이고도 소름 끼치는 크리스의 웃음을 들어야만 했다.
무엇보다 슬쩍 이곳에 오기 전 히나를 보챈, 자신을 메카시냅스 연구원이라 소개했던 그 남자는 보이지도 않았다. 누구였을까?
그 수상쩍은 놈은…

아니나 다를까. 베라(VERA)는 건재했다. 크리스의 말을 들어보니 더욱 확고부동했다. 앞으로도 베라(VERA)는 영원할 것이다.

그러나 쪽지의 내용은 히나의 머릿속을 한동안 떠나지 않고 맴돌았다.

[베라(VERA)가 곧 붕괴한다]

'그럴 리 없잖아?' 히나는 번뇌가 가득한 이곳. 카디플랑의 단서. 우주 기원을 풀 열쇠를 뒤로 하고 유유히 공중을 하릴없이 서성이는 패널에 몸을 맡겼다.

#_ 람의 이야기 6 시오 하머

"아니 아니. 잠깐…. 히나 박사가 죽었다고요…?" 폴프는 손이 떨리고 동공이 확장됐다. 계속해서 '그럴 리가….'라는 말을 조용히 혼자서 뇌까렸다. 최조실 맞은편에 앉은 조사관은 재차 말하지 않았다. 굴러다니는 펜 하나 잡고는 엄지손톱에 리듬을 맡겼다. 딱. 딱.

"사건 당시 어디 있었지?"

"기억이 나질 않아요.."

…

"시오, 자네 생각은 어때?" 이를 건너편 방에서 관조하는 남자 둘. 시오는 폴프를 지켜봤다.

"거짓말은 아니라는데요?" 첨부된 데이터 화면을 보고 내린 판단이었다.

"무슨 말인지 알잖아." 남자는 앉아있고 시오는 바로 뒤에 서 있었다. 손은 의자 등받이에 두고. 이미 보는사람이 땀이 다 날 정도로 날카로운 상태다.

"우리에게 수사권이 넘어온 게 그렇게 못마땅하십니까? 이런 곳에 국장님께서 직접 오실 줄은 몰랐습니다." 그의 표정이 한 층 더 폐색 됐다.

"... 크눌프가 뒤를 봐주고 있다지만. 지난번 일을 그냥 넘어갈 거라 생각하지는 말게. 우리 감찰국은 직원의 죽음을 가볍게 생각하지 않아."

시오는 픽하고 웃었다. "... 집어치우시죠." "...."

"그건 사고였습니다. 분명 경위서에도…"

"아아. 이거 말인가?" 감찰국장은 품 안에서 종이 한 장을 달랑 꺼낸다. 유오를 달아나던 실험체가 숨겨둔 레일건을 꺼내 감찰국 클라크 경장의 심장을 관통했다는 내용이 적혀있을 터다. 감찰국장은 그것을 찢어발겼다. 바닥은 조각난 종이투성이로..

시오는 그것이 무슨 의미인지 알고 있었다. 특무부에 대한 견제와 적의. 그리고 합리적 의심이었다. 고작 비무장 실험체가 (아무리 에키드나급 소형선이라도) 전투용 함선 두 기를 격추시키고 나머지 한 기를 훔쳐 달아났다는 말을 어떻게 받아들여야 할까. 더군다나 현장의 기억은 말끔하게 지워져 있었다.

"계속 있으실 건가요?" 하지만 사각 용지는 용지. 그 이상의 것이 되지 못했다. 어차피 바닥을 어질러도 일어난 일은 바뀌지 않는다.

"...." "어쨌건, 마음대로 하십시오." 끼익. 탁.

시오는 그곳을 빠져나왔다.

"악!"

정강이가 아린다. 그래서 남자는 신음을 뱉었다. 뜨겁고 부풀어 오른다. "나가 봐." 선배의 나가라는 한마디에 부리나케 움직이다 경례하는 것을 하마터면 놓칠뻔했다. 척. 다행히 반대쪽 다리는 지켜내려나 싶더니. 퍽!

한 번 더 다. 입술이라도 꽉 깨물었다.

"여기 출입관리 누가 하는 거야?"

그렇다한들 어떻게 감찰국장을 막는단 말인가. 그러니 단순한 기분 풀이였다. 방금 전까지만 해도 날카로운 조명 아래 작은 공간을 압도하던 조사관은 자존심을 다 구긴 채, 쫓겨나다시피 취조실을 나갔다. 그저 상관의 기분에 따라 붉그락거리는 처지가 한탄스러웠다. 털썩.

그렇게 웬 젊어 보이는 요원이 대신 자리를 넘겨받았다. 책상 위 서류들. 중독성 묘한 펜의 리듬. 흔적을 되짚어… 눈이 마주쳤다. 꿀꺽. 폴프는 이 미묘한 적막이 싫었다. 먼지가 굴러다니는 책상도. 당겨야만 하는 저 철제문도. 모든 사물에 눈이 달려 폴프를 쏘아대는 것 같았다.

"사건 당일, 어디 있었는지 기억이 안 난다고 했는데… 지구였나요? 티몰이었나요?"

"그게 잘…"

"폴프." 시오는 손을 포갰다. 본격적인 무언가를 할 때, 나오는 습관이었다.

"당신의 윰지아 내 입지는 점점 약해지고 있죠. 머지않아 새로운 세력이 권력을 잡게 되면.. 어떻게 될지 잘 아실 텐데요."

"차라리 잘 됐어요. 그녀가 있는 한 권력은 아무 소용이 없죠."

".. 누굴 말하는 겁니까?"

"기계… 본부 665 층의 기계 말입니다…. 찾아야 해.. 근데 여긴 어디죠?" 폴프는 제정신이 아닌 것처럼 보였다. 횡설수설한 취조인의 반응은 수사관으로서 시작부터 난착이다. 정신 이상자인지 판단하며 수사해야 하다니…

칫. 시오는 여기가 일단은 지구라고 대답했고 담배를 물었다. 오랜만에 불을 붙이려니 어색했다. 치이익.

…

폴프의, 꽤 충격받아 가시질 않는 표정은 계속 이어졌다.

"히나 박사를 왜 죽였죠?"

"모르는 일입니다. 아니, 물론 그녀를 알죠. 예전부터 유명세를 떨치기도 했고.... 예전부터 조부님의 총애를 받았으니까요. 하지만 저와 상관없는 여자였죠. 믿으실진 모르겠지만, 그냥 인사 몇 번한 데면데면한 사이라고요. 아마 윱지아 과학자 대부분이 그럴 겁니다. 워낙 혼자 지내길 좋아하는 여자니까요."

"그럼 사건 현장엔 왜 다시 온 거죠?"

"애당초 조사관님이 잘못 알고 계신 겁니다. 히나 박사가 죽을 리 없어요. 불가능.. 하다고요… 정말 만에 하나 그런 일이 벌어졌다면, 속고 있는 겁니다. 충분히 그럴 수 있는 여자예요…. 그럼요.." 그는 계속해서 뭐라고 중얼거리는 것 같았다. '감찰국장이 보고 있을 텐데.. 젠장.' 불안증세가 나아질 기미가 보이지 않자 시오는 피곤함을 느꼈는지 얼굴을 쓸어내렸다. 걱정이 앞섰다.

"질문에만 대답하시죠." 시오는 차갑게 대꾸했다. 예상외로 폴프는 순종했다. 죄송하다고 말한 뒤 대답했다.

"저는 사건 현장이 어딘지도 모릅니다. 조사관님." 시오는 제멋대로 난 폴프의 머리카락 사이. 눈을 꿰뚫어봤다. 움츠러드는 어깨, 가늘게 떨리는 목소리… 단순히 보호기제일 뿐이다. 곁눈질로 본 스크린 화면은 여전히 거짓이 아니라고 판명한다.

"히나 박사 집무실. 거기서 당신은 홀로그램으로 참관했었죠. 감찰국도 조회가 안 되는 보안 레벨의 중입자 블로킹은 아시다시피 손에 꼽습니다. 그중엔 로저와 사건 피해자 히나, 그리고 당신도 있죠.."

폴프는 고개를 떨궜다. 그리고 어깨를 들썩였다. 웃음? 소리는 들리지 않았다. 역시 미친놈을 상대하는 건, 일전의 금수와 대결하는 일보다 더한 일이 되어버렸다.

"시인하시는 겁니까? 폴프 씨?"

중얼중얼중얼. 폴프의 금니. 최소한의 조명이 덧칠된 금니를 눈부시게 반사한다. 때문에 시오는 찡그린 채 소리에 집중했다.

"..... 배합된 R 복합체를 최소 단위 변연계로 완전히 감싼 뒤, 인지와 사고의 영역인 신피질을 구불구불한 표면에 촘촘히 대폭 배양시킨다. 이때, 배양된 피질의 자가붕괴 촉진을 RNA 가 완충하도록, 무엇보다 실제 인간의…"

하아… 듣다 듣다 질린 나머지 시오는 크게 한숨을 내뱉었다. 담배를 끄고 취조실을 나왔다. 덜컥. 왜 취조실 문은 한 방향으로 열리도록 했는가. 라는 고질적 문제가 시오의 짜증을 부추겼다. 게다가 아직 저 처치 곤란한 폴프를 상대하느라 다친 갈비뼈도 눈치 없이 욱신거렸다. 그런데 웬 걸. 이제는 머리가 쑤신다.

삑.

-어쩌시려고 폴프를 데려오신 거예요?

"알아낼 게 있어서 그래."

-그래요? 이상한 생명체를 부리는 미치광이랑 대화가 되나 보죠?!

"그만 놀려." 시오는 등을 벽에 기댔다. 1.6m 폭의 복도에서 머리 식히는 최선의 방법이었다. 유독 환풍기 소리가 사납게 그의 귀를 맴돈다.

-지금이라도 늦지 않았어요. 제거하세요. 크눌프 님께서 아시게 되는 날엔…

"늦었어. 감찰국장이 다녀갔거든. 곧 크눌프 귀에 들어가겠지. 너도 들어서 알겠지만, 뚜렷한 증거도 없고 딱히 거짓말하는 것 같지도 않은데… 하아.."

시오가 생각했던 것과 사진으로 보았던 것보다 폴프는 더 횡설수설하고 어지러운 남자였다. 적어도 사진 속에는 총기라도 눈에 어렸으나, (때문인지 젊게 보이기도 했지만) 지금의 폴프는 재난 현장에서 구조된 피란민 정도였다. 게다가 그를 마땅히 데려갈 곳이 없음에 한숨만 늘었다.

"젠장.. 이러고 있을 때가 아닌데… 제정신도 아닌 사람을.."

-그런 것치고는 정확하게 알고 있는 것 같던데요?

"뭐가?"

-마지막에 폴프가 말한 인공뉴런 설계식이요.

"뭐…?" 심장이 쿵 하고 내려앉았다. 베라(VERA)는 악마다. 시오는 그렇게 정의 내렸다. 단 한 번도 본 적은 없지만 그의 상상 속에는 대중적 이미지에 반해 수많은 과학자의 무릎을 단번에 꿇린 또 다른 신봉의 대상자. 아니, 그보다 더한 광적인 존재였다. 그녀는 인류를 천국으로 인도하는 목가적 계시도 받지 않았거니와, 그럴듯한 명분조차 가지고 있지 않았다. 차라리 위선을 떨치며, 서민들의 고름을 빨아먹는 사이비 종교 교주가 나았다. 대학살을 야기할지라도 믿음의 공급과 수요가 '인간적' 범위를 벗어나지 않았으니까. 하지만 그녀는 다르다. 목적도. 계시도 없다.

그런 이유로 인공뉴런복합체는 인류의 무의식에 자연스럽게 뿌리내리는 의식. 또 다른 재앙이었다. 실재한 것도, 그렇지 않은 것도 아니었다. 공리 입증을 사명으로 여기는 과학자들이 머리를 조아리는 존재라는 건. 신이라는 걸까? 그게 뭐 어쨌다고.

"어리석은 인간들… 미래를 안다는 저주를 기쁘게 받아들였어."

-그녀가 어때서요. 모든 면에서 인간들은 그녀에게 보은을 받고 있잖아요. 오차 없는 미래를 말예요.

"아니. 정말 그렇게 생각하는 거야? 스텔라? 혹시 회로에 먼지라도 낀 거야?"

-설마 농담이면 정말 재미없어요.

"진담이라고. 어떻게 그런 생각을 할 수 있지? 특무부원으로서 자질이 의심되는걸? 세상은 그녀의 출현 이후. 기나긴 암흑기에 접어들었어…. 인간은 눈과 귀를 잃었다고. 주체성을 업으로 삼았던 인류는 모든 걸 내려놓았어. 그게 뭘 뜻하는지 알아? 사실상 멸망 중인 거라고. 윰지아 로저는 그걸 알았기에… 노트에만 적어둔 거야."

-그래서 시오 님은 이 사건을 파헤치시는 건가요? 다시 올바른 레일 위로 안착하기 위해서?

"그렇다기보다는.. 근데 잠깐, 그게 설계식인 걸 네가 어떻게…" 그때였다. 위잉!!!! 위잉!!! 웽!!!!! 위잉!!!! 건물 전체에 요란한 사이렌 소리가 울렸다. 군복 입은 남자가 격식을 차리지 않은 채 달려오자 불안이 엄습했다. 상의가 반쯤 뜯겨 나가고, 선홍빛 피를 줄줄 흘리면서 거의 벽을 짚다시피 하며 힘들어했다.

"헉… 헉.. 케이지 안에 가둬놓았던 괴수가.. 탈주했습니다." 이런! '케이지! 일반 케이지에 넣지 말라고 했건만!'

저 멀리 복도 끝에서 스산한 기운이 번져왔다. 벽과 벽 사이. 1.6m 밖에 되지 않는 공간이 미지의 힘으로 어질어질했다. 일찍이 아비규환이 예상된다. 그러나 아직은 안된다. 아직은…. 너무 빠르다. 시오는 다시 취조실로 들어섰다. 쾅! 폴프는 겁에 질린 채로 시오를 맞이했다.

"스텔라, 카메라 꺼."

방은 조용하고 깜깜해졌다. 탓. 으악!!! 폴프는 바닥을 뒹굴었고, 둘은 엉켰다. 콱!! 시오가 선점을 확보해 목을 졸랐다.

-시오 님…!

콰직. 뚝.

시오는 이번엔 수신기를 아예 부숴버렸다.

"끼니 때울 시간도 없으니, 바로 본론으로 들어가지. 정신 차리고 똑바로 들어. 아까처럼 헛소릴 지껄이면 다음은 없어. 진즉, 제거 명령이 떨어졌는데도 너를 이곳으로 데려온 건 나야."

꿀꺽. 폴프는 침을 삼켰다. 등에 맞댄 바닥이 생생하게 차가웠다. 어둠은 그렇다 치더라도 내려다보는 저 남자의 서슬 퍼런 눈빛과 금방이라도 목을 그어버릴 것 같은 환도에 심장이 요동쳤다.

"약 십 년 전, CC-009 구역에서 벌어진 사건에 관해서 묻고 싶다." 폴프는 금속의 냉기를 의식하면서 닿지 않도록 조심히 끄덕였다.

"내.. 내가 아는 한 원하는 답을 드리겠습니다."

"페고에르 박사는 어디 있지?" 그의 동공이 커졌다. 이놈은 알고 있는 거다.

"당신 뭐야..? 어떻게..!"

"어서 말해! 목이 날아가고 싶은 거야?"

그그극. 바닥에 조금씩 균열이 일어난다. 귓가를 스쳐 도날이 닿았다.

"자.. 잠깐… 정말입니까? 그러니까 제 말은… 그 남자를 아느냐고요. 혹시 이름 철자가 조금이라도 착각하셔서 다르거나…"

참을 만큼 참았다. 기다릴 만큼 기다렸다. 시오는 땅에 비스듬히 박아뒀던 환도를 머리 높이 쳐들었다. 시잉! 환도는 고개를 깔고 겁에 질린 폴프, 그의 이마에 관심이 생겼다. 히이익!!

어쩐 이유에선지 상부는 폴프의 죽음을 원했다. 누가 봐도 과한 처사였다. 그는 특무부가 나서서 제거할만한 특별한 기질조차 없었다. 다만 밖에서 활개치고 있을 저 괴수. 폴프와 엮여있는 거다. '크눌프는 폴프의 목숨을 노리는 게 아니었군.' 환도가 방 안의 공기를 반으로 가르며, 아래로, 빠르게 내려간다. 검은 추진 가속한다.

"페고에르 박사는 '무영'로 분류됐다고!" 콰직. 절묘했다. 폴프의 머리칼이 거의 반쯤이나 잘려나갔으니.

"그러니까 왜!" 왜 하필 무영이란 말이야?

"베라(VERA)가 지워버린 남자를 내가 어떻게 알아! 설사 알았더라도 잊어버렸다고!"

"아니, 무슨 이유가 있을 거야. 분명 무슨 이유가… 그럴 수는 없다고.."

시오가 망연자실한 사이 폴프는 아랫배에 힘을 주고 시오의 팔을 잡아당겼다. 한쪽 다리를 걸어 위로 들어 올렸다. 쿠당! 이번에는 둘의 위치가 뒤집어졌다. 시오는 무슨 일이 벌어졌는지 아직 감도 잡히지 않아 벙쪄서는 눈만 끔뻑거렸다.

"이그릿…! 이그릿! 쿨럭쿨럭." 검붉은 혈액이 폴프의 입 밖으로 쏟아져나왔다. 시오는 얼굴에 그대로 피를 뒤집어썼다. '피?' 시뻘겋고 비릿하고, 점성으로 끈적끈적하기까지. 그래도 시오는 덤덤했다.

"당신이야말로 무영의 존재를 어떻게 기억하는 거지? 분명 베라(VERA)가…" 말이 떨어지기 무섭게 갑자기 취조실이 확! 하고 밝아졌다. 두 남성은 아래위로 겹친 채, 팔꿈치로 각자의 얼굴을 가렸다. 너무 밝은 빛에 괴로워 몸부림쳤다. 시오는 그 찰나의 순간에 자신을 잠시나마 제압했던 폴프의 부재를 느꼈다. 놓친다! 휙! 손을 뻗었다. 찌이이이익!!!

…

환도는 벽에 꽂혀있었고 폴프의 어디쯤 옷자락을 붙잡아 망쳐놓은 게 고작이었다. 시오는 금수의 눈을 보자마자 몸을 얼어붙었다. 어두워서 더 선명했다. 잿빛 갈기를 흩뜨리며 검은 세로줄눈으로 시오의 심연을 들여다보는 것만 같았다. 그러나 그뿐이었다. 운 좋게 금수는 폴프를 데리고 다시 무대 뒤편으로 조용히 사라졌다. 그것도 시오가 썼던 '오징어잡이 기술'을 똑같이 재현해서.

"젠장."

뚝뚝. 철퍼덕.

#_ G

공기가 탁하긴 했다. 콜록콜록. 어두운 조명과 음습한 통로. 축축하고 무거운 걸음.

람…

그는 바위에 축 늘어져 이끼인 양, 가느다란 섬유 자락을 터번 사이로 늘어뜨렸다. 식은땀. 이전까지 나는 갱어가 기침, 등을 비롯한 질병에 걸린 걸 단 한 번도 본 적이 없었다. 하다못해, 리본인의 경우 노화조차도. 그러니 피부가 시간의 투정에 탄력을 잃고, 독촉하는 찬연 빛에 그을리는 노화 현상은 질병이다. 라는 학계 설이 정말인지도 모른다. 내가 하고 싶은 말은, 갱어는 '사람이 아니다'

다른 종류의 책상을 교실에 놓아둔 것처럼. 책상이란 카테고리에 함께 묶여 있지만 흉내에 치우친 까닭에 다리 잃은 삼발이 책상. 세발자전거. 손잡이 없는 컵. 뚜껑 없는 냄비. 요컨대 그들의 모호함이 지구인의 눈살을 찌푸리게 했다. 사람인 듯, 아닌.. 참과 거짓. 아! 한가지 지구의 것보다 오히려 완성에 가까운 게 있지. 말해 무엇하랴. 입이 또 근질거린다..

언젠가 밀랍 껍질을 벗겨 내듯 하여 인간은 저들의 속내를 알고 싶었다… 68 년 전, 티뮬이 처음 탄성 됐을 때부터 있었던 과학자들의 빤한 질문. 저들은 자아를 가졌다고 할 수 있는가? 아니면 한 인간이 프로그래밍한 '근연종 더미'인가? 어느 쪽이던, 같은 차원에서 중첩된 상태로 공존하는 우리로서는 알 방법이 없다고 어떤 과학자는 말했다. 창조주는 본분을 다하고 떠나버렸으니.. 신경 쓰지 말라면서.

인간을 모방한 저들을 생명체라고 할 수 있을까?

…

"정말 괜찮은 거야?"

언제부터 납치범에게 정이 들었던 건지. 내 손은 벌써 람의 여린 이마를 살포시 건드리고 있었다. 덥썩. "됐어… 그보다..." 납치범의 자존심인가? 람은 내 관심을 뿌리친다. 그의 눈에서 말할 수 없는 무언가가 내 마음을 흔들었다. 작은 생명. 아니, 맑은 유리구슬 같이 섬세히 조각된 석고 예술품 같은 눈망울. 어쩌면 그것을 숨기고 싶었는지도 모른다는 생각이 들었다.

"이야기가 우선이지."

나는 그를 존중해주기로 했다. 람은 다시 앞장섰다. 대신, 이전 같은 속도를 내진 않았다. 한발 한발 내딛는 게 정성스러워서 뒤따르는 순례자가 불경스럽지는 않을까 걱정될 정도였다. 감정은 정말 무섭다. 통제되지 않는 전이성에 때로 인류는 혀를 내두르기도 하고 국가를 섬긴 애국자들은 얇은 지갑을 선뜻 내놓는다. 뚜렷한 목적 없이.. 나라가 그들을 채찍질했더라도 말이다. 인간답다. 그런 게 인간다웠다. 수많은 모순을 떠안고 살아가는 존재들. 람을 향한 내 감정은 동정심에 맞닥뜨렸다.

"페고에르는 해일 계산식으로 언제, 어디서, 모래가 덮쳐오는지 알 수 있었어. 단지 문제라면, 문제는 말야.. 용기가 없었던 거야. 티몰 초창기. 하마다(암석 사막)의 암석 개수보다 많은 타르프가 카마하브를 찾다가 죄다 모래에 파묻혀 죽었으니까. 아마 우리도 사막에 몸을 맡겨 오는 동안 수천 수만 구의 시신을 지나쳤을 거야."

흐흐흐. 람은 슬쩍 내 눈치를 본다. 정말이지.. 나를 놀리지 않고서는 배기지 않는 모양이다. 나는 어정쩡한 투로 침을 삼키는 걸로 이야기를 부추겼다. 사실 약간 소름 돋긴 했지만, 나갈 때를 대비해서 옷이라도 걸쳐야겠다고 생각했다.

"열쇠는 찾았어. 하지만 사용하는 일은 전혀 다른 일이지. 나는 하릴없이 같은 자리를 맴돌고 똑같은 계산을 수십 번씩 되풀이하는 금세 그에게 질려서 떠났어. 그때 모래 해일 계산식을 얻었지. 그리고 보다시피… 우리는 성공했어. 페고에르는….. 작은 조각에 불과했던 거야."

'조각..' 그렇게 말한 람은. 동시에, 우리 역시 마찬가지로 불특정 누군가의 조각이라고 덧붙였다. 하지만 이번 만은 그의 말이 믿기 어려웠다. 아니, 믿기 싫었다. 내 삶이 온전한 것이 아니라는 생각을 힘겹게 뿌리쳤다. 페고에르는 타오르는 불꽃의 장작이 되고 싶진 않았을 것이다… 결국 페고에르는 카마하브에 도달한 최초의 인간이 되었다. 헨마는 그만한 자비를 주었다. 그렇게 보였다. 그러나 누가 그를 기억이나 할까. 더군다나 저런 모습으로는… 그의 마지막 기도는, 사막에서의 바램은, 이루어졌을까? 람은 중간중간 걸음을 멈춰도 한번 몰아쉬는 숨 말고는 이야기를 멈추지 않았다. 매정하게.

"페고에르는 타르프의 의미를 누구보다도 잘 이해하던 녀석이었어. 언뜻 보기에 아무 관련이 없지만, 과학자와 타르프는 비슷한 점이 있어. 과학자는 우주로부터, 타르프는 별로부터 증명 여부없이 명백한 '공리'를 탐구한다는 점에서 말야."

나는 한 손으로 벽을 짚으며 계속해서 걸어갔다. 축축하고, 음습하고, 또 동시에 포근해지는 곳으로.

"마지막에 페고에르는 무슨 기도를 하고 있었을까? 그렇게까지 카마하브에 오려고 한 이유는 뭐고…"

"기도는 매일같이 하는 거라… 아!.. 그러고 보니 한번은 노트를 전해야 한다고 했었어."

이번에야말로 로저의 노트가 아닐까 하는 합리적 의심에 무게를 두었다. 틀림없어..!

".... 누구한테?"

"그건 나도 몰라. 여길 오려고 했으니. 제대로 전달이 됐으면 여기 있지 않겠어? 뭐 확인해 보자고. 제 주인을 찾았는지." 람은 대충 얼버무렸다. 오늘 하루 치 정도 되는 이야기가 고갈된 모양인지. 행동에 나선다. 그런데… 이곳은 정말 아무도 없는 건가? 여기까지 오는 동안 개미 새끼 한 마리 보지 못했다. 땅의 실금이 이어진 곳으로 눈을 흘기다 보면. 종종 광채가 나는 석영 따위와 금, 사파이어 등이 보였다. 주머니가 없는 까닭에 훔쳐보기만 반복 중이다. 그래 봐야. 람의 흰 터번 속. 손거울 하나의 값어치가 이 행성에선 더 나가겠지만.

"아직 멀었어?"

하아… 나는 내리막을 걸으면서도 숨이 차올랐다. 알고 보면 오르막인가? 내 몸은 어느 쪽으로 얼마나 기울어져 있지? 샌드위치는 어디로 쏟을까… 나는 손톱으로 벽을 긁으며 그러한 불쾌감으로 간신히 정신을 붙들고 있었다.

"티뮬 어디서든 모래 해일이 지나가는 곳이라면, 카마하브로 올 수 있어. 이렇게…." 람은 약간 실소하며 혼잣말했다. 바보 같은 놈… 분명히 타말어로 그런 단어였다.

"거의.. 다 와 가…? 그 타르프는…언제쯤.." 람과 나는 지쳐 서로 어깨에 기댔다. 아이의 모습이거나, 말거나, 나보다 나이가 많거나, 적거나, 그런 것 따위는..

"조금만 더….. 참아. 거의 다 왔을 거야."

그러더니 그의 손은 터번 속을 뒤적였다. 약간 바스락거리는 소리와 낡은 양피지를 꺼냈다. 의도하지 않아도 나는 물끄러미 그쪽으로 더 의지했다.

"지도네?"

"응, 우리는 여기쯤 있을 거야."

람은 지도 맨 아랫구석 왼쪽의 튀어나온 지점을 짚었다. 나는 의아했다. 눈대중으로도 그럴 리가 없었다. 꺾이는 곳이 몇 걸음

앞에 있었기 때문에 지도상 조금 위쪽이 아닌지 조심스럽게 말했다.

"그렇게 자세히 볼 필요 없어. 그 녀석이 눈대중으로 그린 거니까."

"지도는 어떻게 얻은 거야?"

"십 년 간 카마하브와 메시지를 주고받았어. 이번에도 메시지를 전달했으니 마중 정돈 나오겠지. 페고에르를 저렇게 침대에 눕혀놓기도 했으니 말야."

메시지라.. 메시지라.. 헉… 헉.. 지금의 상태와는 별개로 페고에르의 사인은 모래꾼에게 당한 것도, 강제로 손발이 말뚝에 박혀 말라비틀어진 것도 아니었다. 내가 기억하기론 정말 그 현장은 고요하고 편안한 죽음을 맞이했다. 헨마를 향한 기도. 신자를 향한 광명을 그대로 받았으려나? 하르마탄이 빗발치고 모래 해일이 너울지는 에르그에서 저만한 남자가 더 있을까? 아니, 전무후무하겠지. 인간으로서는 더더욱.

"마중이라면 혹시..?"

"응. 소꿉친구."

"정말 친구라면, 아까 그 방에서 우릴 맞이 했겠지!"

"그래… 지구에 그런 관례가 있었지. 하지만 그 녀석은.. 어! 다 왔다!"

람은 갑자기 물 만난 물고기처럼 꼬리를 이리저리 튀며 앞으로 뛰쳐나갔다. 기나긴 동굴 길을 막 지나 어떤 예고도 없이 천장 높이는 15m 나 치솟아 우리를 맞이했다. 다른 걸 떠나서 숨이 트인다는 사실에 폐부 깊이서 야릇한 해방감을 느꼈다. 람의 몸집만한 얼룩덜룩 광석을 뿌리 삼은 석순이 천장을 떠받치고 바위의 미세한 틈에서 비죽 내민 빛을 이리저리 반사하고 있었다. 그나마 앞을 더듬는 손이 없다면 몇 번이고 넘어졌을 것이다.

으악!! 쿵! 그러나 나는 어두운 조도와 별개로, 뒤이어 펼쳐진 괴이한 광경에 뒤로 자빠졌다. 앞서 가던 람은 흠칫 놀란 눈치인데도, 슬쩍 기둥을 짚고는 쩌렁쩌렁한 목소리로 말했다.

"예루! 네가 원하는 걸 가져왔어!"

야트막한 암반 위에서 무표정인 듯, 우리에게 관심을 보이는 듯 잘 모르는 얼굴이 보인다. 웃음기가 싹 가셨다. 예루?

"오느라 수고 많았어 람. 만나는 건 처음이지?"

람과 비슷한 또래로 보이는 여자아이였다.

람이 가볍게 악수를 청하자 소녀도 받아들였다. 나는 단박에 그 소녀가 내가 찾던 '타르프'였음을 직감했다. '찾았다!' 스산하고 기괴하며, 소름이 끼치는 이곳의 모습과 대조적으로 별… 말 그대로 별처럼 빛나는 금안을 가진 아이는 람과 키도 비슷했고 얼굴을 부위별로 조목조목 따져보면 람의 모습도 얼핏 보였던 것 같다. 하지만 분명히 다른 얼굴이다. 아마 여태까지 아이들을 많이 보지 못해서 이목구비가 비슷하게 느껴진 듯싶다. (차츰 어둠에 익숙해졌는데 확실히 다른 얼굴이다)

"찾았다."

뜨끔. 소녀는 단숨에 내 생각을 꿰뚫었다.

"네가 무시카구나."

금색 눈. 순수한 목소리. 청명한 아이…. 퍽 당황스러운 탓에 등이 약간 휜다. 휙. 덥석! 소녀는 내 손목을 잡았다.

"호기심이 강한 건 알겠는데, 만지지 마. 여기서 부화하는 꼴을 보면 비위상할 수도 있어."

꿀꺽 삼킨 침이 메아리처 오싹했다. 내 등이 '그것'에 닿을 뻔했던 모양이다.

"이게.. 뭐길래?"

"아직, 알에서 부화하지 않은 갱어들..."

'그것'들은 천장에 거미줄처럼 뻗은 줄기에서부터 내려와 흘리다가 만 눈물같이 멍울져 있다. 땅에 닿지 않아 그 모습이 더 기괴했다. 수백 아니 적어도 수천은 돼 보였다. 그리고 좀 더 자세히 보니, 외벽 쪽으로 줄줄이 철재로 만든 환기시설까지 갖추었다. 가운데 날개가 녹슬고 옆으로 딸린 파이프가 망가져 있어도. 바람 빠진 쉰 소리를 뱉어대는 게 께름칙했다.

이런 곳에 기계설비라니.. 어울리지도 않는군. 인큐베이터를 흉내 낸 건가?

"잠시 비켜볼래?"

부드러운 말에 나는 한 발짝 물러나 소녀의 손길이 '그것'에 닿기를 훔쳐보았다. 애초에 이 시설이 있는 이유이기도 했으니. 봐선 안 될 신성한 의식인양 정교한 손짓으로 엄지와 검지… 그리고 차례로 접촉한다. 예루는 중얼거렸다. 분위기에 홀린 람도 경전을 따라 읊으려 했다. 그는 잠자코 고개를 숙이는 것으로 그쳤다.. 목가적 향수. 람이 알아듣지 못하는 능숙한 지구어였다.. 게다가 이름! 그녀는 다른 타르프와 달리 이름이 있었다.. 이것이 무엇을 의미하는지 모르겠지만, 좀 더 계시적인 차별성을 얻어내지 않았을까? 타르프가 싫다던 람도 예루의 뒤에 서서 고개를 깔고 있으니 말이다. (어쨌든, 소녀가 타르프인가 아닌가 하는 문제는 밥에 국을 말아먹느니 국에 밥을 말아먹느니 하는 만큼 말장난이라 생각한다. 이미 히엠스에선 예루를 신화 속 인물로 취급했다)

간단한 의식이 끝나자 예루의 눈에서 찬연한 빛이 나다가 녹도 슬었다. '그것'은 정성을 알아들은 듯, 차양막 커튼에 달린 레일처럼 비스듬히 공중으로 날았다. 그곳은 땅. 또 다른 지면일 테니 그래. 상단 지면을 파헤치더니 그대로 뚫고 도주해 버렸다.

"지상의 각 도시에서 저들을 받아줄 거야."

"역시… 인간이 아니잖아.."

모든 과정을 지켜본 뒤 내가 내뱉은 말이었다. 람은 사뭇 달랐다. 어째선지 땅으로 스며든 '그것'이 남긴 흔적에 한동안 시선을 거두지 않았다.

"람?"

예루가 대신 답했다.

"너는 기억이 나질 않나 보네." "...?" "무시카, 네가 쫓기고 있는 이유를 말한 거야." "히나 박사와 무슨 상관이라고…."

예루는 고개를 저었다.

"뭐야, 람. 가르쳐주지 않았어?"

람은 그제야 시선을 거두고 경직된 어깨를 으쓱거렸다. 짧은 신음이 새어나온다.

"자리를 옮기자. 오느라 진을 뺐을 거야. 이곳에 오래 있으면 좋지 않거든." 람은 끄덕였다. 지구가 모방 행성 티몰의 에너지를 빨아먹듯 이 공간에서 갱어도 마찬가지라는 게 예루의 설명이었다. 에너지 보충지는 예상하다시피 땅. 딛는 모래와 중력이라는 힘 자체라면서..

똑. 또옥. 똑.

작은 방. 천장에서 떨어지는 물.

"이걸 마셔."

예루는 소쿠리 모양 그릇을 건넸다. 낯선 소녀가 어떤 이유로 나를 또 몽환의 저편으로 넘기진 않을까 하는 의심도 들었다. 람이 먼저 꿀떡꿀떡 삼킨다. 캬아…

"곧 기운이 날 거야. 거대한 생명 에너지가 펄스 로드 쪽으로 가는 것만은 아니거든. 그곳을 향하다가 대기와 부딪혀, 모래로 스며든 정기가 카마하브로 흘러들어 오거든. 그리고 이걸 다시 아까 봤던 알집에 뿌려주고 있어. 그리고… 람, 피곤할 테니 우선 쉬고 있어."

예루는 말을 마치자마자 손가락을 딱! 하고 튕겼는데, 거짓말처럼 시미타를 제 몸의 일부인 양 여기던 람의 손아귀 힘이 빠지면서 일순 잠들었다. 예루는 제 장난감인 양 시미타를 꼭 품은 소년을 업어서 끙끙. 여러 겹 포가 깔린 나무 판자 위에 뉘었다. 판자 끄트머리 아슬하게 떨어진 커튼 자락과 그것을 방패 삼아 한 무더기 책들이 한쪽 벽면을 높은 층고로부터 장식하고 있으니 도서관을 방불케 했다. 게다가 나무 책장의 코너, 시야의 사각, 사잇길로 이어지는 구간 너머로도 죽 이어지는 듯, 커튼 레일의 끝이 보이지 않았다. (정면으로 몇몇 눈에 익숙한 고전 책들이 내 눈을 끌었다) 저 많은 책을 어디서 가져온 걸까.

"마도카가 말한 타르프가 너야? 난 널 찾아다녔어."

나는 꽤나 적극적으로 말했다. 티폴은 정말 지긋지긋하다. 나는 온전한 기억을 되찾기 바라는 마음뿐이었다.

"난 사람 이름은 잘 몰라. 68 년 동안 이곳에서 혼자 있었거든." 역시나 덤덤한 지구어다.

"아이 모습을 한 타르프가 내 기억을 찾아 줄 거라고… 얘기했어. 나는 티폴이라면 진절머리가 나. 이 행성에서 얼른 벗어나고 싶어. 지구로… 내가 원래 있었던 지구로 돌아가고 싶을 뿐이야."

내가 약간 흥분하는 동안에 예루는 람의 터번을 풀었고, 이마를 짚었다. 천천히 보듬는다. 머리칼이 람의 긴 속눈썹을 쓸었다. 곤히 잠에 빠진.. 람. 각박한 사막. 신성한 모래 한 줌을 얼굴에 비빌 때나 별을 피해 단잠에 빠져있을 때도, 저런 안온함을 본 적 없었다. 고뇌. 고난. 역경이 있었을 뿐이다. 오아시스는커녕 썰매에 나를 뉘이고 끌기까지 했잖은가. 저게 꿈을 꾸는 표정인가? 정말 람이 꿈을…

"정말 그렇게 생각해?"

멈칫. 예루의 반응 하나하나에 내 몸은 경직되기도 풀리기도 한다. 어떤 질문이지? 나는 잠깐 고민한 뒤 대답했다.

"그래."

"한 치의 거짓도 없이?"

"거짓 없이."

이전의 대화와 연관 짓기까지 조금 시간이 걸렸다. 그러다 울컥. 가슴속 꿈틀거리는 답답함을 이유로 울분을 토했다.

"내가 어떤 마음으로 이곳에 들어온 줄 알아? 람을 만나기 직전까지 나는 거의 자포자기한 상태였어. 태양이 나를 물고 늘어지길 바랐고, 하르마탄이 모래에 묻힌 나를 삼켜, 어떻게든 나란 존재가 없어지길 바랐어.. 모두 나 때문에 죽었어. 내 기억에 없는 동료들. 내가 동료라 기억하던 자. 정든 갱어까지... 이제는 그래야만 했던 이유를 알아야겠어. 이제 그만 내 기억을 돌려줘."

의외로 덤덤하게 말한 나는 절실했다.

미세하게나마 바닥을 긁던 손이 떨려와 팔 위로 전염되고 있었다. 나는.. 왜 살아있는 걸까. 고향별에서 나를 기다릴 희미한 기억들… 히나가 나를 불렀다. 나는 그녀에게 돌아가야 한다. 기억을 따라서..

"좋아. 대신 한 가지 부탁이 있어."

"부탁?"

"응."

"그게 뭔데..?"

나는 약간 긴장했다. 타르프의 부탁은 궤를 달리할 일인지. 뭔지…

"걱정 마. 네 기억 속 어떤 정보를 알고 싶을 뿐이야." 그런 거라면 나는 수십 번이고 알겠다고 대답했다.

"그럼. 내 이야기를 들은 후에도 같은 생각이면 별의 염원을 담아 네 기억을 손봐줄게." 그녀는 흔쾌히 대답했다. 또 이야기와 이야기. 물고 늘어지는 꼬리의 연속을 보니 특유의 타르프적 성질이 있겠거니 싶었다.

"기꺼이."

"그럼 뭐부터가 좋을까…. 아.. 람의 이야기부터.. 아니, 그건 좀.. 후에 얘기고.. 흐음.. 차라리 티폴의 기원부터 설명하는 게 낫겠어." 예루는 별것 아닌 이야기로 입을 다셨다. 이럴 땐 꼭 타르프 같이 굴었다…

68 년 전, 윰지아 로저는 거울 방정식으로 중첩된 존재. 즉, 자기 복제를 강행했다. 엉터리 같은 실험은 성공. 거울 속엔 미미한 자아가 생기기 시작했다. 다만, 프로토타입이라 어린 시절 로저의 모습을 어렴풋이나마 재현한 정도로 그쳤다. 그 갱어는 내심 안도했을 거라고 예루는 말했다. 태어나자마자 쭈글쭈글한 로저 얼굴을 하고 싶지 않았을 테니까. 뭐, 자기 얼굴을 영원히 보지 못하는 건 마찬가지지만.. 그렇게 탄생한 '최초의 갱어' 는 로저의 독립적 성향을 곁에서 보필해주는 대신 지식을 훔쳤다. 질문과 대답. 그건 인류 문명을 답습하는 과정인데도 진짜 문제는 로저가 단순한 대화라 치부한 점이었다..

"그게 어때서..?"

짝! 예루가 갑자기 손뼉을 치는 바람에 나는 깜짝 놀랐다. 곁에서 잠든 누구는 기어들어가는 소리로 자세를 조금 고쳤다. 음냐음냐. 그런 소리를 내는데, 나는 그가 꿈꾸는 척을 하는 거라고 거의 확신했다. 설령 잠에 빠지지 않았어도 상관없다. 람은 지구어를 모르니.

"그것 봐! 너도 별 대수롭지 않게 취급하잖아!"

예루는 강조했다.

"내가 예민하게 구는 거로 보이겠지만, '최초의 갱어'와 로저가 나누었던 대화는 설령 안부를 묻는 인사말이라도 그 의미에 직접적인 '뜻'이 담겨있는 거야. 예컨대, 손을 흔드는 안부에도 거룩한 계시가 있는 거였다고."

"... 그럼 아까 람이 손을 흔들었을 때는…"

"바보! 로저와 갱어는 창조주와 피조물의 관계. 그들의 나눴던 대화는 적어도 갱어에겐 〈소크라테스의 변명〉의 장면 속 곳곳에 숨어있는 진리의 문답이나 다름없었다는 거지."

듣고보니...

"갱어는 불을 훔칠 필요도 없었고, 선악과에 마음을 빼앗길 일도 없던 거야.[6] 달라는 대로 답을 얻었으니까. 그런 면에서 로저는 우리에게 좀 더 고차원적 존재로 받아들이기엔 꽝이었던 것 같아. 탐구란, 그 늪에서 고군분투하다 얻어내는.. 그런 맛이 있는데 말야. 그치?"

나는 내뱉지 못한 의심거리를 삼켰다. 어쩌면 주체적 습성을 가르치지 않도록 로저는 의도한 게 아니었을까. 하는. 나는 생각을 좀 더 순화할 필요가 있었다.

"언짢게 할 생각은 없지만 투덜대는 투로 들리는데?" 예루는 입꼬리를 올리며 대답했다.

"그야. 우리는 인간을 닮았으니까."

"음.. 그거 말 되네."

"가끔... 인간을 보면 가끔 답답할 때가 있어."

---

[6] 프로메테우스와 이브

".. 혹시 변기에 볼일을 보고 난 뒤에 빈 휴지에 눈이 간다거나.. 항상 알람을 듣고서 5 분 뒤 일어나는 거 말이야?"

"흐흐. 역시 무시카는 재미있어. 람이 왜 말이 많은지 알 것도 같네."

아니다, 나는 동의할 수 없다. 람은 원래 말이 많은 놈이다.

"그럼 뭐가 답답하단 거야?"

"인간은 뭐든지 멀리서부터 찾거든. 신이 바로 앞에서 늘 대답을 주는데도 알아차리지 못하고.." "...."

예루의 눈이 다시 또 슬쩍 내려갔다. 정면으로 받아치던 나는 응시하느라 힘쓴 미간에 긴장을 풀었다. 불쾌했다. 하지만 이유는 없었다.

목구멍에 걸린 가시처럼 뭔가가 자꾸 기침을 유발하는데 하필이면 여기가 절간이다. 그런 기분이 들었다.

"미안, 얘기가 딴 길로 잠깐 샜네. 누구와 대화하는 게 익숙하지 않아서." 이유 없는 사과를. 나는 또 이유 없이 받아들였다. 뒤죽박죽 섞인 이야기들. 소녀는 다시 들뜬 목소리를 차분히 내려 앉히고 행렬을 맞추려고 했다. 하지만 딱히 어떤 알맹이를 꼬집던 대화가 아니어서 '어쨌거나'로 대화를 이어갔다.

"어쨌거나, 그때까지만 해도 당연히 거울이라는 매개체가 있어야 갱어와 대화가 가능했던 일이었고, 당연히 직접적인 접촉이 일어날 수준은 아니었어. 그러다 연구의 방향이, 2062 년. 어느 날 그 사건 때문에 크게 틀어졌지…"

나는 생각을 잠깐 환기할 필요를 느껴서 기지개를 켰다. 결코, 지루하다거나 그래서 그런 건 아니다.

…

동년, 태양에서 작은 흑점 하나가 떨어져 나와. 우주 공간을 비집고 자석에 끌리듯 정확하게 지구를 덮쳤다. '카디믈랑 소실' 신세대 부흥도시 중심으로 지구 면적의 반이 찰나에 증발했다.

태양으로부터 공전궤도 지름이 수만 km 나 떨어져 아슬아슬하게 골디락스 존[7] 끄트머리에 걸친 채로, 자전축마저 7 도가량 뒤틀렸다. 사람과 대지, 숲과 바다의 증발.. 수십 년이 지난 현재. 아직도 카디믈랑의 거대한 플라즈마 덩어리가 갓 태어난 아가처럼 여린 숨을 색색 고르며 아닌 척 지구를 무너뜨리고 있다. 사람들은 비탄에 빠졌다.

그러나 아이러니하게도 반기는 학자들도 결코 적지 않았다. 절대 인구 절감과 밀도 높은 에너지를 넌지시 내뿜는 태양조각은 재앙이 건넨 솔깃한 유혹이었다..

하지만 막상 손에 쥐고 보니 뜨거운 감자였다. 카디믈랑의 접근이 아예 불가능한데다 '지구'라는 생명체가 가까스로 붕괴를 버티는 중이었으니까. 학자들이 머리를 맞대어도 고작 손바닥 크기의 태양 조각 자체를 없애는 건 불가능했기에…… 그래서 로저는 윤리적 관습을 져버리고 행성 복사를 감행했다. 후에 그 선택이 로저 스스로 차악이라 여겼는지 나중엔 늘 '다른 방법이 있었을 텐데'라는 말을 달고 살았다…

나는 박자에 맞추어 고개를 열심히 끄덕였고 과거를 겨냥한 소녀의 혼잣말 하나 놓치지 않았다.

"탄성 얘기는 나도 알아."

---

[7] 생명체거주가능한 항성 주변의 범위

"여기까지가. 알만한 사람은 다 아는 얘기지."

뭐가 더 있다는 얘기일까? 소녀의 금색 눈이 미미한 빛을 반사하며 가늘어졌다.

"모든 의문은 네게 달려있어."

나는 소녀의 말에 조금 더 깊게 생각했다. 소녀는 알고 있다. 별과 행성의 생리를, 의미를, 사소하게 넘길 수도 있는 거창한 비밀을. 그렇기에 나는 심혈을 기울여 머리를 회전해야만 했다. 예루의 대답을 듣기도 전, 사전에 충족시키고 싶은 그런 욕심이 들었다. 어깨가 무거웠다. 누구는 내 짧은 식견에 동탄 했을지도 모를 일이다.

"티뮬 탄성 당시 무슨 문제가 있었군."

"크흐흐. 맞아. 하지만 생성 자체에는 문제가 없었어. 오히려 완벽했지. 그거 알아? 애당초 티뮬은 테라포밍을 위한 '거울 속 행성'이란 걸."

"뭐? 여길…." 나는 어안이 벙벙했다. 혹시 잘못들은 건 아닐까 싶어. 재차 대답을 요구했지만 소녀는 내 눈을 똑바로 바라볼 뿐이다.

"여긴 그냥 황폐한 곳인데……"

"티뮬도 처음엔 원시 지구 모습을 간직한 채, 안정적 대기와 청정한 자원. 등. 에덴 동산. 유토피아 그 자체였어. 문제는. 로저의 한가지 '실수로' 거울 세계 밖으로 튀어나와 버린 거지."

그 과정에서 일어난 괴리와 겹친 데이터 요소가 랜더링 처리 과정에서 붕괴가 일어났고 두 행성 간 얽힘이 생겼다고 설명했다.

"졸지에 아무짝에도 쓸모없는 행성, 모래 행성이 되어버린 티폴을. 펄스 로드를 깔아 에너지 흡수 방식으로 바꾼 거야. 피를 빨아먹는 거머리처럼."

"그게 사실이면.. 놀랄 노자군. 그럼 갱어는 왜 만든 거야? 결국은 죽어가는 행성에 너희를 방치하는 일이 되어 버렸잖아. 그것도 반세기가 넘도록."

"그 문제는 별의 의지가 깊게 관여했어. 인과율은 그렇게 간단한 문제가 아니거든."

나는 '별의 의지'라는 단어가 몹시 거슬렸다. 정말 그런 게 있는 건지도 모르겠지만, 그간 땅에다 침을 뱉어 댄 까닭으로 극진한 대접을 받긴 글렀다고 생각하니 어릴 적 자주 먹던, 유제품 뚜껑을 핥지 않고 그냥 버린 것처럼 그렇게 아쉬울 수 없었다.

"이번엔 내가 물을게. 티폴을 어떻게 생각해?"

"음.. 그렇게 물으니까 또…" 동정심이 생겼다. 가엾은 행성.

"아니, 아니야. 그게 뭐 어쨌다고 그래도 나는 지구로 가야 해. 이곳과는 연이 없어."

"…. 진심이야?"

"응."

"생각보다 꽤…… 진행이 빠르네.."

예루의 대답은 내 고개를 기울이게 만들었다.

"내 얘기는 거의 다 왔어. 조금만 더 들어봐 슬슬 윤곽이 잡힐 거야."

자신의 반응은 신경 쓰지 말라면서 이야기는 저 가느다란 입술과 람의 머리를 쓰다듬는 손짓. 그 주도하에 계속 이어졌다. 나는 소녀의 말 사이사이 생기는 공백이 달갑지 않았다. 하지만 람이 들려준 이야기도 그렇고. 간단하게 짚어낼 연결고리조차 난 찾지 못했다. 그런 의미에서 작고 귀여운 이들을 당해낼 힘도 모자라다.

"... 거울행성. 티폴은 말이지.. 흉성이야. 거대한 생명체가 탄생하자마자 가엾게도 모태 행성으로부터 생명을 빼앗기고 있어.... 이제 그렇게 내버려두진 않을 거야."

"......"

"꼬박 40 년이 걸렸어. 이 아이를 지상으로 보내, 해일 계산식을 찾고 너를 다시 이곳에까지 인도하게끔 말이야."

"뭐?"

나는 그때 무슨 생각이 뇌리를 먼저 스치고 지나간 것인지 기억나지 않는다. 내 몸을 떨게 한 것은 진실에 맞선 공포인가? 환희인가?

어느 쪽이든 예루는 내 폐부의 심연을 들여다봤겠지. 금색 눈으로.

"쉽진 않았어. 궤도를 벗어난 계획 일부는 행성의 도움을 받아 필연으로 덧칠해야 했거든."

"나를..? 그러니까 네 말은.. 나를 이곳에 오게끔 조종했단 말이야? 하! 지금 내 인생이. 내 의지가. 아니었다는 말이야? 웃기는 소리!"

"유감스럽지만 맞아."

나는 금색 눈을 의식하며, 조금은 흥분을 가라앉히고 최대한 차분하게 말했다. 그건 예루를 위해서가 아니라, 나 자신을 위해서 한 일이었다.

"예루, 네가 조금은 특별한 타르프인 건 알겠어. 하지만 만난 적도 없는 인간에게 영향을 행사한다는 건, 지나친 비약이야. 농담하지 마."

".... 그래, 네 말대로 난 인간 삶에 직간접적으로 관여할 수 없어. 하지만 무시카 너는.."

무슨 말을 하려는지 소녀는 되게 뜸을 들인다. 람이 그간 썼던 터번을 두 손 사이에 마찰시키다가 비비면서 괜히 마음 들킨 학급 아이처럼 꼼지락거렸다. 그 순간, 시간이 느껴지지 않을 정도로 느리게 흘렀다. 잠깐 멈췄었나? 불안했다. 어둠에서 비롯된 잡념이 실눈으로 나를 내려다본다. 불안이 그런 힘을 가지고 있는 줄 그때 처음 알았다. 좁혀지지 않을 먹먹한 공간에 나는 내던져졌다. 모래 해일을 맨몸으로 받아 냈을 때가 차라리…… 나았다.

"... 그야 넌, 단 한 번도 티퓰 밖을 나가 본 적 없는 갱어니까."

도시를 전전하던 어린 시절. 서울특별시 하남지구에 살았던 적이 있었다. 나는 그곳을 고향이라 여겼다. 회고하자면 나는 친구들과 어울리는 것보다 턱이 빠지도록 빌딩을 올려다보곤. 꼭대기에 직접 가봐야 직성이 풀리는 일명. '빌딩 깨기'에 열을 올렸다. 당시 유행하던 것이 아니라. 그럴듯한 룰이 있는. 나만의 '게임'이었다.
(실은 람이 처음 내게 게임을 제안했을 때, 이미 패배를 직감하고 있는 순간조차 묘한 흥분이 치솟는 건 근본적으로 게임을 좋아하던 경향 때문이리라) 빌딩 꼭대기, 난간에서 내려다본 서울은 펜과 종이만 있다면 아직도 눈에 선하게 그릴 수 있을 텐데.. 밤과 낮이 수평으로 마주할 무렵에 넌지시 관측되는 지구의 밑면이 뒤집히는 순간을 혼자 만끽하는 날엔, 하남지구 먼지를 모두 긁어모은 옷을 아무렇게나 던져 어머니께 잔소리를 들어도 작은 일탈에 딱딱한 심장이 살아 숨 쉬는 것을 느꼈다.

게다가 어떤 소녀.

빛의 회심을 검은 머리칼에 그대로 담아냈던 이름 모를 소녀는 종종 건너편 옥상에서 나를 응시했고, 나 역시 한올한올 산란하는 스펙트럼 변화에 넋을 잃었다. 그렇게라도 난간에 걸 터 저 멀리, 일곱 가지 색을 찬연히 뽐내는 오로라를 보는 것이, 소녀를 보는 것이 그렇게나 좋았다.

……

"그래서? 그래서?"

람은 물끄러미 나를 올려다보았다. 아무렇게나 내뱉는 내 이야기가 재밌는지, 아직은 핼쑥한 모습으로 내 입이 떨어지기를 기다렸다. 지상에선, 그동안 한참을 귀만 쫑긋 세우다가 막상 내 쪽에서 말하려니 뭔가 낯이 가렵고 부끄럽기도 했다. 관계의 주도권을 빼앗는다는 건 어쩌면 말 많은 수다쟁이가 되는 일인지도 모른다.

"사람들은 그걸 '카디플랑의 노래'라 불렀어. 실제 태양 조각이 있는 카디플랑은 중심부 쪽으로 수천 km 나 더 가야 하지만. 뭐, 어쨌든 죽은 땅인 건 똑같으니까. 그때까지만 해도 뭔가 오르는 것에 대한 흥미나 성취가 있었어. 근처 도시로 이사를 가버리는 바람에 그런 취미는 요원해져 버렸지만.."

"왜? 거기도 높은 곳은 많잖아?"

"그게, 그 거리에선 오로라가 보이지도 않았고. 무엇보다 사람들이 죄다 함선이나 부유선을 타고 다녀서 나를 이상하게 보더라고. 계단도 없고.."

무엇보다 소녀가 없었으므로…

좀 더 크고 나서 알게 된 사실이지만, 서울에선 태양풍의 여파가 다른 도시보다 강해서 장막을 두껍게 설치했었다. 그래서 반중력 장치 같은 무동력 비행이 아니면, 공중을 배회하는 일은. 고위 연구원 의전 이외에는 서울에선 거의 보기 힘들다는 얘기다.

"하하하! 나도 보고 싶은데!? 나중에 고향에 돌아가게 되면 꼭 구경시켜줘!"

람은 거의 처음으로 내 눈치를 봤다. 일종의 감시였다. 그 모습이 괘씸하고, 치기 어린 마음으로 지기 싫어서. 나는 그러겠노라고 대답했다……

서울은 내가 떠난 이듬해부터, 출입 금지된 도시로 지정되었다. 형형색색의 아름다운 방사성 구름 띠가 도시를 삼켰다. 카디플랑을 거점 삼아, 점차 주변을 잠식하는 플라즈마 에너지, 태양풍, 등의 여파로 더는 사람이 살지 못했고 도시는 천천히 죽음을 맞이했다. 시한부 도시의 생은 소설처럼 아름답지도, 영화처럼 극적이지도 않았다. 그저 굴러가는 수레에 밟힌 들풀처럼 조용히. 소리 없이 쓰러졌다.

그래서 히엠스에서 서울에 관한 소식을 들었을 때, 믿을 수 없었다. 혁명군에 가담했다는 말은 더더욱…. 말이 되지 않았다.

끼이이이이에엑!!!!

날카로운 소리가 창공을 반으로 갈랐다.

"와아~! 이런 광경도 보게 되네. 저기 무시카, 좀 더 얘기해주면 안 될까? 카마하브에 온 기념으로 말이야."

참! 너는 기념할 것도 많다! 나는 물끄럼. 그렇게 람을 쳐다보았다. 멀뚱멀뚱한 얼굴을 몇 초간 맞대고 나서야, 아! 겨우 생각했던 걸 내뱉었다.

"... 어차피 조작된 기억인데 뭘."

그 반응은 뜨뜻미지근 했지만..

...

킁킁킁.

람은 카마하브 중심 공기를 폐부 안으로 가득 밀어 넣었다. 유사 백악기 생태는 높은 산소 농도만으로 우리 뇌를 침투하고 활성화시켜, 잊고 있던 이야기를 끄집어냈다. 분명 람와 나 사이 면밀하고 은밀하게 유지되던 각자의 스탠스가 어떤 계기 없이, 괴이한 풍경만으로 바뀌었다는 건 말이 되질 않는다. 그러므로 나는 합리적 의심을, 주변을 찔러댄 예민한 람의 후각 세포에 집중한 것이다.

에르그에서…. 람과 처음 만났을 때도 저랬다. 퀴퀴한 모래 냄새가 사방에 널렸을 텐데. 내게 코를 들이밀었지. 나는 이유를 알고 싶었다.

"으음…. 내가 그랬던가?"

"진심이야?" 그러자 그는 쿡쿡 웃었다. 그럼 그렇지!

"널 처음 봤을 때, 정말 갱어가 맞는지 확인한 거야."

"그게 냄새로 알 수 있는 거야?"

"당연하지! 이 람! 님은 가능하다고. 하하핫!"

내가 가늘게 눈을 뜨자 람이 조소했다.

"그런데 실은 긴가민가 했어. 인간은 점점 냄새를 잃고 있으니까."

"냄새를 잃는다고? 요즘 유행하는…."

"향수 얘긴 아니야. 시큼한 시트러스와 밤나무 냄새가 뒤엉켜있는 걸 향수라곤 할 수 없지."

인간에게 그런 냄새가 난다고? 잠깐 상상하는 것만으로도 얼마나 괴기스럽고 흉망한 냄새일지.. 내 상상으로는 끄집어낼 수 없는 한계까지 부딪혀버렸다. 나는 코앞을 괜히 휘휘 내저었다.

"윱지아의 기라성은 모든 결정을 베라(VERA)에게 맡겼어. 그녀의 선택은 합리적이고 인류 진보적이지만, 반대로 퇴보적이기도 하지. 주체 습성이 사라지다 보니 정말 냄새가 뚝 그치더라고."

이 녀석은 정말 인간을 만나보긴 한 걸까? (페고에르 하머 외에) 종종 인간과 왕래가 있는 타르프가 아니고서야 적어도 일반 갱어는…. 그럴 수 없을 텐데. 람의 허무맹랑한 밤나무 냄새를..

보나 마나 농담이겠지.. 그것도 아니면 죽은 하마가 억울할 것 같았다.

이제 나는 소년의 감상에 어깨를 나란히 했다. 가만히 보는 것도 나쁘지 않네… 전설에만 존재하던 카마하브는 티폴의 땅이자. 중심이었다. 모래 천장으로부터 까마득 아래로 떨어지는 폭포는 묵음 된 화면을 보듯 끝이 보이지 않고, 지름 2km 를 빵 둘러 백악기 시대의 생태를 그대로 모방해있었다.

그런 지형 자체는 윰지아를 따라 한 건지, 아니면 그 반대인지는 설명할 수 없다. 초록색 비단 커튼을 단 듯, 저 멀리 덥수룩한 고대 이끼는 비산하는 물세례 주변으로 광을 냈고, 학명을 추측하기도 번거로운 저 열매들(나팔이 나무에 매달려 있는 건가?) 그리고 람이 호시탐탐 등줄기를 노리는 익룡 무리가 비행 전 매무새를 다듬고 있었다. 나는 발치에 있던 주먹만한 돌이라도 던져, '여기 위험한 꼬마가 있어!'라고 경고해주고 싶었다.

그 돌이 이름 모를 벌레의 알집인걸 안 뒤로는 관두었다.

"예루가 그러는데, 저 폭포는 티폴의 모든 오아시스가 흘러들어와 떨어지는 거래."

람은 확실히 잠에서 깬 후로 들떠있었다. 저런 걸 보고도 무서워서 숨기는커녕 난간에 매달려 아예 올라타려고 했으니..

쉬이이이익!!

바람을 타는 익룡의 날갯짓이 테라스 난간을 아찔하게 스치고 지나갔다. 그들은 저 멀리 폭포 주변을 배회하며, 날개를 적시고, 또 추락하며, 풍류를 즐긴다. 저기에 무슨 의미가 있는지 싶다가도, 나름 순번을 지키며 앙상한 날개로 비상. 날아오른다.

철판도 꿰뚫을 법한 거대 발톱으로 허공에다가 휘휘거린다. 왔다갔다. 반복하는 걸 나도 모르게 쳐다보았다.

그러고 보면 나는 이 비현실적이고 두려운 광경을 두 눈으로 목격하는 중인데. 까무러칠 정도로 놀라거나 발자취를 남기고 싶은 욕구조차 들지 않았다. 그냥 야생에서

아! 야생 샌드위치다! 정도의 일이었다. 그러다가 갑자기 람의 콧구멍이 벌렁거렸다. 앞서 언급한 적은 없지만 이제는 설명할 수 있다. 저건 신호다. 위험을 상상하고 있다는, 위험을 자극하고 있다는, 위험을 눈앞에 두고 있다는! 획!

람은 난간에 양발을 딛는 것으로 중력을 거부했다.

"람!!!!" 아니나다를까. 람은 커다란 구멍으로 몸을 던졌다. 뒤늦게 나는 내려앉은 심장을 주워보려 난간을 잡고 내려다보았다. 람은 점점 작아졌다. 처음엔 물건처럼 횡하게 자유낙하 하다가, 회전하다가, 끝내 점이 되었다.

으아아아아아하하!!!!.....

"람!!!!!" 이 미친놈!

어둠은 람을 집어삼켰다. 대신이라고 뭣하지만, 지옥문이 트림 하듯, 엄청난 바람을 꼭대기까지 불어 올린 탓에 나는 살짝 몸이 떴다가 뒤로 나자빠졌다. 쿠당! 모래의 천장 면이 들쑥날쑥 일렁이며 지상의 햇빛을 난반사했다. 그대로 고개를 드니 눈이 부셨다.

모래는 별이 되었다. 생명은 별이 되었다. 노란 알갱이 숫자만큼 손가락이 있고, 명료히 헤아릴 수 있는 눈을 가지고

있다면, 기꺼이 손을 접으며 몇 달이건. 몇 년이건. 밤낮을 올려다볼 텐데..

퍼뜩. 나는 정신을 차렸다. 람의 어처구니없는 죽음보다도, 단어의 배합과 문장이 나를 불러 상기시켰기 때문이다.

[빛의 시작은 저 별이어라]

사막 생활이 길어져서 머리가 어떻게 됐었나 보다. 예루에게 전할 게 있다는 걸 잊고 있었다.. 이후 아무 일 없었다는 듯. 주인을 잃은 터번만 황망한 마음가짐으로 얼마간 공중을 배회했다.

"람…. 헨마의 가호가..."

그때였다. 끼이이이이에에엑!!!!!

후우우우우웅!!!! 검은 그림자가 솟구쳤다. 모든 장면이 순간 검게 물들었다. 바람이 매섭게 그 뒤를 따랐다.

"하하하하!! 무시카! 그거 눈물이야?!! 비밀로 해줄게!!"

익룡의 등줄기. 정확히는 등과 목의 경계에서 람은 비좁은 거대 익룡의 살집을 꼬집어 비틀어대는 중이었다. 못 말린다. 그래, 지조의 포효는 사실, 가려운 등 때문이었으리라! 람은 아예 살점을 뜯어 벌러덩 누워버린다. 미간을 좁혀 자세히 보니 시미타의 금속이 부끄럽게 숨어버리는 장면을 포착했다. 으.. 내가 다 아프다.

끼이이이익!!!! 나는 람이 폭포를 내리 맞아도 버틸 수 있을지 궁금했다. 익룡은 내 생각을 어떻게 알았는지 또 그곳으로 비행한다. 이번엔 람이 비명을 지른다.

람은 내가 갱어인 걸 알고 있었을까? 그간 그가 나를 대하는 태도에서 그런 낌새조차 나는 느끼지 못했다. 배려였을까? 싶다가도 나보다 나이가 많은 주제에 개구쟁이를 자처하는 람이 그럴 거라고 생각지는 않았다. 가능성의 영역으로 데려가 확인해 볼 필요도 없는 짓이다.

게다가 이건 좀 별개로, 이상하게 들리겠지만 람은.. 잃어버렸다. 그게 뭔지는 잘 모르겠다. 그러나 분명히 뭔가를.. 람은 더는 람 같지 않았다. 아무 일도 아니고 별일 아니겠지만, 어쨌든 그냥 그렇다는 말이다.

"어떻게? 생각은 좀 해봤어? 시간이 더 필요하려나."

예루였다.

치렁치렁한 장신구를 길게 늘어뜨리고서 목에 걸린 게 목걸이인지, 귀에 매달린게 귀걸이인지. 작은 소녀가 착용하고 있으니 애매하고 귀엽다.

그러고선 내 옆으로 와 착! 하고 앉았다.

"응. 그런데 이것들도 티뮬 생태 시스템에 필요했던 거야?"

나는 아직까지 납득되지 않았다. 이건 지구의 것을 복사한 것도 아니었으니까.

"글쎄~ 정말 지구 지하 깊숙이 이런 곳이 있는 게 아닐까?"

"정말?"

소녀는 일소하더니 어물쩍 넘겨버렸다. 하기는 그게 무엇 중요하리.

"생각보다 덤덤하네. 충격받고 쓰러지면 어쩌나 싶었는데 말야."

"... 아끼던 부하가 눈앞에서 죽고 나서부턴, 기억에 대한 확신이 없어지기 시작했어. 깜깜하고 뿌연 안개가 있었는데.. 여기 와보니 명료해지고 간단해졌어. 아마도 네 말이 맞는 거겠지." 예루는 웃는다.

일찍이 나는 세상의 염세에 빠져있었다. 뻔한 일상과 공허. 사실 현실 따위야 어찌 되든 상관없고 '인간'인가 '갱어'인가 하는 골칫거리는 무분별한 평화로 해이해진 부대 출신 군인의 관심사에서 한참이나 동떨어지던 것이다. 적어도 가지고 있는 기억 상으론 그랬다. 내가 사람이면, 혹은 아니면, 달라지는 게 없으리란 걸 뼈저리게 알고 있어서 내가 갱어라는 충격적인 말을 들었을 때, 아무런 반박을 하지 못했다. 그저 받아들이는 것으로 끝낼 문제다.

"의식은 저녁에 치러질거야. 그때까지 고민하고 답을 줘."

"아냐, 고민할 것도 없어. 기억을 찾고 싶어."

"후후. 혹시 기억을 지워달라고 하면 어쩌나 싶었어."

"혹시 탈이 나진 않을까? 바보가 된다거나…"

"걱정 마. 기껏해야, 오른쪽과 왼쪽을 헷갈리는 정도?" 대단하지 않으면서도 께름칙한 것 같은데..

"농담이야. 후후." 그런 호박색 눈으로 농담이라니. 어울리지 않는다고 말하면 섭섭해할 것 같아 그만두었다. 예루는 자리에서 벌떡 일어났다.

"가려고?" "이래 봬도, 여기서 해야 할 일이 많거든." 나는 고개를 끄덕였다.

"잠깐. 예루, 전할 얘기가 있어." "흐음~ 뭔데?" 소녀는 게슴츠레 눈을 감는다.

"히엠스에서 만난, 타르프가 말을 전해 달랬어. 이름은 몰라. 알다시피 타르프는 이름이 없으니까."

소녀는 검지를 볼에 가져다 댔다. 누군지 알 것같다는 표정이다.

"뭐라고 했기에?"

"멈춰달라고… 그냥 멈춰달라고 했어." 예루는 팔짱을 끼고 잠시 고민을 했다. "... 알았어. 전해줘서 고마워…." 예루는 등을 돌렸다. 내가 안부가 궁금하지 않느냐고 묻자 대답은 없었다.

"사실 그 타르프는…"

"피이-! 보나 마나 잘 지내겠지 뭐!" 예루는 내 말을 잘라버렸다. 뒷모습에 그림자가 드리웠고 급히 지쳐 보였다.

"저기… 내가 도울 일이 있을까?" 예루는 고개를 내저었다.

"기억을 찾고 싶은 마음 그대로 와주면 돼." 왜 그런 말을 남겼는지 의뭉스러웠다. 그전까지만 해도 내 마음은 확고부동했고 대책 없이 엉뚱한 람에 반해, 선분을 세로로 정렬시켜놓은, 반듯하면서 다른 의미로 엉뚱한 예루는 이리저리 내 마음을 갈대로 만들었다.

"람은 어디…" "저어기…" 나는 검은 점을 눈으로 좇았다.

녹황색 이끼를 배경으로 흠뻑 젖은 람이 이쪽을 보며, 손을 흔든다.

"좀 더 놀게 내버려둬. 둥지를 건드리지 않는 이상 잡아먹히는 일은 없을 거야. 히히." 역시 소녀의 농담은 섬뜩한 뭔가가 있다.

"나이는 나보다 많으면서. 진짜 애 같다니까.." 나는 혀를 찼다.

"그렇게 느끼는 것도 당연한 거야. 여긴 카마하브잖아?"

똑똑.

람은 내 방 문을 두드렸다. 나는 머릴 숙이고 간신히 방으로 안내했다. 좁아터진 것보다 파릇한 초원보다 늪에 가까운 퀘퀘한 냄새 때문에 이곳이 객실인지 의심스러웠다. 차라리 페고에르가 누워있는 곳이 나았다. (오로지 편의상 위치에 한해서)

"무시카, 준비됐어?" 의식에 꼭 필요하다는 의복을 입으며 이제 겨우 부츠 비슷한 걸 신는 중이었다.

"거의 다 돼 가! 이거 이렇게 입는 거 같은데.."

"으이그. 내가 도와줄 테니 앉아봐." 나는 거추장스러운 신발을 벗었다. 람은 정성스레 내 양발을 천으로 닦은 후, 또 다른 부드러운 천으로 감쌌다. 언뜻 보면 귀족 집안의 사동 같은 모습에 절로 웃음이 새어 나왔다.

"기억이 온전히 돌아오면 어쩔 생각이야?"

"글쎄… 일단은 지구에 가봐야겠지."

"머릿속 추억을 따라서?"

"응." "기분 나쁘게 듣진 마. 오랜 티폴인으로서 조언하건대, 부질없는 짓이야. 옛 애인 같은 건, 떨쳐버려야 하는 악몽 같은 거라고… 책에서 그랬어."

그러더니 그는 터번 속으로 손을 집어넣었다. 그리고 야구공보다 작은 주먹을 슬쩍 내민다. 손바닥 위엔 네모난 물건이 놓여있다. 전에 처음 그것을 보았을 때, 옴싹달싹 못하는 상태였다. 거울. 그 뒷면이 내 눈에 들어왔고 나는 반대쪽 면을 상상했다. 아니, 상상이 되지 않았다. 비치지 않을 내 모습이 까마득했다. 그런데도 나는 묘한 흥분이 치솟았다. 가뿐히 천 쪼가리로 덮을만한 위험과 초조함이. 머리가 닿는 천장이 낮은 방안에서 공존했다. 그래서 나는 거울 뒷면에서 눈을 떼지 못했다.

"거울과 갱어의 폭력성.. 무슨 연관이 있는지 생각해 본 적 있어?" 람이 말했다.

"음.. 생각해 본 적은 없지만, 왠지 지퍼를 보면 내려야 할 것 같은 기분과 비슷한 거 아냐? 본능 같은."

내 대답에 람의 입가로 미소가 번졌다. 내 농담이 먹혀들었다는 뜻이었다. 씨익. "알면 됐어." 그래. 복사품의 비애를.. 내가 이해 못할 리 없지 않은가.

람은 거울의 뒷면인 채로 나에게 건넸는데, 어리둥절한 내 모습에 람은 웃음을 터트렸다.

"너 가져." "이걸 왜…?"

"나한텐 필요없는 물건이야. 넌 지구에 갈 거잖아. 만약 본체와 마주치면… 그때, 이 거울의 뒷면을 떠올려."

"무슨 소용이 있는데?"

"네 복잡한 심경이 상에 맺히지 않도록." 그러니까 무슨 상관이 있다고. 람은 종종 지금처럼 알 수 없는 소릴 한다. 나는 거울의 앞면이 내 눈을 스치지 않도록, 행여 지면이 맺히지 않도록. 아이를 건네받듯 주머니로 넣었다. 실제로 그런 적은 없지만.

"너는 이제 어떻게 되는 거야?"

"카마하브에 남아 예루를 도울 거야. 왠지 재미있을 것 같거든. 지상은 지겹고 따분하고.. 또 모래뿐이잖아?"

"으음~"

약속한 시간이 다 되어가는 탓에, 우리는 제법 일찍 방을 나섰다. 저벅저벅저벅. 동굴 곳곳, 바닥으로 눈이 떨어질 간격마다 유등이 훤히 밝혔다. 이젠 갈림길이 나와도 제법 익숙하게 냄새가 '덜 나는' 쪽을 선별해서 걸었다. 그러다 보면, 허기지고 이야기가 지루하게 느껴지기 시작하면, 우리가 찾던 장소와 맞닥뜨리지 않을까 하는 막연한 기대감이 있었다.

카마하브는 그런 곳이었다.

"고마워, 람."

"뭐가?"

"이것저것…. 네가 아니었으면, 아직도 나는 행성을 떠돌고 있었겠지."

"아니면, 전갈에 물려 죽었거나."

피식. "땅에 그대로 묻혀있었을 수도 있어. 아니면 그 자리에서 약간 솟은 모래가 되었을지도 모르지. 네 주변으로 유사를 이루고, 적당한 이름도 붙일 언덕도 생겨났을 거야."

"네 말이 맞아." 람은 내 웃옷을 무심하게 들추었다.

"무시카, 기억이 돌아와도 몸이 점점 부스러지는 건 어쩔 수 없어. 티폴인의 운명은 바뀌지 않아."

"나도 알아." 스윽.

"최소한 떠돌이처럼 다니진 않겠지."

"네가 그렇다면야…" 람은 나를 걱정하는 중인 건가?

떠돌이별.. 행성. 지금 나의 상태는 티폴, 행성과 같았다. 강한 별에 이끌려 주체 없이 이리저리 배회하는.

"그런데 티폴이 예루의 바람대로 이루어질까?"

"계획이 맞아떨어지고 오차가 크지 않다면 틀림없이. 나는 예루의 능력을 의심하지 않아."

"… 만약에 행성을 덮을 만큼 거대한 거울이 티폴을 비추면 어떻게 되는 거야? 별도 분노를 느낄까?"

"예루의 말로는 스스로 대칭성을 잃거나 어느 한 쪽이 붕괴할지도 모른다고 했어. 분명한 건, 행성도 감정이 있다는 거야. 내가 바슈테림이라서 하는 소리가 아니라. 정말로."

나는 화들짝 놀라 걸음을 멈췄다. 마침 사계에서 나를 노리던 돌부리가 넘어지길 잠자코 기다리고 있었다. 낄낄낄 거리면서. 행성 생명체 문제 이전에 '티폴인은 생명체인가?'하는 질문에서 뚜렷한 대답을 내놓진 못했다. 누구도 그것을 정할 정당한 권리는 없었으니까. (생명으로 칭하자니, 인간이 다다른 영역이 불경스럽고. 그렇다고 유기체가 아니라기엔 갱어는 절묘한 경계에 놓여있었다)

"갱어는 인간의 '삶'과 조금도 유사성을 갖지 않아. 우주 법칙을 따르지 않은 우리는, 더미일 뿐이야. 더구나 본체가 죽어.

대칭 상태를 잃은 리본인은 어찌 보면 부정 존재일지도 모르지. 이런 상황에서 예루는 티폴의 독립. 즉, 생명의 순환을 이루고자 하는 거야. 그 증명이 죽음일지라도…."

적적한 어둠 속에서 람의 말이 거의 들려오지 않았다. 주머니 안, 내 손은 바쁘게 움직인다. 도무지 지금의 내 표정을 상상할 수 없었다. 예루는 정말 자멸을 원하는 건가? 타르프 은유적 표현을 람이 잘못 캐치한 가능성도 배제할 순 없지만.. 붕괴라는 선택지는 자극적이다.

"무시카. 너무 복잡하게 생각할 거 없어. 우리에게 '진짜' 의식이 있느냐 없느냐는 중요한 게 아니야. 의식은 단지 전기적 신호일 뿐이라는 말도 있으니까."

나는 대꾸도 할 수 없었다. 나는 철저하게 티폴인을 무시했었다. 그게 가능한 이유의 기저에는 내가 인간이라는 전제가 있어야만 했다. 그래왔었고. 예루가 나에게 했던 말은 거의 사형선고나 다름없었다. 태연자약하게 커피를 마시며 생각을 정리했다. 나는 차분한 게 아니었다. 오히려 방증에 가까웠다. 인간이 아니란 사실을 말이다. 그렇게 내 입장이 방과 복도 사이, 문지방을 넘어 바뀌는 순간. 나 역시 변했다.

나를 구성하는 원자의 배열과 수는 여지없이. 나를 무시카라고 말했다.

하지만, 하지만, 나는 전연 다른 존재가 되었다. 신은 기적을 일으켰다. 한 가닥 빛이나 실연한 모습을 드러내지 않고도 나를 인간에서 갱어로 바꾸었다. 결과가 그랬다. 늘 익숙하게 들려오는 람의 기도문 덕분인지 카마하브를 가득 메운 신성한 기운에 그 일이 자연스럽게 받아들였다. 그래서… 나는 어떠한 말도 할 수 없었다. 인사를 해야 했을까?

아니야. 람은 의미를 가득 실은 의례적인 걸 싫어했다. 바슈테림 주제에…

"괜찮아. 아무 말 하지 않아도 괜찮아." 다시 아무 일 없던 것처럼 람을 뒤따라 걸었다. 문득 눈에선 물이.. 코끝은 찡하다.

내가 틀렸다. 람은 그대로다. 이제야 알았다. 종잡을 수 없고 수수께끼인 그를. 사실은 타인을 비추어 나를 본 것이다. 주머니 속 작은 손거울처럼. 어린 쪽은 정말 나였다.. 미묘하게 바뀐 건 오로지 나였다.

"티폴도 같은 기분일 거야. 더구나 행성은 어디 가려져 있지도 않고 적나라하게 지구를 마주하고 있어. 자기를 똑바로 바라보고 있다고. 후후. 그러니 기억이 어떻든 똑바로 쳐다봐. 겁내지 말고." 나는 고개를 끄덕였다.

우리는 이러저러한 수다를 떠는 동안, 약속장소에 당도했다. 그곳엔 초록빛이 감도는 백의를 입고 있는 소녀가 기다리고 있었다.

"어서와."

소녀는 나와 람을 맞이했다. 6 개의 기둥과 물 받는 접시. 항아리는 일렬로 누워 있었고 쓰임새가 딱히 없는 빈 물건으로 보였다. 예루는 나를 벌어진 땅의 틈 바로 아래, 빛줄기의 따스함을 느끼도록 의자에 앉혔다.

"우선, '의식'에 앞서서 간단한 언약을 해야 해."

예루는 옷을 주섬주섬 들춰 경전을 꺼냈다. 나는 바슈테림은 아니었지만 그녀가 시키는 대로 손을 책 위에 올렸다.

"기억을 온전히 찾게 되면. 나, 예루에게 시미타 발동 코드를 알려준다고 맹세해."

시미타? 때마침 람이 바닥에 시미타를 내려놓는다. 이제는 저 날붙이가 낯설게만 느껴지지 않았다.

"나 무시카는 맹세합니다."

예루는 흡족한 표정을 짓고 말했다. "자! 시작한다? 람, 잡아." 응?

그들은 양쪽에서 내 팔을 의자에 묶어 가죽끈을 채웠다. 꽈아아악. "이.. 이거 괜찮은 거야?" "조금 시간이 걸릴 거야. 원래 기억과 주입된 기억을 겹치지 않고 정확하게 분리하는 작업이니까."

급격히 폐가 쪼그라든다. 나는 고산지대에 있는 것처럼 숨을 몰아쉬었다. 그리고 이마, 한 점으로 쏟아지는 광요에 온 신경이 곤두섰다.

"그럼, 꿈에서 보자고."

스르륵.

.

.

.

〈물속에 은어가 있다. 은어는 앞선 꼬리를 따라간다. 나선, 그리고 원을 그리는 붓칠을 향해. 머리를 들이받는다. 뭍엔 어부가 있다. 태양을 등지고 소금냄새를 풍겼다. 그물은 어부를 넘어뜨렸다. 갑판에 검붉은 피가 번졌다. 한방울이 바다를 적셨고, 문어가 그것을 삼켰다. 먹구름과 함께 파도가 친다. 은어, 그물, 어부, 문어는 중심을 잃고 뒤집히고만다. 서로 노려보다가. 엉켜붙어 의지하다가. 이내 뽀얀 진주가 되었다. 은어, 그물, 어부, 문어는 사실 진주다. 애당초 숨 쉬고, 피 흘리고, 상처 입힌 적이없다. 그런 진주에 눈이 생겼다. 창문을 본다. 그 너머, 한쌍의 연리지를 본다. 소나무. 갈라진 껍질 사이 붉은 입술이 있다. 그리고 말을 한다〉

.

.

.

"람… 프레타의 마지막은 어땠어?"

"직접 본 건 아니지만, 타르프답게 죽은 모양이야… 정말… 싫은 결말이야."

".. 네가 유독 프레타를 따르긴 했지."

"말했잖아. 나는 타르프가 싫다고."

"그런데도 날 도우려고? 나 역시 타르프라고 불리는걸?"

"예루는 예루니까."

"그런 식으로 얼버무리지 말라고. 람." 람은 양손을 뒤통수에 가져다 댔다. 입을 비죽 내밀고서. 달리 투정을 부릴 대상이. 저기, 몇 걸음 뒤에 누워 잠에 빠졌기에 제법 얌전해졌다.

"그녀를 위해서 같이 기도하자."

"난… 싫어." 예루는 일렬로 늘어선 항아리에 손을 넣어 초를 꺼냈다. 자그마한 불빛에 몸을 기대고 눈을 감았다. 싫다던 람도 항아리에서 양탄자를 꺼내 바닥에 깔았다.

"헨마의 가호가 있기를…"

기도문을 읽은 뒤 꺼진 초는 다시 항아리로 들어갔다. 티몰인은 죽는다. 사실 생명이 아니니 '기능이 정지한다'에 가깝다. 그럼에도 죽음을 믿는다. 그래서인지 섬기기까지 한다.

"혹시, 프레타가.. 뭘 남기진 않았어?"

"뭘? 마지막으로 본 게 언젠지도 모르겠는데."

"... 아무것도 아니야."

"근데 무시카 저 녀석.. 몸 상태는 괜찮은거야? 사실 여기 오기 전에도 콘냐를…." "시미타가 발동되면, 괜찮을 거야. 발동만 되면…"

바닥에 놓여있는 시미타에 눈길이 닿았다. 수수하고 특별한 장식이 없어, 더 의미가 깊어 보였다. 그들은 꿈결에 빠진 갱어를 두고, 옆벽 면을 두 번 두드렸다. 똑똑. 그그그극. 암반이 옆으로 비켜섰다. 이번에는 칠흑같이 깜깜하고 어두운 방이었다. 조도 낮은 영화를 아무리 틀어도 선명하게 툭툭 흩기는 팝콘을 주울 수 있을 것만 같았다.

예루는 둥근 의자에 앉아 두 구체에 손을 올렸다.

"그보다 문제는 샤르하쪽이야. 68 년간 깨졌던 행성 대칭이 복구된 다음 시미타가 제대로 작동하면, 갑자기 말을 뒤집을지 몰라. 그땐, 지구와 전쟁 중일 테니… 터무니없이 몸값을 부풀리겠지."

"그렇게 신경 쓰이면, 뮤텔리안의 도움으로 샤르하를 전부 날려버리자. 직접 보니 엄청나던 걸? 무려, 내가 죽을 뻔 했다고! 뭐, 흠이라면. 윱지아에 해킹당할 정도로 아직 보안이 미흡하긴 하지만…" 예루는 한쪽 눈썹을 치켜들었다.

"진심이야?"

"직접 부탁하기 뭣하면, 혁명군에 '무영'으로 분류된 해커가 있잖아… 완전히 지워지기 전에 얼른 써먹지그래?"

"의외네. 샤르하는 람의 고향일텐데.."

"그 쓰레기 같은 범죄자 소굴은 없애야 해……" 람은 싸늘한 표정으로 이를 빠득빠득 갈았다.

"네 말대로 샤르하는 골칫거리지만, 그런 의미로 티폴 질서에 필요해. 게다가 그 해커는 지금도 베라(VERA)를 견제 중이야. 그녀가 잠에 빠져있는 상태라지만, 렘의 파동에서 우주에 미치는 영향은 미지수라. 라플라스 통로를 수시로 조율 중이거든. 그것만으로도 벅찰 거야…. 네 방식으로 샤르하를 다루는 건, 다른 의미로 좋지 않아."

"예루.. 너는 너무 물러…"

"….. 아덴은?"

"아덴은 걱정 마. 콘냐 사업권만 건들지 않으면 등 돌리지 않을 거야. 물론 지구 쪽 수요가 근래 급등하긴 했지만. 티폴을 넘어서기에는 역부족이니까."

"…. 그게 율리무의 대답이야?"

람은 그렇다고 대답했다.

#_ 람의 이야기 7 별과 타르프

-붉은 노을 근원지를 알려주기로 했잖아.

"내가 언제?"

-벌써 잊은 거야? 저번에 수화로…

요즘 타무무는 물을 많이 마신다. 어제는 악몽도 꿨다. 부쩍 달빛에 너울대는 저 푸른 산호색 머리 소녀가 질문이 많아졌다. 그럴 때마다 못들은 체 하기 죄악스러운 나머지. 힐끔 쳐다보는 눈길을 받아들인 이후부터 그랬다. 타무무는 일단 자기 이마를 치고 본다. 탁!

"그랬지 참. 가… 가볼까? 라미아! 나 나갔다 올게!"

타무무는 무작정 광장 쪽으로 걸었다. 소녀는 10 분이 넘도록 그의 얼굴만 쳐다보았다. 목이 탄다. 그는 택시를 잡았다. 가는 데까지만 해도 벌써 30 분이 지났다. 처음엔 히엠스에도 택시가 있는 것도 그런데, 심지어는 돈을 안 받는다기에 또 놀랐다. 타무무는 뒤돌아 봤다. 골목 한쪽에 즐비한 택시들에서 운전사들은 일제히 각자의 호버에서 내렸다. 그리고 벽에 아무렇게나 서 있던 갱어가 오더니 냅다 타고 가버린다.

'…. 아.'

모든 건 갱어의 흉내놀이였다. 아침마다 빵을 굽는 제빵사도, 학생을 다그치는 선생도, 치안을 유지하는 경찰도, 물건을 훔쳐 달아나는 도둑도 비슷한 흉내를 냈다. 사람처럼. 갱어의 도시는 대체로, 각자의 역할에 충실하게 돌아가는 기묘한 곳이었다. 타무무는 기분이 이상했다. 너무 역해서 토할 것 같았다. 천공 요새처럼 둥둥 떠다니는 도시에 멀미가 날 지경이다. 그들이 모래꾼을 반기는 이유는 적어도 어쭙잖게 '인간 흉내'를 내지 않아서인듯했다. 갱어의 유일한 유희를 자제하는 무슨 고행자 느낌이려나 싶었다.

타무무는 입을 틀어막으며 이 환멸감을 떨칠 필요를 느꼈다. 달아오른 목구멍을 삼키면 삼킬수록 히엠스의 놀라운 자연 풍경은 '줄 그은 호박'이 되었다. 타무는 다른 곳으로 시선을 찾았다.

"저건…." 반대편에 '면포를 뒤집어쓴' 석상과 뒤로, 작은 돔이 그것을 감싸며 동떨어진 느낌을 주었다. 마치 히엠스에 떨어진 인간 처럼. 그리고 대야만한 우물이 보였다. 그러나 물은 없다. 타무무는 홀린 듯 그곳으로 천천히 걸어가 컴컴한 구멍을 내려다본다.

흠칫.

"바.. 방금 꿈틀댔어!"

-아이가 나오려나 봐. 어서 다른 곳으로 가자. 지금 자마네 집은 꽉 찼어.

"그게 무슨 말이야?"

-아, 모래꾼이라 모를 수도 있겠구나. (타무무가 진짜 모래꾼인 양, 흉내에 구색을 맞춘다) 지나가다 우연히 갓 태어난 갱어를 보기라도 하면, 책임져야 하거든. 자자 어서~ 헨마께서 우릴 지켜본다구.

타무무는 한쪽 팔이 끌려나가는 동안, 께름칙한 저 동상에서 눈을 떼지 못했다. 저 우물에서 새끼갱어가 나온다니 쉽게 믿어지지 않았다. 냅다 골목으로 들어가 담배를 입에 물고 힐끗힐끗 헨마의 눈치를 보고 싶었다. 갱어 탄생의 순간을, 그깟 미신 때문에 눈앞에서 놓치다니! 칫.

그렇다고 풍토적 관습을 어겨 히엠스에서 발목 잡힐 수는 없잖은가. 왼쪽 가슴 포켓에서 향긋한 냄새가 조금씩 흘러나왔다. 혹시 몰라 집을 나설 때, 콘냐를 챙기긴 했지만 왠지 꺼려졌다. 타무무는 아직 익숙한 것이 좋았다. 그렇게 한창 머릿속으로 떨쳐내지 못한 유혹의 연기를 세 모금쯤 피워대고 있을 때, 검은 로브를 뒤집어쓴 남자가 우물가로 접근했다.

"데려가려는 건가?"

타무무는 숨죽여 그 남자의 괴이한 행동을 목도했다. 남자는 로브 안쪽에서 튜브를 꺼내 입으로 바람을 한숨 크게 불었다. 그러는 새에 태아는 '가짜'세계에 발을 들일 준비를 마쳤는지 꿈틀대는 걸 멈췄고, 태아를 감싸고 있는 얇고 투명한 막이 부풀어 올랐다. 그 뒤로 이어지는 광경은 더 기괴하기 짝이 없었기에. 설명으로도 부족할지 모르겠다.

로브의 손에 들린 무언가가 한번 반짝였고, 팡! 하고 그것을 터뜨렸다. 그런 다음 깊은 바다로 미끄러지는 물뱀처럼 배면을 깔고 미끄러지는 태아를 얼른 튜브에 담아 낚아챘다. 할 일을 마친 그는 유유히 광장을 떠났다. 타무무는 무슨 자문이 필요한 듯 멍한 표정으로 소녀를 쳐다보았다.

-타르프가 데려가다니… 태어나자마자 운이 없는 케이스야.

"그러면 어떻게 되는데? 수도승처럼 타르프로 길러지는 건가?"

-아니, 눈이 채 뜨기도 전에 납품되어 실험체로 쓰일 거야.

"납품되다니? 어디로?"

-모래꾼인 너희가 데려가잖아. 윰지아로.

타무무는 알 수 없는 감정에 숨이 턱하고 막혀서 간신히 대답했다. "..... 그랬지."

'신은 무슨...' 다시 거리를 걸었다. 흉내놀이에 열중인 티몰인들은 어떤 생각을 하고 살아가는지 궁금했다. 열심히 집안의 조각상을 닦으며 신을 경건히 모시며 경배하는 태도도, 희망을 전제로 하는 건지. '하는 척'인지 알지 못했다. 긴가민가한 게 지구에는 '헨마'라는 신이 없었다. 그들이 꾸며낸 존재에 불과하다. 그런데 가당키나 한가? 갱어 주제에 '섬길 신'을 추상했다는 사실이.. 하필 그게 또 인간이 아닌 것이..

결국, 어젯밤 타무무는 아룬과 함께 두 가지 결론을 내렸다.

----

1. 과거, 저들 중 누군가 '헨마'라 부를만한 실재한 것을 보았고, 떠받들어 그것을 후대로 전승했다.

2. 생체 데이터에 기록된 개발자(로저)의 워터마크다.

3. ....

"첫 번째의 경우, 가능해. 그리고 그 대상은 아마도 헨마라는 이름의 인간이겠지. 갱어는 서로 외관만 다를 뿐, 사고할 수 있는 계의 영역은 누구나 동일하기에, 서로 특별함을 느끼지 못하니까.
(약간의 예외가 있긴 하다. 각자의 개성, 좋아하는 음식, 등등.
갱어심리학의 권위자 시그너 박사의 저서 『공명인간원론』에 따르면)

두 번째의 경우도 가능해. 인류가 지구의 다른 종들과 달랐던 이유는 믿음의 영역을 추상했기 때문이지. 보이지 않는 걸 믿고 두려움을 상상하고. 덕분에 인류는 집단통제와 규율을 동시에 얻어냈다. 그걸 따라 하는 거지. 히엠스 도시 시스템만 해도 꼭두각시를 세워둔 것 같지만, 오로지 흉내내는 거로 운영되고있어. 그리고 충분히 위협적이지… 전쟁이라고 흉내 내지 못할 리 없어. 타무무, 갱어들은 인간을 추월하진 못 하지만 그 바로 턱밑까지는 단숨에 이룩할 수 있다. 그걸 항상 명심해."

"그럼 대장님 말씀은, 갱어들이 지구를 꺾을 수 있다는 뜻입니까"

"지배구조가 명확해 보여도 '그에 준한다'라는 건, 언제든 역전구도를 만들 수 있다는 거야."

"그렇게 되면, '추월하는' 모순이 생길 텐데요?"

옆에서 듣고 있던 라미아가 끼어들었다.

"으이그~ 이 바보야. 모순을 없애기 위해 혁명엔 인간의 간섭이 필요했던 거겠지!" '혁명군…' 그래 세 번째 경우는.. 있을 수 없는 일이다. '그들이 진정 숭배 대상을 만들었다'라는…
시오는 인류의 앞날이 걱정되면서 그들이, 지금 이 순간에도
창조주를 뛰어넘으려는 인간의 오만함까지는 닮지 않길 바랐다.

"알아들었으면! 재깍 도움될만한 노트 단서를 찾아오란
말야!"

퍼억!

여전히 등이 얼얼한 기분이다.

"저기 말이야. 혹시, 자마에게 노트를 가져다줬던 타르프…
너는 알고 있지?"

-....

소녀는 말을 아꼈다. 이번엔 또 무슨 흉내인가? 양볼을 힘껏
부풀린다. 복어? 다람쥐? 참. 사막에 복어는 무슨. 본적도 없을 터.
혹시 고함이 터져 나올세라 타무무는 얼른 귀를 막았다. 무슨
신호인지도 모르는 주변 사람들은 무슨 죄랴.. 하지만 다행히도
우려했던 일은 일어나지 않았다.

이제는 소녀가 타무무를 잡고 이끈다. 끄는 대로 끌려갔다.

히엠스 출입국 관리소.

웅성웅성. 갱어들이 군중을 이루고 있다. 그 사이. 공중을 몇
바퀴 돌던 함선은 순서를 지키며 참호를 밟았다. 곧 꼬리 문이
열렸다.

"하아.. 고향 냄새. 여독이나 풀자고."

"고향이라며." "아무렴!"

11mm 구경 레일 소총으로 무장한 자들. 그들의 지휘 아래 짐을 옮기는 사람과 또 계산기를 두드리는 사람. 그냥 옆에서 선글라스를 끼며 하릴없이 동참한 사람도 있었다.

"히엠스에 오신 걸 환영합니다. 자마입니다."

"이번에 납품할 물건이오?"

"예. 총 177 명입니다." 자마가 서류철을 보여준다. 그것을 받아든 남자는 보지도 않고 얼른 부하에게 넘겨버렸다.

"빨리 쉬고 싶소. 회의는 나중에." "아, 회의는 벌써 끝났습니다."

"... 그게 무슨 소리요. 우리보다 먼저 온 모래꾼이 있단 말이오?" "먼저 도착했다기보다는 사막을 배회하던, 한 모래꾼 무리를 저희가 발견하고 모시게 되었습니다."

갓 비행을 마쳐서, 피곤함이 역력한 남자의 표정이 일그러졌다.

".... 그럴 리가."

푸른 머리색 소녀는, 가진 발랄함만큼이나 기개가 넘쳐서 평지에 한해서는 꽤 잘 걸었다. 그래서 평지를 쏘다녔나? 소녀는 타무무를 깊은 파도에서 건져내 뭍으로 끌어올린 것인 양, 인적 드문 모래사장에 덩그러니 데려다 놓았다.

바다없는 모래사장. 하늘이 막힌 모래밭. 부서진 돌무더기가 해수욕장 쓰레기처럼 깔렸다. 그게 점차 많아졌고 그 끝엔 카르스트 지형, 눈을 가늘게 떠 자세히 보니, 수 킬로미터 천장 높이 종유석이 짐승 이빨처럼 크게 벌려서 떨어질 준비를 이미 마친 상태다. 지평으로 멀리 내다보면 볼수록 거미줄처럼 내려와 거의 바닥까지 닿은 것도 보인다.

"야… 여기 너무 위험한 것 같은데." 한 발 내딛으면 한 개의 점이 타무무의 머리로 유도되는 상상을 하자니 저 걸음을 마음 놓고 따라잡기 힘들었다. 소녀는 또 저 멀리 달아났다.

"어젯밤 꿈자리가 뒤숭숭하더니…" 타무무도 송곳처럼 거꾸로 박아놓은 돌을 밟으며 어쩔 수 없이 따라간다. 쫓고 쫓기는 일이 반복되고 타무무가 모르는 무슨 놀이의 일환이라 생각되었을 때, 저 멀리 소녀는 우뚝 섰다.

'뭐지? 웬 기둥이….' 저벅저벅저벅.

"무슨 일 있어?"

-이건 석주라고 하는 거야. 천장에서 내려온 종유석과 바닥에 자란 석순이 만나서 기둥을 이루고. 이건 아마 티폴에서 제~일 긴 석주일 거야.

"신기하네…"

그렇게 자연경관에 흠뻑 빠져있을 때, 커다란 석회암 뒤로 기척이 느껴졌다. 그곳엔 기운 빠진 사람들이 수십미터에 달하는 석주 하나하나를 안고서 포박되어있는 게 아닌가? 그리고 심지어 몇몇은 그 높은 송곳을 묶인 손으로 힘겹게 오르는 갱어와 그 짓을 하다가 끝내 땅으로 고꾸라져 목이 부러져 죽은 듯 보이는 시신도 있었다. 점점 모래로 바뀌어 가면서… 살아있는 절반은 오르는 중이었고, 나머지는 그냥 돌기둥을 껴안은 채 탈진한듯했다. 침을 꼴깍 삼켰다.

-히엠스의 죄수들을 가둬놓은 감옥이야. 탈출을 시도하다 죽거나, 그냥 죽음을 기다리거나. 진짜 웃긴 건 진짜 죄수는 몇 명 있지도 않아. 다들 그냥 죄수 흉내에 흠뻑 빠져있는 것뿐이야…

"뭐? 그게 무슨.."

타무무는 돌기둥을 껴안은 사람에게 다가갔다. 거의 땅으로 꺼진 어깨를 흔들다가 그 얼굴을 보고 심장이 덜컥 내려앉았다. 놀랄 정도로 초췌하고 생기 잃은 눈동자는. 더는 구슬이나 밀랍인형. 그 비슷한 것도 아니었다.

-이미 정신이 나가버린 갱어는 정말 자기가 범죄자인 줄 알아. 풀려나면 진짜 범죄를 저지르니까.. 그냥 그런 식으로… 내버려둘 수밖에 없어..

"그럴 수가…."

그렇게 있는 사람은 수백에 달했다. 개중 진짜 범죄를 저지른 자가 누구냐 묻자 그것을 구분할 방법은 없다고 소녀는 대답했다. 아마 거의 모두가 거짓일지도 모른다고. 단 한 사람만 제외하고.

-내가 여길 보여주는 건, 놀이에 빠져 폐인이 되지 말라는 뜻이야. 제 역할과 본분을… 망각한 가짜들… 언제까지 모래꾼인 척 할 거야. 넌 모래꾼이 아니잖아.

타무무의 입이 벌어졌다가 닫히기를 반복했다. 섣불리 말하기가 어렵다. 이렇게 손이 축축해지고 입술이 바싹 마를 땐, 오히려 침묵이 나은 해결을 이끌어낼 터다.

"그.. 그게 무슨 말이야. 난 모래꾼이라고."

-그야.. 네가 저번에 모래꾼 흉내를 내고 있다고 했으니까.

"아아. 그랬지 참! 하하!" 타무무는 금세 입술 생기를 되찾았다.

-하지만 조심해. 모래꾼은 성격이 사납고 거칠어서 네 놀이를 보다가 조금이라도 언짢으면, 너와 네 친구를 해치려고 할 거야.

타무무는 고개를 주억거렸다.

'네 앞에 있는 나는 무려, 진짜 인간이라고.' 그들이 시비를 건다 해도 물러설 일은 없으리라. 주먹에 불끈 힘이 솟는다.

-보여주고 싶은 갱어가 있어.

"보여주고 싶은 갱어?"

그 말은 정말 기이하고 이상하고 신경 쓰였다. 다른 곳도 아닌 이곳을 지칭하며 꺼낸 말이었다. 둘은 점점 경비병 없는 감옥. 딱히 지명이 없는 이곳의 안쪽으로 걸어갔다. 똑 같은 구조가 좌우로 반복되기를 네 번째에 다다랐을 때. 멈췄다.

-저 애야.

바위 뒤에 숨어 최대한 몸을 웅크린 소녀는 그렇게 말했다. 더 다가갈 생각은 없는 모양이다. 정말 단지 보여주고 싶다는 거에 초점을 맞춘 건가? 지켜본다. 집주인이 어항을 보듯, 새끼의 생장을 보듯, 타르프가 별을 보듯.. 소녀가 말했다.

-자세히 보면, 유일하게 눈이 텅 빈 구슬 같지 않아. 정말 인간 같아. 아마도, 여기서 유일한 정식 수감자 일 거야.

"왜 그렇게 생각해? 고작 눈 때문에?"

-흉내가 아니니까.. 그러니까 폐인이 되지 않고 멀쩡히 제정신으로 형벌을 받고 있잖아.

"죄가 있는 것처럼 생기진 않았는데? 기껏해야 굶주리다 빵을 훔치거나… 그에 준하는 경범이 아닐까?"

-범죄적 얼굴도 있어?

"아무것도 아냐..."

생긴 거로 죄를 묻자면 이 땅에 자마가 먼저 잡혀 들어갔을 것이다. 이는 자마 외에 모두가 아는 공공연한 사실이라는 확신이 있었다. (바로 다음 순서로는… 타무무 자신이었다)

-… 추측하건대, 죄명은 '거짓말'이 틀림없어. 그만한 중죄가 또 어디 있을까! 심지어 지난번엔 나더러 자기가 1 세대 타르프라고도 뻥을 치더라고. 누가 그걸 믿겠어.

"그으래?.."

타무무는 알겠다고만 하고 그다지 관심이 없었다. 죄인은 조는듯 눈을 끔뻑이며 무거운 머리를 가까스로 세우고 있었는데. 그 옆모습이 가련해서 동정심이 들기전에 쳐다보지 않기로 마음먹었다.

-저 여자가 쪽지를 줬어.

휙. 뭐라고? 소녀의 얼굴이 붉게 물들었다. 몸을 베베 꼬며 알 수 없는 신호를 보낸다. 칭찬받고 싶은 아이처럼. 그녀의 감정은 '부끄러움'이었을 것이다. 인간이었다면.

없는 감정을 지어낼 수 없었던 타무무는 가볍게 머리를 쓰다듬었다. 그 정도가 좋을 것 같았다. 그리고 곧장 그쪽으로 걸어갔다.

-조심해. 뱀의 혀를 가진 여자니까!

제일 먼저 눈에 들어온 건 죄수 주변을 에워싼 빈 컵과 접시, 기타 주방 물품이었다. 다른 죄수들과 차별되는 그 양이 유독 많다는 점이다. 가까워지면 가까워질수록, 가느다랗고 긴, 속눈썹에 눈이 갔다. 감길 듯 말듯. 타무무를 부르고 있었다.

"듣기론, 저 애한테 네가 타르프라고 했다던데… 네가 자마에게 노트를 줬나?" 눈이 마주쳤다.

으음…. 소녀 쪽으로 눈을 흘기자 바위 뒤로 아예 숨더니 갑자기 멀리 달아난다. 야! 타무무는 급한 마음에 불렀지만, 메아리만 돌아올 뿐이다. 죄수가 대답했다.

"자마라.. 기억 안 나는데.. 워낙 많은 사람이 와서 말야. 그래도 저 파란 머리 소녀는 기억나네. 종종 혼자 와서는 물을 줬거든. 마침 목말라. 물을 줘."

죄수는 너무나 당당하게 입을 벌렸다.

"타르프가 아닌가?"

"누군지는 모르겠지만, 이런 삭막하고 막무가내인 곳에도 나름 규칙은 있어, 오히려 이런 곳이기에 있는 거겠지."

"무슨 규칙?"

"대답을 듣고 싶으면, 물을 가져와." 타무무는 발에 치일 정도로 많은 접시로 눈을 흘겼다.

"보시다시피, 난 꽤 유명해서 많은 갱어들이 여길 찾아와. 나는 대가 없이 벌써 세 번이나 대답해줬어. 넌 처음이니까. 이 이상은 해주고 싶어도 안 돼. 다른 사람들 눈치도 봐야 하거든."

"... 거짓말이군.. 시간 낭비만 했어. 그럼 그렇지. 타르프가 여기 있을 리가.."

"너도 진실이 무서워서 도망가는구나."

발걸음을 돌리려고 했는데, 여자의 말이 너무 거슬렸다. 타무무로서는 납득할 수 없던 것이다. 결국 트집을 잡아야만 하는 건가? 접시 하나에 위협을 가했다. 쨍그랑!

"모순이군. 얼굴도 잘 기억 못 하면서 어떻게 내가 처음이라는 거냐?"

"으음… 그런가? 이 도시에 온 건 인간으로서도 처음일 텐데. 내가 잘못 알았나 봐."

다행히 여자의 목소리는 낮았다. 주변 죄수에게 목소리가 닿지 않을 정도라 다행이었다. 만약 들었더라도 무슨 일이 벌어지지는 않겠지마는, 오히려 좀 전에 타무무를 내버려두고 도망가버린 소녀가 신경 쓰였다. 바위에 손이 속박 돼버린 이 여자는 정말 타르프였다. 물론 헛소리로 치부해 버릴 수도 있지만, 그 말을 듣고 지나치기에는 너무 자극적이었다.

"그럼 노트는…." "물 먼저." 영 골치 아픈 일이다. 소녀가 급히 내빼버려서 모르는 길을 되돌아갈 수도 없고 석회질투성이인 이곳에서 식수는 눈 씻고 찾아봐도 없을 일이다.

"외상은 안될까?"

타르프는 그때부터 다시 졸기 시작했다. 들어야 할 대답이 있는데, 무심히도 속눈썹을 숨겼다. 타무무는 발을 동동 굴렀다. '내일 다시 와야 하나..?' 그때, 좀 전에 도망갔던 소녀가 돌아왔다.

"어디 갔었어?"

-이거…

소녀는 등 뒤로 숨긴 양동이를 내밀었다.

죄수는 씨익 웃는다. 꿀꺽꿀꺽꿀꺽. 간단히 목을 축인 뒤에 남은 물로 세수하고 싶다고 했고 소녀는 기꺼이 손을 빌려주었다. 꾀죄죄한 몰골이 씻겨나가고 언제 그랬냐는 듯, 하얀 이를 미소와 함께 남발했다. 이제 옷만 걸치면 날개가 돋아 낯선 곳을 떠날 준비를 마쳤다. (그런 기분을 내고 있는 것 같다)

"고맙다." 생명수가 목구멍을 지나니 그 소리도 달라진다. 분위기가 바뀌었다. 이전까지만 해도 걸걸하고 잔뼈 굵은 군인의 거친 함성이었다면, 지금은 피동적인 포로의 하소연이었다. 그러나 그 기개는 가시질 않았다.

"좋아. 내가 충분하다고 느낄 정도까진 대답해줄게."

"너무 추상적인데?" "그거 질문이지?" 피식.

타무무는 소녀더러 잠깐 자리를 비켜달라고 한 뒤 바닥에 주저앉았다. 눈높이를 맞추기 위함이다.

"노트는 네가 준거냐?"

"그건… 노트라기보다는 종이쪼가리에 가까운 걸 텐데. 그래, 내가 저 애한테 줬어. 고작 저걸 찾으려고 갱어가 우글거리는 도시까지 왔단 말야? 살해당할지도 모르는데. 흐흐."

"... 어디서 난 거지?"

"글쎄? 에르그였나? 하마다? 범죄자들이 득실거리는 샤르하 주변이었던 것 같기도 하고…."

"아까 했던 말을 번복할 셈이야?"

몇 마디 나누지도 않았는데 타무무는 짜증이 났다. 이런 상황에서도 우위를 놓지 않으려는 건가?

"빙빙 돌리지 말라고. 네가 진짜 타르프냐 아니냐는 내게 중요하지 않아. 그러지 않아도 어떤 타르프 놈 때문에 이야기에 질릴 참이었거든, 히엠스도… 어쩐지 역겹고 말야. 그냥 네가 아는 걸 털어놔. 타르프 흉내 내지 말고."

스윽. 반짝거리는 은광이 죄수의 목에 닿았다. 죄수는 피하지 않고, 오히려 목에 핏대를 세웠다. 선득했다.

"아쉽다. 아쉬워. 내 목에서 나올 진실이 아직 많은데."

"역시 기분 나빠.."

타무무는 칼을 거둘 생각이 없어 보였다. 그렇다고 여기서 손에 힘을 줘, 모래 한 줌 더 얹길 바라는 것도 아니었다. 그러는 새에 어느덧 해가 많이 기울어 종유석과 석순 사이를 넘나들었다. 쳇. 칼은 빛을 등지고 비켜섰다.

"너는 왜 여기 수감된 거지?" 타르프도 픽 숨을 쉬며 사납던 기운을 무른다.

"누군가는 말야. 걷잡을 수 없는 진실을 두려워하거든."

"누구한테 무슨 말을 했길래?"

"모르는 게 나아. 진실의 양면을 잘 다루지 못한 내 불찰이지. 다른 타르프의 뜻을 거스른 이유도 있지만, 결국 갱어들이 필요 이상의 두려움을 느낀게 화근이었어. 그런데 웃기게도 여전히 서로 눈치 보며, 남몰래 찾아오더라. 거짓말쟁이라면서.."

"저 애도 개중 하나야?" 저 멀리 돌과 돌 사이 그네 삼아 파란 머리 소녀는 얌전히 앉아있다. 그게 아니란 것쯤은 타무무도 알고 괜히 물은 것이다.

"대체 뭐가 궁금한 거야?" 그러니까 그게…

"아아. 잠깐! 이야기는 길어지지 말자고. 또 머리가 아프려던 참이야. 일단 알겠어. 네가 타르프인 건."

죄수와 상성이 맞지 않아 내린 결론이었다. 그렇게 이야기가 무르익을 찰나 타르프가 다시 발톱을 세웠다. "야야. 또 왜 그래."

"이봐, 인간. 당장 피해."

"무슨 뚱딴지같은 소리야. 난 아직 대답을…" 쉬이이익 탁!

뭔가 정확히 타무무의 귓불을 스쳐 지나쳤다. 선혈이 주르륵 바닥으로 떨어졌다. 타무무는 재빨리 타르프를 인질 삼아 바위 뒤로 숨었다.

"뭐.. 뭐야!"

불청객이었다. 웬 레일 소총과 활, 화살 통으로 무장한 단체가 사납게 이곳을 접근했다. 얼룩덜룩 모래로 번진 얼굴과 그것을 가린 문양들. 저들은 모래꾼이다.

운좋게 함선 하나 훔쳐 모래꾼을 흉내 내는 어중이떠중이와는 결이 다른 진짜들이었다. 저들 중 한 사람이 말했다.

"요즘 손님도 받나?" 그러자 타르프가 바위 너머로 대꾸했다. "이쪽은 누구와 달리 꽤 신사거든."

속으로 욕을 얼마나 내뱉었는지 모른다. 타무무는 발신장치를 계속 만지작거렸다. 역시 아직도 불통이다. 제기랄!

"여긴 뭘 하러 왔어? 다음 선지는 한참 남은 거로 아는데.."

"흥! 네 도움이 필요하다."

"무례하긴, 그런 자가 총을 들고 와? 오늘은 안 돼. 얌전히 돌아가. 정 뭣하면 다른 타르프를 소개해줄 테니."

"내일이면 처형당할 텐데 어림없어. 네 거짓말도 듣다 보니 질리는군. 마지막 선지는 들어야겠지."

"....."

모래꾼은 신자인 주제에 헨마 생각도 않는 모양이었다. 타무무는 휙 하고 돌아선 타르프를 응시했다. 이 모습이 죽음을 앞둔 죄수의 기색이라고? 혼란스러웠다. 언뜻 파리한 점을 감안하고도 의연함에 가까운 기개가 있었다. 갑자기 타무무는 짧은 탄식과 같이 온 소녀가 걱정되었다. 머리를 잠깐 내빼자 총탄이 날아들었고 비껴가는 와중에 소녀는 벌써 입막음 당한 뒤, 포박당해있었다. 구해야 하나? 어차피 인간도 아닌데… 타무무는 입술을 꽉 깨물었다.

"킁킁… 이상한 냄새가 나는데요?"

분명 척추의 만곡으로 거동이 불편한 곱추의 목소리였다. 낮고 어두웠고, 거슬리는 쇳소리에 가까웠다.

"인간 냄새가 섞여 있어요."

…

쾅!

윱지아 본부. 아직도 목재를 쓰는 방문이 세게 닫혔다. 쫓겨나다시피 나온 시오는 불만 가득 욕을 중얼거렸다. 특수무력작전본부(이하 특무부)는 그 이름답게 거대한 윱지아 탑의 한 층을 차지했다. 대부분 비정규군으로 이루어진 윱지아 방어 체계를 관리하고, 자존심 센 정규군을 뒤에서 지휘했다. 요원 하나하나의 임무는 베일에 가려져 있는 게 절대다수고 감찰국과는 별개로 수사권도 있는 조직이다. 이 모든 걸 가능케 했던 건. 그들의 무장 수준이 아닌, 요원들의 개인능력. 즉, 오로지 순수 힘으로 찍어누르기에 가능한 일이었다.

이러한 이유로 특무부는 일반 민병대에서 눈에 띄거나 능력이 부각된 자를 종종 차출하기도 하고 자원을 받아 인원을 충당했는데 그들의 능력은 아득히 인간을 초월한다. 게다가 하는 일이 너무 비밀스럽고 은밀해서 종종 탈주해 다시 민병대로 빠지는 요원들, 죽는 요원들, 등등이 비일비재했다. 여러모로 시오는 불만이 가득 찬 상태였는데. 그중 가장 골치 아픈 건 역시 민병대로 빠져서 상충하는 임무로 맞닥뜨리는 경우다. 요즘엔 그런 일이 드물지만, 어디까지나 드물다 할 뿐이다. 시오는 콘냐에 불을 붙였다. 상투적인 손 모양으로 폐에 가득 바람을 넣었다.

삑.

-괜찮으세요?

"크눌프가 저렇게 화내는 게 한두 번이야? 그냥 욕먹고 마는 거지 뭐… 폴프는 다시 잡으면 돼."

-아니.. 제 말은..

"크큭. 오징어를 잡아갔어."

-네?

혼자 웃고 마는 시오는 아무것도 아니라고 대답했다.

"샘플 결과는 뭐래?"

-오래전 크롭케이프에서 진행된 연구의 프로토타입 실험체인 것 같아요.

그런 걸 애완용 강아지인 양 데리고 다닐 게 뭐람. 아주 위험한 걸 목줄도 채우지 않고. 산책을 시키다니. 괜히 물린 곳이 거세게 반발하며 아파오는 것 같았다.

"당시 뭘 만들려고 했던 걸까?"

그 이상의 자료는 찾아볼 수 없었다. 단지 과학자들의 집단 죽음. 그것도 최초 발견자의 이름을 따, '하머 역병'이라 불리는 바이러스 때문에 저명하고 밝은 미래를 책임질 이들이 떼죽음 당했다.

"폴프의 몸 상태가 좀 이상했어. 피를 토하고.. 혹시 '역병'일 가능성은 몇 퍼센트나 돼?"

-그건 말이 안 돼요. 십 년은 지난 일인데 갑자기 발병할 리가 없잖아요. 분명 검사 결과는….

"그래서 몇 퍼센트란 말이야?" 윽, 저 고집은 도무지 꺾을 수 없다. 스텔라는 손을 들었다.

-2%요. 통계적 수치는 믿지 마시라고 저번에 말씀하셨잖아요.

흐음… "심어둔 생체 칩 추적돼?"

-그게 분명 이식했는데.. 안되네요. 그새 카디플랑에라도 있는 걸까요?

".. 거긴 아닐 거야…. 범위를 티폴 행성으로 확장해봐."

삐빅. 네모난 화면에 빨간 점이 시야를 사로잡아 깜빡거렸다. 스텔라는 경악을 금치 못했다. 멀쩡하게 폴프는 티폴에서 숨 쉬고 있었다. 그런데 그 방법이 의문투성이에다가 단서의 가닥조차 잡지 못했다. 티폴로 향하는 유일한 게이트의 펄스는 고유한 상태로 움직이지 않았고 적어도 하루 정도는 파장이 출렁이기 때문에 관측되지 않는 건, 감시자의 게으름이나, 불가능에 가까웠다.

-어떻게 티폴에 있는 거죠…? 지금도 계속 신호 위치가 바뀌고 있어요.

직접 칼을 맞댄 시오로서도 알 도리가 없었다. 지금 현상이 사실이라면, 게이트 통행세를 받는 기관이 거리에 나앉을 건 자명했다.

"완전 사기잖아.. 저런 걸 어떻게 잡으라고.."

으드득. 시오는 이를 갈았다. 특무부라 해서 게이트 출입이 자유로운 것은 아니다. 한번 이웃 행성으로 점프하는 비용만으로도 달에 스무번에 달하는 외식에 5 할은 지장이 생기니 수사권을 들먹여야 했는데 그마저도 까다로운 절차를 밟아야 했다. 젠장할.

그러한 주머니 사정을 고려해서라도 폴프 건은 또 다른 해결사에게, 모래꾼에게 맡기는 게 낫다고 스텔라는 말했다. 그러면야 좋다만, 요원으로서의 자존심이 있지… 민간 업자에 자기 일을 떠넘긴 거나 다름없지 않은가? 찡그린 크눌프의 모습이 눈에 선하자 또 갑자기 피곤해졌다.

"... 저기 스텔라. '무영'은 베라(VERA)의 간섭으로 지워지는 존재일 텐데··· 분류되는 기준이 있을까? 혹시···"

-저는 걱정 마세요.

"걱정 안 해. 너는 이미 유령이라고."

스텔라는 퉁명스럽게 대꾸했다.

-기준을 명확하게 구분하는 메뉴얼 같은 건 없어요. 지금까지 발견된 공통점도 딱히 없고요. 아니, 있었더라도 못 찾아요. 그녀가 계속 지웠을 테니까.

시오는 한숨을 푹푹 내쉬다가. 건물 테라스에서 풀풀 단내를 풍기던 콘냐를 밖으로 던졌다. 폴프와 베라(VERA). 박사와 크눌프. 혹은 폴프와 박사. 크눌프와 베라(VERA). 어떤 조합이 이 사태를 이지경까지 내버려두었는지 이해가 가질 않았다. 티폴에 있을 실험체 역시 골칫거리 중, 끼워지지 않은 퍼즐의 하나였다. 끼우면 어지러지고. 비슷하다 싶으면 색이 변하는···

-페고에르가 누구예요?

시오의 표정이 사악. 침잠하게 변했다.

-아니 지난번 폴프를 취조할 때··· 들었어요.

"... 특무부 요원의 대화를 해킹하는 건 불법일 텐데."

-그냥 들리는 걸 어떡해요. 대단한 일도 아니면서.··· 저도 알 건 알아야죠.

"··· 그는 CC-009 사건의 유일한 생존자야. 이 대화는 전에도 했어. 네가 기억하지 못할 뿐이지."

스텔라는 다시 묻기가 꺼려졌다. 그의 어두운 표정에 반해 인공 광원이 너무 밝았고 모르는 사실에 대해선 되도록 반복해서 묻지 않는 것이 적당한 거리를 유지하는 데에 도움이 되긴 했다.

-팔은 좀 어때요?

"조금 긁힌 것뿐이야."

-조금?

"무슨 문제라도?"

-팔꿈치 아래로 손목까지 거의 반 토막이 났는데, 22 세기 기술로도 낫질 않잖아요! 게다가 괴수하고 접촉한 대원들 모두 피토하고 격리됐어요. 무슨 바이러스가 의심된다고… 어쩌면 시오님도…!

"대원들 일은 유감스럽게 생각해. 근데 봐."

시오는 보란 듯이 양팔을 벌렸다. 팔과, 다리, 몸 구석구석 흉터가 난무한 와중에도 살아남았다. 난백색 피부가 탄탄한 근육을 뒷받침하여 갑옷을 하나 더 두른 듯 보였다.

"내가 토를 해. 뭘 해?

-그러지 말고 바이러스 분야에 제가 아는 연구원이 있는데..

"네가 나 말고 아는 사람이 있다니 놀랄 노자네."

-많거든요?!

"아~ 그러셔~? 누구? 이름 대봐. 검색하기만 해. 두어 달 가둬놓을 테니!"

-흥! 다신 그런 협박 못하게 하겠어요! 좋아요. 마도카, 리타… 음…

"생각해보니 됐다. 놀아줄 사람도 없고 불쌍해서 내가 데리고 다녀야겠네."

-뭐.. 뭐라고요!? 불쌍? 아니거든요? 보안상 말씀드릴 수가 없어서 그렇거든요!

"아무렴."

-두고 봐요. 제가 나중에 베라(VERA)보다 뛰어난 컴퓨터가 돼서 시오 님을 오징어 부리듯 부리겠어요.

스텔라의 포부를 시오는 가볍게 무시했다. 컴퓨터는 둘째치고 베라(VERA)는 이미 그 궤를 벗어났다. 게다가 미래를 안다는 건 회의적이며 염세적인 일이다. 마치 지식을 선점한 것처럼 으스대지만, 실제는 착각의 연속이 끝내 늪으로 끌어내리는 일처럼 위험하고 일상을 침범하는 자극적인 유희다. 뻔한 결말로 치닫는 인생이 어딜 보아 인생이라고 할 수 있을까? 사람은 예측할 수 없기에 사람인 것이다. 그런데도, 사람들은 그 끔찍한 기계를 향해 환호했다. 정보의 축적과 분석. 오차에 지장 없는 소수점을 면제하고 1 초 뒤의 미래를 예지한다. 그리고 또 1 초 뒤, 그리고 또 1 초 뒤, 그리고 또 1 초 뒤를…

"하지만 말이야. 그건 물 위를 걷는다는 말이랑 다를 바 없잖아? 한 발 가라앉기 전에 반대 발을. 또 반대 발을… 결정된 미래 같은 건 헛소리야. 특무부 요원 대부분은 그게 말도 안 되는 일인 걸 안다고."

-보통의 인간은 시오님과 달리 겁이 많으니까요

…

… 둘… 셋.. 넷.

타무무를 감지한 저 곱추 때문에 순식간에 갱어 넷이 그대로 썰렸다. 처음, 타무무는 곱추의 말이 떨어지기 무섭게 입이 닫히기 직전에 석순 위로 솟구쳤다. 당연히 무서운 속도로 총알이 타무무의 눈 앞을 가렸지만, 갱어의 시각이나 반응 속도는 그가 감당할 수준이었다. 타르프를 협박하던 나이프는 어느샌가 한 갱어의 관자놀이에 정확하게 꽂혔고, 선 채로 죽었다.

위협을 느낀 주위 한 발치 간격의 모래꾼 둘 역시, 타무무의 양발에 어깨를 허락하고는 스르륵 눈이 감겨버렸다.

끄아아아악!!!

"잡아!!" 회수한 단검은 왔던 길을 되돌아가면서 길목에 있는 모래꾼의 목을 가차 없이 베어버린다. 스윽. 샥! 회전하는 몸통. 단면이 말끔하게 잘려나가는 돌무더기들. 열넷쯤 되는 모래꾼이 그렇게 피를 뿜다가 모래로 변했다.

고통을 느끼는 건지. 죽는 순간까지도 그런 척을 하는 건지 몰랐다. 칼춤 추는 손이 더욱 차가웠다. 으아아악!!! 뚝뚝. 짧은 칼끝으로 피가 떨어진다. 바람을 맞더니 또 모래가 된다. 적들의 수급이 점점 감옥의 수위를 한층 올린 셈이다.

벌벌 떨고 있는 소녀는 들리지 않을 소리로 계속 입을 움직였다. 이제 타무무는 저 소녀가 누구이건, 무엇이건, 자마와 무슨 사이건, 신경 쓰이지 않는다. 목격자는 살려둘 수 없을 뿐.

하는 척, 진심인척 하는, 모든 의미 없는 문제에 질려버렸다. 사냥감 찾은 칼이 타무무의 손에서 일섬한다. 스윽.

"잠깐!" 바위를 떠안은 타르프가 소리쳤다.

"너. 지금 당장 이곳을 떠나는 게 좋겠어." "...."

타무무는 말없이 우뚝 섰다.

"내 말을 두 번씩 되짚는 건 어리석은 짓이야. 히엠스. 아니, 티뮬에서 나만큼 다양하고 강한 별과 대화 능력을 갖춘 타르프는 예루 외에 나뿐이거든."

"예루…?"

타무무의 얼굴이 무거워졌다. 아니, 아니. 괜한 실랑이는 소모적인 일이다. 라미아나 아룬. 하다못해 무시카에게 데려다 놓으면 알아서 할 일이다. 그게 타무무의 역할.

"여길 빠져나가야 할 길잡이가 필요할 텐데.."

"네가 그 역할을 맡아줘야겠어."

샥! 타르프의 품에 안고 있던 바위가 무너졌다. 수갑이 풀렸다. 타르프는 생각보다 훨씬 더 덤덤한 표정으로 일관했다. 여전히 타무무의 입장에서는 건방진..

"멍청아. 나는 감옥에 있어야 할 죄수라고."

"힘으로라도 끌고 가는 수 밖에." 소녀의 목에 단검이 닿았다.

"내가 왜 종이를 하필 그 애한테 줬는지가 더 중요하지 않을까?"

".... 그게 무슨 소리냐."

그러고보면 이해가 되지 않았다. 하나하나 짚어보면, 그러면 말이지. 일단. 이 모래꾼 무리를 숨도 고르지 않고 난도질할 수 있는 사람은 팀원 중 타무무뿐이다. 그런데 하필 저 소녀가 타무무를 유독 따랐다. 그것도 자마의 집에서! 우연이 겹치면….

크윽.. 머리가 지끈거렸다. 쓸데없는 생각을 줄이라는 이상 신호다. 그냥 둘이 데려간다. 그게 타무무가 내린 결론이다.

"난 못가." 하지만 우습게도 타르프는 또 여기서 죽는단다. 다시 제자리에 푹 앉아버렸다. 바위도 없고 수갑도 없는데도 말이다. 곧 다른 모래꾼이 들이닥칠 것이다.

"대신 이걸 전해줘."

타무무는 목걸이 같은 물건을 받은 뒤, 양처럼 부들부들 떨고 있는 소녀를 일으켜 세웠다. 이전의 다정한 분위기를 풍기던 눈망울엔 이젠 아무것도 보이지 않았다. 다른 갱어들처럼 아무것도 남지 않은 투명한 유리구슬….. 같았다.

…

소녀는 앞장서서 도살장에 끌려가는 가축마냥 다리를 절며 걸었다. 그 모습이 오히려 타무무의 눈살을 찌푸리게 만들어서 그는 어서 집으로 가 뜨거운 물에 몸을 담가 여독을 풀고 싶었다.

라미아의 절대 소모적인 잔소리가 그리웠다. 다시 석순과 종유석을 지나… 도시 쪽으로.. 걸어간다. 풍경이 바뀌고 많은 갱어들을 지나쳤다. 결코, 푸른 점 없는 시선이 두 사람을 향했다. 길이 좁아지고 비탈길은 계속해서 내리막을 형성한다. 가로등이 켜지고 고양이가 쓰레기 더미를 넘나든다. 고양이? 더미에서 일어나는 작은 인형들. 저 괴물들은 어디서 태어나는 걸까? 낮에 보았던 우물? 그렇다면 동시에 꽤 까탈스러운 바슈테림이 아닌가.

헨마. 헨마. 헨마. 저들의 눈총에 질릴 대로 질렸다. 정말 지구로 가고 싶은 마음뿐이다. 애초에 도박 빚만 아니어도 동료의 비보에도 이런 말도 안 되는 작전 따위에 참가할 생각도 없었다. 여기가 티폴이다. 이곳이 히엠스다. 타무무는 소녀의 발꿈치를 보며 걷고 걸었다.

어둡다. 이번엔 붉은색 그림자인가? 그렇게 생각하고 고개를 쳐들었다. 그때까지만 해도 앞장서서 다리를 절던 소녀가 앞으로 튀어 나가듯 달렸다. 그리고 길게 늘어진 그림자에 폭삭 안긴다.

스윽. "아….."

다시 한번 말하지만, 타무무는 이번 작전에 참가하고 싶지 않았다. 마도카라는 여자의 반 협박적 제안도 껄끄러운 부분이 있었다. 지구에서 올려다본 '가짜'가 지구를 '내려다' 보고 있으며, 그곳의 임무를 해야 하다니…… 가당치도 않다.

"만약, 임무 중 저를 닮은 갱어와 마주치면 어떻게 되는 겁니까?"

"유오엔 실험체 갱어들은 철저하게 관리하고 있어서 보고 싶어도 못 볼 거예요." "그래도 만약이란 게 있잖습니까."

어딘가 싱그러운 여자. 차갑고 불그스레한.. 그녀는 마도카라 불렸다.

"만에 하나.. 그런 일이 일어난다면, 움직일 수 있을 때 혼신을 다해 목을 긋거나 혀를 깨무세요." "예?" "차라리 그편이 나을 거예요."

그게 다였다.

온몸이 얼어붙었다. 한겨울의 오싹한 버드나무가지와 그 사이로 선득함이 엉겨붙는다. 새들도 가까이하지 않는 스산한 문턱에서 타무무는 마주하고야 말았다. 붉은색으로 빛나는 두 눈. 맑고 깨끗한 구슬이었다. 아름답고 은은한 빛을 냈기에 타무무는 괜찮다고 생각했다. 무슨 일이 벌어져도..

콰직! 우적우적우적.

.

.

소녀는 핏기가 가시지 않은 거리에서 목걸이를 집어들었다. 그리고 다시 타무무…. 의 품에 안긴다.

투다다다다. 쾅!

히익!!

자마의 집은 거의 융단 폭격을 맞았다. 레일 소총의 총탄이 빗발치고, 때문에 지붕이 거의 뜯겨나가 가루가 될 지경이다.

"라미아!"

때마침 집안이 난자되기 직전, 우리들은(나와 아룬 대장) 시간 때우기 용 포커를 치던 중이었다. 당연히 라미아는 늘 그래 왔듯 방에 틀어박혀서는 무얼 하는지 출입을 금하고, 덩그러니 그릇이 담긴 쟁반을 문밖으로 내밀며 대장과 나의 주된 임무를 재촉했다.

그러다 내가 무려, 세 번이나 아룬의 입이 떡 벌어질만한 카드를 내어놓자. 포커 재능에 탄복한 나머지 그의 턱이 빠지기 전에 일이 벌어진 것이다.

쾅쾅쾅! “자마! 자마 없소?! 논의할 게 있어서 급히 왔소!”

자마 씨는 오늘도 빵 테두리를 접시 위에 다소곳이 남겨놓고선 출타 중이다. 우리는 못들은 체 포커를 계속하기로 했다. 그야 자마는 없는 셈이고 게스트인 우리가 있는 걸, 저 갱어는 모를 테니 말이다… 아룬 대장은 “어떻게 세 번이나. 두 번은 몰라도, 거기에다 세 번째는…” 이라며 혼잣말을 중얼거렸다.

“자마 씨! 안에 있는 거 다 압니다. 콘냐 냄새가 저 멀리서부터 마중을 나왔소.” 라며, 문밖을 서성거리는 자가 있으니 여간 귀찮은 일이 아니었다. 나는 하는 수없이 이번에야말로 포커에 칼을 갈고 있는 아룬 대장을 뒤로하고 현관으로 갔다. 문은 여전히 쿵쾅대는 중이었고 이 정도면, 실례가 아닐지 싶었다. 기분 좋게 손님을 맞이해도 너무 가볍게 보일까 우려되기도 했다. 그런 이유로 나는 연승을 거머쥐고 있던 상기된 기분을 가라앉혔다. 그래. 속을 알 수 없는 표정이라고 부를만한 얼굴이었을 거다. 끼이이익. 나는 굳게 걸어 잠근 문을 열었다.

"자마 씨는 집에 안 계십니다…. 누구라고 전해둘까요?"

예상 밖에 손님은 두 명이었다. 어른과 아이. 주로 거친 사막의 옷을 입은 상태였다. 사탕을 달라는 건 아닐 테고, 그중 아이는 손가락을 치켜들어 나를 가리켰다.

"이 남자예요." 그들의 입꼬리가 올라갔다. 젠장! '개'다.

나는 황급히 문을 닫았다. 쾅!!!

"무슨 일이야? 무시카." "모래꾼입니다! 당장 피해요!!"

그때부터 끔찍한 악몽이 시작됐다. 콰과광!!!!

…

"괜찮아? 라미아." 라미아는 가까스로 구출되어 괜찮다고 답했다.

"자마한텐 뭐라고 하지? 이렇게 집을 부숴놨으니…"

"뭐 모래꾼 일이겠거니 하겠지. 집안에 인간을 들여놨는데 형벌을 받지 않는 것만으로도 감사할 거야. 그런데 대장은?"이라고 말한 뒤 라미아는 혼절했다.

그들의 함선은 자마의 집을 에워쌌다. 히엠스 군인들도 지면에 두꺼운 바위 방호벽을 설치하고 숨을 죽였다. 이미 곤죽이 된 집안엔 인간의 시체가 모래로 변하지 않고 피로 범벅되어있을 걸 상상하며 수색을 시작했다. 모래꾼 역시 '개'를 풀었다. 킁킁거리며 인간의 냄새를 찾기 시작했다. 예의 그 아이가 손을 들어 신호를 준다. 그러자 모래꾼 셋이 달려들어 삽질하기 시작했다.

그들은 한참을 건물의 잔재와 먼지를 들어 올렸다. 머리핀, 수건, 신발장, 면도기, 변기 커버, 등등. 잡동사니들. 그리고 신체의 반이 잘려나간…. 인간.

"여기 찾았습니다!"

#_ H

움지아 본부

"실험체는?"

"한가운데서 움직이질 않아요."

"그래?" 히나의 눈이 반짝였다.

"중독 상태는 어때?"

"콘냐 의존도가 목표치에서 4%가량 떨어져 있어요."

"예상보다 많이 더디네.."

"말씀대로라면, 한참 전에 도달했어야 하는데. 아무래도 실험체의 무의식에서 자아 조절하는 것 같아요." 흐음.. 히나는 턱을 가볍게 쓸었다.

"목표치에 도달하면.. 곧바로 섬망 증세를 보일 거야.. 지금 스텔라 연결 돼?"

"... 해볼게요."

삐빅. 공중으로 화면이 뜬다.

-네. 히나 님.

"지금 당장 가동할 수 있는 공격 위성 있어?"

-지정하신 좌표 부근으로 감찰국 소유 한 기 있습니다.

"해킹해서 뮤텐 가동해."

-뮤텐 다운, 5 분 소요됩니다.

"히나 님…!" 마도카가 소리쳤다. 하지만 스크린 상 표기되는 퍼센트는 무심하게 계속 올라간다.

"우리가 그토록 찾던 카마하브야… 나는 처음에 행성 내부 맨틀을 따라 이동하는 도시가 존재한다는 걸 믿지 않았는데… 모래꾼이 쓸모가 있긴 있더라. 이번에 놓치면, 꼭꼭 숨어있는 그 타르프 년을 없앨 기회가 날아간다고."

"그래도, 실험체가…!"

"걱정 마. 겁만 살짝 주는 거야. 겁만.."

조종석에 앉은 히나는 위성의 눈을 빌려 티묠, 한가운데 사막을 본다. 모래 알갱이와 표면의 풍파가 지나간 긁힌 자국까지 선명히 보였다. 화려한 색깔을 자랑하는 양탄자와 그걸 덮고 있는 타겟이 렌즈의 광원을 통해 맺혔다. 썰매 위에 누워 있는 게 실험체? 저 꼬마는 누구일까? 다 큰 성인이 어린아이한테 잡혀있는 까닭을 유추하기 힘들었다.

-뮤텐 다운 완료.

80%에 육박하는 싱크로율로도 군인 무시카의 신체 능력을 충분히 발휘할 수 있을 텐데… 신경독인가? 흠… 신원불명 갱어. 이제는 상관없겠지..

딸깍. 딸깍. 딸깍. 딸깍. 손가락 몇 차례에 티묠의 사막에 지리멸렬한 에너지가 쏟아졌다. 땅과 위성 사이, 물체와 물체 간의 전하가 일동 멈춘다. 그리고 짝! 하늘은 횟수를 거듭하여 손뼉을 쳐댔다.

"스텔라… 어떻게 된 건지 설명해봐."

-그게.. 외람된 말씀이지만, 누가 간섭하는 것 같아요.

칫!

뮤텐 시스템은 천공을 가르며, 정상적으로 번개. 그 비슷한 펄스에너지를 내리꽂았다. (정확히는 목푯점과 발사체 사이 각 전하를 극대치로 끌어올려 순식간에 초당 2000 회 마찰시킨다) 등줄기 오싹한 거대 병기는 지구로 접근하는 미지의 운석을 원천 붕괴시켜버릴 수 있는 위력으로 방금은 최소 출력치였다. 그러니까 맞지 않는 영점으로 맨땅에 수억을 쏟은 셈이다. 그 사이 슬금슬금 머리를 들어 올리던 모래 해일이 목표물을 잡아먹어버렸다.

"놓쳐버렸네…" 히나는 쓴 입맛을 다셨다.

"누구였을까요…?" 안절부절못하는 스텔라를 마도카가 쏘아본다.

"너무 나무라지 마. 스텔라를 애먹게 할만한 건 베라(VERA) 밖에 없어." "그녀는 수면상태이지 않나요? 그게 어떻게 가능하죠?"

…. 히나는 고글을 벗어 던져 의자에 걸어두었다. 급격히 피로가 몰려와 눈꺼풀이 무거웠다. 간단히 조준하고 버튼을 누르는 것만으로 많은 에너지가 소비되었다. 휘청거리는 히나를 마도카가 가까스로 잡았다.

"쉽게 말하면, 우리는 그녀의 머릿속에 있는 상태야. 비유가 아니야. 내우주의 계산을 모두 마치고 의식 확장이 외우주로 뻗치면서 우주는 이미 그녀의 무의식에 잡아먹혔어. 이 현실은 8 년 전부터, 그녀의 뇌에서 보내는 전기적 신호에 반응하는 것뿐이지. 이유는 모르겠지만 베라(VERA)의 무의식은 실험체를 지키려고 하는 모양이야."

이 사안은 베라(VERA) 연구팀도 모르는 극비라고 덧붙였다. 마도카는 놀라기도 했지만, 그렇다고 현실이 크게 달라질 것도 없어서 무덤덤했다. 히나를 하얀 소파에 눕혔고 안정을 취할 수 있도록 건포도와 이쑤시개, 카디믈랑제 와인을 협탁에 두었다. 히나는 다리를 사선으로, 카펫 근처로 두었다.

"원인을 찾아보면 직접적인 해킹은 없었을 거야. 단지, 모든 일이 '그렇게 맞아떨어지도록' 설계된 거지. 운명이라고 부르는 그거 말이야."

삐빅. 마침 스텔라가 무언가 발견했다.

-히나 님. 위성을 확인해보니 MW-67 생산 당시, A 패널 라인 접촉 불량이 있었어요.. 여태 아무 문제 없었는데 하필…

"그것 봐." 넘실대는 와인이 까딱대는 구두 굽에 의지해 히나의 목구멍으로 넘어갔다.

"그보다 우리가 걱정해야 할 건, 베라(VERA)가 현실을. 즉, 이 우주를 자각몽으로 인식하게 되는 시점이야."

"그러면 어떻게 되는 거죠?"

"그땐, 베라(VERA)가 지극히 인간적인 사고를 가졌길 바라야지. 마도카, 너도 꿈을 꿔봐서 알잖아? 때에 따라 얼마나 자극적이고 방종적인지."

티몰은 지구에 복속된 행성이자 흉성. 탄성 당시 에너지 축적 과정에서 발생한 오류가 불안정한 궤도와 상태를 야기했다. 어쩌다 쌍성이 되어 서로 갉아먹는 짝이 되어버린 행성. 로저의 유일한 실착이었다. 이게 죽기 전 로저의 꿈이었을까? 꿈..
꿈이라.. 인공뉴런복합체는 어떤 꿈을 꾸고 있는지 마도카는
궁금했다.

"수고했어. 스텔라."

...

비스트 호텔

"베티! 나 왔어." 호텔 구석 벨보이 노릇을 하던 소년.
와인잔을 만지작거리며 뽀드득 문지르고 있었다. 마도카는
오랜만에 들렀고 그동안 커튼의 색이 바뀌었다는 점과 전체적인
홀의 분위기가 나쁘지 않다고 생각했다.

"유오엔 어쩐 일이야?" 베티가 대답했다.

"히나 님 심부름."

"그 방에 가려는 거지?" 마도카가 고개를 끄덕인다.

"그런데.. 못 보던 아이네?"

"인사해. 앞으로 나를 많이 도와줄 거야." 리타는 수줍은
얼굴을 아래로 숙였다. 짤막하고 상투적인 악수를 한 뒤, 베티는
장기투숙객실 열쇠함을 열었다. 고난도 퍼즐을 맞춰도 될만한
양의 열쇠들을 따라 일일이 눈을 흘겼다. 그 중 하나가 손에
들어왔다. 지난번에는 정 반대편에 있었던 것 같은데 어떤
규칙으로 번호도 적혀있지 않은 열쇠를 구분하며, 또 거치하는지
마도카는 알지 못했다. 이러니 비스트 호텔의 보안에
파파라치들이 두 손, 두 발 다 들며 나무랄 데가 없다는 거지!

"베티, 근데 말이야. 거처를 지구로 옮기는 게 어때? 똑같은 호텔이 있잖아. 거긴 파리도 날리지 않고…… 나도 있고…… 이렇게 썰렁하지도 않다고."

"아니, 난 여기가 좋아." 벨보이는 짧게 대답하곤 엘리베이터로 그녀를 안내했다. 그저 동행인이었던 리타는 로비에 남아있기로 했다.

"지난번 일은 고마워. 소형 함선값은…"

"괜찮아. 요즘 사정도 나아지고 있고 네게 진 빚도 있으니.. 걱정 마. 뭣보다 오늘처럼 마도카가 들러만 준다면야." 벨보이는 환한 미소를 지어 대답했다. 언제나 반듯한 보타이가 유독 어울려 보이는 순간이다.

띵. 엘리베이터 문이 열렸다. 좌우로 마도카의 상기된 양 볼 만큼 붉은 카펫이 길게 깔렸었다. 매번 올 때마다 끝끝내 복도 끝에서 천장과 이어지는 건지 의심이 들었다. 오늘도 정확히 확인하지 못하고 적당한 때에 멈췄다. 4523 호. 열쇠를 쥐고 문을 열었다. 방안은 냉기로 가득해 곧 입김이 나왔다. 침대와 벽 사이. 형광등이 닿지 않는 구석에서 남자가 쪼그려 앉아있다. 그리고 방안의 모든 것을 관찰하고 기록하던 홀로그램. 초로의 남성에게 인사했다.

"저 왔어요. 시그너 박사님."

"이번엔 오래 걸렸구나."

"죄송해요. 제가 도와드려야 하는데.. 거기서 지내기 어떠세요?" "음식이 입에 걸리긴 하지만 곧 익숙해지겠지."

박사는 인자한 표정으로 괜찮다고 대답한 뒤, 방안의 물건 중 거의 유일하게 안정을 찾을 수 있는 흔들의자에 기댔다.

"히나 님이 안부 전해달라고 했어요. 아직은 보기 힘든가 봐요." "아무래도 그럴 거야.. 마도카 네가 그 아이를 잘 보살펴주렴…. 로저를 닮을까 걱정이구나. 내 말.. 무슨 말인지 알지?" "걱정 마세요. 박사님."

마도카는 존경의 의미로 손등에 입을 맞췄다. 시그너 박사는 잠시 송신장치가 꺼진 상태로 자리를 비켰다. 이번엔 마도카는 쪼그려있는 남자에게 다가가 말을 걸었다. 약간은 떨리는듯한 가는 목소리로, 감정을 숨기는 데에 온 힘을 쏟았다.

"나왔어.."

그는 불안증세를 보이며 이를 딱딱 깨물었고 바닥에는 난자된 두루마리 휴지와 손톱자국, 뜯겨나간 손톱, 깨문 흔적이 다분한 베개, 누런 액체가 얼룩져 있었다. 언뜻 보기에 티몰의 사막지도를 보지도 않고 그리면 저런 모양이라고 생각이 들 것이다.

마도카가 방안에 있는 동안 아무런 대화도 오가지 않았다. 그의 공허한 눈동자 속엔 도무지 살아있다고 할 수 없는 막연한 어둠이 도사리고 있었다. 어버버버… 반복적으로 방 안을 숨 막히게 하는 자, 지켜보는 마도카.. 그렇게 한참을 앉아 있었다.

…

"… 곧 솔라 프로젝트가 완성돼. 다시 예전으로… 돌아갈 수 있을 거야.. 또 올게. 오빠."

#_ 람의 이야기 8 별이 있던 자리에

.. 헉헉… 나는 살아남았다. 비록 기절한 라미아를 둘러업고 있지마는, 운이 좋게 히엠스로 불어든 구름먼지 사이로 자세를 낮게 깔았던 덕분이었다.

"라미아! 정신 차려!" 야트막한 들판에 그녀를 눕혔다. 다행히 버드나무는 우리의 은신처를 자처할 만큼 컸다. 하지만 오래 있지는 못한다. 모래꾼이 눈에 불을 켜고 있는 이상은… 마침 라미아는 얼굴로 떨어진 버드나무 가지를 맞고 눈을 떴다.

"으으…" "라미아, 괜찮아?" "누가 날 친 것 같은데….."

나는 그게 버드나무의 가지였다고 대답하기 전에 그녀의 상태와 전반적인 기분을 살폈다. 폭탄을 직격으로 맞은 것 같은 부스스한 머리가 부끄러운지 라미아는 어서 손으로 쓸어내렸다.

"아니, 내가 기절한 건 다른 일 때문이었어.. 타무무랑 아룬 대장님은?"

"타무무는 아직 돌아오지 않았고 대장은…" 나는 말끝을 흐렸다. 집을 빠져나오기 직전, 확신할 수 없는 상태에 아룬을 두고 온 것이 내심 걸렸다. 그러나 별일 없을 것이다. 아무 일 없을 것이다. 그렇게 되뇌었다.

"어서 히엠스를 빠져나가야 해. '개'들이 곧 우리를 추적할 거야. 생각보다 너무 오래 머물렀어.."

최대한 많은 도시의 지도를 머릿속으로 그려내며 나는 말했다. 모래꾼은, 특히 어중이떠중이 모래꾼이 아닌 후각에 특출난 '개'는 더욱 위험했다.

"정확히는 모래꾼이 예상을 웃돌 만큼 일찍 도착해서 그래."

"그게 무슨 말이야."

"원래라면 내가 사막에 풀어놓은 더미를 쫓고 있어야 하는데…. 문제가 생긴 모양이야." 나는 그녀를 업으려고 했다. 라미아는 괜찮다며 손사래 쳤다. 그녀는 지도를 꺼내 다시 비상상황에 대비해 사전에 추려놓은 장소로 몇 군데를 짚어냈다.

"이쪽으로 가자. 오면서 보니까 다른 포인트는 군인들이 깔린 것 같아." 라미아는 이마를 짚으며 곰곰이 생각하는 듯했다.

"거긴 아니야. 기분 나쁘게 듣지 마. 실은…. 만에 하나를 대비해서 너를 떨어뜨리려고 했던 포인트야. 거긴 없을 거야. 거기가 아니라 이쪽."

그녀가 손으로 가리킨 곳은 좀처럼 납득이 가지 않았다. 오히려 함정이라고 느껴질 법한 게 야트막한 들판이었고, 지형적으로 함선이나 총탄이 공중으로 쏘다녀도 걸릴만한 것이 없는 장소였다.

"왜 하필 여기야? 여긴 구름 나비 서식지잖아."

"며칠 전 타무무가 여기서 외부 통신이 가능한 걸 확인했거든. 여차하면 지원요청을 해야 해." 라미아는 서둘러 걸음을 옮겼다.

"우리가 저들의 편이라는 걸 설득하면 어떨까?"

"갱어들은.. 기본적으로 인간을 신뢰하지 않아. 너무나도 우리를 닮았으니까. 알고 있을 거야. 뭣보다 단순히 '인간 무리가 히엠스에 있다' 정도로 끝나야 할 텐데… 무시카, 네가 엮여있는 걸 알게 되면 모래꾼 몇 부대 정도로는 끝나지 않을 거야. 감찰국 귀에 들어갈 테니 지난번 시오라는 요원이 아닌 새로운 해결사가 찾으러 오겠지."

자마는? 그렇다면 자마는 어떻게 되는 거지? 인간을 숨겨주었으니 형벌이 기다리고 있는 건가? 하지만 나는 이상하게 죄책감 따위는 들지 않았을뿐더러 타무무도 아니고 그를 데려간 파란 머리 소녀가 신경 쓰였다.

라미아는 운전석이 비어있는 택시로 다가가더니 조종간을 잡았다. "타!" 부우우웅!!!!! 택시가 공중으로 치솟자 벌떼처럼 왔던 곳을 서성이는 함선들의 이목을 끌었다. 그것도 잠시뿐. 연이어 오르내리는 택시들에 몸을 숨겼다. 함선 하나가 따라붙었다. 떼어내려 하면 할수록 좌우로 흔들리는 조종간의 폭주는 더욱 심해졌고 눈에 띄기 시작했다.

"들킨 것 같은데 이제 어쩔 셈이야!" "걱정 마." 호버가 히엠스 상공을 크게 한 번 휘둘렀을 때, 가로로 정렬된 함선들로부터 포격이 빗발치기 시작했다.

피웅!! 퓽퓽!! 쾅!! 결국, 그중 하나가 우리가 탑승한 호버에 닿았다. 일순 불꽃과 매캐한 연기가 상공을 가로질렀다. 고삐를 잃은 경주마처럼 비틀대고 갈피를 잡지 못하다가. 무시무시한 굉음을 내며 땅으로 고꾸라졌다. 쿠과과광!!!!!

사냥을 마친 함선이 하나둘 흩어지고 고작 소형 탐사선이 그 주위 연기를 마시다가 붉은 사이렌을 발광하며 착륙한다.. 이 모든 과정을 저 멀리, 버드나무 아래서 라미아와 나는 지켜봤다. 추락하는 함선과 폭발. 내가 놀라자 라미아가 입을 뗐다.

"그렇게 놀랄 것 없어 무시카. 요즘 유행하는 군사용 코딩 기술을 응용한 거야. 너도 본 적 있을 걸."

내가 귀신을 본 건가? 이렇게 생생한 현실은 홀로그램으로도 구현할 수 없는 수준이었다. 오감이 포로로 잡혔고 감 좋은 모래꾼을, 그것도 수십에 달하는 녀석들을 보기 좋게 속였다. 그런 건 윱지아에서 들어본 적도 없다고 대답했다. 그러나 라미아는 여전히 알쏭달쏭한 소리만 한다.

"아직도 넌 네 특무부 친구가 죽은 줄 아는구나. 어쨌든, 눈속임으로 하루 정도는 시간을 벌 수 있을거야."

차련하게 이슬이 내려앉은 풀숲, 온몸에 진흙을 발라 냄새를 가렸다. 춥고 배가 고팠다. 그때쯤 나는 그렇게 한참을 식량과의 분투 끝에 구름버섯 한 뭉치와 전갈의 살점을 얻어냈다. 처음 맛본 전갈은 생긴 것만큼이나 고약했고 맵싸한 맛이 있었다.

"타무무와 아룬 대장은 잘 빠져나갔을까?" 나는 내심 걱정되고 있던 터였다.

"가장 쓸데없는 걱정을 다하네! 특무부 출신인 녀석을 누가 감당하겠어. 그리고 아룬 대장이 괜히 대장이겠어?"

그렇게 말하는 것치고는 라미아의 수심은 밤이 지나감에 따라 깊어져갔다. 히엠스의 밤은 유독 짙다. 맹금의 시선과 느닷없는 저들의 포효에 허기진 동물이 얼어붙는 일도, 이곳에서 올려다볼 하늘이 없다는 이유로 더 사납다. 자마의 집에선 그나마 도시 테두리에 있던 덕에, 지평을 겨냥한 시선이 간혹 반짝거리는 별에 닿기도 했었다. 이곳은 마치 여름에 답답한 이불을 몇 겹이나 뒤집어쓴 기분이었다. 유난스럽던 하루가 또 밤엔 아무 일 없었다는 듯 지나가려 한다. 막힌 숲과 나. 진흙 냄새와 라미아. 나는 비슷하다고 생각되는 깨끗한 모순 속에서 다음 날의 아침을 기약하며 눈을 감았다..

꺄아아아!! 나는 난데없는 비명에 정신을 차렸다. 다행히 내 입은 아직 삐뚤어지기전인 모양이라 오들오들 떨며 대화는 가능했다.

"무슨 일이야?!"

"네가 일어나지 않길래.." 나는 덕분에 꿈속에서 껑충 뛰었고. 뛰었고…?

"무슨 꿈을 꾸길래. 깨워도 안 일어 났던 거야?"

".... 아무것도." "씁쓸한 네 표정을 보니 괜히 깨웠다 싶네."

이곳은 여전히 숲이고 착잡하니, 불어오는 바람이 겨울인지 헷갈릴 정도로 차가웠다. 그리고 그 방향으로는 라미아의 설명을 들어야 했다.

"새벽부터 우릴 보고 있었던 모양이야. 불러도 대답하지도 않고 그렇다고 신고도 하지 않은 것 같아. 아직은."

저 파란 머리 좀 봐. 라며, 라미아가 운을 떼던 첫인상이 떠올랐다. 나는 계속해서 우리를 관찰하던 소녀를 불렀다.

"혹시 타무무가 보내서 온 거야?" 소녀는 조심스럽게 머리를 흔들었다. 아래로. 위로. 한 번씩. 그리고 여전히 작은 목소리로 말을 걸었다.

-시간이 얼마 남지 않았어. 시간이 없어..

입 모양은 그렇게 벌어지고 있었다. 파스슥. 소녀는 덤불로 뛰어들었다. 우리는 뭐에 홀리듯 무차별적인 걸음을 따라나섰다. 닿을 듯 말듯 소녀는 춤을 춘다.

"무시카, 잠깐! 혹시 함정은 아닐까? 갱어들을 끔찍이 싫어하는 타무무가 보냈을 리가 없어."

"그래도 요즘엔 잘 지냈잖아." 사실 확신은 없었다. 종종 타무무의 싫은 표정이 읽혔던 것도 있고 관심을 크게 두지 않았던 이유도 있었다. 소녀는 우리를 말끔히 어느 지점으로 데려다 놓았다.

웅성웅성웅성.

"빛의 시작은 저 별이어라…"

의도치 않게 그들의 대화 일부를 엿들었다. 근데 그게 그대로 뇌리에 꽂혀버렸다. 별에 관한 이야기를 하는 것으로 보아 모두 점성술사 타르프 임을 직감했다.

유인에 성공한 보상으로 저번의 늙수그레한 타르프가 소녀의 푸른 머리를 쓰다듬었다. 총 여덟 명의 갱어가 석순을 둘러앉아 술잔을 기울이는 것 같았다. 회갈색 암질 가운데에 타무무는 없었다. 대신 바로 좀 전에 별 이야기를 하던, 아홉 번째 되는 갱어가 수갑을 찬 채로 우리 쪽을 쳐다보았다. 그러더니 일면식이라도 있던 늙수그레한 타르프가 그쪽으로 불렀고 경계심이 가지 않아 망설이는 와중에 그는 단검을 들어 보였다.

"타무무가 쓰던 물건이야…" 라미아는 그렇게 말했다.

"이봐요! 그건 내 친구 물건이에요. 타무무는 어디 있죠? 무슨 일 있으면… 당신들 가만두지 않을 거야…"

죄수가 대꾸했다.

"검의 주인은… 운이 없었어. 타르프로서 맹세컨대 해를 가할 생각은 없었어. 오히려 보호하려고 했다고. 다만, 그는 모래꾼 한 무더기를 죽였고… 마지막엔 갱어를 만난 모양이야."

"그래서 어디 있죠?"

나는 그 문장이 무슨 말을 의미했는지 알 수 있었다. 파란 머리 소녀가 처음 타무무를 알아본 것도, 손을 잡아끈 것도, 그에게만 유달리 치근대던 일도 말이다..

"갱어와 마주쳤어.. 운이 없었지." 라미아는 그대로 주저앉아 흐느껴 울었다. 어렴풋이 조각난 기억으로 갱어와 마주친 인간이 어떤 결말을 맞이하는지 두 눈으로 본 적이 있다. 모두 죽었다. 머리가 뜯겨 나간 채로…

주변에서 서성거리던 여덟의 타르프는 고개를 절레절레 저었다. "그것참…" "안된 일이오." "헨마의 가호가 있기를…" 다들 한마디씩 뱉었다. 라미아는 원망의 눈으로 그들을 쳐다보았다.

"아이야. 그걸 전해주렴."

소녀는 착용하고 있던 목걸이를 풀어 라미아에게 전했다. 타르프는 다른 말을 하진 않았다. 그냥 가지고만 있으라고. 언젠가 필요할 거라고만 덧붙였다. 이번엔 나와 눈이 마주쳤다.

약간은 파리한 안색이 안심을 불러일으켰고 긴장이 눈 녹듯 풀리자 되레 타르프의 안색이 바뀌었다.

"오랜만이야." 그 타르프는 나를 향해 그렇게 말했다. 마치 정성스런 시간을 걸쳐 열매를 맺는 과실을 보듯, 눈으로 나를 탐독하는 일에 거침이 없었다. 온갖 감정이 뒤섞인.. 하나같이 제멋대로다. 하지만 정작 나는 저렇게 눈에 띄는 타르프를 처음 봤다. 대꾸할 필요를 느끼지 못한 탓에 작은 추임새조차 잊어버렸다.

"흐음... 넌 여전하구나. 이야기가 보이지 않아."

그 타르프는 이리저리 나를 살폈고 손이 턱에 닿아 마치 진열된 상품을 훑듯, 어딘가에 붙어 있을 가격표를 상상만으로 괜히 만지작거렸다. 내가 그런 확신이 들자. 다시 타르프가 말했다.

"아… 그렇구나. 네가… 바로.."

나를 두고 알아듣지 못할 소리를 늘어놓는 게 기분이 썩 좋지는 않았다. 내가 얼른 가자 보채도 라미아는 거의 모래로 코를 풀고 있는 격으로 눈물을 쏟았다. 그럼에도 난 동요되지 않았다. 여덟의 타르프는 다시 죄수를 에워쌌고, 큰 기대를 거는 배심원들처럼, 시장 경매꾼처럼 미심쩍고도 날카로운 눈을 겸비했다. 일제히 손을 들었다. 그러자 바로 위, 베일에 가려져 둥둥 떠다니던 대형 스텔스 부유선이 모습을 드러냈다. 흡사 팽이를 연상케 하는 동체에 세로로 거대한 정을 착장했다. 무게나 위용으로 보아 어림잡아도 티탄 급. 방공용이 아닌 전쟁무기다.

"출력 최대. 반동 리듀서 이상 없음."

"음파 제어 이상 없음."

"자동제어 장치 이상 없음."

여덟 타르프의 손이 일제히 내려간다.

"시퀀스. 숫!"

공기가 무거웠다. 귀가 먹먹해서 터져나가는 것을 가까스로 침을 꼴깍 삼켰다. 다가온다. 우우우우웅!!!

거대한 공진과 압력.

….. 쾅!!!!!!!!!!!!

정은 정확하게 죄수 옆을 지나 반경 200m 에 달하는 구멍을 만들어냈다. 곧이어 티폴의 사막으로 거대한 바위가 밑동 빠진 비엔나소세지인 양 5 톤에 달하는 모래를 주위로 튀겨냈다. 나와 라미아는 그나마 반감장치로 제어된 엄청난 충격파에 자빠져 있었다. 그때 죄수가, 나를 아는체하던 타르프가 나를 향해 말했다.

"무시카. 티폴의 노래여. 불규칙, 혼란스러워 보이는 현상도 반복 속에서 질서와 패턴이 있어. 우주를 이해하는것과 자신을 이해하는 건 같아. 모든 자연은 유사성을 갖거든."

실은 그때, 나는 뜻도 그러하거니와 대부분 은유적 표현에 의존했던 타르프의 말을 알아듣지 못했다. 귀가 아직 먹먹한 상태에서 돌아오지 않았고 그녀의 목소리와 빠르기. 초췌한 모습도 눈에 익지 않았어서 그녀가 무얼 하려고 하는지. 여덟 타르프가 왜 다시 손을 올렸는지 알지 못했다. 그 타르프는 생생히 뚫린 큰 구멍. 탄내가 강하게 나는 가장자리에 뒤돌아섰다.

"너라면 카마하브에 닿을 수 있겠어. 예루에게 ……라고 전해줘." 그녀가 남긴 건 말 뿐이었다. 결국, 사막은 타르프를 삼켰다.

"자.. 잠깐!!"

시퀀스. 슛!

다시 한 번 거대한 정이 텅 빈 구멍을 오차 없이 내리친다. 재차 텅 빈 바닥면 주변으로 모래바람, 하르마탄 조각이 허무한 작은 소용돌이를 일으켰다.. 일을 마친 스텔스 부유선은 다시 장막을 펼쳐 곡해된 빛으로 숨었고 늙수그레한 타르프와 나머지 일곱 타르프 역시 순식간에 망토를 두르고 모습을 감췄다. 곧이어 하늘로 웅웅거리는 공진. 시커먼 구름 연기가 석순과 종유석 사이 말끔한 혓바닥처럼 옮게 퍼지기 시작했다.

"정신 차려 라미아! 모래꾼이 몰려오고 있어!"

위이이이잉! 말마따나 척. 척. 분주한 듯 정렬된 발소리, 범용 전투복으로 무장한 히엠스 군. 그리고 모래꾼이다. 저들은 분명 나를 잡으러 왔다. 운이 따르지 않으면 오늘 죽을 것이다. 연고 없는 타지에서, 티몰에서 말이다.

아, 나는 지쳤다. 무엇을 알아야 하고 그렇지 않아도 되는지. 찾는 게 기억이 맞는지. 일면식 없던 타르프가 내 이름을 부르고 죽어야 했던 까닭이 무엇인지. 타르프가 타르프를 살해한 이유는 죄를 지었던 건가.. 목걸이. 그리고 아룬 대장… 확정된 눈앞의 미래가 빠른 속도로 다가오는 것보다 내 머릿속을 헤집어 놓은 수만 km 떨어져 있을지 없을지도 모르는… 지구의 여자가 신경 쓰였다. 으으으…

머리가 핑 돌았다.

…

"안돼!! 무시카!!"

.

.

정신을 차리고 보니 황망한 밤이었다. 입안 가득 모래를 머금고 있었다. 이성이 깨기 전에 혀끝은 흐르는 유사의 경사면에 의지했다. 모든 자극이 사변적인 일로 다가왔을 때, 케케묵은 모래를 뱉으며 켁켁거렸다. 쓰다. 쓴맛이 났다. 하염없이 멀어지는 천공 요새. 나는 거대 구멍으로 추락한 것이다. 그때 달의 뒷면을 처음 보았다. 이것이야말로 은유적 표현이다. 목적 없는 걸음이 모래를 순차적으로 밀어내고, 또 다른 모습으로 다가오는 언덕을 본다. 그렇게 나는 혼자 사막을 떠돌았다.

…

그러다 보름째 되던 날. 바슈테림 복장으로 어색하게 시미타를 두른 꼬마를 만났다.

#_ I

쿨럭쿨럭!

할짝. 찹찹한 감촉이 볼에 닿아 소스라치게 놀라며 폴프는 깨어났다. 손 뻗으면 닿을 거리에 오아시스가 있었고 물가 앞에 폴프는 엎드려 돌을 베개 삼아 턱을 괴고 있었다.

"또 정신을 잃었군." 금수는 그를 깨운 뒤, 그곳에서 목을 축였다.

"이그릿! 좀 얌전하게 굴어." 크르르릉…

"바닥에 널브러뜨려 놓고 또, 날 구했다고 생색내는 거냐?"

턱에 난 구멍으로 물을 삼키지 못한 금수는 자세를 낮게 깔았다. 꼬리는 또 어찌나 사납도록 차분한지. 힘을 쭉 빼니 검은 가루가 바람 따라 이리저리 움직였다.

"뭐 그래그래. 네가 날 거지 같은 윰지아에서 구한 건 맞지. 나도 인정하는 부분이야. 나도 그렇게 배은망덕한 인간은 아니라고."

"….."

"하지만 보다시피, 바지가 다 갈려서 도가니가 다 보일 지경에다가 머리는 한참 모래가 껴서는, 너랑 다를 바가 없다고! 적어도 인격적 대우는 해줘야 하는 거잖아!"

어깨 위로 올라탄 검은 갈기가. 아니, 머리카락이 삐죽빼죽 어딜 튀어가지 못해서 안달이다. 윤기가 돌던 색은 다 빠지고 모래바람에 빗겨져 조금만 흔들어도 바닥에 먼지가 소복이 쌓일 정도다. 폴프는 스멀스멀 오아시스로 기어들어갔다…

지난날, 폴프는 이 '개'같은 녀석에게 이리저리 끌려다니며 지구와 티폴을 돌아다녔다. 눈 뜰새 없이 시달렸다는 말이 더 정확했다. 사타구니가 시렵도록 푹푹 꺼지는 등줄기에 엎드렸다간, 양손으로 뭔지도 모를 검은 뭉텅이가 잡히게 되어있다. 마치 원래 그렇게 타는 기계처럼 자연스럽게 자세가 잡혔다. 그리고 그 뒤는 허공에 발이 붕 떠있는 게 관습인 양, 가속기를 밟지 않아도 제한 없는 도로를 달리는 것 같았다. 고질적인 사타구니 서림. 그것만 없다면 그럭저럭 익숙해지는 중이었다. 무지개가 바로 코앞을 스치듯, 별의 일주를 보듯 형형색색 바뀌는 풍광에 정신을 잃다가도 얼마만큼의 시간이 지났는지도 헤아리지 못한다. 언제는 혼미한 정신을 차리고 보니, 수염이 길게 나 있지 않은가? 아마 당시에도 이그릿은 폴프의 턱이 까슬 거린단 이유로 질주를 멈췄을지도 모를 일이다.

이번엔 조금 다른 이유로 특무부 요원이 그를 잡아냈다. 그것만 보더라도 요원의 능력은 보증된 셈이다. 사실 잡혔을 때 마음 한 편으로는 내심, 안도의 한숨을 뱉었는데. 속이 더부룩해졌다. 그리고 객혈. '너무 오래 떨어져 있었나?' 금수의 검은 털을 쓰다듬었다. 여전히 날카롭고 차가워서 손이 베였다. 익숙함의 문제라고 그는 생각했다. 그것보다…

"여긴 또 어디냐… 이 녀석아.."

낙타의 젖내가 나는 걸 보니 이번엔 티뮬이겠거니 싶었다. 스윽. 달갑지 않은 상황에 원망의 눈초리로 금수를 째려보았다. 이제보니 거대한 앞발로 깔아뭉갠 요상한 물건에 눈이 갔다. 금수는 무슨 뼈다귀를 발견한 개인 양 아그작거리며, 머릴 뜯었고 팔과 다리를 순서대로 먹어 치웠다. 다행히 붉은 피가 나오거나, 모래로 변하지 않았다. '더미? 그럼 그렇지… 저걸 쫓아온 거로군.' 저 헝겊처럼 난자된 더미나 폴프 자신이나 뭐가 다른지. 적어도 아직은 이그릿에게 뜯기지 않은 목을 쓸며, 위안을 삼기로 했다. 그렇게 생각하고는 얼마간 오아시스를 흠뻑 즐겼다. 누군가 나타나기 전까지는.

뮤텔리안, 룹알할리 사막

"우푸 님! 안됩니다. 아직 샤마께서는!"

그는 통행에 방해된다며 일방적으로 병사들을 걷어차 버렸다. 같은 대답이거나 비슷한 태도를 보이면 가차 없이 벼를 베어 가듯 쓰러질 뿐이다. 거미줄처럼 잔뜩 즐비한 천막 건물 중, 가장 크고 웅장함을 자랑하는 샤마의 거처에 들어서기 직전이다.

휘-익!

"샤마!" 잔뜩 성이 난 그는 결국, 돌 빤지 위 가죽 시트에 엉덩이를 깔고 앉았다. 천막 내부, 눈 밑으로 얼굴을 가린 호위병들은 순식간에 손날을 뻗어 우푸의 목 근처로 가져다 댔다. 우푸는 아무렇지 않게 말을 이어갔다.

"라미아 연락이 닿지 않는다니 그게 무슨 말이야? 히엠스는 네가 걱정할 일 없다고 했잖아."

…샤마가 대답했다.

"뭐? 윰지아가? 눈치챈 거야? 아니면…..."

…샤마가 대답했다.

"흥! 그럼 그렇지. 중요한 게 뭔지도 모르는 원숭이들이 뭘 알겠어. 실험체만 주구장창 쫓으라지."

…샤마가 말했다.

"흐음… 하긴 그렇겠군. 전직 특무부가 붙었다면……
그럭저럭 안심이군. 여차하면 쓸 뮤텐도 남아 있으니까. 그래도 연락이 닿으면 내게 먼저 알려주면 고맙겠어. 라미아의 별도 지시가 있기 전까진, 우리도 어쩌지 못한다고."

…샤마가 물었다.

"아. 그 쪽지는 전했다. 여자는 안 믿는 눈치더군. 그래도 수확이 없던 건 아니었어. 네 말대로 베라(VERA)는 윰지아에 없었다… 그대로 전쟁을 벌였다간 낭패를 볼 뻔했어."

…샤마가 말했다.

"뭐? 샤마… 무슨 생각인 거야. 그대로 한다니. 베라(VERA)를 파괴하려면…."

…샤마가 대답했다.

끄응… "아아. 그래. 일단 그 문제는 나중으로 미루는 게 좋을 것 같군... 그나저나 내 방앞에 묶어둔 놈은 뭐야? 구정물에 머리 감은 냄새가 난다고. 혹시나 해서 하는 말인데 보모 노릇은 딱 질색이야. 한 명이면 족하다고. 저번에 네가 하도 부탁을 하기에 어쩔 수 없이 들어줬더니.. 걔가 최근에는 뭐라는 줄 알아?
나더러 고향 음식이 그립다고 공수해 달라 하질 않나. 집안일을 시킬 사람을 고용해 달라질 않나. 감히 이 우푸 님에게 말야! 다시 한번 말하지만, 아무리 샤마. 네 지시라도 이번은 절대 안 돼. 그래야 한다면 손목이라도 내놓을 거야."

...샤마가 말했다.

그리고 그의 말이 떨어지자마자 우푸의 눈이 밤송이만큼이나 커지더니 황급히 자리에서 일어나 말했다. "그런 건 손목을 걸기 전에 미리 말하라고 샤마!"

.

.

"이사 준비는 잘 돼가?"

"그럭저럭." "어디로 가는데."

"서울."

남자는 인상을 찌푸렸다. 지도에 서울이란 도시는 이미 태양풍에 잡아먹힌 금지구역. 기억하기론 도시가 타오르는 붉은빛에 삼켜지는 마지막 날을 브라운관을 통해서 실시간으로 본 기억이 있었다. 벌써 오래전 일이 되어버렸지만..

"아침밥도 먹었고 나 정신 말짱해. 소문으로는 불모지였던 곳이 최근 살아나기 시작했다는군."

"에구구… 아침으로 독버섯 같은 걸 먹었나. 어디서 그런 찌라시를 듣는 건지 원." 에라이! 남자는 이마로 다가오는 동료의 걱정 뻗친 손을 걷어치웠다.

"찌라시면 어때?! 여기서 두손놓고 죽는 것보다야 낫잖아."

피식.

"이런 때에 퍽이나 전쟁 나겠다."

"그거 못 들었어? 뮤텔리안이 패권 도시를 넘보는 상황이라고. 윰지아가 가만히 두고 보겠어? 내가 수뇌부 지역 순찰을 한 적이 있었는데. 방안에 있던 사람이 커피를 쏟았는지 청소부를 슬쩍 부르더라고. 그때 문틈으로 작전 얘기 하는 걸 들었어. 그리고 저 남자도 바닥에 쓰러져 있었지."

남자의 눈꼬리가 슬쩍 올라갔고 서늘한 뒷목을 살폈다. 그곳엔 아무도 없었다. 오히려 붉은 원반의 에너지가 도시 천창을 통해서 뺨에 닿아 나른함을 선사했다. 흐음…

"커피인 줄은 어떻게 알았는데?" "그야. 또다시 반대편으로 지나쳤을 때, 마침 또 청소부가 나왔고, 방에 들어서기 전까진 분명 하얗던 천에서 묽은 커피콩 자국이 있었거든."

남자는 대꾸했다.

"그럼 저 남자는 방안에서 작전 내용을 다 들었겠군." "뭐, 그런 셈이지." … 그들은 한동안 또 말없이 스코프를 들여다본다.

"멍청하긴. 이런 때에 전쟁은 무슨…. 과학자들이 죄다 윰지아에 있는데, 우리가 깜냥이나 되겠어? 전쟁이란 건 말이야. 약탈자와 반대쪽. 어느 한 쪽이 크게 기울어지지 않은 선에서 투닥거리는 거야. 우리는 총탄과 레이저가 날아들기 시작하면, 그냥 학살이라 하는 거야. 뮤텔리안이 윰지아를 따라잡았다고? 흥! 그쪽은 우리 같은 건 신경도 안 쓸걸? 방공용 뮤텐 위성이 있으면 뭐해. 얼마 전 보기 좋게 해킹당해서 망신당한 사실을 당국은 쉬쉬거리는데!"

"그래서 보안팀 얘기만 꺼내면, 우푸 님 표정이 안 좋으셨군. 아무려면 어때, 현장직 월급만 오르면 그만이지."

사방으로 가득한 먼지가 총구에 쌓일 때까지 병사들은 엎드린 채로 세 시간이나 수다를 떨었다. 오금이 저리고 라이터와 주머니를 뒤지고 있을 때, 누군가 뒤에서 손목을 턱! 잡았다.

누구야! 병사들은 짝을 지어 뒤를 돌아보았다. 큼직한 손이 손목을 감았을 때, 짐작했어야 했는데 이미 반말을 뱉고 난 뒤라 얼굴이 새파래지기 시작했다.

"하 참… 이건…"

병사들은 정강이에 쌔한 느낌이 오기 전에 얼른 경례했다. 퍽! 그러나 여지없이 무릎을 잡고 깡총깡총 한 발로 뛰게 된다.

"이것들이…. 샤마께는 말씀드렸으니 돌아가 봐."

병사들은 기다란 가방을 메고 부리나케 달아났다. 라미아가 돌아오기 전에 병사들 기강을 다잡아야겠다고 우푸는 다짐했다. 그는 이제 스코프 너머로 비추던, 방 앞에 묶여있는 남자와 250L 쯤 되는 케이지를 확인했다. 골칫거리가 또 하나 생기다니. 룹알할리 사막의 자비는 어디로 갔단 말인가! 우푸는 턱을 쓸며 쪼그려 앉았다. 믿기지 않는단 표정으로 한동안 그렇게 관찰하더니 방 안으로 들어가 의자를 가지고 나왔다. 털썩. 그리고 발 앞굽으로 툭툭 남자를 건드렸다. 처음엔 묶인 밧줄을 먼저 풀어 둘 생각이었으나, 케이지 안에서 뭔가 컹컹거리기 시작했을 무렵부터는 괜히 밧줄에 매듭 하나를 더 보탰다. 으음….. 남자는 의식을 찾았다.

"네가 로저의 자식이냐?" 폴프는 그 날카로운 음성을 따라갔고 곧, 그 사람의 주머니에 라이터와 함께 익숙한 물건이 눈에 들어왔다. 달갑지 않았다.

"여기는…. 지구군.."

이리저리 눈길을 던지고서 또, 길가의 이름 모를 잡목들, 햇빛을 가린 거대한 천막을 중심으로 거미줄처럼 뻗친 도시. 뮤텔리안의 모습은 그렇게 단순했다. 황갈색 벽지가 대부분을 차지하면서도 조도를 오히려 낮게 만드는 특수 네온들에 낮인지 밤인지 분간이 되지 않았다. 사막의 뜨거운 열과 수로의 찬 기운이 뒤엉켜 희뿌연 안개를 형성했다. 지금 당장에야 넓은 통로로 스며든 바깥의 태양의 빛이, 혹은 별빛이 불안한 상황에서 초신성과 같은 따스함을 피부로 받아냈지만, 곧 몸을 가누지 못하는 걸 깨닫고는 몸 여기저기서 비명이 들려왔다.

"너를 오아시스에서 잡아왔다는데…"

"그러지 않아도 오아시스가 막 싫어지려던 참이다. 티몰행성인 줄 알았거든."

그렇게 말하는 대답이 순응적이었다기 보다는 케이지를 겨눈 총구가 괜히 걱정되어서였다. 폴프는 등을 돌려, 다시 등 뒤로 보이는 우푸를 보았다. 풀어달라는 말이 바로 귀 옆에서 들리는 것만 같았다. 당연히 우푸의 총구의 방향은 서늘한 그림자에서 벗어나 폴프를 향했고 차라리 그게 낫다고 생각했다. 아까부터 폴프의 신경을 거슬리게 하던, 어떤 것을 그냥 짚고 넘어갈 수가 없었다. 이야기의 진행을 가로막는 낯설거나 미묘한 감정선보다도, 우선 무지몽매한 인류를 위해서 짚고 넘어가야 했다.

"이봐, 그게 뭔지 알아?" 스윽. "이거?" 그제야 총구가 바짓단을 스쳐 툭툭하고 건드린다.

"너도 하고 싶으냐?"

"멍청하긴! 콘냐는 인간이 건드려선 안 되는 물건이라고."

좀 전에 부하들에게서 빼앗은 콘냐는, 머리가 덜렁거리는 종이갑을 비집고 달콤한 유혹의 향을 풍겼다.

"그러지 않아도 혁명군 내에서 문제 삼고 있던 거다. 중독성이 강해서…. 근데 이해가 되질 않는군. 말해봐라 이게 뭔지."

'대체 어떤 루트로 지구까지 유입된 거지? 게이트가 아니고서야…! 하지만 그곳으로는.. 아냐. 불가능해.' 폴프는 오만 잡생각이 들었다.

"콘냐는 말이야…." 그때 집 문이 열렸고, 초로의 남자가 환한 미소로 이 상황을 맞이했다. "이게 누구야!" 그는 폴프를 보자마자 손등으로 눈물을 걷어내고 묶인 줄을 풀려고 애썼다. 우푸는 황당한 나머지 윽박질렀지만, 남자가 샤마를 들먹이니 뜻을 굽힐 수밖에 없었다.

"시그너 박사님!"

"그래 폴프. 우선 들어가서 얘기하자."

"아니! 잠깐. 케이지는 밖에 두고!" 그렇게 합의하기로 한 뒤 방 안으로 들어갔다.

시그너 박사는 온종일 방에 틀어박혀서는 대체로 연구에 몰두했다. 종종 창밖을 내다보며 점점 핏기로 물들어가는 모래를 보긴 했지만, 감상적으로도 좋지 않은 일이었다. 팟타이와 냉동 만두 같은. 심심한 점심을 해결하고 또 방에 틀어박히는 일을 업으로 삼을 때, 밖에서 컹컹대는 소리가 여간 거슬리지 않을 수 없었다. 결국은 우푸의 널따란 신발 자국이 먼지 위를 올라타서야 환기하려던 차에 문을 열었다. 그렇게 둘은 만났다.

"어찌 된 일입니까? 시그너 박사님. 혹시…." 하하하.

"절대 윱지아는 아니야. 아무튼, 이분은…."

둘은 서로를 째려보다가 누가 먼저라고 하기에 모호한 박자로 악수했다. "우픕니다." "폴픕니다."

우푸는 경계 어린 눈을 풀지 않은 채, 침대 옆 협탁에 기대어 코가 가려질 정도로 깊게 모자를 눌러썼다. 저들의 대화를 엿듣기 위함이었으리라.

"윱지아를 떠나신 뒤로 행방이 묘연 하셨는데…"

"정확히는 네 편을 들어주다가 쫓겨난 게지. 그래도 나름 괜찮네. 적당한 감시하에 여기서도 원격으로 여전히 프로젝트는 진행할 수 있으니 말이야." 폴프와 우푸는 거의 동시에 움찔거렸다.

"프로젝트라면…?"

"솔라 프로젝트. 곧 완성되려 한다네."

"네?"

"그렇게까지 놀랄 일인가?" 우푸는 놀란 내 표정을 그냥 지나치지 못하고 끼어들었다.

"그럴 리가 없습니다… 그 프로젝트는…." 두 사람은 어리둥절하며, 서로 쳐다보는 것 외에 외부 복도 쪽으로 난 창을 열어 바람의 유입을 허락했다. 컹컹거리는 소리가 더 짙게 들렸다.

"개 좀 어떻게 안될까? 요즘 옆방이랑 벼르고 있어서 말이야. 괜히 책잡히기 싫은데…"

"그렇다고 들일 순 없네. 우푸. 저건 십 여년 전, 융지아를 떠들썩하게 만들었던 이생명체라네. 크롭케이프 사건의 주범이지. '우주 역병'은 들어봤겠지? 몸에 난 구멍이란 구멍에서 피를 찔끔찔끔 쏟다가 말라 비틀어서 결국은 우주 밖으로 밀려 나가 버리지. 괜히 살점이라도 건드렸다간 끽! 한다네." 우푸는 마른 침을 꼴깍 삼켰다.

"그러거나 말거나 개 짖는 소리는 좀 없애야겠어요. 저 남자는 괜찮잖아요? 저 개랑 같이 오아시스에서 잡았다고 들었는데." "물론 폴프도.."

시그너 박사가 하려던 말을 폴프가 막아섰다. 마침 금수의 처절한 짖는 소리가 잦아들더니 언제 그랬냐는 듯 불규칙한 숨을 내쉬면서 종종 털에 대못만한 가시가 철판 같은 가죽을 뚫고 박힌 것처럼 케이지를 들쑤셨다. 단지 조용하면 됐던 건지 우푸는 이 이상 언급하지 않았다. 조용히 굴면 됐어. 라는 말만 되풀이했다.

"시그너 박사님. 혹시.. 제 조부님 노트를 가지고 계세요?"

"아니, 나는 자네가 아니면 하머가 가지고 있다고 생각했네."

".. 하머는.. 죽었습니다. 티뮬 사막에서 말입니다.. 기도하고 있는 것 같았어요." 무덤덤하던 시그너도 약간은 놀란 눈치였다.

"... 누구든 결국은 신을 찾는 법이라네."

"...."

그들은 가까운 타성, 연고 없는 티뮬에서 잊힌 페고에르 하며. 그를 위해서 기도했다. 못 이기는 척 꺼낸 깔개에 무릎을 꿇고 늘 그랬던 것처럼 잔을 가득 채웠다. 팔꿈치가 땅에 몇 번 닿았고. 그림이라고 벽 한켠 걸려있는 난데없는 족자에 경건한 마음을 가졌다. 이 모든 일을 마쳤을 때, 생각보다 폴프는 우푸와 면밀한 사이가 되었다고 여겼고, 실제로도 그러하였다. 폴프가 입을 뗐다.

"어렸을 적. 집안에 아무렇게 굴러다니는 잡지처럼 할아버지 노트를 읽었어요. 어려운 수식으로 풀이되어있어서 이해하기 힘들지만, 거기엔 솔라 프로젝트 같은 건 쓰여있지 않았어요."

"잠깐잠깐. 그 프로젝트가 뭐야?" 우푸가 껴들었다.

"그건… 내가 아까 말했던 콘냐하고도 관련이 있는 거야."

"담배?" 때 낀 목으로 폴프는 거의 처음으로 거기서 머리를 끄덕거렸다.

"콘냐는 다름 아닌 조부님의 발명품이야. 애당초 인간이 아닌 갱어를 겨냥한…."

흐음….

"뭐라도 보여?"

"... 아쉽게도 당분간은 지구 상황을 알 수 없을 것 같아."

"그 둥글둥글한 장치로 지구를 꿰뚫어 볼 수 있다니 신기한데. 내가 해봐도 될까? 응?"

람은 늘 그렇듯 호기심이 눈에 가득했다. 예루는 종종 반짝거리는 별을 보는 것보다 더 은연하게 명리를 밝히는 듯한 람의 눈이 부담스러울 때면, 지금처럼 먹던 음식을 얼굴에다 집어 던졌다. 여기까지는 예루가 굶주린 사람을 매정히 여기는 사람으로 보이겠으나, 놀랍게도 람은 입을 벌려 논란을 잠식시켰다. 매번 다르고 형언할 수 없는 풍미의 음식이 날아다니니. 도무지 람의 장난이 바닥을 드러내려야 그럴 수가 없다.

"이거 생각보다 조종하기 어려운 거야."

"그러니까 가르쳐 달라고~"

으이구 진짜. 예루는 끝내 별의 힘을 아주 미약하게나마 눈이 지면에 닿아 바로 녹아내리는 찰나의 시간 동안 빌려주었다. 어쨌든 람은 기대를 가득 안고 검은 장치에 나른 떠는 몸을 맡겼다.

"뭐야. 예루! 이거 고장 난 거 아니야? 뭔가 답답하고…. 개운하지가 않는 게.." 으으윽….

몸부림치는 람. 지켜보던 예루. 잠시 후 옅은 신음과 땀범벅으로 터번을 적셨다. 푸하! 가쁜 숨을 몰아쉬며 람은 어둠으로부터 벗어났다. 여기까지 대략 15 분 정도가 걸렸다.

"완전 답답해 죽는 줄 알았어. 어떻게 매번 이럴 수 있는 거야? 체력도 좋다 넌!"

방금 들여다본 '디메타'라는 개체는 한 숙주에 정착 후. 행성 여기저기를 활보하며 카마하브에 정보를 전달한다고 설명했다. 숙주는 당연히 생명력을 담보로 잡혀있기에 멀어지거나, 애틋한 감정이 요원해지면, '디메타'는 파트너에게 죽음을 선고했었다. 그러나 근 10년 가까이는 목숨이 질긴 숙주를 만난 모양이라 별다른 특이점은 없었으며 인간과 기술로도 닿을 수 없는 간섭 파장의 관측이나, 까다로운 조건을 충족하면 작은 예지도 가능하다고 예루는 말했다. 그래 봐야 책장을 넘기는데 몇 페이지가 나오는지 정도란다.

"난 타르프를 싫어하지만, 예언이 틀린 걸 아직 본 적이 없어. 그만큼 신중하고 듣기 힘든 건 알겠는데.."

"궁금한 거지?" 역시 예루는.. 사소한 사건이라도 빙빙 둘러 얘기하는 여느 타르프와 결이 달랐다. 직관적이고 쭉쭉 뻗어 가는 에너지가 별의 따스한 에너지 파장과 같았기에 람은 지상의 어느 곳 보다 더 편안했다.

"후후. 무시카가 깨어나면.. 알려줄게."

...

람은 날마다 기도를 올렸고 덕분에 나는, 그 뒤로도 꼬박 이틀이 지나서야 기나긴 꿈을 밀어내고 몽환의 저편으로부터 깨어난 식물인간처럼 멍한 상태로 아침을 맞이했다. 티폴에서의 그 어느 때보다도 개운한 날이었다. 내 기억은 전보다 명료했다. 단 한 번도 지구의 땅을 밟은 적이 없었던 갱어. 그게 나였다. 나는 얼굴을 감싸 쥐고 온 힘을 다해 으스러뜨렸다. 그렇게 소리가 새어나가지 않도록 한동안 흐느껴 울었다..

잠시 후 람이 빼곰이 내 방문 너머로 손을 뻗었다. 침대 구석으로 밀어놓은 축축한 베갯잇을 보더니 "뭐야! 다 큰 어른이 질질 짜기는! 전갈 꼬리를 씹다가 독이라도 맞은 꿈을 꾼 거야?!"

그렇게 말했다. 그리곤 어디서 공수해 온 건지, 세 조각으로 나뉜 팬케이크 위로 일렁이는 메이플 시럽. 슬라이스 된 바나나의 단면. 샷이 추가된 커피를 대령했다. 보기만 해도 혀가 아릴 정도였다. 침샘이 폭발하다 못해 개처럼, 그야말로 질질 흘렀다. 나는 몇 번이고 침을 삼켰다. 나를 위해 기도를 읊는 중인 그에게 실례인 줄 알면서도. 음식에서 눈을 떼지 못했다. 저 작은 바슈테림은 알고 있을까? 그가 눈을 감고 나와 마주하고 있을 때, 실은 한 번도 경건한 마음을 가진 적이 없다는 걸. 그래, 흉내 내기였다. 나는 바슈테림을 따라 했을 뿐이다. 갱어의 숙명을 나도 모르게 따르고 있었다. 그러한 사실이 순차적으로 받아들여지기 시작하면서 오류가 심한 2 세대 컴퓨터인 양, 음식을 포크로 들어 올리면서도 계속 무릎으로 떨어져서 아예 접시에다 코를 박아버렸다. 그렇게 스스로 혐오스러운 일은 앞으로도 없을 것이다.

다행히 예루를 다시 만난 건 식후였다.

"몸은 좀 어때? 무시카. 이 바보 녀석이 바나나로 괴롭히진 않았어? 널 먹이겠다고 정원에서 설치는 걸 봤거든." 그걸 '정원'이라 말하는구나 싶었다.

그녀는 여전히 나를 '무시카'로 불러주었고, 오히려 내가 그런 이름으로 불리는 게 떨떠름했다. 그렇다고 바꾸자니 입에 달라붙지도 않을뿐더러 '어차피 갱어인데 뭐가 중요해…'라는 생각이 머릿속을 떠나지 않았다. 개운한 폭포수가 흐르던 '정원'과는 달리 방은 한 줌의 토양도 금세 수분이 빼앗겨, 건조함에 코를 찌를 지경이었다. 그걸 의도했는지 모르겠으나 덕분에 나는 당장의 좌절, 혐오, 부끄러움, 회한, 고뇌, 분노, 허탈감으로 찾아드는 감정 속에서 혼자만의 시간보다 밖으로 나가길 원했다. 그래, 정원이 좋을 것 같았다. 회색 콘크리트나 갈변된 동굴의 외벽을 나란히 보며 삐져나온 철제구조물 따위의 아포칼립스적 요소가 없는 자연을 만끽하고 싶었다…

카마하브 정원 한구석의 카페테리아.

익룡의 포효. 그들의 비행은 자유로웠다. 끌밋한 풍채와 5m 너비의 날개에 의지하며, 끝없는 낭떠러지 위를 지배했다. 수풀이 있는 지역으로 랩터와 비슷한 녀석들이 겁을 먹고 숨어서는 세로줄 눈을 이리저리 굴렸다. 가만히 생각해보면 저들 역시 익룡의 근연종쯤[8] 되지 않을까? 저렇게나 똑같이 생겼는데. 단지 날개의 유무… 갱어로서 인간의 근연종 취급을 조금은 기대했다.

"우리가 게임을 하던 중인 걸 잊진 않았겠지?" 그랬던가? 나는 예상치 못한 람의 질문에 눈을 살짝 위쪽으로 옮겼다.

"이제 날 알아보겠어?"

아아. 기억났다. 그런 게임을 하고 있었지. 람이 누구인지 알아맞히는.. 하지만 이런 때에..? 아니, 이런 때라 오히려 좋은지도. 나는 미리 대답을 준비한 것처럼 자신을 속였다.

"정확히 알겠어. 이 게임은 내가 너를 기억하는 것. 결국, 같은 자리를 맴돌아 답을 우회해 원점으로 돌아온 거야. 분명 너는 그때 에르그에서 처음 봤어."

나는 나름 확증 편향된 기억에 힘입어 성심성의껏 대답했기에 람의 표정을 면밀하게 관찰했다. 도출해낸 결론에

---

8 생물학적 유연관계가 깊은 종

올바른 답안을 받아내고 싶은 학창 시절을 떠올리며(무시카의 기억이지만) 말했다. 약간 떨떠름하게 입술이 떨리긴 했지만 크게 신경 쓰일 정도는 아니었을 것이다. 하지만 상대가 시미타를 두른, 독실한 바슈테림이란 것을 간과했었다. 그러다 문득 당연시 여기던 그의 허리춤에 날카로운 금속체가 없다는 걸 깨닫고는 뭔가 잘못되었음을 직감했다.

람의 입이 떨어지기만을 기다렸다.

"하하하. 아무래도 이야기가 좀 더 길어지려나 봐."

명백한 나의 패배였다. 사실 이 내기는 공정하지 못했다. 기억을 되짚어보는 비효율적 일보다 게임의 룰을 책망하는 것보다 간편하고 손쉬운 일에 손을 뻗은 것이다. 나는 눈을 찌푸리고 거의 처음으로 그에게 좋지 못한 기분을 드러냈다.

"거짓말."

그리고 그건 정말 효과가 있었다. 머리에 찬물을 끼얹은 듯 금방 차가워지고 얼굴을 배회하던 주름을 몇 가닥 지우는 데에 몫을 했다.

"내 말이 틀렸다는 거야? 내 기억엔 분명…." 나는 흠칫 놀라 말끝을 뭉그러뜨리고 순간적으로 몸을 움츠렸다. 탁자 밑으로 작은 손이 내 몸을 주도면밀하게 더듬는지도 모르고 거의 배꼽 옆을 스치며, 딱딱한 기척이 느껴졌기 때문이다. 쿠당! 람과 나 사이를 긴장케 하던 탁자가 균형을 잃고 넘어졌다. 숨이 턱 막혀버렸다. 모래로 부스러진 내 중심 장기를 관통하고 람은 그나마 견고하게 남아있던 척추를 낚아채는 바람에 옴싹달싹할 수 없었다.

"네 기억엔 이상이 없을 거야. 예루가 허술할 리 없잖아? 네가 아직 게임의 승기를 잡지 못한 건, 약간의 후유증이라고 볼 수 있어. 그것보다, 네 신체는 새로운 문제에 당면했어. 여태 그나마 더디던 모래화 진행이 신체 세포에 의존하던 메모리 입자가 기억을 되찾은 대뇌로 집중하기 시작했어. 곧 걷지 못할 수도 있겠어…"

나는 턱밑으로 주름을 잡고, 얇은 어깨를 따라 천천히 시선을 옮겼다. 그곳은 내 몸 일부를 구성하는 원자 간의 반발력과 강력으로 가까스로 유지되고 있는 힘의 균형이 육안으로 봐선 당장 소실되어도 어색함이 없어 보였다. 거의 사라진 배가 앞으로 접혀 고꾸라져야 마땅한데도. 호박벌의 비행과 같은 불가사의한 일로 치부될 만큼, 꼿꼿이 내 척추 주변의 근섬유 조직들이 평소의 몇 배로 긴장 상태를 유지했다. 그제야 극심한 피로의 원천을 알게 되었는데 이상하리만치 절망에 가까운 감정을 느끼지 못했다.

"신경세포도 사라진 탓에 아프진 않겠지만.. 예루한테 부탁해서 대안을 찾을 필요는 있겠어."

"괜찮아. 아무렇지도 않아."

"지금 당장에야 그렇겠지. 왼쪽 옆구리까지 파고들게 되면 하반신이 완전히 떨어져 나갈 거야. 무시카, 네 증상은 다른 갱어와는 몇 배나 위험한 거라고."

나는 결리는 듯한 어깨를 가까스로 돌려 옷으로 외면하고 싶은 부위를 가렸다. 그게 단숨에 가능했던 건, 람이 사막적인 고집을 부리지 않았기 때문인 것도 있었다. 하얗게, 혐오스럽게 드러난 척추를 잡던 손으로 제 턱 밑을 받치더니, 람은 뭔가 골똘히 생각에 잠겼다. 그리고 부분적인 타말어로 접착제, 붕대, 호치캐스, 미싱기, 청테이프, 훌라후프… 등등을 언급하며 심각한 표정을 지었는데 아무래도 분리되기 직전인 내 하반신과 상반신에 대한 적당한 대안을 모색하고 있는 모양이었다. 내가 이해할 수 없었던 건, 대체로 아줌마들이 다이어트할 때 쓰는 훌라후프나 병따개, 믹스 커피 따위는 아니었고(도무지 어느 쓰임새에 사용될지 여전히 짐작하기 어렵다) 그의 입에서 '리본'을 언급한 일이었다.

"…. 본체를 찾아야 하는데.. 지금 당장 예루한테 물어봐야겠어. 물론 지구에 있을 '무시카'를 죽여도 신체는 수복되지 않겠지만. 두 다리는 살릴 수 있을 거야. 더 늦기 전에 서두르자."

대체 람은 왜 그렇게까지 나를 신경 써주는 걸까? 단순한 정? 기억 없는 행성, 티폴에서 인연을 소중하게 생각하는 신앙적 신념? 어느 쪽이든….

"난 됐어. 인간에게 해를 가하고 싶지도 않아. 불과 며칠 전만 해도 인간이라고 착각하며 살았다고. 그런데 갑자기 갱어의 본능을 따르라니. 무슨 얼토당토않은 소리야?"

"... 고상한 척은.." 거의 유일하게 내 귀에 거슬리는 말이었다.

"네 의지와는 상관없이 본체를 마주하면 살인충동이 일어날 거야." 나는 그럴 리 없다며, 딱 잘라 말했다. 손은 주머니 안 거울 모퉁이를 번갈아가며 만지작거렸다.

"지구엔 가지 않을 거야." "뭐? 왜?"

람은 엉뚱한 표정으로 되물었다. 아마 고향별에서 나를 기다릴 애인을 염두에 두고 말한 것일 테다. 하지만 그건 사실이 아니다..

"안 간다고!" 극도의 흥분감에 나는 소리 질렀다. 분노 표출에 한 점의 부끄럼이 없었다고 말할 수 있다. 정원 난간에 등을 맞대고 무릎을 짚었다. 숙인 상태로 거친 숨을 몰아쉬자 느낌이 이상했다. 고개를 푹 숙여야 할지, 쳐들어야 할지 고민하다가 전자를 택했다. 내가 지구에 갈 의미는 사라져버렸다. 늘 올려다본 것이 실은 지구였고, 그동안 위안받은 주체로부터 배신을 선고받았다고 생각하니, 살면서 받은 감동의 민낯이 무의미하게 느껴졌다. 이 사건에 변명할 주객이 없으므로 감정의 패색이 짙어졌다.

그 자리에 계속 있다간 현기증이 날 것 같아 2 층으로 나섰다. 정원을 등지고 문고리에 손이 닿았을 때도 람은 오래된 카세트테잎의 녹턴 19 번 선율을 따라 커피와 함께 삼켰다. 그리고 히나… 그보다 히나..

무엇보다 신경 쓰였던 건 멍한 상태로 깨어나 얼굴을 일그러뜨렸을 때, 히나의 모습이었다. 짙게 깔린 검은 모래를 곱게 이어붙인듯한 머릿결에 소요(騷擾)한 빛이 한시도 가만있질 못하고 흡수와 반사를 일으켰고. 그런 일이 맹목적인 일로 고운 순백 피부와 함께 어우러져 요야한 자태를 뽐냈다. 뚜렷한 눈썹 위를 아슬아슬하게 간질이는 앞머리를 따라가다 보면 청연하게 또 흔들거리는 귀고리와 그녀의 이름을 부를 때마다 일렁거리는 포니테일이 유독 잊히지 않았다.

그래. 이제 보니 그 모습은 히나였다. 그리고 동시에…. 죽은 베티 박사였다.

…

…

삑 삑 삑 삑.. 삐빅.. 삑.

통제를 벗어나 귀를 찌를듯한 소음에 시오는 침대 너머로 손을 뻗었다. 도시환경 시스템으로 추적추적 내리는 인공비. 서리가 앉은 유리창에 손이 닿고 밤새 포근함에 물들었던 탓에 순간적으로 움츠러들었다. 툭. 알람을 끈 뒤, 손은 다시 이불 속을 뒤적거렸다. '아, 나가기 싫다.' 그런 생각이 머리를 지배했다.

이른 저녁같이 가라앉은 광원, 창문을 툭툭 두드리는 규칙적인 소리, 집안의 온도. 시오가 좋아하는 날이었다. 그러다 푹 덮어쓴 보드라운 천 안에서 실은, 밖으로 나갈 일이 없다는 사실에 깊은 안도를 하던 중이었다.

삑.

-아직 안 일어 나셨어요?

"...."

-시…..

그가 떨떠름하게 대답했다.

"스텔라…. 일주일째야…… 여기가 어딘 줄 알아?"

-윰지아, 1923 번길 57 무지개아파트 606 호요.

".. 내 집이야. 집이라구. 나도 어느 정도 혼자만의 시간이 필요한 법이란 말이야."

-오늘도 수사 안 하실 거예요?

"나 정직당했다고."

-그래도 하던 일이 있잖아요. 시오 님 답지 않게 풀이 죽어선 왜 그래요?

"다른 요원 찾아봐. 대기 중인 애들 있을 거 아냐… 너야말로 답지 않게 왜 그러는 거야? 저번엔 손을 떼겠다고 하더니. 무슨 바람이 불어선. 아침마다 이러는지 원…."

점점 후끈 달아오르는 공기 탓에 시오는 실오라기 하나 걸치지 않은 채로 침대를 벗어났다. 아마 스텔라의 애교에 가까운 해킹으로 윰지아, 무지개아파트 606 호 항온 시스템이 정복당한 탓이다. (이곳만 해킹당했다고 생각지는 않는다) 시오는 부엌으로 가 목을 축이고 옷을 걸쳤다.

"그런 거 보면, 너 참 제멋대로인 거 알아?"

앗. 차거! 싱크대 부스에서 잠깐 수도가 분수처럼 치솟아 시오의 눈을 축였다. 스텔라.. 이게..! 그게 한 바퀴 휘두르는 일로도 집안을 난장판으로 만들 수도 있다는 협박(?)이었으리라.

"대체 원하는 게 뭐야. 스텔라. 자꾸 이런 식이면…"

하아.. "됐다. 그래 가자. 딱히 할 것도 없는데."

시오는 백기를 들고야 말았다. 스텔라가 이렇게 구는 바람에 여자와 데이트는커녕 동료조차 생기지 않는다고 중얼거리며 전날 먹다 남은 양념치킨을 입에 물었다.

-메일이 온 것 같은데 읽어보시겠어요?

시오 앞으로 스크린이 떴다. 구백 건이 넘어가는 숫자 중, 쓸만한 내용을 추려내는 데 약간 시간이 걸렸다. 그러다 특히 눈에 혹할만한 요소들을 배제하고, 띄엄띄엄 불쾌하고 사무적인 글에 집중했다. 시오가 결국 화면을 닫으려고 하자. 스텔라는 다른 메일을 냅다 띄웠다.

[569,91762,028,36,62912,3554,472,51,80164,0273,01,975,6,128,29,9,15,182,3,7,05,6123,78,4,240,18,7,5602,8170,1074,001,2,97,30,00,0,12,73,217,415,27,311,237,9816,52,8,7346,3,27,159,9,3,872,9…]

그것은 공용 지구어가 아닌 타말 문자를 수열로 끊은 뒤, 옛 카이사르 암호로 문자를 정해진 n 수만큼 평행이동시킨 구시대 암호였다. 손쉽게 복호화할 수 있는 탓에 당연히 실제 상황에 암호로 쓰이긴 단순했고 다른 알고리즘을 가진 암호와 중복하여, 새로운 알고리즘을 만들어 사용하는 형식이었다. 이러한 까닭에 암호학 권위자들이 쓸법한 건 아니다. 그러기엔 그들로서 너무 퇴보된 초기의 문명이나 다름없는 정도의 암호였다.

"하하. 누가 연애편지를 보냈군. 그러니까 내용이…"

-아닌 거 다 알거든요? 어쩌실 거예요?

"스텔라, 이 뻔뻔한 녀석. 너는 진작 다 알고 보여준 걸 텐데 말야. 어쩌긴 내 알 바야?"

-그럴 줄 알았어요.

그렇게 시오는 메일을 지우려고 했다. 그러자 오히려 팝콘 튀기듯 불어나는 메시지가 시끄러운 소음을 냈다. '수락한다'라는 문구만 뜬 채로 통신망이 먹통이 되어버렸다. 또 어쩔 수 없이 시오는 상투적인 백기를 들고야 말았다. "가자…"

오전 10 시 48 분경 마스필다 광장.

소공원 벤치를 향해 후드를 뒤집어쓴 시오는 약진했다. 중간중간 호버 택시가 아무렇지 않게 머리 위 그림자를 드리우며 몇 번이고 지나갔다. 뜻밖에 티메라급 함선 3 기와 호위 주체인 거대 부유선이 도시 상공을 유유히 지나갔다. 게이트를 향하는 것으로 보아 유오 내, 국지적 행사가 있거나 그것도 아니면 종종 유오 주체하에 선린 관계를 맺고 싶어하는 티폴의 복속도시를 향한 것일 테다. 그래서 한동안 내리던 비가 그쳤다고 잠시 착각했다.

휴일을 즐기는 노인, 뜻 없는 젊은이들이 벤치를 점령해있던 차에, 시오는 눈길도 주지 않고 엉덩이를 깔았다. 시오는 다시금 암호의 의미를 되뇌었다. 알아들을 수 있는 내용은 암호라는 사실이 무색할 정도로 간단했다. 시공간 좌표와 발신인 이름. (나머지 뒷부분은 도무지 타무무의 소양으로는 해독하지 못했다. 그거야 뭐, 만나서 물어보면 될 일이다) 가져온 우산은 벤치 옆에 망이나 보게 두었고, 하늘로 부유선 배면의 특이한 원기둥 모양의 물체에 눈길이 닿았다. 뭐하는 곳에 쓰일지 가늠이 되질 않았다.

상상력에 한계가 부딪힐 때쯤, 끌밋한 차림의 남자가 형광체를 발산하며 접근했다. 푸른 디지털 신호가 서로의 잡음을 부둥켜안으며 지지직거렸는데, 그게 또 너무 정교한 바람에 멀리서 보았을 때 정말 사람인 줄 알았던 것이다. 홀로그램. 대부분 블로킹 되어있던 탓에 날카로운 음성이 더욱 신경이 곤두섰다.

"저를 부른 게 당신입니까?" 시오가 입을 벌렸다.

"그렇소." "과학자?" "... 그렇소."

"요원 개인 메일을 해킹하면서까지 해야 할 용무가 뭡니까? 특무부에 요청할 일이면 공문을 통해서 하시는 게…."

말이 떨어지자마자 홀로그램 남자는 전자 문건 하나를 보란 듯이 내밀었다. 시오가 손을 뻗어 닿았을 때 그것은 순식간에 종이로 바뀌어 프린팅되었다. 정확히 시오가 지적한 문건 오른쪽 모퉁이에 특무부 인장이 찍혀져 있었는데 의심의 눈초리를 거두지 않고 이리저리 보았지만, 도무지 꼬투리를 잡을 수 없었다. 하지만 크눌프가 아무런 언질없이 이런 일을 맡기는 경우는 전무했다. 특히 뒤치다꺼리가 깊은 문서 작업은 현장 요원에 어울리지 않는다는 전통을 받든 특무부 조직문화에는 이례적인 일이었다. 시오는 즉시 크눌프에게 연락을 넣었지만, 부재중인 듯했다.

"이런 적이 없었는데.." 이상했다. 남자는 일관된 침묵으로 시오를 채근했다.

"일단 문서 내용대로 협조하겠습니다." 그렇게 말하자 또 종이를 내밀어 서명을 요구했고 시오는 손을 휘갈겨 이름을 적었다. "제가 떠나고 정확하게 5 분 뒤, 도착한 부유선에 타세요."

그렇게 홀로그램이 흩어지고 주변의 불쾌한 시선이 잦아들었다. "이상하지 않아 스텔라?" ….. "스텔라?" 무언가 잘못된 걸까?

좀 전까지 수다를 떨며, 조금 전 부유선에 관한 내기에 열을 올리던 스텔라마저 뚝. 감감무소식이다. 곧 소형 부유선이 들이닥쳤고 윰지아 공식 금형이 새겨진 동체를 보자, 그제야 안심을 했다.

…

카마하브

2 층엔 세 개의 방이 있었다. 계단 끝에 벽감이 있어서 그곳에 잠깐 기대어 숨을 죽이며, 생각에 잠겼다…

어차피 나는 갱어인 이상, 지구의 부스러기. 한 점조차 나를 반기지 않을 것을 확신했다. 타무무가 생명체가 아닌, 경멸의 대상으로 그들을 바라보듯. (흡사 인간과 바퀴벌레를 한 행성에 공존케 놔둔 생태 오류처럼) 나 역시 별반 다르지 않을 것이다.

여하튼, 이러저러한 이유로 '히나에 대한 기억'은 상기시키는 행위 자체에 향수가 있을지라도 결코 아름답거나, 목가적이지 않았다. 오히려 내 의식은 끝없는 내리막 어둠의 해연(垓埏)을 향해 응시했다. 그것은 뒤죽박죽이던 이전 상태보다 월등히 황망하고 외로웠으며, 망망대해 앞 노인의 힘없는 결의에 관한 것이었다.

메모리 동기화 과정에서 흔하게 일어난 중첩 기억 재배열에 따른 오류나, 시냅스 회로의 투정 정도로 여겼던 내 오판에 반해, 무시카를 흉내 내는 걸로 그친다기엔 주입된 기억이 생생하고 점점 명료해졌다. 그래, 비스트 호텔에서 만난 여자는 분명 히나였고, 히나는 죽었다. 그렇다면 죽음을 쫓아야 하는가. 내가? 왜?

그런 문제에 직면해야 했다. 스스로 갱어라 자각한 이후로 감정의 동요가 일어나지 않았다. 조금 전 람에게 소리친 이유는 동요라기보다는 '인간을 흉내냈다'라는 본능에 가까웠다…

나는 다시 상상을 접고, 3 개의 문 너머로 그 책임을 넘겼다. 예루는 대체로 이 문 뒤에서 타르프가 할 일을 치르고 있었다. 갱어의 탄생을 목격하던 일도, 기억을 찾게 된 일도 이곳과 연결되어있었다. 물론, 얽혀있는 다른 통로로 이동했기에 문간을 넘어 본 적은 없었으므로 저 도깨비 얼굴이 조각된 황동 문고리가 고풍스럽고 기괴한 기운을 풍겼다. 꿀꺽. 습관적으로 삼킨 침으로 폐부를 약간 진정시킨 뒤, 동쪽 문고리를 잡아당겼다. 쭈욱 바깥으로 뻗은 빛이 복도로 미끄러지면서 어우러지지 않을 어둠을 차츰 밝혔다.

"예루?"

단조로운 육각형 방. 바실리카 아일을 연상케 하는 양옆으로 난 비좁은 통로, 대들보를 받친 로크나 식 기둥엔 면마다 도깨비 그림이(프레스코화인지..) 그려져 있었고 돔형 천장으로는 붉은 천이 육각 면을 따라 늘어뜨린 채 벽을 장식했다. 전체적인 풍광이 감청색 벽지에 어울리지 않다 싶더니 적시에 시야가 빛에 감응하자, 분홍으로 변한 천이 꽤나 어울렸다. 기존에 없던 방이었다. "어 왔어?"

"여긴…"

"점 치는 곳이야. 분명 문앞에 들어오지 말라는 팻말이 있었을 텐데.."

"아… 미안.. 그런 건 못 봤는데.."

"그랬겠지. 장난이야."

예루의 금안이 초승달처럼 가늘어졌다. 예루는 방 가운데 향을 피우고, 그 아래로 러그를 깔고선 람이 허전할 시미타를 얇은 천으로 닦고 있었다. 우리는 잠시 말이 없었고. 의식을 행하는 자와, 그것을 관철하는 자. 둘의 역할에 충실할 뿐이었다. 그러던 예루가 먼저 말했다.

"기억을 찾아 줬으니, 이제는 내 부탁을 들어줄 차례야."

실은 그게 용건이긴 했다. 나는 대답하지 않고 잠시 기다렸다. 상투적으로 어떤 습관에 기인한 상호적 순서가 나올 차례였다.

"며칠 전 람이 내게 물었어. 미래 예지는 어떻게 하느냐고…."

그건 놓쳐서는 안 될, 피할 수 없는 타르프적 이야기였다. 람.. 이 자식. '일단은 에너지는 어디에서 왔을까?'라는 질문을 짚어야 한다며 예루는 운을 띄웠다. 에너지는 주변보다 조금 더 무겁거나, 뜨겁거나, 깊거나, 뭉쳐있거나, 차있거나. 명목적 차이가 있어야 존재하며, 물리적인 것뿐 아니라 학자연한 현자라든지, 경험 많은 노인이라든지, 이런 비선형적인 에너지조차 평형을 이루려는 우주의 성격 때문에 편차가 난다. 거기서 흐름이 비롯된다. 결국, 미래를 예지하는 건, 시간 파동의 움직임을 간파하는 일이다.

높은 에너지에서 낮은 에너지로 흐르듯, 시간은 과거에서 현재로, 또 미래로 흘러간다…… 즉. 시간이란 에너지의 위상차로 일어나는 '현상'이라고 예루는 설명했다. 나름 예루의 뜻을 놓치지 않기 위해 나는 애를 썼다. (머리를 끄덕인다)

"과거는 확증 사건의 결정에너지며, 미래는 확률에 편향된 불투명한 미지…."

덧붙여 무어라 계속해서 말을 하는 것 같았지만, 견문이 짧은 내 탓도 분명 있었고 무엇보다 귀에 들려올 만큼 뜻이 깊지는 않았다. 그럼에도 머릿속은 선명했다. 복잡한 예루의 말을 군침 도는 롤 케익의 아슬아슬한 단면인 양 잘라먹기보다는 노란빛 금안을 오래 보고 있자니 문득 한가지 글귀가 떠올랐다.

[타르프는 미지에 대항하고 순종하는 인류 양립적 모순에서 한 발 멀리 위치하여, 투영된 공리를 설파한다. 단, 근본적으로 그들은 천문학자를 흉내 낸 점성가이기에 다른 의미로 도무지 종잡을 수 없는 투를 감안해야한다]

내가 읽었던 여러 서적의 공통된 타르프에 대한 사전적 정의였다. 다시금 예루의 시선이 나를 꿰뚫어 본다.

"간단히 말해서 이미지야." "이미지?"

"예지할 일보다 내가 낮은 상태의 에너지 일 때, 그러니까 조금 더 불투명해질 때, 이미지화된 미래가 내게 흘러들어오는 거지."

예루의 말을 듣고 문득, 언젠가 팔마흐대학 도서관에서 시그너 박사의 저서『공명인간원론』을 읽은 기억이 떠올랐다. 그것이 말하고자 하는 바를 깊은 영역으로 이해하자면, 거의 대학원 전 과정을 겪는 셈이었기에 거의 눈에 밟히는 글귀만 독파해 나아갔던 거로 기억한다. 여하튼 책의 저자는 '투명과 불투명'이란 얘기에 성격이 드러날 만큼 집요하게 물고 늘어진 윤문이 많았는데, 한데 엮어서 따로 출간해도 될 정도였다. (200 페이지는 충분하고도 남았을 것이다) 요는, 인류가 이해하지 못하는 상념은 불투명도에 무한히 수렴하는 상태로 관측되지 않고 존재하는데(이를테면 암흑물질이나, 암흑에너지 등등..) 여태 인류가 가볍게 여기던 거울이 그런 에너지 형태를 띠고 있었고, 윱지아 로저가 한 일은 오직 서로 간섭하고 관측할 수 있도록 거울에 '인지상태'를 부여한 것뿐이라고 쓰여있었다.

물론, 그에 필요한 수학공식을 장황하게 풀이한 [거울-로저 방정식] 부록은 티몰과 갱어를 동시에 이해를 돕도록 별첨 되지만, 오히려 출간 당시 학계에선 방정식 자체를 지적했다. 로저의 지식 부재로 '결과 값에 끼워 넣은 수식'이라며 반대파들은 주창했다. 그 일은 한참이 지나서야 타분야 학자의 논문[9] 증명에 토대가 공식적으로 인정되어 오명이 씻겨졌다.

"예지의 영역도 별반 다르지 않아. 불투명한 시간 에너지를 현실로 끌어들이기 위해서는 자연 상태로 간섭을 일으키는 이전

---

[9] [시간, 동시에 존재할 수 없던 두 에너지를 현실세계로 랜더링 하기 위한 동력] - 여기서 부정에너지를 설명하는 데에 로저 방정식이 사용되었다

값과 그것을 토대로 한 데이터베이스가 필요한데 그게 '과거'라는 확정 투명한 상태로 저장된 시간인 거지."

그녀는 그렇게 말하고 자신도 『공명인간원론』을 뜻깊게 읽었다며, 내 기억을 끄집어냈다.

"시그너는 결국 인간과 갱어. 존재 이유를 들어 마무리했어. 특히, 인간의 본질적 역할은 '간섭'. 즉, 모든 물질이 상태 혹은 비상태(즉, 상상)로 존재할 수 있도록 자극하는 것이며, 갱어의 역할은 '제동'. 인간이 심연에 빠지지 않게끔 표면적 차원에서 브레이크를 걸어주는 거야."

"브레이크? 그게 무슨 뜻이지?"

"어렵게 생각할 것 없어. 한번쯤 자신을 돌아보게 한다는 말이지. 인간이라면 다들 거울은 보잖아? 진리를 향한 약진은 언제나 퇴로가 필요한 법이니까. 어쨌든 시그너는 과학자치고 꽤나 철학적인 논조가 강하긴 했지."

예루의 마지막 말은 정말로 시그너를 알고 있는 것처럼 말했다. 확실히 나 스스로 갱어로서 인지하고 보니 지난번 히엠스의 늙수그레한 타르프의 이야기에 비해 지겹게 느껴졌다. 나는 몰려오는 졸음을 쫓아내려고 애썼다.

"....그래서 내게 부탁하고 싶은 게 뭐야?"

말이 떨어지기 무섭게 마치 기다렸다는 듯, 노란색 눈을 밝혔다. 아무래도 저 단순한 밀랍 인형이나 유리구슬 조직에 빛을 발하는 장치가 정말 있을지도 모른다는 생각이 들었다.

"시미타 발동코드를… 알려줬으면 해."

"시미타 발동코드….?" 나는 간신히 그것을 입 밖으로 되뱉었다. 그런 뒤 옅은 녹조를 띠는 금안으로부터 시선을 돌렸다.

"모른 척해도 소용없어. 무시카."

그때부터 다리가 사시나무 떨듯 오들오들 떨려오기 시작했다. 희뿌연 안개를 마주한 나는 약간의 현기증을 느꼈으며, 기둥에 새겨진 도깨비가 두 눈으로도 한 번에 담을 수 없을 만큼 확장했고 점차 주변 색깔의 부조화에 괴리를 느꼈다. 점층적으로, 또는 확대해석하여, 생명의 위협마저 느껴서 등줄기로 식은땀이 흘렀다. 나는 그 와중에도 분명히 뜨거운 시선을 느꼈고 도저히 안 되겠다 싶은 마음에 천천히 고개를 들어 예루의 얼굴을 확인했다. 예루는 익살스럽고 사랑스러운 표정으로 나를 향해 웃고 있었다. 사막을 거닐며 보았던 어떤 복합적인 감정 상태보다 더 격렬하게 말이다.

"어서 말해줘."

"무슨 말을 하는지… 모르겠어.."

아니, 그럴 수 없다. 코드라니. 그 기억이야말로 정말로 오롯이 내게만 심어진 코드. 무시카의 기억과는 별개로 과학자들이 작위적으로 새겨 넣은 조각이다. 그걸 예루가 알 리가 없지 않은가? 작게만 느껴지던 소녀는 어느새, 거대하고 섬뜩한 존재가 되었다. 나는 그곳을 벗어나려고 속으로 수없이 발버둥쳤는데도 발은 땅 깊숙이 뿌리내려 묵묵부답이다. 나는 죽을지도 모른다는 생각에 사로잡혔다.

"괜찮아 무시카. 네 반응은 당연한 거야. 관련 기억을 건드리면 작동되는 보안장치니까. 그러니 너무 겁먹을 것 없어. 애당초 우리를 위한. 티몰을 위한 일이야…"

향 때문인가? 내가 미친 건가? 환영과 현실을 넘나들며, 예루의 입술을 뚫고 나온 역니가 점점 부풀어 올랐다. 그러나 아무것도 들리지 않고 빈 공간의 메아리가 귀를 찔렀다. 그제야 퍼 정신을 차리고 뒤로 차츰 물러났다. 나는 일찍이 바짓부리에 숨겨둔 플라즈마 검을 뽑아들었다. 근 3 년간 쥔 적이 없었지만, 여전히 착잡한 심정으로 손에 감기는 시린 느낌과 마지막 전투의 기억이 흘러들어왔다. 그러나 향수에 젖을 시간은 없다. 눈앞의 도깨비는 나를 집어삼킬 준비를 마쳤다. 3m 높이에서 샛노란 홍채로 나를 내려다보는 가늘게 째진 눈과 수세미 같은 머리칼은 나를 위협하기 충분했다.

씅!

초고온 플라즈마가 이온을 방출하며, 도깨비의 역니와 동시에 기둥을 단숨에 갈랐다. 도깨비가 휘청거리는 순간을 놓치지 않고 품으로 파고들었다. 나는 간만에 묘한 흥분을 느끼며, 푸른 광파가 주는 중압감에 지난날 숨겨두었던 날카로운 본능이 눈을 떴다. 손 속에 정을 두지 않기로 마음먹은 후, 뒷걸음질치는 도깨비를 향해서 한 번 더 크게 휘둘렀다. 첫 번째보다 두 배는 빠른 속도였다.

지잉!!!!! 까드드득!!! 나는 순간 화가 치밀어올라 열이 뻗쳤다. 다이아몬드, 고탄소 크롬강조차 쉬이 베어버릴 수 있는 내

플라즈마 검이 바로 콧잔등 앞을 서성이며 막혀버린 것이다. 그것도 무려 네 뼘이나 작은 꼬마에게!

"람!!!"

기척도 없이 람은 검집 그대로의 시미타로 푸른 검을 맞대어 주위로 스파크를 내뻗쳤다. 그건 정말이지 터무니없는 일이었다. 람은 어디서 튀어나왔으며, 또 언제 시미타를 주워들었는지…… 그런 의문을 제쳐두고. 푸른빛으로 언뜻, 시미타를 확인했으나 작은 흠집조차 나지 않았다. 아다만트라도 되는 걸까? 무슨 초라한 시미타에… 그럴 리가.

람의 입 모양이 몇 번이나 끔뻑거렸다. 나는 여전히 알아듣지 못했다. 오로지 그의 등 뒤로 사악한 기운을 풍기는 도깨비에 집중하느라 온 신경이 곤두섰다. 그렇게 한 호흡을 약동 삼아 다음 공격을 추진할 찰나, 방 안은 두 눈을 잃은 것처럼 모든 것이 어둠으로 치달았다. 플라즈마로 일렁이던 검신이 모습을 감추고 꺼져버린 것이다!

이런 젠장! 하필 이런 때에!

사실 그것도 문제였지만, 허리에 힘이 먼저 빠졌다. 휘청거리는 자야말로 나였고, 위기를 느낀 겁쟁이도 나였다. 그런 뒤, 움켜쥐던 빛이 일순 빠져나갔다. 내가 취해야 할 일은 명료했다. 사방으로 뻗치지도 않은 검자루를 마구잡이로 휘두르다가.

퍽! 목 뒤로 강한 충격이 내 전신을 흔들고, 온몸에 힘이 빠지는 것으로 나는 주저앉았다. 점점 아득해지는 정신을 간신히 붙잡았다…[10] 나를 내려다보는, 저 금색 안…. 아.. 안 되는데… 내 입에서 뜻하지 않은 쉰 소리가 한동안 먹먹한 공간을 채웠다..

…..

"...... 카의 방어기제가 너무 예민한…."

….

"... 게이지 대칭이 어중간하게…. 그래서 말인데…"

"..... 그런 거라면.."

...

".. 약력을 이용해서.. 다시.."

나는 점점 확성하는 소리에 의식이 닿았고, 그런 일이 탄력을 받아 점차 가속하여 또렷이 들려왔다. 정신을 차리고 보니 창문 하나 없이 환풍구만 덜렁 있는 병실에 누워있었다. 민트와 짙은 초록 중간쯤 색을 덮고 있었고 발치에 두 사람은 얘기를 나누고

---

[10] 바슈테림으로서 읊는 기도문 중 한 구절을 외워뒀어야 했다…
이제야 드는 생각인데, 과거에 있었을지 몰라도 적어도 오늘날엔 신은 없다. 그렇담 그 사이, 니체의 말대로 신은 죽었거나 원래 없었을 것이다. 갱어들이 명명하는 헨마도 결국은 '신 숭배하기' 흉내에 충실할 뿐이다. 그들에게 신의 유무는 사막의 모래 한 움큼 보다 더 무가치한 문제라 생각한다. 따지고 보면 갱어의 추앙 자체를 향할 곳은 인간이다. 그런 관점에서 보았을 때, 결코 인간은 피조물에 투영하여 본보기가 될만한 존재는 아니다. 신이라 부르기엔 인간은 너무 오만하고, 불안하고, 무능하고, 유한하며, 감정적이었다… 그때 나는 람을 베어버려야 했을까?

있었다. 또 반쯤 올린 눈꺼풀 아래로 그들의 대화를 따라가려고 집중했는데 곧 발각되고 말았다.

"일어났어?" 예루가 물었다.

목 뒤가 시큰거리고 힘이 빠진 것 외에는 별다른 증상이 없었으므로 나는 등받이에 기대어 상체를 일으켰다.

"도깨비는…?"

"이 바보! 녀석!" 람은 침대 난간을 잡고 그렇게 말했다. "네가 날뛰는 바람에 예루가 다쳤잖아."

예루? 걱정스러운 눈으로 여자아이가 나를 보고 있었다. 어슴푸레한 금색 안 바로 아래 우측 뺨을 가린 거즈에 눈길이 닿았다. 흐릿한 입꼬리의 연장선. 거의 입술 근처였다.

"네가 본 건 환영이었어!"

"무슨 소리야. 나는 분명히 도깨비의 역니를…. 노란 눈을…. 나는… 아.."

순간 예루가 침상에 반쯤 걸쳐 나를 힘껏 껴안았다. 싱그럽고 마치, 정말 부분적으로 살아있는 듯 솟은 왼쪽 볼로 부비댄다.

"괜찮아 무시카."

따스한 전신. 살보드라운 말투. 나는 뜻하지 않게 죄인이 되고 말았다. 나는 그녀에게 한 점 오차 없이 감응되었다… 벅차오르는 티몰의 기운에 마침 취했던 걸까. 아님 옛들은 내용대로 윰지아 과학자의 모범적 예시로 굴종할 수밖에 없었던 걸까. 기억을 찾았음에도 여전히 휘둘리는 나 자신을 보자니 힘이 쭉 빠져버렸다. 더구나 위해를 입은 당사자는 나를… 위로하고 있으니.

"너 진짜…. 무리하게 움직였어." "......"

나는 아무 말 없이 고개를 숙였다. 그것이 대답이라도 되는 듯했다. 의학으로도 조예가 깊은 그녀의 소견으로는. 마치 오컬트 조형물같이 노출된 내 척추가 앞으로 반년이 채 남지 않았다고 했다.

"뻔한 잔소리로 들리겠지만, 격하게 움직이면 수명이 더 짧아질 거야."

"이제 람 님을 올려다보게 될지도 모른다고. 흐흐." 람은 진심으로 말하는 것 같았다. 정말이지 진중함이라고는 없는 고지식하고 통통 튀는 녀석이다. 사막에서 나름 일목한 유대가 쌓였다는 걸 방증한 셈인지 나도 모르게 웃음이 새어나왔다. 우리는 그렇게 병실안에서 깎아놓은 과일 앞 어색한 관계처럼 멀뚱멀뚱하게 한참을 앉아있었다. 람의 허리에 반듯하게 찬 시미타가 나를 감시하고 있었다.

"... 코드는.." 내가 먼저 입을 열었다. 그 단어가 처음 내 입을 관통했을 때와 비교하면 훨씬 가볍고 수월했다. 나는 그 안정감에 확신을 갖고자 재차 말했다.

"코드는.. 알려줄 수 없어."

그제야 나는 한숨 돌릴 수 있었다. 그러나 내 기분과는 무관하게 뜻밖의 대답이 들려왔다. -E204523- 뇌리를 관통하는 말이었다. 확실한 코드다.

"넌 기억하지 못하겠지만, 사고 직후 정처 잃은 네 무의식이 코드를 알려줬어. 이곳에서의 언약은 그런 힘이 있거든."

나는 사건이 벌어지기 전과 후의 연속된 사건에 명료한 기억이 있었다. 그건, 단기기억상실이나, 앓고 있는 기억장애와는 전혀 무관했다. 지금도 알파벳 E와 여섯 자리 숫자가 무슨 의미를 갖는지 모르지만, 타인이 알게 되었다는 사실이 이유 없이 불쾌했다. 그건 마치 상의는 '입고' 하의는 '입지 않은' 상태를 우연히 가족 구성원에게 들켜 경멸의 눈빛을 받거나, 때늦은 차가운 커피에 버터를 띄워놓고 다이어트를 한다는 얼토당토않은 몇 세기 전 괴담 같았다. 그나마 다행인 건 예루가 도깨비로 보이지 않… 아니, 변하지 않았다는 것이다.

"그 코드로 너흰 뭘 할 셈이야…. 그러고 보니 시미타 어쩌고 했었던 것 같은데."

예루는 깊고 진한 미소를 지었다.

"이제 독립을 해야지.."

"독립?"

나는 고개를 갸웃거렸다. 추상적 의미로 받아들여야 할지 몰랐다. 하긴, 시미타가 사실은 베기 위한 용도가 아닌 어떤 장치였구나 라는 걸 그때쯤 받아들였다. 섬뜩하고 메마른 사막의 칼 치고는 굉장히 사나울 거로 예상되는 검신을 람이 빼든 걸 본 적도 없고 또 무식하게 단단했다. 초고온 플라즈마를 멈춰 세울 정도였으니까. 우주광물학자는 아니지만. 정말 꿈의 아다만트라 불러도 어색함이 없을 것이다.

"이건 의례용 칼 같은 게 아냐. 로저의 걸작 '성간 거울'… 양입자치환기라고. 사막에 폐기된 걸, 람이 수십 년간 찾아다니느라고 고생했지. 이제 이걸 사용해서 지구-티몰. 두 행성 간 얽혀있는 모든 정보입자를 끊어낼 거야."

나는 눈이 휘둥그레졌다. 보통 칼이 아닌 줄은 알고 있었지만… 고유의 서늘한 느낌을 풍기는 날붙이와는 뭔가 다르다고 생각은 했었지만… 전혀 용도가 다른 물건이지 않은가? 그리고 거울이라니. 도무지 어떤 식으로 작동하는지 궁금했다.

"어떻게 되는데?"

"그렇게 되면, 우리는 진짜 삶을 살게 될 거야. 종족 번영, 에너지 낙수, 시간의 흐름…. 그리고 늙어 죽는 것도 가능하겠지. 하지만 오히려 좋아. 죽음은, 그것만으로 우주 섭리에 존엄을 인정받은 고유 생명이란 뜻이니까."

그게 정말 좋기만 할까? 나는…. 확신하지 못했다. 인간은 불멸에 집착했다. 종의 특성이 그러했다. 거부, 저항, 봉기, 혁신, 반란… 어느 이름으로 불리 건, 결국 그 화살은. 여러 감투를 쓰고 수세기에 걸쳐 신의 자리를 탐했다. 그런데 갱어는, 예루는, 오히려 죽음을 원한다. 인간이건, 갱어건, 저만의 창조주를 닮고 싶은 DNA 적 오류일까? 그것도 아니면 우주의 질서. 코스모스. 오래된 것은 바래고 새것은 차오르는.. 선순환.. 끝없는 질문에 질문. 나는 얼른 대답했다.

"네 의지가 그렇다면…" 인간의 기억을 가진 나로선 응원의 최대치였다.

"그런데 예루, 이해가 되지 않는 부분이 있어. 지구인은 티몰을 '동등한' 행성으로 받아들일 수 없을 텐데, 어째서 과학자는 내 머릿속에 코드를 심어 놓았지? 그게 아니면, 독립은 일말의 가능성도 없던 거잖아."

"그건… 설명하기 어려워."

"이해를 구하지 않는 건가?" "단순한 문제가 아니야. 뭐라고 말하기엔…. 역시 어려워…" 나는 침묵으로 대응했다. 두 꼬마를 보채어 칭얼거리고 싶지 않았는데다, 『공명인간원론』에 수록된 70 페이지에 달하는 타르프 관찰 기록을 보면, '수다쟁이' 성질에 의외로 차분하고 침잠한 분위기가 유리한 입장으로 적용될수도 있다고 묘사했다. 다시 한번 말하지만, 어디까지나 '묘사'일 뿐이다. 학자들은 입증되지 않은 가능성의 영역에 일일이 문맥을 맞추기보다는 그럴듯한 단어를 삽입하는 것을 선호했다. 결국, 효과는 있었다. 예루쪽에서 입이 근질거리는가 싶더니, 입술을 달싹였다.

"뭐…. 쉽게 말해서 네 죽음으로, 네가 내포한 완전한 데이터 소실을 유도한 거지. 티몰은 그런 행성이니까.."

씨앗 전자 상태로 주변을 부유하는 메모리 입자를 지워도 소용없다나 뭐라나.. 어쨌거나. 속 시원한 대답은 아니어서 나는 그대로 람에게 눈을 흘겼다. 그렇다고 곧바로 답이 나오는 것도 아니다. 뜨거운 모랫바닥, 지면이라면 모를까, 람은 입을 꾹 다물고 고집 센 사막인처럼 굴었다. 동시에 그는 뭔가 알고 있듯이 비밀스럽게 일소한다. (입꼬리를 올려 묘한 표정을 짓는다거나 하는) 더는 안 되겠다 싶어 약간 벌어진 저 검집과 숄더 부분 사이에서 해답을 찾고자 눈을 쫓았다. 람은 내가 또 한 번

의식의 늪을 헤적이는 동안, 2kg 이 채 되지 않는 검체의 힐트[11] 맨윗부분, 작은 홈에 새겨진 태양 문양에 현미경으로 코드 수열을, 그러니까 68 년 전, 티폴-지구의 쌍성 궤도로 뒤틀릴뻔한 라그랑주 특수해가 유례없는 포인트를 재생산하다가[12] 결국. 본래의 평형을 되찾을 당시, 천랑성[13]에서 바라본 태양의 흑점 배열을 잉크로 찍어냈다고 했다.

"그럼 작동한 거야? 생각보다 뜨뜻미지근 하네? 지진이라도 나는 줄 알았는데."

"아직… 시동은 걸었어. 그 전에 네 의사를 묻고 싶어서 말이야." "어떤?"

"정말 괜찮겠어? 네 기억은 지구에 있잖아. 고향으로 갈 수 있는 마지막 기회야."

예루는 그간의 노고로 푸석해진 내 머리를 쓰다듬으며, 눈으로는 나를 지긋이 쳐다보았다. 나는 애써 시선을 피했다. 그녀의 노란빛 홍채를 맞대면 항상 발가벗겨진 기분이 들었다. 어떤 식으로든 마주하고 싶지 않아서 "방이 덥네."라고 얼버무렸다. 효과는 없었다.

순간적인 감정에 휘둘려 급변하는 파도에 나약한 짐승이 되어간다. 그녀의 앞이라면….

---

[11] 검자루

[12] 엄밀하게 말하자면 지구-태양-티폴 3 체가 되었으므로, 2 체에만 성립되는 케플러 운동으로는 중력 균형을 정의할 수는 없다. 다만 쌍성끼리 적절한 중력 합의를 이루어, 특수해의 '변동 없음'이 주목할만했다. 정말 행성끼리 어떤 중력장 에너지를 주고받으며 대화를 하는 건 아닌지..

[13] 또는, 시리우스

달아오른 액체가 뺨을 타고 아래로 흐른다. 남몰래 베갯잇을 적시던 일이 어린 시절 기억으로 그치지 않고 깊은 폐부에 고스란히 남아있는 걸 확인하자, 동정 어린 감정이 설사 가짜로 빚어진 것이라도 진짜 살아있음을 느꼈다.

그래, 기억이란 이런 일이었다.

"사실은 가고 싶어."

.

.

.

그렇게 나는 곧 티폴 행성과 영영 이별을 앞두고, 며칠간 람은 미루었던 이야기를 한시도 내게서 떨어지지 않고 나부댔다. 마치 오랜 휴가를 맞아, 평소 눈길은 갔으나 막상 보자니 망설여지던 드라마를 눅눅한 시리얼을 씹으며 정독하는 일과 비슷했다. 그런 일은 내 예상을 벗어나지 않고 지루했다. 모두 그런 건 아니었지만… (자유하지 못했을 때 이야기를 듣는 맛이 별미이긴 했다[14]) 그런 지루한 생활이 막바지에 이르러서는, 람은 '새어나가지 않는' 이라 불리는 방으로 나를 데려갔다. 이름이 꽤 추상적이라 생각했다. 하지만 후에 그곳에서 나왔을 때, 머리를 세게 얻어맞은 것처럼 도무지 람과 무슨 얘기가 오갔는지 전혀 기억이 나질 않아 방앞에서 한참을 서성거렸다. 마스킹 테이프 같은 걸로 문과 방의 경계에 하얀 선을 그어 놓았던 것과 요상한 방 이름이 유효하다는 것, 그리고 람의 손뼉 소리만 기억난다.

---

14 람에게 납치당했을 때

"이제 시미타를 발동할 거야."

우리는 사막의 모든 오아시스가 모여든 폭포, 또 한 번 커다란 호수를 거쳤다 까마득 어둠으로 떨어지는 낭떠러지와 들푸른 야초가 난무하는 들판 사이에 섰다. 왼쪽으로는 여전히 익룡의 비명이 귀를 찔렀고, 위로는 모래 천장에서 빛이 산란하며 폭포수의 습기가 공중으로 뭉쳐, 카마하브 탈출을 기대하는 누런 땅구름 따위가 줄지었다.

"어서 타."

지잉. 삼각 모양의 개폐 장치가 위로 솟구쳤다. 허리를 굽혔다. 하얗게 노출된 척추. 어느 지점에 통증이 느껴졌다. 시미타의 칼날이 야릇하게 미끄러지는 소리가 뒤로 들렸다. 스릉. 그때 등 뒤로 강한 빛이 일렁거렸다. 안쪽 케이블 난간을 잡고 뒤돌았을 땐 벌써 검신은 숨어버려서 직접 보진 못했다. 아마 마지막으로 정상 작동되는지 확인하는 것일 터다.

스윽. 람이 무언가 내민다. "이건..?"

못다 한 이야기를 담은 카세트 테잎까지 주머니에 찔러주는 걸 가까스로 만류했다. 여행 중 적적하지만은 않다는 예루의 자발적 조언이 없었다면, 1 인용 소형 오브에 웅크려 이착륙 시, 보급형 우주복. 유일하게 주머니가 있던 치골을 계속해서 건드렸을 것이다. 예루는 자기 키보다 조금 더 높은 동체의 입구 난간에 빛을 등지고 섰다.

"좌표는 라그랑주 특수해 L6. 행성 간 간섭에 얽혀있으면 위험할지도 몰라. 그곳에 있으면 돼."

"계속 우주 공간을 떠다닐 순 없잖아."

"행성 간 얽힌 대칭이 재배열 될 때, 강력한 중력장이 있을 거야. 그렇게 되면 조금 더 힘이 강한 지구 쪽으로 끌리게 되겠지. 세부 착륙 위치는 조정할 수 없어, 카디믈랑에 떨어지지 않도록 운에 맡기는 수밖에."

확률적인 일에 운명을 맡기게 될 줄이야… 지구의 면적만 고려했을 때, 46 대 54 의 확률. 죽음에 더 가까우려나? 나 역시 카마하브에 남아 모든 일을 끝마친 후, 기억을 쫓아 지구에 가고 싶었다. 여전히 달아나기 바쁜 내 모습 속에 불안감을 떨쳐내는 기쁜 속내가 혐오스러웠다. 그러나 예루는 내 마음을 읽었는지 적당한 이유를 가져와서 다그친다.

"이때가 아니면 기회는 없어. 행성이 안정되는 과정을 틈타면, 갱어 하나쯤 지구에 발 들여도 행성은 전혀 눈치채지 못할 거야. 그렇게 되면 갱어는 지구에 존재할 수 없다는 규칙이 깨진 셈이지."

"... 자칫 붕괴할 수도 있다고 했잖아. 그럼 티몰은 어떻게 되는 거지?"

".. 넌 세상에 유일한 갱어가 되겠지." 예루는 아무렇지 않게 대답했다. 살랑대는 포니테일 뒤로 밀려오는 찬연한 빛줄기 탓에 얼굴을 제대로 볼 수 없었다. 나는 눈살을 찌푸린 채 예루의 너머로 거대 익룡의 존엄을 다시금 귀로 확인할 뿐이다.

"참! 선물이 있어."

"뭔데?" 나는 심드렁히 대답해 놓고선 귀를 쫑긋 세워 내심 기대하고 있었다. "카마하브의 타르프. 나, 예루 님의 대예언이지. 들을 준비됐어?"

그럼 그렇지.. 들뜬 마음이 중심을 잃고 곤두박질쳤다. 그러나 나름 성의를 무시하는 행위는 사막의 부랑자, 또는 신사답지 못한 행동. 이란 생각이 불현듯 들어서 나는 준비됐다고 대답했다.

….

….

"이제 작별이야. 무시카."

위잉. 쿵.

소형 우주선 개폐구가 닫혔다. 람이 투명한 유리 너머로 말을 하려는 것 같았다. 곧바로 항온 셔터가 드르륵하고 무심하게 닫히면서 내가 깜깜한 어둠으로 내몰린 까닭에 알아듣지 못했다. 그 장면은 정확히 11 초 뒤, 반중력 장치로 총알처럼 튀어 오르는 나에겐 두고두고 웃긴 모습으로 기억되었다. 그 흐릿한 형체만으로도 람은 끝까지 나를 속일만한 훌륭한 연기를 하고 있었으니 말이다.

그에 반해 예루는.. 슬픔, 찬탄, 회한, 아쉬움, 거룩한 대의를 꿈꾸는 표정을 흉내 내고 있는 건가? 만약에 그런 거라면 누구를 따라서…

…

한창 열띤 토론 가운데, 웬 매서운 사이렌 소리가 귀를 찔러 두리번거렸다. 그것은 시그너 박사의 알람이었다. 잠시 휴식을 취했다. 그는 급하게 연구실로 뛰쳐나갔다. 마침, 우푸가 먼저 냉장고로 슬며시 밀어두었던 포도주에 손대는 바람에 대화의 논조는 '콘냐'에서 점점 더 상관도 없는, 근처 은하로 치닫는 중이어서 차라리 잘됐다고 생각했다. 가령, 인간의 오감 중 미각 중추를 담당하는 미뢰에 전기적 자극을 통해 부분적으로 차단하거나 활성 극대 시키면, 생감자 하나로도 일류 요리사 한계의 이면에 있던 맛의 극치를 너무나도 쉽게 경험할 수 있는데, 우푸는 그런 과학 기술이 음식에 담긴 문화적 의지를 파괴하는 행위라고 주장했고, 시그너 박사는 뛰쳐나가기 직전까지 그 기술이 자신에게 필요하다고 절실하게 항의했다.

사실 뮤텔리안은 그런 '우푸적' 기질이 있는 사람들이 모여있는 도시였다. (무조건적인 진보에 거부감을 느끼는) 폴프는 그 중간에서 말도 안 되는 소릴 한다며 찬장에 거꾸로 매달려 있는 와인잔을 집어들었다. 전통을 따르려는 건 좋다고 생각하지만….

꿀꺽 꿀꺽. 위선자여.. 이 와인은… 어떻게 설명할 것인가? 누가 봐도 싸구려 상표를 긁은 손톱자국이 한 점 부끄럼 없이 둥근 바닥면 홈 아래서 위풍당당한데, 천상의 맛이 혀끝으로 노닐다가, 치아 사이사이를 도포한 뒤 배어 나오는 떫은 끝 맛이, 한참의 고심 끝에 결국은 단맛으로 판명되는 최상급 와인이 돼버린다. 카디플랑제 와인이 이런 사막 변방 뮤텔리안에서 아직 처음으로 방문한 낯선 남자의 방에 있을 리가 없다.

폴프는 결국 창밖의 아라비아 사막, 검은 능선으로 눈을 가늘게 뜬 채로 잔을 홀짝거렸다. 부엌 탁자에는 여전히 원기둥의 콘냐가 은연중, 짙은 향을 공기 중으로 비산했다. 시그너 박사가 막 나간 후에 우푸는 짧게 대답했었다.

"샤마께 말해보죠."

그래서 폴프는 샤마라는 자에게 시그너 박사와 자신의 거취에 대한 결정권을 가진 자겠거니 싶었다. 무슨 이유에서인지는 모르겠지만 우푸는 이후, 한숨을 푹푹 쉬며 계속 술을 마셔댔다. 한 잔. 두 잔… 너무 취한 나머지 덩치에 맞지 않게 좁은 방안을 반건조 오징어를 굽는 모양새처럼 팔이 안으로 굽었다가 고개가 꺾이는, 반복적으로 추태를 부렸다. 더욱 대단한 것은 폴프와 문앞에서 컹컹거리는 짐승을 못 본체 춤을 춘다는 사실이었다. 그건 정말이지 무아지경이라는 말로밖에 설명할 수 없었다. 중간중간에 '라미아..'라는 이름을 되풀이하는 걸로 보아, 복잡한 여자 문제일 것이 분명했다. 폴프는 선뜻 제지하지 않았다. 그러다 우푸가 곯아떨어지고 또 한참 뒤, 외출을 마친 시그너가 봉다리 하날 들고 돌아왔다.

"자네, 초밥 좋아했던가?"

".. 하나 죽어도 모를 정도죠."

…

드르렁 드르렁.

우푸의 심드렁한 소리가 방문을 비집고 들이닥쳤다. 그런데도 그 소리는 방문자들에게 상당한 안정감을 주었다. 알맞은 시간. 적절한 데시벨. 가끔은 폭군의 알레그로

콘브리오[15]로 긴장감을 조성하는 게 꼭, 싸구려 와인의 주조 방식에 '음악 발효공법'을 기초로 둔 듯했다.

시그너 박사는 젓가락질을 곧잘 했고 폴프는 거의 3 개째 초밥이, 맞은 편 남자의 목구멍으로 걸쭉하게 넘어가는 걸 묵묵히 지켜보고서야 겨우 자존심을 내려놓고 포크를 들었다.

“박사님께서 여기서 하시는 연구가 대체 뭡니까?"

"네가 그런 걸 다 묻다니 오래 살고 볼 일이군."

"지금 하시는 연구 때문에 윰지아에서 쫓겨나신 것 같은데, 여전히 놓질 않잖습니까. 곧 죽어도 윰지아가 아니면 안 된다 하시던 분이…"

"하하! 자네 말을 듣고 보니 그렇게 보이긴 하겠군." 붉은 조명이 그들 머리 바로 위에서 흔들거렸다. 박사의 얼굴 주름이 좀 더 깊게 팼고 동시에 음영의 움직임에 따라 불편할 정도로 눈을 간질였다.

"모래 폭풍이 부는 모양이야…."

박사는 그렇게 말했다.

"박사님!"

".. 아무리 자네라도 연구에 방해받고 싶진 않네."

"제가 무슨 방해를 한단 말입니까?"

"자네 존재가 방해란 말일세!"

박사는 소리쳤다. 순간 반대편에 앉은 남자가 멀뚱멀뚱 쳐다보기만 하자 조금 위축되면서 흥분을 가라앉힐 수 있었다.

---

15 Allegro con brio - 씩씩하고 빠르게

상대도 꽤 놀란 눈치다. 분위기가 붉어졌다. 그러다 초밥 앞에서 포크를 들고 있는 장면이 웃겨서 입술 끄트머리를 살짝 깨물었다.

"방금 얘기는 못들은 걸로 함세… 그보다 콘냐에 대해 설명해 주겠나?" 그는 고개를 떨구었다. 입맛이 싹 가셨다. 뽀얀 은빛 속살 위로 검푸른 갑옷 줄기가 어슷하게 썰려있는 채 즐비한 홍해산 시메사바[16].. 사각 목각판에 눈길이 닿았는데 애써 외면했다. 대신 폴프가 탄력이 두드러지는 저 은광을 선점해 입안으로 집어넣었다. 저작운동을 거친 뒤, 흡족한 표정으로 폴프는 책상 모서리를 장식하던 냅킨으로 입을 닦았다.

"콘냐는…. 자신과 동일한 신체가 영혼의 거부반응 없이 호환되도록 평상시 착란 상태로 교착시키는 항정신성약물입니다."

"...그건 조현병 치료제 아닌가."

박사의 얼굴이 일그러졌다. "아, 물론 박사님 연구에… 그러니까 기존 갱어심리학의 틀을 뒤집을만한 요소로 적용되지는 않을 겁니다. 갓 태어난 실험체만 합법적으로 공급받았다면 말이죠. 그것들은 콘냐에 불붙일 시간도 없었으니 중독된 상태가 아닐 겁니다."

그걸 말이라고. 그동안 시그너 박사가 저술했던 모든 갱어에 관한 근간이 무너질 수도 있는 치명적인 일이 폴프의 입에 달렸다. '합법적이란' 것은 단지 학자들에겐 윤리적 장치일 뿐, 늘 그렇듯, 저들의 치부를 가리는 불변의 수단이었다. 하지만 생선가게 앞 고양이가 가판대 사정을. 그런 거나 신경 쓸까? 물론 아니겠지.

---

16 고등어초절임

"....."

"그런 표정 지을 필요 없습니다. 일찍이 저는 인간들이 그런 일에 윤리적 문제로 걸고넘어졌던 걸 알고 있었습니다. 합법화하는데 많은 시간과 돈 낭비 했다는 사실과 여러 자선단체의 눈치를 보느라. 갱어분야 연구 성과가 더뎠던 부분도요. 그래서 시그너 박사님의 심정을 충분히 이해합니다. 다행히 저는 그들을 옹호하지 않으니 언짢으실 필요는 없습니다."

"혹시 묻네만..."

이때, 폴프가 얼른 말을 가로채면서 현대의학 관점에서의 갱어가 정신분열의 산물로 여기는 일부 학도들과 추호도 관련이 없다고 말하자, 박사는 긍정의 표시로 고개를 주억거렸다. 그게 그나마 위안이 된 듯했다.[17] 그럼에도 따가운 눈초리를 쉬이 거두진 않았다. 여전히 경직되고 사무적인 태도로 아예 팔짱까지 껴서 방어 태세로 돌입했다. 자선 단체나, 유사 과학 종교의 접근은 대개 '무분별한 호의'로 시작하지 않는가? 그래서 폴프는 기억의 저편에서 다신 겪고 싶지 않을 짜릿했던 경험을 끄집어내어 경계를 풀 필요가 있었다.

"흐음.. 어릴 적 우연히 조부님의 실험실을 멋대로 돌아다닌 적이 있었죠."

---

17 행성간 법칙으로 갱어는 지구로 넘어오지 못하기 때문에, 과학자들의 논문은 연구비를 뜯어내는 허무맹랑한 소설로 여겨졌다. 그래서 의학계는 티폴을 연구하는 천문학자들이 모종의 이유로 분열증세, 정신질환을 앓고 있다며 내원을 권고했다. 하지만 갱어는 대중에게 공개되지 않았을 뿐, 분명히 티폴에 존재했다. 이와같이 '지구가 평평하다는 고질적 오류를 주창하는 원시인들' 같은 시대착오적 문제가 여전히 범람했다

"... 그런 적이 있었지. 생각나는군."

"모든 실험실 문을 열어 봤다고 할 순 없겠지만, 개중 가장 충격적이던 곳은. 까마득 어둠에서 겪은 유체이탈 현상, 인공 뉴런과 잠시 링크된 일, 손 안으로 육중한 바다를 쥔 일, 안경알 크기만한 블랙홀 구체를 완벽히 구현-지속-제어해 청소기로 쓴 일도 아니었습니다… 그건 갓난아이 모습으로 완벽한 지성인 흉내를 내는 갱어들이 서로 어깨나 팔, 다리를 걸치며, 제 몸을 가누지 못하고 맨바닥에 누워있는 방이었습니다. 그건… 흉측하고. 끔찍했습니다. 한 학급 정도 되는 스무 명 정도의 갱어들이 낄낄 깔깔 웃으며, 옹알거리는 수다를 떨다가 일제히 저를 쳐다보는데.. 소름이 돋아, 어린 나이에 저는 그 자리에서 오줌을 지렸었죠. 이마 밑으로 깊게 팬 주름엔 노인의 깊은 염세와 회한이 겹쳐 보였어요. 당장에라도 담배와 라이터만 있으면 불을 붙일 것 같았고, 생물학적 이성이 있었으면 이유 없이 괴롭혔을 겁니다. 그리고 콘크리트 벽면 구석엔 혀 근육을 의식적으로 단련시키는 놈도 있었는데, 걔가 나중에 대장 노릇을 했을 겁니다. 아무래도 그 상태에선(사각 침대에 격리된 채, 무능력하게 천장 모빌만 볼 수 있는 상태) 말이 곧 힘일 테니까요. 어쨌든. 암모니아 냄새가 그것들의 민감한 코를 강력하게 찌르자 짝짓기 철의 개구리처럼 일제히 공명하기 시작했습니다. 그건…. 악마소환, 연금술, 오컬트, 사이비 집단에서나 볼 법한 종교의식 같이 들렸는데, 피 묻은 날붙이나 그걸 들만한 근육이 없어서 천만다행이라고 여겼습니다. 저는 조부님이 올 때까지 한 발짝도 움직이지 못하고 얼어버린 다리를 원망했습니다."

"그래서… 자네가 하려는 말이 뭔가."

"제가 설마 오줌지린 일을 떠벌이려 했겠습니까? 갱어는 도구에 지나지 않습니다. 무슨 뜻이 있는 것도 아니고. 정말 쓰고 버리는 '물건' 그 자체란 겁니다. 환경운동가들은 뭔가 대단한 사명을 가지고 행동하는 것처럼 보이지만, 그들도 편한 생활을 존속하기 위해서 매일같이 토스터에 열을 올리고 우유를 마시지요. 도구를 안 쓰는 인류를 인간이라고 할 수 있을까요? 정말 환경운동가의 문제점은, 문제로 키우는 데 있어서 밑도 끝도 없다는 점입니다."

".. 그건 동의하네."

"제 말을 믿어주세요. 저는 박사님과 같은 입장이라고요."

"....."

그나마 시그너 박사의 좁혀진 미간 정도는 다림질할 수 있었던 모양이다. 폴프는 물 한잔 마시며 상기 되었던 끔찍한 악몽을 도로 집어넣었다.

"다시 콘냐 얘기로 돌아가자면.."

"....." "일단 들어보시죠."

폴프는 계속해서 말을 이어나갔다.

"박사님께서 제 조부님의 일지를 옮겨 놓으신 미출간 원고를 읽은 적이 있습니다. 놀랍게도 그 시기가.. 티몰 탄성 직전에 관한 일을 적어 놓으셨더군요."

그때부터 시그너의 다리가 낮은 음으로 떨리기 시작했고, 책상 아래로 맞잡은 두 손의 진동이 그대로 한 팔 간격의 좁은 사각 공간을 타고 전해졌다. 중간중간에 깔그락거리는 소리가 또 무엇을 의미하는지 폴프는 습관적으로 느끼고 있었다.

"『거울 인간』 그 일지에 정확하게 짚어주셨다시피, 갱어의 습성에는 인간뿐 아니라 원시 유기체론의 동조 반응조차 띠지 않더군요. 피상적 껍데기가 화려하다는 점은.. 정말이지 인간과 쏙 빼닮았을지도 모르지만. 어디까지나 피상적이란 말입니다. 최초의 갱어(이하, 알파) 행동은 마치 조현병의 양성-음성증상을 동시에 보였습니다. (비정상적인 행동과 사고, 표현감소, 기억손상) 그래서 조부님은 클로르프로마진 단백 구조를 약간 변형한 6 세대 항정신성 약물인 콘냐를 처방했습니다. 지금도 티폴인은 양성증상을 '흉내'로 표출하죠. 별개의 얘기지만 수뇌부에선 모래화가 항정신성약물의 국지적 부작용이라는 견해도 있었습니다."

"그럴 리 없네…. 로저는… 윱지아 로저는… 아니, 그보다 도파민 수용체 억제는 오히려 파킨슨병을.."

"인간이라면 그랬겠지만…. 우리와 대칭이 다른 저들의 몸에 작용하는 원리는 달랐습니다."

"그래.. 그랬지." 시그너는 이제 눈에 보일 정도로 심하게 몸을 떨었다.

"제 아버님은 조부님의 뜻에 따라 콘냐 재배 시스템을 아덴에 구축했고 그에 대한 사업 독점권을 영속토록, 어떤 수완 좋은 티폴인에게 줬습니다. 결국, 사막에서 갱어와 마주쳐 돌아가셨지만…."

"... 굳이 그래야 했던 이유는 뭔가?"

"정확히 어떤 걸 말씀하시는 거죠?"

"저 피상유기체를 정상적 사고 회로로 돌려놓으려는 이유 말이네. 요는 그게 아닌가? 그게 예의 그 프로젝트와 무슨 관계란 말이지? 아니, 아니지.. 잠깐…! 설마… 이럴 수가.."

식탁 위 포개 놓았던 젓가락, 구깃하게 접힌 냅킨, 가느다랗게 발린 생선 살, 그리고 앉은뱅이 폴프. 진동 운동이 멈췄다. 시그너는 불안했다. 며칠 자지 못한 사람처럼 눈두덩의 그림자가 턱 아래까지 드리웠고, 그것을 밝히는 붉은 조명은 소용이 없었다. 그리고 이내, 납득했다는 표정으로 실소했다.

"내가 아는 로저는 그럴 인물이 아니네… 하지만 정말 만약. 자네 조부가.. 그런 거라면. 그럼. 솔라 프로젝트는.."

쉿. 폴프는 검지손가락을 입으로 가져다 댔고 시그너 박사는 입을 다물었다. 어둠이란 매질을 타고 흘러오던 낮고 심드렁한 음파가 어느 순간부터 들려오지 않았던 탓이었다. 우푸가 깨어난 건가? 언제부터? 그들은 서로 바라보고 있는 와중에도 온 신경은 방 문을 향했다. 한 8 초쯤 지났을까? 서로 눈치에 숨이 죄어오기 전, 유기체의 확실한 생명운동을 목도하고서야 그들은 안심했다.

크르렁!!! 컥컥! 컹!!! 드르릉…

…

뮤텔리안 방공 경보를 시작으로 지평에서 태양이 따갑도록 타올랐다. 곧 집어먹을 듯 푸른 행성이 바로 앞에서 붉은 태양을 아슬아슬하게 가리는 바람에 반쪽짜리 빛과 에너지가 아라비아 사막을 더욱 거세게 일사했다. 티몰-지구의 대기를 동시에 관통하는데도 눈 부시도록 빛을 내니, 명암의 대비가 극명하게 갈렸다. 검거나 샛노랗거나. 두 색이 뮤텔리안에서는 전부였다. 오히려 사방으로 갈라지는 채도가, 따가운 빛보다 더 거슬렸기에, 주로 선발대. 사막 메뚜기 모양의 에키드나급 선체엔 붉은색으로 덧칠했다. 매일 아침 테라스로 이렇게 나와 커피를 마시며, 혁명군의 모의훈련을 감상하는 문화도 최근엔 생기기 시작했다. 뮤텔리안 혁명군의 주둔지는 면적만 따지면 융지아의 거의 열 한배에 달했다. 이 역시 태양 플라즈마 에너지에 소실된 룹알할리 사막의 ¼을 제외한 것이었다. 오늘도 어김없이 시그너는 도시 상공으로 여러 빛깔을 뿜어대며, 건물을 통과하는 것처럼 보이는 함선들. 산란하는 빛 정보를 주고받는 입자. 함선 홀로그램 모의 훈련을 관망하다가 어느 한 쪽 전세가 내리막을 타기 시작할 때, 뒤돌아 테라스 문을 닫았다. 박사는 예측되는 일이, 어떤 한 사건이나 작은 요인으로 판이하게 뒤집히는 것을 끔찍하게 싫어했다. 다양한 변수는 기적을 일으킬지도 모르지만, 고작 한가지 개체로는 결정론의 근간을 뿌리째 뒤집을 수는 없다.

일어날 일이 일어나지 않으면, 그건 그 자체로 문제인 것이다…

시그너는 방 안에서 자고 있던 폴프를 흔들어 깨웠다. 베개를 떨어뜨린 채 침대 난간에 걸치다시피 한 몸을 곧추세웠다.

"일어나 보게. 보여줄 것이 있네."

"으음… 집주인은요?" 고작 3 시간밖에 자지 않은 퀭한 눈으로 폴프가 대답했다.

"우푸는 훈련을 하고 있네."

"훈련요?" "거의 매일 하는 상투적인 훈련이라네. 그는 냅두고. 어쨌든 같이 갈 텐가? 말 텐가?" "금방 나가겠습니다."

잠시 후 폴프는 후드를 걸치고 방을 나왔다. 그리고 이곳에 올 때부터 눈여겨보던 시그너의 방, 파란색 커튼 앞에 섰다. 잠깐의 기대를 허락하지 않고 곧바로 시그너는 열어젖혔다. 거기엔 이동형 캡슐이 전자 레일 위에서 콘냐 모양으로 휴식을 취하고 있었다. 시그너는 손을 내밀었다. 그 의미를 찾는데 조금 시간이 걸렸다. 왜냐하면, 그 캡슐은 아무리 봐도 작았고, 성인 남성 둘이 나란히 타기에는 부둥켜 껴안은 자세로 밖에 상상되지 않기 때문이었다. 그리고 고속 캡슐이 깔린 것 자체가 긴 거리를 이동한다는 뜻이라 사실 우려스러운 부분도 있었다.

위이잉. 탁.

결국 박사와 폴프는 차라리 등을 맞대는 게 나았을 뻔한 부끄러운 자세로. 서로의 숨을 확인하면서 몇 분간 갇혀있었다. 위이잉. 탁.

"여기는 뮤텔리안에서 지원받은 '방 들' 중 한 곳이라네."

".. 아무것도 없는데요?" "깊숙한 지하라 랜더링이 좀 걸리네."

초록빛 네온이 격자 타일 벽을 따라 줄줄이 빛났다. 그때까지 맨발이었던 폴프는 딱딱한 콘크리트 바닥을 느꼈다. 그리고 회색 바닥면이 하나 둘씩 격자 모양으로 갈라졌고 차츰 안쪽부터 공간이 기지개를 켜듯 뒤집어지기 시작했다. 경계면이 벽까지 닿자, 역시 연속적으로 배면을 드러냈다. 폴프와 시그너는 아공간의 중심에 서서 초록색 테두리가 하얗게 바뀔 때까지 기다렸다.

폴프는 사방의 색이 모두 변하고서야 천장에 눈이 갔다. 캡슐을 기준으로 왼쪽 아랫면에 작은 글자가 눈에 띄었다. 다행스럽게도 그것은 투박한 아라비아 숫자로 적혀있었다.

"4523…"

#_ 람의 이야기 9 연구일지

『거울 인간』 발췌…
공저 - 시그너 W. 윱지아 로저.

내가 지난 1 년 동안 목도한 대상에 결코 시적이거나, 은유를 포함한 애매한 목적을 가진 표현을 섞어 놓지 않았다는 걸 서면적으로 일러두겠다. 일단 그 이유는, 오르되브르[18], 즉, 전채 요리가 코스 말미에서 분명한 의도로 귀결되어 후에 납득되는 일과 비슷한 것처럼 자연스레 깨닫게 될 것이며, 아직도 흥분의 잔열이 가시지 않은 유례 없는 사건에 사견을 비추고 싶지 않았던 까닭이다. 사실 내가 한 것은 고작, 발단과 결과 사이를 이루는 '어떤 배선'을 '보기 좋게 접합'한 것에 지나지 않는다. 그 회로가 무엇으로 이루어졌는지, 어떤 힘이 작용하는지, 특정 매질이 더 효과적인지 따위의 분석은 아무래도 내겐 대수롭지 않게 여겨질 정도로 미약했기에, 어쩌면 내가 이룩한 업적은 상당히 과해석된 것임을 상기시키며, 내 감정상태가 뒤섞인 녹화본을 동료 시그너에게 동봉한다.

2062 년 3 월 14 일

내가 만들어낸.. 갱어의…. 아, 입에 잘 달라붙지 않는군. 크흠. 그러니까, 최초 알파체의 (우리는 그것을 적정한 명명법이 없어서 '알파체'라고 부르기로 합의했다) 탄생은 꽤나 자가 주도적으로 이루어졌다네.. 뭐랄까.. 시험관의 인공 배아가 마치, 스스로 진화의 과정을 겪는 것처럼 말일세..
그런데 그 속도가 빨라서… 빨라서..
흠…..

---

18 전채 또는 에피타이저

... 신비롭다기보단 괴기에 가까웠고, 점점 가속하는 피사체가 가감 없이 적나라해서.. 그래. 두려웠다네..
그래서 나는 예정 시간보다 서둘러 베타 붕괴에 필요한 양입자 가속기를 꺼버렸고... 그게 화근이었던 건지, 몇 시간이 지나도 더는 알파가 성장하지 않더군…
아마 그대로 두었다면, 실험실째로 폭발했거나 완벽히 내 모습을 재현해 냈겠지 싶어. 어림짐작인 투로 말하긴 하네만, 더할 나위 없는 확증일세.
이쯤 되면 눈치챘겠지. 애당초 거울 속 나. 그러니까 갱어 초기 모델에선 대칭체를 제거한 뒤, 낯익으면서 새로운 알고리즘을 찾아 입력해야만 했네.
사실 그 부분이 제일 골치 아프던 일이었어.
이후 동일 실험을 원활하게 할 수 있도록, 고정값을 걸어두겠네. 아마 잘 먹힐걸세…

3 월 17 일

후…. 지난 삼 일간은 지옥 같았네. 알파체가 거의 2 시간 단위로 발작을 일으키는 바람에 온갖 방법을 동원했다네.
신체 구조는 인간과 다를 바가 없어서 피검사를 했지만… 결과는 늘 '이상 없음' 소견이라 거의 미칠 지경이었네. 나는 그때 한가지 가정 때문에 두려움에 떨고 있었어. 그건 이 알파체가 죽는다면,(표현이 조금 이상하긴 하지만) 내 존재를 장담할 수가 없다는 점이었네. 사실 일전에 대칭체를 제거하는 과정에서 알 수 없는 내 안의 본능, 공포를 느꼈거든. 허풍이라고 여기기엔 손에 닿을 것만 같았어.
나는 그 순간 죽음으로 내몰린 기분에 사로잡혀 집에 있던 스카치를 잡히는 대로 들이켰네. 치기 어린 내 도전이 허망한 학계의 뒤안길로 갈 준비를 마쳤다 생각하니 절망에….

아. 아. 물론 혹시 몰라 벤조디아제핀계열의 신경흥분 억제제를 희석한 다음 투약한 적도 있었네만, 그건 전혀 효과가 없었어. 미묘한 화학반응이 일어났을지도 모르지만.. 그건 그래 봐야 신체 염증증상을 진통제로 조처 받은 거나 다름없는 수준이잖은가?
어쨌든 그러던 와중에 오늘 아침 놀라운 사실을 알았네. 다른 가정을 세웠지. 유아기적 외압 과정을 거치지 않고 자란 비정상유기체가 필요한 건 심리적 여건이 아닌지 말일세.
그래서, 냄비 받침으로 쓰던 자네 심리학책을 뒤적거리다…
아. 그건 그냥 넘어가세.
아무튼 그러다 모체가 필요하다는 생각에 이르렀다네. 나는 알파를 돌봐줄 젊은 여성 지원자를 운 좋게 구했어. 마침, 어반행스 집안 여식이 얼마 전 출산을 했거든. 그녀는 내 이야기를 듣고 기꺼이 젖을 물리겠다고 했지. 나는 그럴 필요까진 없다고 일렀네. 참고로 알파의 신체 나이는 대략 여덟 살이네. 갱어가 젖을 필요로 하는지 궁금하긴 했지만, 성장기의 발달된 턱 구조가 산모의 젖꼭지를 물었다간 어떤 일이 벌어질지는 뻔하지.
다행히 오늘 그 간질의 원인을 간접적으로나마 밝혀낸 것 같네. 지금도 산모의 품에서 얌전히 공허한 유리알 눈을 굴리며, 뻐금거릴 뿐이라고! 하하하!
아, 혹시라도 산모는 걱정 말게. 괴랄한 갱어의 모습이 산모에게 무의식적인 거부감으로 옥시토신 호르몬 반응이 저하될까 봐 안대를 씌웠는데.. 효과가 있더군. 그런데.. 그런데..
흠… 도리어, 그 모습이 나한텐 괴리로 다가오긴 했다네. 그 조화가.. 마치, 정교한 밀랍 인형에 유산을 겪은 산모의 영혼이라도 들어가 있는 것처럼 보였어.
이런 말 하기 뭣하지만 까놓고 말해서 엑소시즘에 환장하는 녀석들이 봤으면 아마 별 대수롭지 않은 우연에 의미를 부여하곤 했겠지.

4 월 2 일

보름이 지났네.

그동안 안정된 알파와 좀 더 발전적인 접촉을 하기 위해서 언어를 가르치고 있네. 선생을 따로 모실 생각도 했으나, 외부로 알려질 걸 고려해서 내가 가르치는 게 낫겠다 싶어..

내가 적임자가 아니라는 것쯤은 아네. 그러나 주고받는 모든 미세 반응 역시 무시할 수 없는 수준의 것이라…

결론부터 말하자면, 갱어는 지구어를 '학습'하지 못하네.

모르겠어. 구강구조가 다른 것도 아니고 목소리가 없는 것도 아니며, 손가락 관절도 곧잘 쓰지만..

'의자'와 '앉다'라는 단어를 알려주면, 그 둘의 연관성을 전혀 이해하지 못하는 거로 보이네. 일종의 앵무새가 고작 언어 몇 개를 시늉하는 것에 지나지 않는 거지. 그 탓에 동물실험을 부추기지 않는 이유처럼 말야.

하지만 신기하게도 판단-인식 기능의 문제가 있는 건 아니야. 내가 바둑을 두 점 정도 양보하고도 상대가 될 정도니까. 다만 드문드문 섬망증세를 비롯해 비정상적 사고와 행동이 관측되는데, 관절염 걸린 1 세대 안드로이드를 보면 이런 느낌일 거야. 팔 관절이 의지대로 꺾이다 한 번씩 덜컹거리질 않나, 이따금 고개를 돌릴 때마다 관절끼리 부딪히는 소리에 동작을 멈추기도 하는데, 그럴 때면 등줄기로 소름이 끼친다고.

괜히 건드렸다가 나를 덮쳐버릴지도 모른다는 생각이 사로잡힐 때가 있어. 허공을 바라보는 듯한 눈빛이 위험하다는 내 본능을 일깨워 얼굴 주위가 절로 저릿해지는 걸 경험한 적도 있다네.

다시 생각해도 섬뜩해..

아, 그래서 어느 국가 언어를 채택했냐면… 그게… 새로운 언어 체계를 만들었어. 사실, 이전에 아예 없던 것은 아니고 옛 알바니아인들이 쓰던 소수어를 참고한 표음문자와… 내가 예전 서울에서 우연히 들은 요상한 말을 섞어, 그럭저럭 언어를 흉내 내니 학습이 되더군. 아직도 그 이상한 말의 어원이 불분명해서 깐깐하기로 소문난 자네에게 특정해 줄 수 없는 점은 미안하네.
어쨌든… 타말어. 그렇게 부르기로 했네.
여기서 나는 확신이 들었다네. 그게 뭔진 모르지만, 아직 발견하지 못한 피조물 간에 어떤 법칙이 있다는 걸…
하… 답답하군. 시그너. 피실험자 어반행스 부인이 내 안색을 보고 가끔은 바람 좀 쐬라며....
실험에 별다른 문제가 있는 건 아니야. 오히려 우려스러울 정도로 진척이 상당해. 알파의 학습속도가 타의 추종을 불허하더군. 솔직히….
…
아냐. 됐네..
나는 인간 존립의 판도를 뒤엎을 역사적 사실을 발견했고 돌이킬 수 없는 강을 건넜네. 이 정도 자만심은 허용해 주리라 믿네..
물론 날아갈 듯 기쁘고, 새로운 자극에 점점 무뎌져 깊은 내면으로 숨어버린 탐구욕을, 지난 보름간 재차 확인할 수 있었다네. 상상해보게. 만 년 단위로 이뤄지는 진화의 업보가 고작 인간의 손에서 그 단서를 발견했는데..
과학자로서는 이보다 좋은 일이 있겠는가?
하지만… 아, 나를 너무 손가락질하지는 말았으면 좋겠네. 내 감정상태 문제는 별개로 다른 국면을 맞이해 점점 바닥으로, 지하로 곤두박질치고 있다네. 기쁘지 않아, 이 일을 진정으로 후회해.
다시없을 영광에 취해 있느라 내가 어떤 규율에 어긋남을 일으키고 신을 향해 봉기를 들었다는 죄악감이 들어.
문제는, 그런 감정이 드는 이유를 전혀 모르겠다는 걸세. 모든 검사 수치는 정상이고, 혹시 몰라 베타 붕괴 과정에서 검출된 X 선이 내 정신을 오염시킨 건 아닌지 의심했는데 그것도 아니었네..
아.. 아.. 나는 대체 뭘 잘못한 건지.. 감히 추측도 할 수 없다네.

우울증에 시달린 사람처럼 침대에 고개를 처박고 있는 일이 잦아졌어. 그나마 다행인 점은, 침대라는 것밖에…

4월 14일

자네의 편지는 잘 받았네. 그래, 알파의 심리를 연구하고 싶다고….? 이해하네. 우리는 언제나 좋은 파트너쉽을 가지고 왔으니까. 손발도 꽤 잘 맞았지.
마음이 통하는 구석이 있었으니까.
그러니 내가 극구 반대하는 이유도 시그너, 자네라면 충분히 이해할 수 있으리라 믿네. 오해하지 말고 듣게.
갱어는 연구 대상이 아니야…
끔찍한 인간 근연종.. 실패작이지..

7월 26일

시그너, 자네는 괜찮은가? 조금.. 놀라운 소식을 전하겠네. 내 연구를 어떻게 알았는지 며칠 전 세계정부에서 날 찾아왔어. 아무래도 대재앙 '카디믈랑 소실' 대안으로 내 연구를 각광하는 모양이야.
다 으스러가는 정부 꼴이…
어쨌든, 해결책 자체는 내가 고안해낸 것은 아니다만, 그들 말로는 거울 속 지구. 행성복사를 기대하고 있더군. 엄청난 지원을 약속받았지만…. 저들은 이해하지 못해..
고작 85% 이상의 반사체에서 알파를 현세로 끄집어내 의식이 가동된다는 프로세스를 제대로 이해하지 못하고 있어. 이건 마법이 아니라 과학이라고!
하지만 저 멍청한 정부 놈들은….
나를 거의 마법사라고 생각하는 것 같아. 행성체 연구를 달걀 수십 개와 타조 알 하나를 비견하듯 여기고 있어.

다른 궤의 범위를 인지하지 못한다고.
미친놈들…
개인적인 사견으로는, 카디믈랑에 뿌리내린 고작 17 센티짜리 태양 조각을 어찌할 방도가 있을걸세 비현실적인 행성복사 외에도 분명히….

11 월 24 일
하아… 하아.. 오늘 내가 뭘 보았는지 아나?
무려.. 무려 말일세.. 알파가 생산활동을 하고 있지 뭔가? 그저 교육용 공방에 있는 물건들, 풀무질, 망치, 모루, 용광로.. 그런 일을 벌여서 칼이라도 만드는 줄 알았는데. 아니었어.
그건 어떤 기계장치였다네.
나는 두 눈을 의심하지 않을 수 없었어. 가르쳐준 적도 없는 양입자치환기를… 완벽하게 만들었어. 그것도 내가 만든 것보다 훨씬 정교하고 호환적으로 말이야!
나는 모른척 타말어로 뭐에 쓰는 것이냐고 물어보았네. 알파의 시선은 한창 시미타 검날, 끝 부분을 보더니 안면 근육을 부지런히 움직이더군. 눈썹을 팔랑거리고 그 아래로 자리 잡은 눈꺼풀이 카메라 셔터처럼 연사를 찍어대고, 콧구멍이 살짝 벌어지면서 인중에 걸린 미소가 덜 벌어져 앳된 손가락으로 열심히 긁어댔어. 간지러웠겠지.
탈피하는 파충류를 보며 자위하는 것 같은 더러운 기분이 들더군. 그런 메스꺼움을 두 번 겪고 싶지 않네… 잠깐… 아니, 아니. 이제보니 어떤 작품을 만들어냈을 때의 장인 같은 얼굴을.. 흉내 냈던 것도 같아.
… 그 와중에 나 스스로 혐오스러운 생각이 들었어. 저게 작동될까? 라는. 묘한 흥분감이 솟아났네.

시그너, 나는 점점 알파가 두려워. 할 수만 있다면 알파를 원래 상태로, 죽음으로, 다시 거울로 돌려보내서 평생을 가둬놓고 싶어. 그리고 난 두번 다시 거울을 보지 않을 테지. 그런 다짐을 몇 번이고 신께 빌었다네.
이보게 시그너.
만약, 만약에 말일세. 그럴 리가 없겠지만, 저 시미타 장치가 작동되어서, 지구와 똑 닮은 행성이 불현듯 나타나면.. 나는. 알파를 뭐라 불러야 하지?
신….?
…
아무래도 대비를 해야 할 것 같아. 저 녀석을 여기에 계속 둘 순 없어..

#_J

옅은 띠 층을 이룬 카마하브 천장의 모래 구름이 예루의 손짓에 서서히 옆으로 비켜서더니, 너머로 경계면의 바깥 모래가 거대한 구멍을 향해 달려들었다. 선체는 발사체라기보다는 이격체에 가까운 장치에 오목하게 올라가 있는 상태로 별다른 추진체 없이 사막으로 가파르게 떠올랐다.

팟!

예루와 람의 마지막 모습은 그렇게 기억되었다. 나는 우주선 내부 셔터와 셔터 접합부 사이가 순간적으로 가속한 선체 에너지와 우주의 극심한 온도 차에 조금 일그러진 걸 느꼈다. X 선과 비슷한 형태로 우주에 잔존하는 위험한 에너지가 여과 없이 흘러들어올 줄 알았는데, 오히려 내가 빛과 정면으로 부닥치는 선체의 마찰음을 견디지 못하고 창밖으로 시선을 던졌다. 그간 중력 제어로 느끼지 못한 우주선의 다난한 여정을 세로줄 무늬가 꼬리를 남기고 또 꼬리를 물다 보니, 조금만 더 심취하면 현기증이 날 것 같았다. 그러다 차츰 우주선 추진체에서 몇 차례 발화를 일으켜 회전이 멈췄다. 깊은 어둠이 바로 옆에서 도사리는 광활한 공간에 덩그러니 먼지처럼 떠다녔다. 아니, 떠다녔다고 하는 게 맞는 건가?

모든 게 정지됐다. 셔터 밖으로 흩뿌려진 별과 지구에 가까워지는지, 그 반대인지 확인하기 위해서 한동안 눈을 떼지 못했다. 그러다 문득 경시하던 먼지 고리에 눈길이 닿았다.

티몰-지구을 잇는 펄스 로드. 22 만 km 나 떨어진 주제에 쌍성으로 엮여 서로의 중력장에 간섭을 받았다. 그런 걸 가정했을 때, 나는 그 중간에서 아직까지는 중력이 건재한 지구 쪽으로 추락하는 게 맞았다.[19] 하지만 두 행성이 서로 잡아당기는 힘. 즉, 새로 생긴 중력장 균형에 의해 라그랑주 특수해가 상당수 틀어졌고 나는 개중 L6 에 별 탈 없이 안착했다. 이제 여기서 내가 해야 할 일은 시미타가 어처구니없는 오류를 범하지 않기를 바라며 되알진 간이 조종장치를 약간 왼쪽으로 움직인 후, 티뮬-지구가 동시에 잘 보이도록 동체 좌표고정을 하는 작업이었다. 람의 어깨너머로 배웠던 기도문을 중얼거리며, 두 가지 일을 동시에 해냈다. 좌측 시야 아래 붉은 띠로 표시된 계기판을 살폈다. 시미타 발동 이후, 약간의 '그로기 상태'로 돌입하는 지구에 침투 결정을 내릴 중력파 감지 장치는 이상 없었다. 만약, 이 장치 가장자리에 녹색 등이 켜지지 않는다면, 나는 영원히 우주 쓰레기가 되어 저 붉거나 파란. 총천연색의 행성 둘과 하릴없이 떠도는 위성이 될 것이고 예루는 평생에 걸쳐 람의 '이상한' 게임에 시달리게 될 것이다…

"픕!"

그렇게 생각하니 모든 일이 우습게 느껴졌다. 무기체의 해방작전을 내가 동조하고 있다니, 지구인들은, 동서고금을

---

[19] 간간이 어둠의 밀면에서 붉게 드러나는 지구의 반대면은 가히 충격적이었다. 처음엔 우주 특성상 반고리 모양으로 검은 그림자에 가려진 채, 맨틀 대류로 인한 마그마 활동이 언뜻 생명의 분화구를 뿜어대는 줄 알았는데, 그건 명백한 착각이었다. 베어 문 사과, 강력한 태양풍에 절벽처럼 깎여있는 모습은 어떻게 지구 행성이 태양계에 행성으로써 지위를 잃지 않고 잔존하는지 이해가 가지 않을 정도다. 하지만 황망한 지구 뒷면에 태양빛 줄기가 스칠 때, 비로소 휘황한 오로라의 송두리를, 지구 행성의 비경을 관측할 수 있다

막론하고 거대한 집단체의 별안간 독립 선언을 어떻게 받아들일까? 나는 나에게 일어날 수 있는 모든 사건을 가정하고 상정했다. 그건 모든 갱어 중, 인간 기억을 토대 삼아 벌일 수 있는 유일한 축복이었다.[20] 그러다 곧 한계에 부닥쳤다. 운이 좋아 해방에 성공하고 운이 좋아 카마하브 반대편에 안착하고, 또 운이 좋아 인간의 눈을 속인들. 무시카를 어떻게 해야 할지 몰랐다. 물론, 같은 기억을 가진 채로 다른 삶을 모른 척 살아갈 수도 있지만, 그건 원초적인 문제를 조금 더 불투명한. 극도로 낮은 포텐셜에너지의 방향으로. 즉, 미래에 책임을 떠미는 것에 지나지 않는다. 결국은 무시카와 나는.. 어떤 결과로 치닫도록 이미 결정되어있다. 이건 그런 이야기니까…

생각은 현재 상태를 꼭 좋은 방향으로만 유도하지 않는다. 그래서 나는 눈을 감고 바지 주머니에 손을 넣었다. 그 틈으로 미끄러지는 순간, 손가락 끝으로 전해오는 냉기에 소스라치게 놀랐다. 그것은 시린 이빨을 드러내며, 내 인지가 닿기를 눈이 빠지게 기다리고 있던 것이었다. 말끔한 곡면과 선형을 가진 거울을 이리저리 탐독했다. 얼굴을 확인하고 싶은 충동을 가까스로 억누르며 조금 진정시켰다. (그때까지만 해도 나는, 람이 건넨 이 '물건'이 정녕 거울인지 아닌지 확신하지 못했다. 물론, 람은 정말 거울을 가지고 있었지만. 수중에 들어오는 순간에도 직접적인

---

[20] 갱어는 티몰을 벗어나면, 중심을 잃고 무기체의 영역에 감응된다

확인은 불가했다)[21] 그리고 선체의 원형 창이 드러나도록 셔터를 완전히 올렸다…

아.. 드넓은 만경창파[22]의 치명적 공간이란.. 어지러웠다.. 여태 억눌렸던 폐부 깊숙한 답답함이 연기처럼 내 의식 위로 피어오르기 시작했다. 나는 달아오른 체온을 보존코자 조금 더 몸을 웅크려 몸을 옆으로 뉘였고 그대로 등받이에 안착해, 한마디로 우주선을 기울인 꼴에 놓은 뒤, 바지 지퍼를 내렸다. 한없이 차가운 선체 바깥 냉기와 내부 마찰열의 증기가 원형 창에 닿아 희뿌연히 변한다. 생명유지장치는 급하게 떨어진 산소 공백을 메우고자 웅웅거리는 소음을 내며 바쁘게 풀무질했다. 내 정신은 점차 피상적 단계를 거쳐 높은 차원을 향해, 역설적이게도 난파 중에 이르렀다. 일을 치르던 중, 우주가 나를 들여다본다는 묘한 흥분과 무중력 속 무의미한 손동작에 한동안 빠져들었다. 머릿속이 점점 하얘진다.

…

하아.. 하아..

일을 마친 뒤, 가파르던 숨을 찬찬히 곱씹으며 반복됐던 잔열에 몸을 부르르 떨었다. 이제 나는 화려하고 진귀한 풍경에 지친 까닭에, 가늠되지 않는 어둠을 향해 시선을 던졌다. 어슴푸레한 무의 공간을 거닐며, 측심연을 던져놓고 무엇을

---

21 다만, 일련의 직감이나 기우들을 종합해서 어렴풋이 짐작하는게 고작이었다. 갱어는 거울을 볼 수 없으므로

22 넓고 넓은 바다

찾는지, 보는지, 구분하는지, 관측하는지, 그 대상도 주체도 없다.. 우주는, 우주는…

아니, 우주 앞에서 같은 차원의 어떤 존재라 할지라도 단숨에 '아무것도 아닌' 상태로 만들어버린다. 너무나 지대하고 권위적이며, 비밀스러운 동시에 개방적이어서. 진리의 늪을 기약 없이 헤적이다가 어느 순간, 이치가 눈앞에 나타난다. 내게도 그런 기회가 올지는…

나는 다시 넋을 잃었다. 응시하는 초점 외, 흰자위 변두리가 순식간에 한 점으로 빗금을 그리기 시작했고 멍한 상태로 나는 까마득 어둠으로부터 함부로 시선을 거둘 수 없었다. 그런 일이 금기시하는 종교적 이유인 양 사위했다. 빗금이 또 다른 빗금을 만들어내고 빛이 빨려 들어가더니, 내 의식은 그 틈에 껴버려서 어쩌다 보니 한가운데 있었다. 나는 가까스로 이 상태를 보다 객관적으로 인지하도록 머리를 쥐어짜 냈다.

아… 아.. 흐리멍덩해지는 의식. 느려지는 사고.. 섬망증세다.. … 그렇게 또 얼마가 지나, 발밑으로 강력한 떨림이 지속해서 느껴졌다. 나는 저항하지 않았다. (아마 그렇게 했더라도 별도리가 없다는 걸 인지하고 있다) 따뜻한 온도. 추위가 머리 위로 뻗쳐 가시더니 후끈후끈 달아오르기 시작했다. 그러다 순간, 등 바로 뒤 척추 사이로 급랭하는 지점을 느끼자 퍼뜩 정신이 들었다. 어라? 얼마나 지난 거지? 젠장!

그때 처음으로 기계 음성이 들렸다.

"... 2 분 34 초 후, 강한 충격이 예상됩니다."

32..

31..

심박수가 치솟았다. 생명유지장치가 바빠졌다. 하지만 어째선지 위! 윙! 경고음이 들렸다. 나를 감싼 선체의 공간이 점점 죄어오는 것 같았다. 하아…! 정신을 가다듬고 계기판에 시선을 던졌다. 중력파 장치는 이미 녹색등이 점멸되고 있었다. 예루의 계획은 성공한 건가? 하지만 활짝 열어뒀던 셔터는 어느새 굳게 닫혀서 맨눈으로 확인이 불가했다. 대신 셔터 사이 빛이 드나들 수 있도록 설계되어 그 너머, 선체 주위로 붉은 띠가 형성되어 있음을 느낄 수 있었다. 그리고 언제부터인지 중력의 영향으로 몸이 뒤로 젖혀있어서 몸을 가누기 힘들었다. 게다가 이런 허리로는….

"으아!!"

지구로 빨려 들어간다. 여러 색 빛이 셔터를 휘갈겼다. 지구 대기권에 근접하고 있다는 뜻이다. 기계음의 초읽기는 종막을 헤아리는 중이고 상황은 좋지 않았다. 열권의 오로라를 뚫고 나의 착륙점은 거의 확정되었다. 검은 땅. 지옥이나 다름없는 움푹 팬 지형의 중추! 나의 마지막은 이럴 거라고 생각해 본적은 없었는데.. 특수 크로뮴 선체로는 태양풍 복사 에너지를 견딜 수 없다. 나는 일사하는 플라즈마에 쬐어 곯아가는 배를 움켜잡고 죽거나, 그냥 타 죽을 것이다. 아. 실패로 남을 혁명가. 이름 모를 탐구자. 무시카의 분신이여.. 차라리 모래가 되어 죽으면 좋았을 것을!

24…. 23…. 22… 21…

….! 경고! 미확인 비행체 접근 중. 강한 충격이 예상…

지지직…

"뭐….?" 쾅!!!!!!!

…

우우웅. 우우웅.

상공을 웃돌던 비행정들이 잠시 멈췄다가 마치, 아무 일도 없었던 것처럼 다시 움직인다. 이것은 비단 시오가 탑승한 부유선에만 일어난 것이 아니라, 윱지아 영공 전역에 이르러 발생한 현상이었다.

"스텔라. 방금 느꼈어? 아주 잠깐이지만…"

-……

"아직도 먹통인가..? 젠장 무슨 일이 벌어지고 있는 거야.." 시오는 벌써 몇 바퀴째인지도 모를 같은 장소를 지겹도록 배회했다. 그런 이유치고는 방금 느낀 현기증은 별개의 문제로 느껴졌다. 6 세대 프린팅 기술로 쌓아올린 기하학적 건물들이 거대한 염원을 담은 듯, 단순히 고전적 탑 모양의 주 건축물 주위를 에워쌌다. 윱지아를 멀리서 보면, 이렇게 가운데가 우뚝 솟은 열쇠고리 모양 같았다. 턱을 괸 채 내려다본 도시 전경은 서로 감시하고, 또 긴밀하게 연결되어있는 것처럼 느껴졌다. 그런가 하면, 어째서 윱지아 중심 세력에 건축가가 포함되지 않았는지 개탄스럽기도 했다.

"....소형 EMP 탄이라도 맞은 건가?"

저항군 세력이 이번에야말로 제대로 된 반격을 꾀하고 있던 걸까? 시오는 그래 봐야 난공불락의 요새를 자처하는 윱지아의 방공시스템을 재차 상기했다. 베라(VERA)의 개발 이후로 도시 자체 시스템이 대거 개편됨으로 단 한 차례의 저항군의 침입이나 첩보활동을 허용하지 않았다. 그러더니 몇 년 전부터는, 그들의 접촉이 뚝 끊겨서 오히려 이쪽에서 정보가 부족한 실정이다. 미치지 않고서야 이곳에 쳐들어올 리가 없었다. 어쩌면 그렇기에 점점 갈라파고스화 현상을 겪고 있다고 사회학파들은 말했다. 그들의 강력한 주장에도 어떠한 후속 조치가 이루어지지 않았다. 삭감된 예산 문제도 문제지만, 베라(VERA)에 대한 교조적 결정이 그러했다.

때마침 기계음이 들렸다. "... 그런 건 아니니, 안심하세요. 지구 방공시스템이 작동한 걸로 추정됩니다."

처음 탈 때부터 맞은편에 다소곳이 앉아있던, 달걀 형상 얼굴이 금속 전도판으로 뒤덮여있는 상판. 느닷없이 정장을 입고 있는 더미다, 한참을 섭섭한 반응도 않다가 꺼낸 첫마디였다.

"지구 방공시스템?" 시오는 눈썹을 추어올렸다. '지구'라는 단어가 거슬렸다.

"잠시 지구의 중력장이 이현상을 일으켰습니다. 윱지아에선 일시적 태양 에너지파 영향이라고 합니다. 그보다…."

더미가 무슨 말을 하려다 시오가 끼어들었다.

"그럼 저것도?"

창밖을 가리키며 말했다. 부유선 바로 아래, 도시 외곽 지면에서 낮은 진공 음을 내며 커다란 문이 개폐됨으로 모래를 쓸어내렸다. 그러자 그 밑으로 숨어있던 거대 발사대가 빛을 반사하고 일렬로 늘어져 모습을 드러냈다. 그리고 순식간에 탄도 플레어로 보이는 물체 꼬리로 소용돌이 플라즈마를 일으키며, 오십오 도가량 기울어진 꼴로 하늘을 향해 치솟았다. 단숨에 가시거리를 벗어나더니 지평의 너머로부터 창공이 한동안 붉게 물들어 충격파를 예고했다. 그 광경은 조명 시스템에 닿지 않는 도시 바깥에 있었기 때문에 볼 수 있던 장면이었다.

더미가 그래서인지 뭔지 모르지만, 갑자기 직격으로 전류를 맞은 것처럼 움찔거려서 시오의 손은 이미 환도의 검집 곁을 서성였다. ".... 아아. 운석을 격추하는 과정입니다."

더미의 차가운 말투가 이 시점부터 미세하게 바뀌었다. 시오 역시. "... 그런가요?"

조금 전 충격의 여파로 생성된 고리형 구름 띠가 맨눈으로 보일 정도로 밀려오다가 제 열기에 못 이겨 비산한 듯했다.

"그보다 이곳에 저를 한 시간씩이나 가둔 이유가 뭐죠? 분명 협조적으로 나간다고 했는데도 이런 식이면, 김새는데요. 어디로 향하는 것도 아니고 주변을 맴돌기만 하니… 제가 다른 뜻으로 받아들여도 되겠습니까?"

"... 다른 뜻이라면?"

"특무부 요원을 윾지아 상공에 묶어두는 이유를 말하는 겁니다." 시오는 조금 더 무게 있는 목소리로 대답했다.

하하하! 더미가 쩌렁쩌렁한 기계음으로 크게 웃는 바람에 좁은 부유선 안이 울렁거렸다. 시오는 이미 눈치채고 있었다. 저 더미는, 부유선 탑승 전 대화를 나눴던 녀석과 좀 전 시점부터 링크된 놈이란 걸. 그러나 꼿꼿이 부동 않는 자세로 말을 섞다 보니 감정 상태라든지, 고유 직감을 이용해 판단이 서질 않았다. 그저 약간의 긴장감을 고조시키며 이런 반응 상태를 이끌어내는 것이 고작이었다.

"특무부 요원을요? 제가 윰지아에 반기라도 들 것 같습니까."

"저야 모르죠."

"설마, 정말 그렇게 생각한다면 착각입니다. 어떤 사건이든 일어나기 전까지는 여러 조짐을 보이기 마련이죠. 가령, 당신의 생각과 상반되는 농담, 여러 상황을 가정하여 무기를 빼 들기 좋은 자세. 등등. 당신은 뚜렷한 조짐을 나타내고 있습니다만?"

시오는 등받이에 몸을 기댔다. 여기서 최악은 녀석이 원격으로 부유선을 폭파시키는 경우다. 지금은 스텔라의 실리만 코딩도 먹통인데다 바이오 프린팅으로 수복할 신체조차 증발할 것이다. 시오는 상대를 대강 파악한 것만으로도 흡족해야 했다.

"이제야 들을 준비가 된 것 같군요! 살얼음판처럼 적막한 공기가 얼마나 답답하던지! 반갑소. 나는 시그너 박사요."

더미는 처음으로 차가운 기계팔뚝을 들어 올려 악수를 청했다. 잡고 안 잡고의 의미가 있을까? 일단 장단 정도는 맞추기로 했다. 시오는 오른 다리를 반대편으로 교차시켰다.

확실히… 들어본 적 있는 이름이다. 갱어심리학의 선구자.. 그러다 몇 년 전, 윤리적인 문제가 화근이 되어 추방되었다고..

"그런 분이 특무부에 무슨 용무가 있습니까? 지금 당장에라도 이 부유선과 더미를 공중에서 단번에 두 동강 낼 수 있습니다."

"당신의 능력은 잘 알고 있으니, 부연 설명하실 필요는 없소. 특무부라기보다는.. 시오, 당신께 들어야 할 얘기가 있소. 그리고 수락한다면 원하는 걸 드리겠소."

"잠깐, 아... 그런 대사 들어본 적 있어요. 달콤한 소릴 하면서 결국은 이용만 당하는 영화 주인공도 말이죠. 당신은 내가 원하는 게 뭔지 정확히 아는 것처럼 말하는군요."

"네, 좀 전 당신의 반응을 보고 확신했거든요."

"......?"

시오는 의심스러운 눈초리로 달걀의 바깥면이 곱게 휜 듯한 철판에 눈길을 던졌다. 매끄러운 윤기를 가진 반사체는 겉으로 영롱한 빛깔을 내며, 더미로 치기에는 고급스러웠던 부분이 있었다.

"특무부 복귀. 아닙니까?"

...

".... 좋습니다. 초등학생도 푸는 보안 메일을 보내면서까지 듣고 싶은 얘기가 뭡니까?"

시오의 눈꼬리가 올라갔다. 대체 어떤 얘기이기에, 도시 상공을 반복적으로 휘저으며 반복적 패턴을 생성해 윰지아 감시 시스템을 속여야만 했을까.

"그 점은, 제 상황을 고려했을 때 충분히 이해하실 거라 믿습니다. 너무 고전적인 암호긴 합니다만 해킹되지 않을 수준의 유치한 보안 회선이 필요했습니다. 그래도 말미에는 해독하지 못하신듯한데…." 크흠. 시오는 헛기침을 했다.

"뭐라고 쓰여 있었습니까…?"

"...그렇게 중요한 건 아니오."

더미는 대답을 회피했다. 사실 그러한 사실보다 더 깊게 받아들여졌던 건, 자칭 시그너 박사. 즉. 링크된 더미가 무시카를 언급했던 일이었다.

"그는 어땠소." 명령하는 듯한 어조가 내키지 않았다. 시오는 단번에 못들은 체 다리를 까딱거렸다.

"무려 2 년을 실험체 보호 임무에 투입됐다 들었소."

"뭐.. 그렇지요. 근데... 이제 와서 궁금하긴 하더군요. 무슨 실험입니까?"

"그건 말하기 곤란합니다." 시그너는 대답하기를 꺼렸다.

"프로젝트 이름 정도는 알고 있습니다. '솔라 프로젝트'. 이제는 정확히 어떤 건지 제게 알 권리는 있다고 생각하는데요."

"......"

더미는 다시 뻑뻑한 기계가 되어 스피커를 꾹 다물었다. 대답을 기대하고 물은 것은 아니나. 적어도 이 좁은 부유선에서 사소한 신뢰를 세우기 위한 시오의 첫 시도는 불발로 끝난 셈이다. 이후로 별 영양가 없는 형식적인 대화가 지루할 정도로 오갔다. 이 년 동안 무시카의 상태는 어떠했는지, 어느 음식을 선호하고, 이상형은 어떠하며, 습관이나 잠버릇, 성욕 해소, 거짓말의 빈도와 자아 성찰의 깊이나 그 주기, 등이었고 그러다 어느새 부유선이 중력제어를 줄이고 거의 반환점이 눈에 들어왔다.

시그너가 만족스러운 결과를 얻어냈는지에 대해서 깊게 고민할 필요도 없었다. 확실한 건, 딱딱하고 차가운 기계 뒤에 숨어 어딘가에서 음흉한 미소를 짓고 있을 테니…

밀회는 그렇게 싱겁게 끝났다.

우우우웅. 부유선이 바닥에 내려앉고 작은 계단이 주르륵 아래로 뻗쳤다.

그리웠던 지면에 시오의 발이 닿기 직전, 그는 상부로부터 복귀 명령이 떨어졌다는 알림을 받았다. 애당초 정직이 아닌 건가?.. 그것도 한가지 가능성일 뿐이다. 등 뒤로 시그너의 변조된 목소리가 그를 불러세웠다.

"그의 과거가 궁금하지 않소?"

"... 배가 고프네요."

"....?" "내 미래도 챙기기 버거워서요."

"한 가지 더 물어도 되겠소?" "마음 변하기 전에요."

"정말 그 기간 동안 동료애 같은 감정이 없었소?"

더미의 외 감각 시스템은 미묘한 시오의 표정 변화를 관측했다. 질문 자체에 대답이 있는 셈이다. 그러나 순간 굳어버린 시오의 표정은 밀랍 인형이 된 것처럼 미세한 떨림과 같은 여지가 없어 보였다. 시오는 무시카를 향해 방아쇠를 당기려 했다. 하지만 손목이 날아가기 전, 정말 그것을 당겼을지는.. 그 자신만이 알 것이다. 이미 결정된 우주 망라에 기록된 시간은 우리의 선택을 들추고 후회라는 이름을 남긴다. 어떤 길이든. 무슨 이름이든. 남는다..

"마음이 변했어요. 또 볼일 없길 바라죠. 시그너 씨."

시오는 손을 내밀었다. 딱히 시그너의 반응을 기대한 것은 아니지만 예상외로 더미는 기꺼이 문밖으로 손을 뻗었다.

"...당신이 쫓는 걸 찾으려면 서울로 가보는 게 좋겠소."

감각적인 일이지만, 기계음 뒤로 시그너의 조소가 느껴졌다. 그리고 한동안 미묘한 온기가 가시지 않은 손바닥을 물끄러미 쳐다보았다. '묘하군…'

...

부유선이 떠났다. 여전히 윰지아 금형이 선체 옆머리를 장식했다. 주변 호버들은 표식을 알아보고 비켜섰다. 그렇게 점점 멀어져 거대한 주 건축물이 들어서는 공간으로 모습을 감췄다. 낮에 보았던 광장은 사뭇 그 모습이 확연히 달라 있었다. 도시 미관을 전적으로 담당하는 인공유기체가 땅으로 내려앉아, 부리 주변으로 스산한 냄새를 풍기며 주변 동료를 불렀다. 하얀 생물체는 서로 공명하며, 눈치 보며, 깽깽이 발로 하나둘씩 모여든다. 그들은 일정한 음의 소리로 울부짖었고 회색빛으로 각질화한 유사 케라틴 턱이 바닥을 조아린다.

깊은 위장 안쪽에서부터 탈피하여 뒤집어지는 냄새, 코를 찌르며, 식욕이 싹 가셨다. 길바닥에 널린 토사물 출현. 그날의 헤드라인이었다.

"대체 뭐가 문젠 거야.."

하늘을 반으로 갈라놓던 금속 물체는 또 다른, 고속 에너지과 부딪혔다. 그러자 엄청난 폭발과 함께 주변의 풍광이 충격파로 일순 일그러졌다. 잠시 후 급조된 먼지 구름에서 빠져나와 기다란 꼬리를 달고 떨어지는 유성체. 그것과 같이 검붉은 빛을 사방으로 뿌려대며 토후를 밀어낼 준비를 마쳤다. 가이아는 외계의 침입을 허용했다. 보드라운 대지를 내어주기로 소리 질러 환호했다. 결국, 가역 생성된 거대한 구덩이로 지구 밖 불순물을 품어내는 데 성공했다. 그 사소한 과정에서 초록빛 들야는 2km 에 걸쳐 불기둥을 만들었다. 아무리 시간이 지나도 좀체 사라질 기미가 보이지 않다가 다행히, 근처를 도사리고 있던 어두운 코발트색 구름이 그늘 되어 바닥을 흥건히 적시고 나서야 남은 생명이 산소를 토했다.

그렇게 하루가 지났다.

"으윽…" 옅은 신음을 뱉으며 저절로 눈이 떠졌다. 다행히 착륙에 성공한 우주선은 짙은 고탄소 결정체가 분해되며, 한쪽 면에서 반대편으로 일목하게 그을린 걸 제외하면, 기저에 특수 크롬강 합금이 포함된 레플리카치곤 기대 이상으로 멀쩡했다. 문제는 내부 선실에서 몸을 웅크리고 있을 내 존재였다. 몽롱했었던 정신이 성층권으로 돌입, 하강했을 때부터 뭔가 잘못되었음을 느꼈다. 그건 일종의 기시감이었으리라. 단조롭고도 하찮은…

이를테면, 목에 젤리가 걸린 것 같은 사소하지만 문제가 '될 수도' 있는 것들 말이다. 나는 계기판에 일련 표시된 여덟 자리 숫자를 보고 나서야. 지구 대기권 진입 시점부터 대략 29 시간이

지났다는 것을 깨달았다. 착륙하기 직전 무언가로부터 강한 충격을 받았다. (덕분에 카마하브 가장자리로 추락하던 내 선체 궤도를 54 도가량 비껴틀어 안전지대에 안착할 수 있었다) 가장 우려되었던 하반신이 저릿한 통증을 일으켰다. 다그닥거리는 선반에서 예루가 남겨놓은 의료용 희석 펜타닐을 삼켰다.

당분간은 그런대로 버틸만할 것이다. 남은 약을 모조리 주머니에 털어 넣고 비교적 움직이기 편한 다리로 삼각형 우주선 출입문을 몇 차례 걷어찼다. 쾅쾅쾅! 고열에 팽창돼있던 도어 스프링 고정 장치에 실금이 가면서 문이 나가떨어졌다. 그리고 문 경첩을 지지 삼아 천천히 몸을 일으켰다. 첫발을 내딛자 지구는 푸쉬쉬 소리를 내며 달아오른 땅과, 추적추적 내리는 비와, 나를 사이에 두고 묘한 증기를 뿜어 불쾌한 존재를 마지못해 받아들이는 듯했다. 이해한다.

이 땅, 지구가 나를 어떻게 생각하는지. 하지만 그뿐이다. 그 문제에 대해 깊게 생각해봐야 내 처지만 지구의 깊은 애수의 감정에 동조될 것만 같았다. 나는 방금 지나온 곳을 돌아보았다. 40m 가량 떨어진 선체로부터 익숙한 발자국이 낮게 뜬 희뿌연 안개 바로 앞쪽까지 이어졌다. 그런 새로운 흐름이 생기고 의식적으로 발을 내뻗기 시작했다. 경쾌했으나 결코 가볍지 않았다. 위로는 두껍게 층을 이룬 오로라가 만연했고, 하늘 높게 일렁거리는 대기 상태가 반대 해협으로부터 겹겹이 포개어 파도를 만들고 있었기 때문에 눈이 자유롭지만은 않았다. 게다가 거세게 불어오는 궂은 바람은 커튼 형상으로 오로라의 밑면이 살랑거려서였다고 할 정도로 대부분 핑크색으로 물든 무지갯빛이 펄럭거렸다. 태양의 선율. 마치 그런 청각신호가 밀려오는 듯 착각을 불러일으켰다. 나는 자연스럽게 먹먹해진 귀가 제대로 트일 때까지 기다렸다. 귀를 간지럽히는 일은 일어나지 않았다.

일찍이. 이런 아름다운 풍광을 본 적이 없어서 꼭 좋게만 보이지 않았다. 약간의 그로테스크가 가미되어 섬뜩함마저 느껴졌다. 그나마 다행인 것은 육안으로도 확인되는 죽음의 구간으로부터 상당히 멀리 불시착한 덕분에 방사능 계기판 수치는 정상에서 약간 웃돌고 있는 정도였다. 나는 거부감 없이 이미 소매를 끝까지 걷어붙인 우주복을 벗어 맨손으로 땅을 파기 시작했다. 진흙이 얼굴에 튄다. 생명의 습기. 하찮은 땅이라도 포근하다. 기억하는 것과는 다르게 작은 진동과 대기가 울렸다. 눈꺼풀을 들추는 밝기 하나하나가 낯설게만 느껴졌다. 보슬보슬 내리는 비가 사막의 오아시스보다 더 달곰하게 내 얼굴을 적셨다. 깊이가 50cm 쯤 되는 구덩이를 만들었고 그곳에 별 의미 없이 우주복을 땅에 파묻었다.

그때 문득. 휙. 선체 쪽으로 고개를 돌렸다. 기분이 이상했다.

왠지 람이 나타날 것 같은… 꼬마의 낭랑한 이명이 귓가에 맴돌고 있었다. 만약 람이 있었다면 비를 맞으면서 모조리 마셔보겠다고 사방을 뛰어다녔을 생각을 하니, 그제야 웃음이 났다.

…

티폴의 대기 성분은 지구와 매우 유사하다. 기후학자 사이에서 어째서 대기 상태가 일치하지 않는지에 대한 연구가 수십 년간 진행돼도 어차피 숨은 똑바로 쉴 수 있으니 상관없는 거 아니냐며, 지구에선 신경 따위 쓰지 않았다. 지구의 토후가 절반이 소실되어 예측할 수 없던 기후는 더욱 기승을 부리고 양자컴퓨터가 일찍이 상용되었지만, 안온한 기후 데이터베이스를 축적한 몇백 년의 노력은 물거품이 되었다. 그래서 일기예보는 또다시 먼 미래의 진보된 기술을 위해 숙제로 남겨두기로 했다. 어쨌든 행성 간 성분 불일치 현상은 뚜렷하게 정의되지 않은 제3의 힘.

즉, 인과율 간에 충돌이 인간의 한계를 아득히 뛰어넘은 우주 법칙이라 명명하였고, 그 힘은 언제나 인간을 내려다보았다. 결국, 반발이 심한 인류의 위세는 윰지아-유오, 각 행성 도시를 링크 시스템에 묶어두기에 이르렀다. 그것은 게이트를 넘나드는 학자를 위한 처사였고, 지구에서 갱어는 상태로 존재할 수 없는 자연조건에 묶여있기 때문이며, 또 즉각적인 행성 링크 시스템 기반을 확고히 다지는 로저의 생전 실험이기도 했다. 이것이 기대 이상치의 결과를 가져온다면, 훗날 테라포밍 기술을 접목하여 막대한 게이트 에너지 없이 행성 간 더미를 배치하는 것만으로, 자유로운 의식 이동이 가능하다고 전망했다.

-그렇다곤 해도 의식이 다른 곳으로 이동한다는 게 말이 된다고 생각하세요? 특히 다른 차원을 매질로 이용한다는 건…

"……"

-물리적 저장장치면 또 모를까…. 그건 마치, 의식이 하늘 위를 붕붕 떠다니다가 특정개체와 결합한다는 얘기잖아요. '빙의'... 라고 하나요? 시그너라는 박사는 어땠어요? 더미를 썼다던데.. 설마, 그 연구가 벌써…

"더미는 무슨. 그건 사실.."

시오는 말을 하려다 습관적으로 화제를 돌렸다. 도시를 순찰하는 걸음은 빨라졌고 또 익숙한 길로 접어들었다.

"아니, 그보다 무슨 일이 있었기에 연락이 안 됐던 거야? 납치에 가까웠다고."

-그건.. 저도 잘..

그는 눈살을 찌푸렸다. 좀 전의 번 아웃 현상, 관련된 얘기만 꺼내면 지지직거리며 스텔라가 버벅거렸던 것이다. 광장엔 인간들의 토사물을 주워 먹는 비둘기 떼가 줄을 섰고, 마침 감찰국 직원이 경위를 조사하고자 껌을 질겅 씹으며 거리를 확보했다. 하지만 그 어디에도 소량의 독이나, 생화학 무기의 흔적은 발견되지 않았다. 사실 그보다 더 심각한 일은, 유오와 연락이 통신이 두절된 일이었다. 윱지아 관측소에선 이를 해결하는 데 총력을 기울였음에도 사라진 펄스 로드를 복구해내거나 티미한 먼지 구름 형체조차도 구현해내지 못했다. 사건은 그렇게 갑자기 일어났다.

이 기현상을 두고 윱지아 기라성은 점점 테러범들의 소행이라는 망상에 시달리기 시작했다. 그것 말고는 달리 설명할 길이 없었다. 여전히 잠에 빠져있는 베라(VERA)는 요지부동. 적절한 결정권자의 부재 역시 혼란을 부추겼다. 그러다 사건 발생

후 108 분, 어반행스가 계엄령을 선포했다. 그건 몇십 년 만에 일어난 인류 주도 하에 이뤄진 결정이었다.

…

윰지아, 188 층 이사회

"계엄이라뇨? 이게 무슨 일입니까?"

"결론부터 말하자면, 행성 간 연결이 끊어졌습니다."

"... 그게 정확히 무슨 말입니까? 어반행스."

"말 그대로 통신, 펄스 로드, 중력, 등을 비롯한 모든 인과관계에서 행성 간 자행되었던 유사공명이 어느 분기점에서 끊어졌다는 얘기입니다. 이 시간부로 티폴은 완전한 독립체 행성이 되어버렸습니다."

"그러니까…. 그 말씀은 티폴이 점점 자기 궤도를 찾아간다는 말입니까?"

"예, 그렇습니다. 곧 얽힌 상태가 풀리게 될 거고 그 강한 중력 여파로 지구는 다시 시간 축이 약간 뒤틀리겠지요."

"게이트! 게이트는 어떻게 됐지요?"

"먹통입니다." "이럴 수가…… 유오에 남은 학자들은.." 이 대목에서 많은 사람이 얼굴을 쓸어내리거나 고개를 숙였다.

".. 티폴이 점점 멀어진다면…."

"재배 중인 행성 에너지가 사라져서, 버틸 대로 버티던 지구는 내부 핵으로부터 붕괴가 일어날 겁니다… 물론 그전에, 행성 간 펄스 반동을 버텨낸다면 말이죠."

"그건 또 뭡니까?" "쉽게 설명해서 팽팽하던 실이…."

"아아… 설명은 됐고.. 어떻게 그게 가능하단 말이죠? 그것도 하루아침에…."

이사회에 있던 절반의 과학자는 퀭한 눈으로 공황에 빠져버렸다. 또 어떤 이는 이 역시 행성의 의지를 반영한 것이고 모체 행성으로부터 떨어진, 인간으로 치면 유아기를 거쳐 성체에 도달한 행성체를 직접 목격한 것이라 여기며 흥분을 마다치 않았다.

"그 이유에 대해선 파악 중입니다만, 뭐라고 콕 집어내기 어렵습니다. 어쩌면 이번에야말로 행성에 자아가 있다는 허무맹랑한 타르프의 말을 믿게 될 날인지도 모르고.. 뮤텔리안 반란군이 봉기를 들고 일어선 날인지도 모릅니다.. 중요한 건, 여기 계신 분들도 모두 아시다시피, 이 사안은 전례가 없는 일이기에 혹시 모를 더 큰 사고를 피하고자 하고 계시던 모든 작업을 중단하시고 이 문제에 집중해야 한다는 겁니다."

장내 엄숙한 분위기가 감돌았고 그런 침묵이 암묵적인 합의를 끌어낸 셈이다. 또 다른 학자가 발언을 이어갔다.

"... 후자는 아닐 겁니다. 일찍이 도시 내부에선 반란군 세력을 제거했잖습니까. 그 일을 베라(VERA)가 주도했고요. 비록 수면 상태에 있긴 하지만, 그녀가 남긴 항상성 프로그램 덕분에 다른 루트 역시 의심해볼 여지는 없습니다."

"일단 어디까지 행성 공명과 대칭이 깨졌는지, 파악부터 하는 게 우선 일 것 같습니다…. 추가로 혹시 모르니 룹알할리 사막 주변 동태를.."

…

대기 중에 있던 특무부 요원들 역시 비상이다. 시오는 무작위 작전 구역에 던져졌다. 명목은 거동수상자 추격, 기타 단서의 확보였지만 시오는 아랑곳하지 않고 어디든 직감에 이끌려 다녔다. "이봐요!"

시오는 멀찍이서 건물 밖을 서성이는 여자를 발견했다. 얼굴은 겨우 성별을 식별할 정도의 거리라서 알아보지 못했고 조금 더 큰 소리로 말했다.

"다시 호텔로 돌아가세요!" 여자는 알아들었는지, 아니면 원래 그럴 생각이었는지 모르겠지만, 아무튼 쫓기듯 호텔 건물 안으로 들어갔다. 시오는 그 익숙한 주변 풍경에 잠깐 멈춰 간판을 보았다. '비스트 호텔' 그렇게 적혀있었다…

"방금 호텔 안으로 들어온 동양인 여성을 찾고 있는데…" 호텔 데스크에 손을 뻗었다. 검고 기다란 흑요석 탁자가 있었는데 특유의 자잘한 이물감이 느껴졌다. 그 낯선 느낌 때문인지 열린 문으로 딸려온 바람 탓인지 시오는 살짝 몸을 움츠렸다. 하지만 어느 쪽이든 호텔 분위기와 어울리지 않았다.

"여길 들어온 사람은 없는데요?" 벨보이가 대꾸했다.

그러면서 시오의 행동 하나 놓치지 않고 잔을 닦으며 눈을 흘겼다. "이해합니다. 투숙객 보호 그런 건가요? 이걸 보기 전까지는 모두 그렇게 말하죠."

시오는 미리 준비해둔 세 개의 기둥이 그려진 특무부 명함을 내밀었다. 아무튼, 협조적일 모양인지, 시야에서 보이지 않던 손이 흑요석 탁자 위로 드러났다.

잔? 와인잔이라니? 불꽃처럼 번지는 화마같이, 가을 단풍같이. 붉고 화려하면서도 기려함을 품은 호텔 외관과 로크나식 붉은 천으로 치장한 인테리어가 내부를 맡았음에도 전혀 다른 아취를 풍겼다. 그건 페스트푸드점에서 백숙이 나온 격이었다. 그런데 벨보이는 더 했다. 시오를 기분 나쁜 눈길로 쳐내려고 할 뿐, 잔을 여전히 기울인 꼴로 있지도 않은 자국을 쉬지 않고 문댔다. 아래에서 와인병을 숨겨두고 홀짝홀짝 마시고 있었나? 벨보이의 탄백색으로 그을린 피부 표피의 혈관이 확장했는지 연붉은빛을 띠었고, 어쩐지 알딸딸해 보였다. 그때쯤 벨보이의 왼 가슴 포켓의 옹졸한 단추 구멍. 바로 옆, 네온으로 빛나는 사각 명찰이 눈에 들어왔다.

"흐음… 잘 대답해야 할 겁니다.. 베티."

"… 당신.. 기억나요. 예전에 방문하셨던 분이군요." 베티는 고개를 끄덕이며 계속 말했다.

"그땐 의자에 앉아 계셨지요." 둘은 각자의 공간이 단절된 듯이 잠깐 아무 말 않고 있었다. 시오는 대답도, 베티는 재촉도 하지 않는다….

정적을 깬 것은 시오였다. "다시 한 번 묻겠습니다. 방금 들어온 여성. 어디로 갔죠?"

"투숙객이 언제 드나드는지 저도 알지 못합니다."

"그렇게 계속 발뺌하신다면… 저도 절차대로 하는 수밖에 없습니다." 탁. 벨보이는 잔을 탁자 아래로 숨겼다.

이로써 둘 사이를 지탱하던 피상체가 모습을 감췄고 공간이 좁아졌다. 환도의 사정거리 안으로 들어왔다. 시오는 환도를 뽑아들 것이다. 벨 것이다. 예리한 피가 검날에 맺히기도 전에 갈비뼈 몇 개는 우습게 깔끔한 단면으로 잘려나갈 것이다. 여차하면 그렇게 된다는 말이다. 시오의 눈이 가늘어졌다.

"그런 게 아니고요. 여긴 비스트 호텔입니다. 도시 시스템에 준하는 보안을 가지고 있죠. 직원인 저조차 체크인 시점부터 체크아웃까지. 객원의 일정을 알지 못합니다. 설사 누군가 들어온 모습이 호텔 바깥에서 비쳤을지라도, 그건 이미 일어난 사건이거나, 시스템이 만들어낸 이미지일 거예요."

'실리만 코딩…' 시오는 중얼거렸다.

"그럼.. 시스템 관리는 누가 합니까?"

"제가 하는데요?" 시오는 인상을 찌푸리고 말했다.

"특무부는 이 현상을 일으킨 용의자를 쫓는데 총력을 기울이고 있습니다. 당신도 자칫하다간 엮이게 될 거요."

"..... 알겠어요. 대신 이용객들을 위해 소란은 자중해 주세요."

베티는 탁자 너머로 오라고 손짓을 했다. 탁자는 벽과 벽을 빙 둘러 울타리를 치고 있었기에 입구라고 착각할 수 있는 작은 경첩조차 없었다. 그래서 시오는 그냥 왼손을 지지 삼아 훌쩍 뛰어넘었다. 그리고 탁자 아래, 아까부터 베티가 곁눈질로 보고 있었을 화면에 시선을 던졌다. 스크린은 처음에 여성을 바라보는 제삼자가 되었다가, 이따금 앵글이 여성의 얼굴을 드문드문 비추며, 또 벗어나기도 했다. 요즘에 보기 드문 손목시계를 차고 있었고, 실제로 그걸 들여다보는 장면도 나왔다. 초침이 움직이긴 하는 걸까?

잰걸음으로 비스트 호텔. 중앙 회전문을 통과했다. 앵글은 이미 시오의 의지가 많이 담겨있었다. 여성의 향기를 따라 동시에 쪽문으로 들어갔고 안과 밖, 그 정확한 경계면을 두 발로 넘었다. 그래서 타당하게도 그 자리에 여성이 있어야 했다. 그러나 찾던 여성의 모습은 경계면을 기점으로 연기처럼 사라져버렸다. 흐릿한 화면을 뒤로 돌려, 밖으로 나가도 그 어디에도 존재하지 않았다.

그때 시오의 등 뒤로 뚜렷한 목소리가 들렸다.

"즐거운 여행 되시길.."

시오가 미처 돌아보기도 전에 무게 중심이 앞으로 쏠렸다. 휘청거리는 중력에 반사적으로 탁자로 손을 뻗었다. 검고, 거칠고, 착잡한 감촉이 느껴져야 했을 터다. 그런데 물체와 접촉 순간의 무한한 팽창에 엮어 들어 영원히 닿지 않을 탁자에, 늘어남과 뻗음에 일순 갇혔다. 확장되는 의식은 시오의 정신을 아득하게 만들었고 괴로움으로 젖어들었다. 부유하는 공간에서 뜨거운 공기와 맞닥뜨려, 곧이어 이전과 같은 어지럼증을 느꼈다. 으윽…

거짓말처럼 두통이 싹 사라지자 눈이 딱 트였다. 시오의 이마로 땀이 빗물처럼 쏟아졌고 그제야 뒤를 돌아보았다.

".. 왜 그러세요?"

베티는 손수건을 들고 여태 알던, 변함없는 표정으로 그렇게 서 있었다. 묘한 기시감을 가지고서.

"방금 뭐라고 하셨죠?"

"아무 말도.." 베티는 웃었다. 저 미소. 음흉하다곤 할 수 없지만…… 뭐랄까. 깔끔하지 않았다. "아닙니다……"

시오는 다시 화면 속에 빠져들었다. 이전과 같은 구간을 반복했고 다각으로 앵글을 돌려도 특이점을 발견하지 못했다.

"스텔라."

….

"스텔라.. 이거 분석 좀 해봐."

….

"젠장, 스텔라 이러기야.…?" 시오가 본 화면 속 사건들은 앞서 베티가 설명한 대로 시스템 관리자라도 대상이 투숙객인 이상 보안이 예상을 웃돌았다. 어쩌면 정말 이미지를 봤겠다 싶었다. 하지만. 하지만. 여긴 비스트 호텔. 그런 이유만으로 충분했다.

무시카의 흔적, 히나 박사의 죽음, 등등 상투적인 얘기로 들릴지도 모르겠으나 시오는 꽤 낭만적인 성향이 있었다. 인연의 실이, 숨어있을 타래에서 몇만 가닥으로 짜여 세계를 이루고 있다는.. 그런 걸 말이다.

'이상하군... 이건 실리만 코딩 기술이야.. 스텔라… 어째서..' 시오는 몇 번이나 땀으로 젖은 턱을 쓸어내렸다. 베티가 건네는 손수건을 모퉁이마다 축축하게 적시고 난 뒤, 두 번 포개어 돌려주었다.

"명단을 좀 봐야 할 것 같은데.."

"알겠습니다."

그때 잠깐 보았던 벨보이의 얼굴이 사뭇 달라 보였다. 조금 더… 밝아졌나? 시오는 두꺼운 책으로 시선을 돌렸다. 2 인치 두께의 리스트에는 글자가 빼곡히 쓰여있었다. 좋게 말하면 깐깐했고, 안 좋게 말하면 병적이고 집착적이었다. 글자 하나하나가 그다음 잉크와 씨름을 하며 밀고 당긴 거친 흔적이 거뭇한 탄력을 이루어냈다. 완벽한 균형. 하지만 필체는…. 필체와 어떻게 그렇게 조화를 이룰 수 있는지 이해가 되지 않았다. 그런 면에서 오히려 의도한 것일 수도 있겠다는 섬뜩함마저 느껴졌다. 시오는 최근 순서부터 계속 아래로, 좌에서 우로, 읽어 내려갔다.

'찾았다.'

3 페이지쯤 거슬리는 이름이 보였다. 1, 2 페이지를 채운 나머지의 이름들은 베티와 씨름하고 있던 와중에도 손님이 드나들었다는 말이었다. 다중 공간…. 시오는 고개를 절레절레 저으며 이름에 집중했다.

마도카..?

들어본 적 있는 이름이다. '스텔라의 지인…'

객실번호. -4523- 시오는 발 머리를 꺾었다. 결연한 의지로 호텔 로비에서 좌측으로 움푹 들어간 엘리베이터를 향했다. 그러나 곧, 그 자리에서 온몸이 그대로 굳어버렸다. 짧은 섬광이 시냅스 주변을 알짱거리다 회로에 무언가 끼어버린 것이다. 그는 퍼뜩 정신을 차리고 뒤돌아 다시 책자를 들췄다. 줄줄이 딸려오는 다음 장. 계속해서 책장을 넘겨 손에 묻은 침이 거의 다 메말라 가기를 두 번쯤, 다시 손가락과 혀. 그 주선을 앞두고 검은 활자를 따라 읽던 시선이 멈췄다.

-4523-

다만, 투숙객 이름. 익숙했다. 왜 진즉 이 생각을 못 했을까?

"하하하…."

시오는 일소했다.

….

[카스가 히나]

#_ 람의 이야기 10 프로젝트 솔라

티뮬 탄성 57 주기, 2120 년.

'갱어는 생명체인가?' 단순히 철학적인 질문이 아니다. 저들 나름 언어를 구사하고 의사소통 체계가 발견된 인간 근연종 중엔 단연 으뜸인데다, 몸속으로 뜨겁고 붉은 액체가 분명히 흐른다. 혈액 표본을 채취해 광학현미경을 들이밀면 여지없이 익숙한 백혈구와 적혈구가 미세한 진자 운동을 한다.

그런데 다만, 이 모든 유기체 활동이 돌연 바뀌는 시점이 있다. 그것은 근본 없는 파괴이며, 역행하는 어떤 리듬이다. '붕괴점'이라 불리는 그것은, 신체 말단이 서서히 모래로 변하는 것, 중심부로부터 단절된 신체 일부 역시 위와 비슷한 행보를 걸었다. 하지만 일정 조건이 소명히 밝혀지지 않아서, 붕괴점 없이 그대로 사막에 며칠을 썩어 문드러지는 경우가 있는가 하면, 나노미터 단위의 미시세계에서도 같은 현상이 일어나기도 했다. (신기하게도 아주 아주 작은 모래 알갱이로 보여질 뿐이다) 결국 학자들은 매우 산만한 갱어 실험에 지쳤다….

그래서.. 생명체인가? 저들이 하다못해 생명체라면, 반인류적 실험에 환경운동가의 집중 포격을 맞아도 응당한 일이라 받아졌을 텐데. 그것도 아니다.

"그래서 내 생각엔… 신이 나서서 중재를 해줘야 해요."

"히나, 그건 논점이 아니잖아. 그래서 갱어는 뭐야?"

그녀는 미소 지었다. 눈이 부셔서 나는 제대로 담아낼 수 없었다. 히나가 대답하길. 어차피 생명체건 아니건,

환경운동가들한텐 그다지 중요하지 않단다. 선택적으로 고기를 씹어대는 집단의 이중성이란… 약육강식. 대자연의 법칙을 감히 인간이 건드릴 순 없으리라면서.

"그래서?"

"같은 차원에 중첩 상태로 공존하는 우리로서는 알 방법이 없어요. 창조주는 본분을 다하고 떠나버렸으니 신경 써봐야 소용없다는 거죠."

히나는 그렇게 말했다. 나는 슬쩍 눈을 옮겼다. 들고 있는 머그잔의 계량된 150ml 만큼 뜨거운 커피가, 정확히 스무 모금에 걸쳐 사라지는 것부터 허벅지 위로 살랑거리는 여미지 않은 새하얀 셔츠까지. 검게 드리운 머릿결과 맞붙은 입술이 내 이름을.. 내 이름을 부른다.

"무시카.."

…. 히나는 침대로 머리를 파묻었다.

…

사실 나는 온전한 정신일 때가 많지 않다. 그나마 건질만한 확실한 기억. 히나를 처음 만난 건, 어릴 적 살던 빌딩의 옥상이었다. 한창 펌프질 된 두 다리와 격양된 감정과 넌지시 밀려오는 오로라의 숨. 저물어가는 태양과 건너편에서 같은 곳을 바라보던 소녀. 나의 시선은 난간 주변을 서성이다가 금빛으로 서서히 물들어가는 도시 전경, 아래로 향했다. 어렸던 나는, 그런 아찔함과 숫기가 없던 까닭에 빛의 번짐으로 시시각각 변하는 소녀의 모습을 힐끗힐끗 훔쳐볼 수밖에 없었다..

나는 히나의 볼에 손을 가져다 댔다. 그대로 내려와 귓불 언저리에 멈췄다. 그녀는 내 손을 힘껏 쥐었고 따스했다.

"목말라. 물 좀 가져다줄래요?" "알았어."

나는 몸을 일으켜 부엌으로 갔다. "히나. 궁금한 게 있어."

"말해봐요." 히나는 침대 난간에 턱을 괸 채로 이쪽을 쳐다봤다.

"정말로 어릴 때 빌딩 옥상에 가본 적 없어?" "음…. 서울에 살긴 했었지만.. 고소공포가 있는 걸요. 지금도 부유선은 잘 못 타겠어요."

"사무실도 높잖아." 나는 물잔을 건넸다. 그녀가 장난스레 손목을 낚아챈 바람에 중심을 잃고 말았다. 풀썩. 침대 위로 쓰러진 내 몸뚱어리는 마치 이 일을 예측한 듯 추욱 늘어져 그녀의 키스를 받아냈다.

"그건 일이잖아요." 싱긋.

히나는 정말 그때의 일을 기억하지 못했다. 크게 요동칠 줄 알았던 나의 감정은, 때마침 목구멍으로 넘어오는 생명수에 차분하고 냉정한. 아무것도 중요하지 않은 일시적 그로기 상태에 빠졌다. 나는 망상에 젖거나, 특정 기억에 시달릴 때 하나부터 열까지 거꾸로 센 다음. 그 일이 내게 얼마나 미룰 수 있을 만큼 지엽적인 사건인지 생각하는 묘한 버릇이 있었다. 히나 말로는 그때마다 내 혀는 플라스틱으로 만든 고무처럼 더 늘어나지도 않고 물리-화학적 반응에 대꾸하지 않는다고 했다.

그녀는 찬찬히 굳어버린 내 신체반응을 조목조목 진찰했다. 나는 자연스러운 생물학 반응에 진척이 있던 중이었다.

삐빅. 분위기를 깼다. 그녀는 걱정스러운 눈으로 고개를 돌렸다. "아룬 호출이야. 가봐야겠어." 내가 말했다.

"이따 저녁에 들를 거죠?"

"....."

"무시카?"

"...." "정말 이러기예요? 마도카도 오기로 했는데.. 오늘은 크리스마스이브잖아요." 히나는 서운하다는 투로 말했다.

".. 당연하지. 걱정 마."

내가 옷을 주섬주섬 챙겨입고 있는 동안 히나는 침대에 걸터앉아 양 허벅다리에 손등을 쑤셨다. 무안한 나는 룸서비스를 권했지만, 그녀는 콧방귀를 뀌곤 내가 객실을 빠져나갈 때까지 쳐다보기만 했다. 복도로 이어지는 바깥 문간에 서서 짧은 키스를 나누고 헤어졌다. 이후 나는 벨보이가 불러준 호버 택시에 탑승했다.

"009 구역으로…"

고속으로 지나친 불빛을 멍하니 봤다. 정말 어쩌면 기억 속 빌딩 소녀와 히나는 전혀 다른 인물인지도 모른다. 칠흑같이 검은 머리칼에 또르르 떨어지는 동백 기름의 아취. 수려한 동양적 미모. 그런 것들이 넘치지 않게, 때로는 수수하게 어우러져 시선을 훔치는 묘한 아우라는… 이 밖에도 설명할 수 없는 것들이 가득 차있지만.. 그래 다른 사람일 가능성도 있다. 하지만… 그게 다 무슨 소용일까.

삐빅삐빅. "어. 지금 가고 있어."

-방호복 입고 CC-009 로 모이라는 지시야! 거기 라미아가…!

"무슨 일인데?" 뚝. "타무무?"

전화가 끊겼다. 기술적 문제라거나, 어떤 외압의 영향은 아닌 듯했다. 두문불출하던 반란 세력이 윰지아 문간을 넘어서기라도 한 건가? 방호복이라… 그건 아닐 거야. 나는 물을 벌컥벌컥 마신 뒤, 방호복을 입었다. 혹시 모를 장기전을 대비해 만반의 준비를 한 셈이다.

위이이잉.. 숨죽이고 있던 먼지가 공중으로 솟음치며, 나는 주인공인 양 호버에서 뛰어내렸다. 탓. 작전지역 400m 밖, 시멘트 언덕 너머 보이는 하얀 격자무늬 콘크리트 건물로 나는 아무런 엄호 없이 접근했다. 찬 공기. 산들바람. 주위를 둘러보니 다른 작전팀은 보이지 않고, 전방으로 웬 버려진 함선들만 즐비했다. CC-009… 건물 외벽의 검은 페인트로 쓰인 글자가 상당히 빛바래있었고 3 층 높이의 건물 절반 이상이 날아간 상태로 강한 힘으로 멀리까지 건물의 잔해가 땅 위를 거닐고 있었다.

잔해. 거칠거칠한 표면은 날카로운 것에 잘렸다거나, 폭발로 무너진 것이 아님을 시사했다. 그야말로 뜯겨나간 흔적에 흠칫 놀라 나는 잠시 주저했다. 건물이 거의 피부에 다다랐을 때, 나는 콘크리트 기둥 엄폐물에 기대어 슬며시 말했다. 마치 옛 애인을 찾듯 부드럽고 애탔다. "타무무?"

-....

통신장비는 정상이었다. 하지만 대답은 들려오지 않는다. 함정일까?... 건물 코너를 돌자, 희미한 숨소리가 들렸다. 나의 온 신경은 그곳을 향했고 레일건을 가슴팍에다 댄 채 숨을 죽였다.

이맘때쯤, 반복적으로 회전하는 터빈 소리와 콘크리트벽과 마찰하는 바람 소리가 한데 섞여 나를 방해하기 시작했다. 하지만 그럼에도 분명히 나는 어떤 흉부의 압박에 숨넘어가는 소리와 감정을 갈무리하는 짐승 같은 소리가 들렸기에 개머리판을 어깨에 견착시키고 자세를 낮춰, 총구를 들이밀었다. 지지직.

-야! 무시카 어디야? 도착했어?

타무무다.

"건물 북서쪽 외벽. 너는 어디쯤 왔어? 대장하고 라미아는?"

-아.. 안돼! 지금 당장 물러….

"뭐? 잘 안 들려."

-!!@#!@@!...

나는 아직 기계란 걸 의심해본 적이 없다. 태양풍이라면 국지적으로 문제를 일으키지도 않았을뿐더러, 옆구리에 찬 플라즈마 감지기는 여전히 방호복 바깥으로 희뿌연 청신호를 뿜어댔다.

-도망치라고!!!

타무무의 고함에 나는 퍼뜩 정신이 들었다. 찬물을 끼얹은 듯 압도하는 한기에 몸을 부르르 떨었다. 아니, 공포에 좀 더 가까운... 제일 처음 그림자가 사방을 덮고 주변을 일그러뜨릴 때, 나는 일사량을 벗어난 도시 광원을 의심했다. 그건 예측 불가한 전장에서 꽤 합리적인 선택이었고 그래도 여태까진 잘 먹혀들었다. 하지만 의지할 것이라곤 가늠쇠밖에 없는 상황에서 눈을 떼고 고개를 들었을 땐, 어이없는 광경에 웃음이 나고 말았다.

"저건….? 아니, 저게 뭐지? 타무무?"

지지직. 지지지직. 수십개의 부풀어 오른 풍선이 줄을 지으며 하늘로 올라가고 있었다. 히나의 머리칼만큼은 아니지만, 충분히 검고 그을려 있었는데다, 눈부신 광원을 등지고 있는 탓에, 눈을 아무리 좁혀도 뚜렷이 보이지 않았다. 그르르릉. 그때 순간적으로 짐승이 갈무리하는 소리를 포착하고 재빨리 몸을 돌렸다. 엇?

그러나 이미 늦었다. 내 반사신경이 외부반응에 미치기도 전에 내 어깨는 까맣게 물들었다. 빗장뼈에 꼬챙이를 꽂아 넣은 듯한 통증이 나를 덮쳐, 경직된 내 몸뚱어리는 몇 미터나 나가떨어졌다. 숨이 턱 막히는 시궁창 냄새와 소름 끼치도록 기괴한 움직임. 징그럽고도 명료한 살해의도다.

콰당! 끄아아아아악!!!!!!!

무슨 일이 벌어졌는지 파악하지 못한 채, 피아식별 되는 모든 대상, 작은 움직임을 향해 무작정 총을 쏘아댔다. 피웅! 피웅!! 피웅! 퓽… 하아…

땀으로 범벅된 손은 피부가 닳도록 이마를 몇 번이나 내리 쓸었고 내 눈은 대상을 좇았다. 아무런 정황을 확보하지 못하고 나는 허탈하게 몸을 일으켰다. 시야가 한순간의 실수로 뿌옇게 흐려져서 의지할 것이라곤 없이 감각을 곤두세웠다. 지지직. 좀전의 충격으로 레일건이 말썽을 일으켰다. 하필! 나는 별수 없이 다리에 결속했던 플라즈마 검에 손을 뻗어 한쪽 팔이 축 늘어진 어정쩡한 자세를 취했다. 분명 타무무가 어정쩡한 표정으로 지켜보고 있을 터였다. 진심으로 그러길 바랐다. 이걸 휘두르는 건 별개의 문제였으니까.

"무시카…?"

나는 머리를 살짝 흔들어, 마음속 깊이 듣고 싶었던 환청은 아닌지 의심했다. 무엇보다 그 목소리… 달갑지 않았다. 나는 좀 더 신중을 가하기 위해서 환청이 들린 곳으로 눈을 돌렸다.

날아간 건물의 잔해 속, 미약한 숨결을 색색 고르는..
라미아가 보였다. 그녀는 귀를 틀어막고 무릎을 웅크린 자세로 주위 한기에 덜덜 떨고 있었다. 그러고 보니 춥다. 나 역시 입김을 연거푸 뱉어댔고 한기가 오싹한 내 감각을 건드렸다. 한기? 이상했다. 여긴 외곽이긴 해도 윰지아 구역일 텐데. 항온 시스템이라든지, GPS 좌표도 이상 견해를 일으켰다. 라미아는 또 어떻고. 이곳에 있을 이유가 있었던가? 나는 소리쳤다.

"거기 그대로 있어! 곧 대장이나 타무무가 올 거야. 그때까지 조금만 참아."

제발, 무슨 일이 일어나도 라미아가 나오는 일은 벌어지지 않기를! 왼쪽 어깨 부근으로 뜨거운 피가 심장의 가파른 펌프질에 더욱 요동친다. 하지만 머리는 차갑게 식은 상태다. 그건 다행인 일이었다. 자칫 뇌압이 올라가다간, 플라즈마 발광을 내가 견디지 못하고 고꾸라질 게 분명했다.

툭… 붉은빛 테두리가 은은하게 섞인 반투명 방울이 내 입술을 건드렸다. 피 맛이 났다. 주변으로 또 다른 형체가 후두둑 소리를 내며 땅으로 곤두박질쳤다. 방호복 안으로 검은 피가 튄다. 곧바로 플라즈마 감지기의 녹색등이 붉게 점멸되어 경고음을 보낸다. 바람 한 점 없는 하늘에 낮게 서성이던 풍선 따위가 여럿 사라졌다. 어디로 간 걸까? 좋지 않다. 상황. 통신. 저릿한 감각… 어쩌면 나는 여기서…

"제기랄.."

등 뒤로 떠미는 따스한 온기에 역설적이게도 소름이 돋았다. 나는 편향된 감각에 검을 뒤로 휘둘렀고 묵직한 느낌과 함께 어떤 널찍한 단면이 썰려나갔다. 곧 상체를 굽히고 원심력에 내 몸을 맡겼을 때, 역겨운 탄내를 맡으며, 적과 눈이 마주쳤다. 베일 듯이 날카로운 속눈썹, 푸른빛 시선, 일렁이는 갈기…. 그리고 탁한 숨을 몰아쉬는, 동력 장치의 미세한 생동 물결 같은 엔진음에 나는 그대로 몸이 얼어붙었다. 그르르르르.. 검은 갈기를 가진 짐승… 나는 겨우 저 짐승 갈기의 끄트머리를 도려냈을 뿐이었다.

한순간의 실패를 맞이한 나는, 희망이 남겨두고 떠난 간계에 사로잡혔다.

쿵! 2m 에 달하는 어둠이 나를 집어삼키려 입을 쩍 벌렸다. 주변의 기류가 바뀌었다. 나는 아래턱 부근. 그곳에서 보았다. 고개만 내밀면 된다. 죽음으로 치닫는 길이 고작 망설임 하나 때문이라는 사실을.. 두 눈으로 목도했다.

인류는. 사실은 허망한 삶을 위로하고자 숙명처럼 옛 애인을 떠올리며 염세적 세상을 가까스로 연명하고 있었던 건 아닐까? 어째서 어둠이란 것은 이토록 아찔하고도 아늑한 것인지…

모두가 그토록 찾던 진리가 생명의 사계에 있을지도 모른다. 무의미하고 멍청하기 짝없는 생명 연장 활동은. 그러니까, 메인 된 죽음을 위한 에피타이저에 불과한 건지도.. 결국은 어둡다.

거기까지 생각이 미쳤을 때, 내 몸 절반은 이미 앞으로 쏠려있었다. 하얀 콘크리트 바닥을 지탱하던 그림자는 더는 나를 붙잡지 않고 밀어낸다. 한없이 고요하고 침잠된 금수의 검은 입천장에 머리가 닿았다. 끈적끈적한 분비물이 두피를 적시고 목을 타고 내려간다. 하지만 불쾌하기는커녕 느지막이 해안선 밀물에 밀려오는 청연(淸姸)파도의 푸근함마저 느끼며, 서서히 눈을 감았다. 그 여정 중 희끔하게 정렬된 에나멜질 톱니와 눈부신 빛. 그들이 함께 맞물리며 생겨난 그림자가 나를 향해 쓴웃음을 지었다.

"아… 안돼!! 무시카!"

…

크.. 아앙! 컹!! 컹!!

갑자기 금수는 비명 또는 포효하며, 뒤로 꼬리를 말고 멀찌감치 떨어져 시야에서 달아났다. 정신을 차리고 보니 손에 쥔 플라즈마 검에서 검붉은 피를 공중으로 비산하고 있었고, 옅은 안개. 점점 명료해지는 배경 뒤로 라미아가 서 있었다. 그녀의 손에 리모컨이.. 아무래도 저것이 원격으로 검을… 그건 그렇고, 어깨에 극심한 통증이 밀려왔다. 두 발짝쯤 물러나며 나는 휘청거렸다. 거기서 무언가… 얼마만큼의 감각이 훤하게 가벼워졌음을 느끼고 말았다… 으으.. 옅은 신음을 시작으로 쓰디쓴 시선을 천천히 옮겼다. 으아아악!!

"팔… 내.. 내 팔!!! 으.. 으…" 라미아는 다급하게 내 곁으로 다가와 끔찍한 고통에 몸부림치는 나를 껴안았다. 삐빅.

-다들 괜찮아?!

"타무무… 무시카가… 무시카가..!"

흑… 흐윽. 철퍼덕. 나는 그대로 고꾸라졌다.

결국, 나는 푸근한 어둠으로부터 벗어났다. 온 나절로부터 받는 절망에 다시 익숙해지기 시작했으며, 피상적 괴로움을 비롯한 과거로부터 다시 꿈틀거리게 되었다. 삶이 고통의 연속이라는 말은 사실이었다….

하아.. 하.. 춥다.. 목말라…. 물을 좀…

어라? … 짠맛이다. 괴수는? 라미아는?

…

그래? 아, 다행이다.

윰지아 본부

헉.. 헉..

흰 가운을 걸친 한 남자가 숨을 헐떡이며, 건물 중앙 커다랗게 뚫린 지면을 에워싼 난간에 몸을 기댔다. 머리부터 신고 있는 슬리퍼 행색은 그렇다 쳐도 검은 액체를 뒤집어쓴 처량함은 오히려 경비의 동정을 샀다.

"무슨 일 있으십니까?" "아.. 아니. 아무 일 없소. 난 괜찮으니.."

"이쪽으로 오시면 저희가 도와드릴 수…."

악!!!! 듣다 못 한 남자는 냅다 소리를 질렀다. 파리한 얼굴이 적나라하게 드러났다. 창백한 안색과 먹물을 적절히 섞어 놓은 표정이랄까? 경비는 저 상태가 얼마나 험악하고, 위험하기 짝이 없는지 잘 알고 있다. 올해 연구 보고서는 한참 남은 걸로 아는데…. 고개를 갸웃거리자 가운을 입은 남자가 덧붙였다.

"이런! 빌어먹을 나는 하며 박사요! 됐소?! 이 이상 나를 귀찮게 하지 마시오! 돌아버릴 것 같으니.."

하며는 미칠 것 같았다. 입 주변에 달콤한 부스러기를 묻혀놓고선.. 가증스러운 관심.. 걱정.. 속으로 저 경비의 뺨을 후려치고 싶었다. 하지만 이내 등을 돌렸고 경비도 더는 간섭하지 않았다. 연구에 반쯤 미쳐버린 학자와 밥 먹는 개는 건드리지 않는다는, 상호 간의 암묵적인 룰이었다. 복도에 들어선 하며는 너무 익숙한 풍경에 괴로움을 호소했다. 다를 것 없는 복도의 지침, 자신의 걸음과 보폭. 빠른 걸음으로 모퉁이를 2 번이나 돌아 예고 없이 문을 열었다. 벌컥. 높은 전경이 창을 통해 그림처럼 펼쳐졌다. 하얀 소파에 커피를 즐기고 있는 동양인이 그곳을 지긋하게 바라보고 있었다.

"페고에르 박사님? 무슨 일로…"

"문제가 생겼어.. 폴프의 실험은… 아니 애당초 모두 내 탓이야… 시냅스 링크와 떨어진 개체 문제를… 해결하려 한 것뿐인데.."

하아.. 하아.. 그는 불안에 떨며 무어라 중얼거렸다. 소파에 앉아있던 히나는 그제야 상체를 일으켜, 단아한 구두 자국을 남기며 가까이, 더 가까이 다가갔다. 황망하게 풀어헤친 가운의 옷깃으로 시선을 옮겼다. 턱수염, 생채기와 거친 피부, 약간 수축된 동공에 히나는 약간 주춤거렸다.

"놈이 날 가만두지 않을 거야…" "누가 말이죠?"

그는 제자리에서 털썩 주저앉아 약간 흐느꼈다. 어깨가 들썩거리는 일이 잦아들자 이번엔 몸을 부르르 떨기 시작했다. 무엇에 쫓기는 사람이 가진 두려움이었고 신 영역을 발견한 어떤 해소. 즉, 탐구에 기인한 오르가슴처럼 보이기도 했다. 묘하게 손으로 가린 얼굴. 네 번째 손가락의 반지와 세 번째 손가락 사이로 미세하게 입술 주변의 근육이 상반되게 움직였던 것 같았기에 섣부르게 판단하기 어려웠다. 어디까지나 추측이지만.. 어쨌거나 그의 불안함은 좀체 가시질 않았다.

"감찰국 말인가요? 아무리 그들이라도 박사님을 함부로 하진 않을 거예요. 박사님이 과학계에 끼친 업적을 모를 리 없을 테니까요."

"아니, 차라리 그들이었으면 좋겠어. 하지만.." 하며는 말을 하려다 말고 입술을 꽉 깨물었다. 붉은 선혈이 표피를 뚫고 둥그런 표면에 맺힐 정도였다.

"페고에르 박사님!" "사람이 죽었어..."

히나는 심장이 쿵 하고 내려앉는 것을 느꼈다. "대체 무슨 짓을…" "나는 그저…! 폴프가 정교한 인공 시냅스 파츠가 필요하다고 해서.. 그런데… 그런 끔찍한 괴물이 사람들을…."

"폴프요? 그의 신변에 무슨 일이 생겼나요? 박사님!"

히나는 그의 양팔을 붙들고 흔들었다. 페고에르의 상체가 맥없이 축 쳐지기만 해서 꼭 바람이 빠져나간 고무풍선 같이 튕겨져 나갈 것 같은, 반발 되는 힘이 히나를 피곤하게 만들었다.

"정신 차리고 제 말 들어요!"

히나는 그를 부축해 겨우 소파 위로 앉혔다. 검은 오물이 흰 가죽 시트를 적셔, 번졌다.

"아무 생각 마세요. 수습은 제가 할 거니까. 13 번 게이트 앞에서 기다리시면, 티켓을 가지고 마도카가 찾아갈 거예요. 그렇게 당분간 티몰에서 몸을 숨기세요. 일이 모두 처리되면 다시 마도카를 보낼게요. 지금 당장 가지 않으면, 저도 장담할 수 없어요." 그녀는 단호하게 말했다.

"그럼 우리 식구들은…."

"크리스가 있잖아요. 그가 잘할 수 있을 때까진 제가 옆에서 거들겠어요."

"고맙네, 히나.. 그렇게 해주게. 그리고… 내 아들.. 하나뿐인 아들을 부탁해도 되겠나?" "...물론, 걱정 마세요."

그녀는 싱긋 웃고 얼른 그를 문밖으로 내밀었다. 페고에르는 정신없이 쫓겨나 금세 복도를 비웠다. 잠시 후 건물 전체에서 싸이렌이 울렸고 페고에르의 말마따나 그를 지명수배하기에 이르렀다. 메인 기록에 따라, 히나의 방에도 감찰국이 들이닥쳤다. '분명 감찰국이 쫓는 건 아니라 했는데.. 이상해…' 그들은 냅다 공간기억장치를 들이밀었으나, 별 소득은 없었다. 자그마한 스크린에는 쭉 히나와 마도카의 모습이 이곳저곳에서 겹쳐 나타날 뿐이었으니까.

"소파 위에 검은 자국은…."

"염색약을 엎질렀거든요." ".... 그걸 말이라고."

"그럼 기억장치가 거짓말을 하는 건가요? 그게 아니라면, 감찰국 능력이 영 아닌가 봐요."

검은 트렌치코트를 입은 남자는 눈썹을 치켜떴다. 그의 초록색 눈이 여간 꼴불견이 아닐 수 없었기에 서로의 시선이 부딪혀 스파크가 튀는 듯했다. 그때, 부하로 보이는 남자가 뒤늦게 뛰어들어왔다.

"클라크 경장님! 하머가 게이트로 가는 모양입니다!"

당신 얼굴.. 기억해두겠소. 라는 상투적인 말을 남기고 그들은 게이트로 향하는 듯했다. 그러거나 말거나 히나는 문을 걸어 잠근 후, 사무실의 딸린 방으로 들어갔다. 그곳에는 마도카가 여러 개의 스크린을 띄워놓고 상황을 면밀하게 관찰하던 중이었다. 마도카는 곧바로 인기척을 느꼈다.

"티켓은 얼마나 걸려?" "금방요. 그런데 히나 님. 괜찮을까요? 감찰국이 게이트를 닫으면 어쩌죠?"

"그건 걱정 마. 그보다 지금 CC-009 는?"

히나는 스크린으로 눈을 돌렸다. 푸른 전광이 활자를 이루며, 빛을 발산했다. 하나하나 다 읽기 힘들 정도의 데이터 덩어리를 해독하는데, 각자 필요한 시스템 모듈을 적용했다.

"알아봤는데요.. 실험 중인 행성 항체가 폭주를 해서 다수 사상자가 났어요. 폴프는 행방불명 상태고요." 마도카는 천천히 문서를 계속해서 읽어나갔다.

"백업팀을 불러서 해결하긴 한 모양인데, 실험체는 도주. 그리고 백업팀 중 한 명은 중태라고…"

쿵. 간혹 살다 보면 그런 느낌이 있다. 아침에 일어났을 때, 왠지 모를 절망적인 하루가 예상되는. 그게 아니길 바라면서 하필 이라는 말이 자신의 입에서 떨어졌을 때. 언제나 절망이 우리의 결을 맴돌며 숨죽이고 있다는 사실을 새삼 깨닫는다. 가슴 안팎으로 기압 차가 느껴진다. 한 손에 구겨진 종이 쪼가리처럼 폐에 머물던 공기가 반복적으로 움츠러들었다. 꽤 아픈 경험이었다. 히나는 가슴 부근 옷깃을 세게 움켜쥐는 것으로 달랠 수밖에 없었다.

"괜찮으세요?" 그 묘한 불안은 같은 공간에 있는 마도카를 전염시켰다. 히나는 아무런 대꾸도 할 수 없었다. 수없이 아니길 바라면서, 한 남자. 그 생각에 사로잡혀 도무지 벗어날 수 없었다. 무시카. 정녕 무시카 일까? 오늘 저녁에 보기로 한 약속은… 거짓말…

그때, 삐비빅. 전화벨이 적막을 깼다. 띡.

"대체 감찰국이 내 사무실에 무슨 볼일인지 설명해 줄래?" 화면 속… 여인. 그녀가 불쑥 말했다. 마찬가지로 흰 가운을 상징적으로 두르고 있었고 긴 포니테일에…. 히나와 똑 닮은 얼굴을 하고 있었다.

"히나 님. 그게… 페고에르 하머 박사가 왔다 갔어요. 너무 갑작스럽게 온 터라… 그래서 여기 히나 님께서.. 아!"

순간 마도카의 작은 손이 입술에 닿았고 심장이 쿵쾅거렸다. 어떤 불문율을 건드린 사람처럼 불안에 빠졌다. 잠깐이지만 시간이 멈췄거나 뇌의 사고 장치가 시간적 오류를 일으키는 듯해서, 그런 침잠한 분위기가 더욱 무겁게 가라앉았다. 파랗게 질린 건 비단 그녀의 입술뿐만이 아니었지만, 생각 외로 화면 속 여자는 덤덤하게 미소를 지을 뿐이다. 이곳에 있는 히나가 멋쩍게 나섰다.

".... 마도카. 잠시 자리 좀 비켜줄래?" 다행히 건너편에선 아무 말이 없다. 암묵적인 허가가 떨어진 셈이다. 그녀는 트인 숨통을 몇 번이나 내쉬고 흐르는 땀을 애써 무시한 채 자리를 비켰다. 그녀는 방을 나가면서 힐끔 화면을 확인했다. 그리고 두 사람의 모습을 교차시켜 보았다. 귓불의 모양, 놓치기 쉬운 작은 점의 위치, 드문드문 귀 뒤로 머리카락을 쓸어넘기는 습관까지.. 같았다. 마도카는 무겁게 발을 옮겼다..

끼이익. 덜컥.

"…인간은 말이지.. 타인과 자신을 속고 속이는 일을 업으로 삼아 진보하는 생명체야. 거짓에서 또 다른 거짓을 가려내는데 평생을 쏟지. 그런데... 왜 우리는 아무렇지 않게, 거울을 믿고 있는 걸까…? 응? 내가 왜 널 믿고 있는 거지?"

화면 속 히나가 말했다.

"심려를 끼쳐 죄송해요. 히나 씨."

기어들어가는 목소리는 정말이지, 그 복종적 목적에 맞지 않게 은근히 거슬렸다. 오른쪽에서 또 다른 화면이 띄워지며 자료가 나타났다. 거기엔 '스텔라'라는 멋들어진 이름까지 커다란 고딕체로 적혀있었고 프로토타입 이미지 모델이 입혀져 있었는데. 정육면체 안에서 각 면과 오브제는 서로 상호회전하며, 눈을 감고 있었다. 디지털 인간. 정확하게는 보이는 이미지일 뿐이지만.

"그래… 베라(VERA)의 초기 설계도를 가지고 나를 흉내 내고 싶었던 거야? 솔직히 놀랐어. '가짜' 주제에 이 정도 결과물을 만들어 낼 줄은.. 뮤텔리안 1 급 기밀 위성 정도는 거뜬히 해킹할 수준이라.. 뭐, 요긴하게 쓸 수 있긴 하겠어. 고맙다고 해야 하나?"

"…. 감사합니다."

"... 있잖아 베티. 내 흉내는 얼마든지 내도 좋아. 어느 정도 내 연구에 윤활 역할을 해줘서 고맙기도 하다구. 근데, 그거 알아? 윰지아 수뇌부에선 한때, 미신이긴 하지만 자신의 갱어들을 모조리 찾아내 죽여버리는 걸로 생명이 연장된다고 믿었다는걸? 과학자 주제에.. 자기 갱어가 티몰에 살아있도록 놔둔 자는 손에 꼽을 거야. 살아 있다는 표현도 웃기지만."

피식. 화면 속 히나는 조소했다.

"자기를 닮은 존재가 타인에게 휘둘리는 걸 두고 볼 순 없었겠지. 그런 맥락으로 내가 너를 살려둔 걸 잘 곱씹어야 해. 내 결정을 실수로 만들지 마."

"네. 히나 씨.."

"알면 됐어." 화면 속 히나는 그제야 피식 웃었다.

"페고에르 박사 일은 잊어버려." "네?" "신경 끄라고. 내 말 무슨 뜻인지 알지?"

"..네."

갱어는 감정을 잘 숨긴다. 흉내 낸다. 따라 한다. 비교적 감쪽같은 표현력에 일반인 중 공감능력이 발달한 사람들은 쉽게 동조 되어 그들의 연민을 이해하고자 연구 서적을 쏟아냈다. 그러나 정작 그들의 의식을 입증해내는 일은 없었다. 그리고 앞으로도.. 분명한 건 베티도 그 궤에서 자유롭지 않다.

히나는 말했다. 인간은 타인과 상호할수록 완성되는 생명체며… 사람의 뇌는 우주만큼 복잡하다고. 하지만 인간의 연산 능력으로는 자신이 자유의지를 가졌는지, 아닌지. 갱어와 마찬가지로 영원히 알 수 없다고 말이다. 그건 포식자의 위로였을지는 몰라도 갱어에겐 그런 말을 듣고도 매번 스스로 웃음거리가 될 수는 없었다.

"명심해. 너는 그런 존재 모순에서 비롯된 실험체일 뿐이야." 대화는 그것으로 끝이었다. 베티는 어두운 방을 빠져나와 마도카가 편한 자세를 취하고 있는 소파를 찾았다. 그리고 그 하얀 광택이 은연한 카디블랑제 금속 장식을 따라 바닥면을 짚으며 뒤적거렸다. 커튼을 지나친 빛줄기 하나가 공중으로 뿌연 먼지를 밝히며 그녀의 가녀린 손을 스쳤다.

텁. 네모나고 작은, 대략 4 인치짜리 물건이 잡혔다. 티끌만한 보풀이 겉면을 덮고 있는, 거창하거나 허무한 제목조차 없는 작은 수기였다.

"마도카. 이걸 페고에르 박사님께 드려."

"이건…" "… 아무 말 말고 그렇게 해줘.." "네. 알겠어요."

"그리고 박사님께 이 말을 꼭 전해줘. 반드시 사막 어딘가 카마하브의 아이 모습을 한 타르프를 찾으라고 말야."

…

허억… 허억… 학…

많은 장면이 내 앞을 스쳐 지나갔다. 눈을 감든, 뜨든. 현실과 상상의 문턱 사이에서 나는 정말 구분할 수 없는 일들을 의무적으로 떠올리고 있었다. 아, 살아남기 위한 발버둥. 혹은 남겨진 자들을 위한 위로…. 아마 그런 것이겠지.

".... 어떻게 좀 해봐요!!" "아아!! 무시카! 정신 차려!" 시끄러워. 잠 좀 자게 내버려 두라고… 라미아..

"아으…." 나는 사방이 짙은 회색으로 꾸며진 방에서 깼다. 왜 하필 회색일까. 회색은 너무… 빛도 없고, 삭막하고, 각박하고, 시시한데다, 아무튼.. 어쩌면 내 안광이 탁해진 탓일지도 모른다. "아아…" 하지만 의식만큼은 뚜렷했다.

"무시카 씨. 움직여보세요."

누구지? 외부 정보의 괴리를 충분히 인지하면서 허망한 팔을 상상으로 들어 올렸다가 곧바로 내려놓았다. 하지만 방안에서 나를 독대하는 이 사람은, 원하는 결과를 얻고자 나를 꾸준히도 귀찮게 굴어댔다. 내가 움직이질 않는다나 뭐라나…. 팬티 안쪽부터, 퇴화한 꼬리뼈 돌기까지. 남자는 나를 면밀하게 관찰하며, 종이 앞에서 한참 미심쩍은 눈과 표정으로 일관했다. 이따금 그의 눈과 내 눈이 겹쳐 보일 때면, 차분한 내 성격과 반대로 피하고 싶지 않았다. 이상했다. 그도 같은 생각인듯하여..

그는 하얀 펜을 계속 똑딱거리며 방을 나가버렸다.

"아무래도 이 검은 물질이 몸에 침투한 탓에… 세포 재생이 불가한 것 같아. 중추신경을 따라, 뇌간에 뿌리를 내렸어. 오염 범위가 늘어나지 않을 것 같지만…. 더 나을 것도 없을 것 같군… 그런데 히나, 저 남자는 누군가?"

"아는 사람.. 요." "흐음…"

"그것보다.." 남자는 들고 있던 차트에서 눈을 뗐다. 무슨 말을 하려는 걸까? 가지런하게 포개어진 입술이 미세한 떨림을 머금고 당장에라도 터트릴 것 같았다. 불그스름했다가 연한 색이 되었다가 선명한 혈기의 이동이 몇 번 감회를 일으켰다. 그러다 갑자기 예상치 못한 타이밍에서 풉 하고 웃음이 터져 나왔다. 전혀 예상하지 않은 것이라, 오히려 당황스럽기까지 했다.

"시그너 박사님."

"…?" "자신의 갱어와 뇌파 공명이 적절하게 맞아떨어지는… 특정조건이 있다고 하셨죠?"

시그너는 턱 주변으로 듬성듬성 난 희끄무레한 수염을 긁으며 말했다.

"『공명인간원론』 말이군. 맞아. 미묘한 감정의 간질임과 죽음 같은 깊은 공포심을 넘치지 않을 정도로 편도체를 자극한 상태에서 코마로 진입해야 하지. 그렇게 되면 일시적으로 무작위적 의식 교류가 일어나게 돼. 시각이든, 후각이든, 뭐든… 하지만 이론일 뿐이네. 부분 코마상태는 아직까진 불가의 영역이니까."

"저 검은 물질이.. 코마 문제를 해결한다면요?" 시그너는 한창 고민하더니 대답했다.

"아니, 아니. 어렵사리 조건이 맞아떨어졌다 해도 거기까지일세. 저 물질이 코마 상태를 길게 끌 거라 생각지는 않아. 자네는 저 사막 행성에서 삼십 분 내로, 저 남자의 갱어를 찾을 수 있겠나?"

"....."

"좋아. 좋네. 여기까지 성공했다 치더라도 누가 감정을 공유한 사람과 그 갱어를 동시에 한 공간에 두어, 머리를 열어 보겠나… 어림도 없지…."

시그너는 말끝을 흐렸고 침을 꿀꺽 삼켰다. 그런데 이상하다. 그는 어떤 중요한 기대감에 마음 깊숙한 곳으로부터 몸을 부르르 떨고 있었다. 나이 탓이라고 하기엔 슬며시 반달 지는 입꼬리가 설명되지 않았고, 심장 문제라고 하기엔 지난주 받은 건강검진 소견서는 거의 백지에 가까웠다. 아아. 그는 히나가 말해주길 기다리고 있다. 그것 외에는 표면적인 이유가 없다. 히나 역시 잘 알고 있다.

"설마…. 아니겠지. 히나… 뇌 스캐닝 기술은.."

그녀는 담담하게 눈을 깜빡거린다. 모르겠다. 그 올망한 눈에서 무엇이 보이는지. 갱어심리학의 선구자인 시그너의 학술적 기저에는 심리학이 있다. 학자연한 얼뜨기 유사학자와는 근본이 다르다. 그러나 학술적 위치를 확고부동하게 고수하던 그도 지금 이 순간만큼은. 아리따운 동양인의 언어가, 마치 타말어처럼 어지럽게 귓가를 맴돌았다.

"그의 갱어도 만나 보시겠어요?"

시그너는 또 다른 차트를 받았다. 서너 장 넘기다 보니 어디서 익숙한 느낌이.. 찌부러지는 눈썹, 치켜 오르는 입꼬리. 그 상태로 시그너는 경직됐다.

"어떠세요?"

"이건... 정말 묘한걸.."

#_ K

호텔 엘리베이터 안, 시오가 입을 짝짝거렸다. 띵 하는 소리가 붉은 카펫이 깔린 복도를 메웠다. 좌측… 우측.. 같은 복도. 사람 한 명 보이지 않았다. 그는 벽을 장식한 금색 숫자와 숫자를 대조했다. 왼쪽…..

틱. 틱. 그는 가슴주머니에서 콘냐를 꼬나물었다. 깊은 생각. 추리와 같은 복잡한 연결고리를 잇거나 끊어내는데 콘냐는 참 적절하다. 앞서 간 콧바람 연기를 따라 추진하는 걸음 하나하나가 고요하고 조용했다. 4523.

벨보이에게 받은 키로 문을 열었다.

방은 깔끔하게 정돈되어 있었다. 딸린 욕실, 드레스룸. 이리저리 둘러봤지만, 자신의 발자국이 선명하게 찍혀있을 뿐 별다른 단서를 얻지 못했다. '내가 헛다리를 짚은 건가?'

시오는 창가로 다가갔다. 사선으로 따스한 빛이 신발 위, 드러난 발목을 간지럽혀서였다. 흠 하나 없이 투명한 유리와 붉은 태양 빛에 노출된 시오의 모습이 선명하게 겹쳐 상에 맺혔다. 태양과 푸른 티폴의 모습이 눈에 선하게 들어왔다.

하아… 그는 빛이 닿는 침대 끄트머리에 앉는다.. 눕는다. 그래. 단서는 그것뿐이었다. 고작 호실에 적힌 죽은 박사의 이름. 뭘 기대한 걸까? 다시 베티 박사를 볼 수 있다는 기대감에…. 그날 마지막으로 봤던 그녀를. 혹은 무시카를. 콘냐 연기가

천장에서 둥근 도넛을 뭉게뭉게 군집하며 미약한 실내등을
슬며시 태양 빛에 반사되지 않게 가렸다. 태양…. 푸른 티뵬…
잠깐.

'푸른 티뵬?' 시오는 몸을 곧추세웠다. 다시 드넓은 해연을
바라본다. 티뵬. 이럴 수가.. 머릿속마저 타들어 갈 지경에
뜬금없이 목소리가 들려왔다. 삐빅.

-시오 님! 어떻게 거길 가신 거예요?

"……"

-시오 님?

"여기가 어딘데…"

-저랑 장난치시는 거예요? 거기 지금 유오잖아요.

다시 보니 저건 티뵬이 아니다. 낮에 뜬 달도 아니다. 그때
관찰하던 행성 주위를 감싸고 있던 은연한 빛 회오리의 장막이
어떤 이유로 걷히기 시작하면서 빛 스펙트럼이 관측되었다.

푸른색… 파장이 길어지며 옅은 보라.. 그러다 색이 넘치기
직전, 일순 파장은 급격하게 짧아지고 얼마 가지 않아 주홍빛으로
물들었다. 그 광경에 입이 바짝 말라 간다. 저건 지구였다.
그러므로 이건 꿈이다. 시오는 침대 머리맡에 있는 재떨이에
콘냐를 보탰다. 좀전까지만해도 윰지아에 있었다는 사실을 콘냐
뿌리가 타들어 갈 때까지 상기시켰다. 그러나 바뀌는 것은
아무것도 없었다.

-호텔에서 갑자기 대답이 없으시기에 얼마나 찾았다고요!
근데 어떻게 된 거죠?

"나도 모르겠어. 스텔라.. 어디서부터 내가.." 그는 잠시 말을 멈췄고 창문 너머의 한 점을 지긋이 응시했다.

"스텔라, 호텔 4523 호실 출입 명단에서 히나 박사와 조금이라도 연관있는 사람을 추려 봐. 그리고 마도카라는 여자… 네 지인이라고 하지 않았어?"

-그게요..

"나중에. 일단 동선 파악하고. 이따 연락하지."

통신은 그걸로 끝이었다. 스텔라는… 대체 누구 편이지? 지금은 답답한 이 마음을 판단할 길이 없다. 믿음이 흔들릴 때, 때로는 그냥 두는 것으로 해결되는 경우도 있으니까. 시오는 호텔 밖을 집중했다. 카디믈랑의 재앙과 나란히 붉은빛으로 겹쳐 보이는 점이 창문 너머에, 하늘이 정지 상태에 있었기 때문이다. '저게 뭐지?' 손을 뻗었다. 화면인지, 창인지 모를 유리막에 손이 닿았다. 새벽공기처럼 차가운 기운이 뼈마디 끝에 서려, 손을 짓누르는 것만 같았다. 좀 전 발목을 잡던 빛과는 딴판이다.

그런데, 그 점으로만 보이던 것이 점차, 점진적으로 약간의 확률로 움직이는 느낌이 들었다. 그뿐만이 아니다. 시오가 제정신이라는 가정하에 점을, 점으로 보이게끔 하는 테두리 영역이 계속해서 커지고 있지 않은가? 눈을 떼지 않은 까닭에 오는 착각인가? 아니 확실하다! 가속한다. 점점… 점점 더.. 시오는 재빨리 뒤돌아 욕실로 뛰었다.

쾅!!!! 그가 튀어들어 간 지 몇 초가 지나지 않아 엄청난 굉음에 호텔 창문이 모두 부서졌다. 육중한 티탄급 함선이 호텔 자체 방호를 뚫고 공중에 매달린 날생선처럼 허우적거리며,

그대로 박혀버린 것이다. 곧바로 잔광 현상을 일으키는 네온 빛 장막 근처로 삐져나온 퍼즐인 양, 방호가 뚫리자 조광이, 천지가 그대로 역전됐다. 실은 어두컴컴한 티뫁, 사막의 밤이었던 것이다.

퉁. 퉁. 검은 그림자가 호텔 외벽을 발로 퉁기며, 일사불란하게 줄지어 호텔 안으로 뛰어든다. "알파, 진입합니다." 특수 3 소대가 위층, 좌, 복도로 침투한다. 저들은 감찰국이 거둬들인 전직 특무부 요원들. 즉, 여러모로 흠잡을 곳이 없는 베테랑들이다. '함정이라.. 신경 좀 썼군. 그래.' 시오는 쓴소를 지으며, 저 멀리 삼각 모양의 함선 머리에서 전투복을 입은, 도드라진 여성의 신형과 바로 옆에서 비교 대상으로, 서 있는 건지, 반쯤 앉은 건지. 키 작은 이미지에 시선이 닿았다…

실루엣뿐이지만.. 그 여자다!

'날 사냥하겠다는 건가?' 픕. '어림도 없지.' 쿠구궁!!!! 도넛 모양으로 그을린 천장이 쫙 뻗어 갈라졌다. 쾅!!!!! 무너진 천장 아래로 특수요원들은 레일 집속탄을 억수같이 퍼부어댔다.

퍼버버벅!!! 퍼버버버벅!!!! 퍼버버버벅!!!! 퍼버벅!!!

…

"해치웠나?" 흙먼지가 차츰 제자리를 찾아간다.

"그러게 제가 뭐랬습니까? 저희로 충분하다고 했잖아요. 후배 요원 하나 죽이자고 창피하게 대체 몇 명이나…."

남자는 말을 끝맺지 못하고 뒤로 날아든 검에 곧바로 목이 날아갔다. 뒤늦게, 시오가 휘두른 검상이 쇠 긁는 소리를 내며, 피가 사방으로 튀었다. "으아아아!!!!!" 둘… 셋… 너무 순식간에 벌어진 일이라 어디에 겨눠야 할지 갈피를 못 잡는 요원들은 재빨리 자세를 낮췄다. 타겟은 보이지 않는다. 하지만 그들은 제이, 제 삼의 검격에 피를 토하며, 여지없이 몸이 토막 났다. 개중 그나마 검이라도 들고 있던 자는 가까스로 시오가 도약하며 휘두르는 검격을 막았으나. 오래 버티지 못하고 고통스럽게 비명횡사했다.

타닷. "투하!" 복도를 막아선 요원들이 연막탄을 먼저 던졌다. 푸쉬.. 서걱!!! 쾅!!! 연막탄이 땅에 닿기 전에 토막나 터져버렸고 곧바로 투입된 적외선 드론 역시 심한 증기 탓에 속수무책으로 제 역할을 하지 못하고 장난감 신세로 전락해버렸다. 으악!!!!!!!!

"무슨 일이야!" "대답하라!!" "알파!! 알파!! 전원 무사한가?!"

…지지직. 신호 잡음은 그들의 공포를 갉아먹고 더 큰 도약으로 시오의 공격 리듬을 더욱 활보하게 만들었다. 시오는 쉬지 않고 복도로 나서서 환도를 휘둘렀다. 방해되는 지형은 지형대로 썰려나가고 장애물은 파괴됐다. 투두두두!

"대체 저놈을 누가 서포트 해주는 거야!!! 분명 없다고…!"

콰아아악! 그는 검은 그림자들을 모조리 사정없이 벤 뒤, 시원한 희열을 느끼는 듯 몸을 열어젖혔다.

하아…. 하아.. 대략 서른 조금 넘는 인원이 차가운 바닥에 널브러져 무장해제 됐다.

푹! "커억!" 옆구리에 강한 빛이 스쳐 살점이 벽으로 튀었다. 호텔 복도, 방 칸칸마다 있는 벽감에 몸을 숨겨 가쁜 숨을 몰아쉬었다. 여태 잔흔만 남았던 전투흔과는 확연한 차이가 옆구리에서 무엇보다 뜨겁게 느껴졌다. 붉은 선혈이 복도 카펫을 흠뻑 적셨다… 스텔라는 없다.

"생각보다 더 대단한데요? 전직 특무부 요원을 조직해서 문제 없을 줄 알았거든요." 건너편 목소리가 날카롭게 날이 섰다.

"....."

시오는 눈으로, 빨간 카디플랑제 카펫, 39 층에 멈춰있는 엘리베이터, 벽감, 초인종, 스텝 불빛… 등을 쫓았다. 아니, 정확하게 말하자면 자신의 숨통을 노리는 마도카를..

"그러기에 경고했잖아요. 시오. 왜 꼬리를 물어 잡고 선.. 여기까지 오게 만들어요." "글쎄, 누굴 자꾸 바보로 만드는 것 같아서." "그게 당신이 티몰에서 죽는 이유에요."

퓻!! 읏! 탄이 귓가를 스쳤다.

아찔한 이명이 들려 오려던 차에 아무도 없는 복도로 뛰어들어 시야 확보에 나섰다. 가늠쇠를 두고 그녀와 마주치자마자 시오는 널브러져 있는 시신들 사이에서 소총을 주워들었다. 착. 착. 철컥. 퓻! 탓! 탄은 정확하게 상대방 총구를 맞췄다. 특무부 요원으로서는 너무나도 당연한 일이라, 놀랍지도 않다. 다음 공격을 감행했다. 시오는 양손을 뻗어 처음엔 그녀를 덮치려고 했다. 하지만 예상외로 무게중심이 어떤 외압에 의해 완전히 공중에서 제압당했고, 하늘과 땅이 뒤집혀 간신히 등판으로 착지했다. 아찔한 소리. 크읏! 상대를 얕본 대가였다. 마도카가 시오의 등에 올라타 백초크를 걸어 무릎을 꿇렸다. 양 허벅다리는 시오의 폐부, 숨통을 죄어 범용 전투복이 아무런 쓸모가 없어졌다. 컥… 컥..! 시오는 아예 바닥에 엎드려 몸을 이리저리 비틀었다. 또 이리저리 급박한 손을 내뻗쳤는데, 잡히는 것이라곤 카펫의 보풀, 혹은 그와 준하는 지푸라기 같은 아쉬운 것들뿐이다. 켁! 시오는 고통을 신음하며 목 뒤로 재차 헤적거리다가 뭔가 탁하고 쳐냈다. 마도카의 헬멧이 벗겨졌다. 작은 틈에 사활을 걸어 시오는 겨우 빠져나올 수 있었다. 켁. 켁켁! 바닥 위로 튀는 각혈.

마도카의 얼굴이 굳어졌다.

"뭐야.. 당신." 시오는 입 주변, 검붉은 피를 닦았다. 그리고 뭐 어쨌냐는 듯 환도를 빼 들었다. 그런 모습에 마도카가 싸울 맛이 가셨는지 오히려 상체를 일으켜 몸을 돌렸다.

"지금 뭐하는 거냐."

"역병에 걸렸다면 얼마 안 가서 죽을 텐데요." "흥! 적을 앞에 두고 어처구니없는 소릴 하는군." "불쌍하네요" "뭐?" 시오의 눈썹이 꿈틀거렸다. 바뀐 마도카의 시선, 불쾌함 그리고 동정.

"처음엔 각혈로 시작하겠지만, 곧 폐가 타들어 가는 느낌이 들면서, 몸이 부풀어 오르기 시작할 겁니다. 고통에 몸부림치는 동안 세포 변이를 겪으며 서서히 중력에서 벗어나 풍선처럼 하늘로 올라갈 거예요. 치사율 백 프로… 당신이 걸린 건 그런 병이에요" 마도카는 냉담하게 말했다.

"... 아아, 그래서 너. 스텔라와는 무슨 사이지?"

"뭐라구요?"

"히나 박사는 네가 죽였나?" 마도카는 픽. 하고 웃음이 새어나왔다. 지금 저 남자는 죽음 따위는 자기 일과 아무런 관련이 없다는 말을 하는 건가?

"왜 이렇게 여유를 부리는 거죠? 곧 죽어요. 당신." "세상 사람 누구든 지금 당장 죽어도 이상할 것 없어."

"... 그렇군요… 시오 하머. 당신은… 누구 편이죠?"

"특무부는 당연히…" 의뭉스러운 질문. 그렇기에 똑바로 대답하기가 힘들었다. 특무부는 당연히… 인류를..

"또 볼 수 있으면 좋겠네요. 그땐 대답해 드리죠. 스텔라도… 히나 박사도.. 하지만 일어난 일보다는 일어날 일에 집중하는 게 좋을 거예요." "....?"

마도카는 싱긋 웃는다.

"역시 당신은, 크눌프 씨 말대로네요. 게임체인저는 이만 빠져주셔야겠어요."

도망가려는 건가? 하지만 호텔 방호에 박혀있는 티탄 함선은… 젠장. 없다. 대체 언제? 아무런 소음 없이 한번 박혀버린 방호벽에서 벗어날 수 있는 함선은 존재하지 않는다. 그런데.. 그런데.. 이상했다. 저 어린 여자가 무슨 요술을 부린 걸까? 아…! 애초에 없었던 눈속임일 뿐이었던가? 실리만 코딩이라면.. 그때, 무너진 벽 쪽을 향해 마도카가 뛰었다. 시오가 생각에 잠겨 미처 반응하기도 전에 거센 역풍이 그녀를 공중에서 받았다. 떨어진다.

"시오. 당신은 여기서 죽을 거예요. 외롭고. 비참하게." 그녀는 약 2 초간 40m 자유낙하를 하면서, 마지막엔 몸을 웅크려 공중제비를 돌았다. 틱! 하는 청명한 소리와 함께, 갑자기 나타난 플랫바이크에 몸을 실어 다시 공중으로 비상했다.

"리타, 시오 하머는 역병에 걸렸다.. 보류. 철수하자."

"....."

시오는 저 멀어지는 바이크와 호텔 사이를 가늠한 뒤, 있는 힘껏 등줄기에 힘을 준다. 허리로부터 전달받은 회절 힘이 어깨로, 직선형으로 뻗쳤다. 손끝에서 환도가 떨어질 찰나 이미 결과를 알 것 같은 예감이 필연적으로 든다. 하지만 그 물체는 그 뻔히 아는 결과를 확인하고자 머리로 답습한 과정을 좇는다. 쐐애애애액!!!! 결국, 검은 플랫바이크 근처에서 검 날이 힘없이 아래로 향하면서 고꾸라졌다.

놓쳤다. 어쩌면 마지막 단서가 될지도 모르는.. 시오는 입맛을 다시고 멀어지는 플랫바이크의 꼬리를 향해 침을 뱉었다. 다시 복도. 카펫.. 눈 돌린 4523 호 앞, 이번에는 시체조차 없다는 게 새삼 놀랍지도 않다. 그는 호텔 로비로 향했다. 벨보이는 보이지 않는다. 께름칙한 기분을 지우고자, 어쩌면 누구라도 이 답답함을 풀어줄 존재가 나타나길 바라며 교차한 손가락 사이로 콘냐를 꼬나물었다.

쿨럭. 쿨럭. "스텔라.." 그는 꿀렁대는 복부를 부여잡고 호텔 밖으로 나갔다. 황망한 거리에 잿빛 분위기만 나부대는 도시… 유오다.

후우. 그렇게 폐로 찬 공기만 불어넣고 있는데 바닥으로 달빛에 가린 거대한 그림자가 드리웠다. 어떤, 누가, 무슨 목적으로 고독을 방해한단 말인가? 시오는 짜증이 치밀어 올라 고개를 들었다. 갑자기 들이닥친 바람과 그 광경에 잠시 할 말을 잃었다.

"왜 이런 곳에.." 지상의 모든 것을 엔진음 한 번으로 삼킬 것만 같은 새까만 동체는 고요한 바다를 헤엄치듯 압도적인 크기로 길가메시, 그 존재를 과시했다. 초거대 함선 1 기를 필두로 티탄 함선 5 기와 기타 부유선이 호위를 이루어 유오 상공을 완전히 덮었다. 저건 진짜 군대다. 저런 초대형 코딩 기술은 본 적도 없고 가능하다는 얘기도 들어본 적이 없다.

"거기 누구냐! 얌전히 투항하라!" 이때, 정찰 중이던 한 병사가 총구를 겨눴고 시오는 손을 들었다.

"뭐가 어떻게 돌아가는 거야.." 차가운 시멘트 바닥 위로 붉은 피가 번진다. 털썩.

...

뮤텔리안

처음 발을 들이밀었을 때와는 아주 다른 공간이 펼쳐져 랜딩 되었다. 4523 호. 폴프는 작은 공간에 섬연한 빛과 순식간에 생긴 램프, 티비, 이불, 침대, 협탁, 신발장… 등등. 입구서부터 차례로, 실재하는 물건인지 괜히 툭툭 건드렸다. 끝끝내 방안을 가득 채우던 초록색 네온이 모두 점멸되고 방 어디에도 창문이 없다는 걸 깨닫자. 뮤텔리안의 룹알할리 사막 어느 깊숙한 지하인 걸 겨우 인지했다.

"이 방은.." 이리저리 사방을 빙 둘러 보던 폴프의 눈동자가 제자리를 찾았다.

"여긴.. 유오에 있는 어느 호텔과 링크된 곳이네. 꽤 오래전부터 쓰던 내 개인연구실인데, 뮤텔리안의 스폿링크(Spot link) 기술자가 있더군. 그에게 전대 샤마가 직접 부탁했지."

폴프의 얼굴에 미심쩍은 표정이 드러났다. 더구나 호텔이란 곳이 연구를 받쳐줄 최첨단 장비를 갖추고 있을 리가 만무했다. 그럼, 그만한 가치가 없는 실험이란 뜻인가?

"굳이 호텔에 말입니까?"

"알잖나? 유오에서 연구를 하려면 온갖 승인과 경과보고, 실적.. 보안은커녕 서로 핵심 기술을 훔치려고 안달이 났으니. 적당한 값을 치러준다면 호텔만한 곳도 없네." 아니, 그 정도로는.. 충분한 납득이 되지 않는다.

".. 무슨 연구를 하는 곳입니까?"

시그너는 조소했다. "솔라 프로젝트.." 휙. 그는 퍼뜩 정신이 들면서 다시 방을 면밀히 살폈다. 1 인용 침대 하나, 소파 하나, 기타 등등. 분명 투박한 콘크리트 바닥이 카디믈랑 고급 카펫의 질감을 한 올도 빠짐없이 정확하게 구현해냈고, 또 느지막이 밟히는 과자 부스러기조차 스멀스멀 고소한 향이 난다. 그냥 대중적인 방이었다. 생명을 풀풀 풍기는 분주한 흔적조차 없는 아주 말끔하고 정돈된 여느 흔한 방이다. 정부의 비밀 프로젝트 같은 대단한 명목 따위는 꼭꼭 숨어서 좀처럼 드러나지 않았다. 적어도 폴프는 그렇게 생각했다.

"엄밀히 말하자면, 프로젝트 전반을 담당하는 곳은 아니네. 솔라 프로젝트는 다양한 곳에서 분야별로 분할 진행되어 전신을 이루고 있기에 대부분의 랩은 자신들이 솔라 프로젝트에 참여한 사실도 모른다네."

"보안 때문이군요."

그때, 두 남자는 거의 동시에 기묘한 기시감을 느꼈다. 귓바퀴를 몇 번이나 돌고선 떠나는 소리의 움직임이라든지, 고슴도치처럼 돋은 머리카락. 생명의 미동이 불현듯 이곳, 땅속을 스쳐 지나간 것이다. "....."

시그너는 천장 구석, 모서리 사선을 따라 미묘하게 변질된 형태에 눈을 흘겼다. 이따금 윗집에서 들려오는 층간소음이었나? 사막 지하 깊숙한 이곳에? 스푹링크의 데이터 송신 오류, 지진, 맨틀 대류, 태양풍… 4523 호실 컴퓨터는 계속해서 아무런 이상이 없다고 말한다. 두 남자는 영적 체험에 가까운 일을 겪고선 잠시 어안이 벙벙했다. 그러던 폴프가 턱밑으로 고인 침을 삼키며, 말했다.

"방금 뭐였죠?" "나도 잘…." 폴프는 순간 또 다른 것을 감지했다. 얌전하던 침대가 좀 전의 감응으로 꿈틀거렸던 것이다. 가만, 자세히 보니 그곳엔 사람 형체가 하얀 이불을 덮고 숨죽인 채 머리끝까지 웅크리고 있던 모양이다. 굴곡진 솜이불 겉면을 따라, 약하지만 명료한 숨결이 느껴졌다. 하지만 내부의 조밀한 조명 배치 덕에 음양이 생기지 않아 여태 눈에 띄지 않았던 것이다. (그게 더 이상하지 않은가?) 시그너는 그것을 들춰냈고, 그저 뿌옇게 흐린 이미지로 보였다. 베일에 가려져 있던 대상을 눈으로 직접 확인하자 폴프는 곧바로 흥미가 떨어졌다. 그러다 무언가 깨달은 듯 눈을 반짝였다.

"솔라 프로젝트는… 갱어와 의식 치환을 연구하는 거군요."

시그너의 얼굴은 미동조차 없이 덤덤하게 대꾸했다.

"먼저 자네 조부, 로저 얘기를 하겠네."

폴프는 일단 고개를 끄덕였다. 윱지아 로저의 알려진 명성과 달리, 폴프는 그에 대해서 거의 알지 못했다. 티비 채널을 바꾸듯 한순간 돌아간 주제가 당연하다는 듯이, 하지만 거의 확신에 찬 상태이므로 개의치 않았던 것도 있었다. 연관이 아예 없는 것은 아니리라는 확신을 가지고.

"생전, 로저는… 갱어를 연구하면서 한가지 실수를 했다네. 그게 화근이 되어 결국 병을 얻었고 결국은 죽었지…"

"예? 하지만 조부님께서는.."

"모를 만도 하네. 로저도 몰랐으니까."

시그너는 슬며시 뿌옇게 흐린 피사체 근처로 다가가 허리를 숙였다. 아마 폴프의 시야에 블로킹 처리가 된듯했다. 저 사람 형체의 턱으로 추정되는 부분을 시그너가 정확하게 짚어냈고 그는 차트를 들고, 하얀 번데기 같은 것을 관찰한다. 기록한다.

"어떤 실수입니까..?" 로저의 죽음을 두고 무수한 낭설이 세간에 난무했다. 감찰국에 기록된 로저의 사인은 분명한 경추 손상에 의한 '질식사'였다. 차디찬 자신의 방, 대들보, 공업용 로프로.. 의자. 나무바닥. 책상 위 종이.

"감정공유라네."

"....?"

"그래, 훗날 잘 알려진 갱어연구 금기사항이지. 로저 자신이 첫 실험 대상이 아니었더라면, 그런 일은 일어나지 않았을 거야… 자네, 아무것도 아닌 물건에, 감정을 쏟게 되면 어떻게 되는 줄 아나? 잠시.."

달그락. 시그너의 손이 일어나면서 한 번 책상 모서리를 스쳤다. 그는 책상에 올려둔 가죽케이스를 열었다. 천천히 그리고 정성스럽게. 가느다란 주삿바늘. 병에 담긴 약물. 유체의 이동.. 주사기는 다시 희끄무레하고 한쪽 팔이 없는 피사체의 반대쪽 팔을 찔렀다. 주우욱.

"물건도 감정이 생기겠나?" … "물론 아니지."

"그럼요?"

"물건과 감정이 쌓이면 결국 그 끝에서 허망한 어둠을 맞닥뜨린 뒤, 몰려오는 거대한 회한에 정신을 놓아버리게 된다네. 그런데 그건 차츰차츰 뇌를 갉아 먹기 때문에 죽기 전까진 주변 사람들도 전혀 알지 못해... 로저의 경우는 자신의 갱어를 질시의 대상으로 봤었다네…"

"그걸 감정이라고 볼 수 있나요?"

"하하! 그걸 말이라고!"

"박사님은 조부님께서 돌아가시고 나서 그걸 어떻게 안 거죠?"

시그너는 잠깐 하던 일을 멈추었다. 폴프는 주사기를 건네받고 책상 위에 도로 가져다 놓았다. 창문 하나 없는 먹먹한 방에 서로의 의식이 뒤엉켜 혼란스러웠다. 지금 폴프는 자신이 시그너인지, 저 하얀 번데기 같은 물체인지 아니면 폴프 정말 자신인지. 헷갈렸다. 폴프는 약간 비틀대며 시멘트벽에 몸을 기댔다.

".. 날 비난하지 말게. 인류는 지금 새로운 국면을 맞이해 한가로이 차나 마실 때가 아니니. 로저가 죽고 나서 머리를 열어봤거든. 거기에 조각이 있었어."

"조각?" 폴프는 미간을 찌푸렸다.

"그렇게 예민하게 굴건 없어. 조각이라고 말했지만, 우리가 흔히 아는 탄소 결정체의 불순물이 발견됐을 뿐이었네. 그래… 그건 아무것도 아니었네. 흑연. 아무 의미 없는… 그런 찌꺼기였거든."

많은 생각이 폴프의 머리를 스쳐 지나갔다. 이를테면, 왜 자신이 이곳에 있으며, 실험체로 보이는 흰 물체는 무엇이며, 왜 윰지아 로저의 머리를 열어봤고, 잠은 또 솔솔 오고, 선 자세가 이렇게 편안할 수 있는지, 시그너의 목적은… 목적? 폴프는 순간 정신이 번쩍 들면서 시그너를 쳐다보았다. 그는 또다른 주사기를 쥐고서 쓰러지는 중심에, 역전하는 주변 사물에 그 이유를 말해주고 있었다. 스르륵. 눈꺼풀의 미세한 긴장이 풀리면서 희미한 빛이 번지기 시작했다.

"한숨 자고 나면 괜찮을 걸세."

#_ L

나는 불쑥 나타난 해변을 따라 걸었다. 한참을 그렇게 걷고 있는데, 파도는 내 흔적을 지우느라 바쁜 빛깔 잃은 생명을 해변으로 밀어냈다. 바다는 장난을 치듯 발을 간지럽히며, 그 잔인한 내성을 드러내서 나는 탄성을 내질러야 마땅했을 것이다. 하지만 나는 상당히 지쳐있었던 터라 뒤집힌 채로 이리저리 휩쓸리는 죽은 물고기 떼를 보고도 애써 무시했다.

그들의 죽음은 결코 숭고하지 않았다. 역겨운 냄새가 코를 찔렀다.

일몰의 풍경은 아름다웠다. 지쳐있던 눈꺼풀이 고개를 들어 티뮬 행성의 민낯을 보았고, 왠지 모르게 둥근 구체는 점점 멀어지는 기분이 들었다. 구체와 나란히 걸린 수평 구름, 분홍빛 광경에 신경을 곤두세우다 보니 그 끝자락에 이름 모를 곳, 붉은 등대가 보였다. 나는 그곳으로 가서 주변을 맴돌며 스산한 시선으로 관찰했다. 그곳엔 사람이 여럿 있었다. 문 밖으로 떠드는 소리가 심심찮게 들려왔는데 별 대단한 얘기는 없었고 중간 중간에 윰지아 얘기가 흘러나왔다.

"티뮬이 분리됐다." "....." "결국, 그들이 틀린 거야." "소도시 국가들은 좀 어떤가?" "이번 작전에 회의적이네. 얼마 전, 행성 간 펄스 반동이 학자들 예상보다 웃돌지 않아서라지만…. 많은 생명이 죽었어. 그러니 아직은 때가 아니라고 생각하는 게지.

지금 해변만 봐도 물고기떼가.." "그건 그들도 마찬가지야." "룹알할리 사막 지면이 근래 들어 자주 들썩여서 그 주위로 비행통제를 하는 모양이던데 그 일도 혹시…?" "아니, 그건 관례적인걸세. 신경 쓰지 않아도 돼." "쯧. 그럴 바에 차라리 얼른 노트를 찾는 게…" 부스럭.

"....."

일순 등대 안은 조용해졌다. 나는 거센 바닷바람을 원망하고 싶었지만, 너무나도 정직하게 내 발아래 나뭇가지가 분할되어 있었다. 나는 멀리 가기보다는 오히려 창가 바로 밑으로 가서 웅크리기로 했다. 드르륵. 머리 위로 하얀 입김.

"늑대가 길을 잘못 들었나 봐."

휴.. 나는 다시금 내 머리를 스쳤던 중저음 목소리에 집중했다.

"윰지아 계엄이 오래갈 것 같아. 이건 기회라고…"

"우리가 뭘 하든 베라(VERA)가 모든 행동을 예측할 걸세."

"그래서 뭐, 넋 놓고 있자는 말이야?"

"그건 아니지만…." "모든 게 다 정해져 있다고 생각한다면, 인류는 여기까지 오지도 못했을 거야. 그녀가 원하는 게 바로 그런 거라고. 인간을 사육하듯이…"

"서거하신 샤마께서는 평소 뭐라 하시던가?" "… 일단 추모부터 하세…"

그들은 잠시 소강상태를 가지는 듯 손을 모았고 입으로는 담배를 뻐끔뻐끔거렸다.

"전대 샤마께서는 별말 없으셨다네." "뭐? 전대? 우푸! 네가 그러고도…." 말이 격해지려고 하자 다른 동료가 그를 제지했다.

"이봐, 흥분하지 말게. 그의 탓이 아니지 않은가. 우푸, 그럼. 샤마 후보께서는? 여자라는 것만 들었네."

".. 작은 문제가 있지만, 큰 문제는 없네."

"그건 말이 좀 이상하지 않나? 문제가 있는 데 없다니."

"보안 때문이니 이해를 바라네."

그들이 따뜻한 불빛에 몸을 쬐고 있을 때, 급작스러운 오한이 내 몸을 감돌았다. 이를 아무리 씹어도 뼈 안에서 울리는 한기가 가시질 않고 귀가 먹먹해지기 이르렀다. 하필이면 지금. 으으…. 덜덜덜. 증상이… 콘냐, 콘냐가 필요했다. 떨리는 손으로 주머니란 주머니를 다 뒤졌다. 물론 콘냐는 나오지 않았다. 빨간 등대. 물고기떼. 냄새나는 바다. 파도 소리.. 나는 결국 부적처럼 넣어 다니던 물건을 두 손을 꽉 쥐고 이 막연한 고통이 지나가길 기다렸다.

…

오랜만에 꿈을 꿨다. 흐릿한 기억을 걷는 내 뒷모습이 아닌 행성을 '한 발' 떨어져 조망하는 기억에서 비롯된 이미지인 건 분명했다. 어떤 노랫소리도…. 그러나 딱히 의미가 있는 것 같진 않았다. 느껴지지 않았다고 하는 게 더 맞으려나? 눈을 다시 떴을 땐, 상자를 여러 개 겹쳐놓은 곳에 담요를 덮고 있었다. 그리고 남자 둘이 내 머리를 향해 총구를 겨눴다.

"왜 등대를 서성이고 있었지?" 나는 입 주위로 낀 소금 부스러기 때문에 짠맛이 났다.

"그게…" 타말어가 나도 모르게, 습관적으로 튀어나왔다. 곧바로 정정하자 그들은 적당히 나를 경계했다. 딸깍. 구형 리볼버 공이는 긴장감을 늦추지 않고 재차 내 처지를 상기시켰다. 나는 재빨리 머리를 회전했다. 해야 할 말, 하지 않아야 할 말, 표정, 시선 처리. 어디까지 나를 발가벗겨 버릴 생각인지 남자 넷은 좀처럼 눈초리를 거두지 않았다.

"머리 굴리지 마." 한 남자가 담요 위로 툭 하니 물건을 던졌다. 나는 그것으로부터 뒤늦게 고개를 돌렸다. 쿵쾅거리는 심장. 저들이 내 심장 소리를 들을까 봐 겁이 났다.

사람들은 그런 내 모습을 의아하게 쳐다보았다. 차가운 시선, 붉은 조명.

"거울이 무서운 모양이야. 그냥 거울일 뿐인데." 한 남자는 그렇게 말했고 나는 대답할 수 없었다. 그럴듯한 거짓말이 순간적으로 떠오르지 않았다. 나는 복부 주변을 쓸어내렸고 그 모습이 웃겼는지 우락부락한 남자는 조소했다.

"라미아가 말한 갱어가 너로군."

나뿐만이 아니라 방안에 있던, 심지어 총까지 겨누던 두 남자마저 놀란 듯 토끼 눈을 했다. 어쩌면 나보다 더 기합이 들어간 모양이다.

"그게 무슨 소리냐 우푸. 갱어는 지구에 존재할 수 없다고.."

"잊었어? 티폴은 더는 지구와 얽혀있지 않아. 저놈 배를 까봐."

그들은 앞다퉈 내 털끝 하나 건드리지 않고(찝찝했는지) 옷을 벗으라고 협박했다. 결국, 나는 그들이 원하는 대로 옷을 들췄고 제일 먼저 머리를 들이밀던 남자의 표정부터 껄끄러운 사실을 마주한 듯 표정이 일그러지면서, 나를 보는 시선이 좀 전과는 달라졌다. 나는 직접 보지 않고 그들의 반응과, 눈에 맺힌 상, 바뀐 분위기를 느끼면서… 끔찍한 모습을 상상할 수 있었다. 그나마 다행인 건 더는 모래화가 진행되지 않는다는 점이었다. 대신, 고약한 통증과 어떻게 그 형태를 유지하는지 불가사의한 척추 옆 살점에서 전에 없던 노란 고름이 터져 나왔다.

우푸라는, 거들먹거리는 남자조차 두꺼운 손가락으로 코를 막았다. 냄새? 아. 바람의 방향, 파도의 냄새는.. 그런 거였나?

"이 녀석.. 어떻게 살아있는 거지?"

한 남자가 입을 뗐다.

"살아있는 것도, 뭣도 아니야. 갱어니까." 우푸는 그렇게 말한 뒤 등대에 나와 둘만 남을 수 있도록 부탁했다.

"우리가 왜 그래야 하나?" "모두가 알다시피 샤마, 혹은 그 후보에 관한 일은 기밀이니까."

"그러지."

그들은 어째선지 '샤마'라는 단어만 들으면 대체로 설설기는 태도를 보였다. 모두가 자리를 비키고부터 호기심으로 우푸라는 남자의 말을 귀담아듣기 시작했다.

"라미아를 어떻게 알지?" 내 질문을 무시하고 그는 틱틱거리는 라이터를 들고 의자를 가까이. 턱을 괸 채 연기를 뿜는다. 달곰한 냄새… "티뮬에도 신이 있다고 들었는데… 넌 바슈테림인가?"

".. 아니. 모두가 신을 믿는 건 아니야."

"좀 낫군." 나는 미간을 좁혔다.

"네가 이해해. 우리 눈에는 그런 모습까지도 인간을 흉내 내는 거로 밖에 보이지 않아. 그게 현실이지." 동의한다는 뜻은 아니나, 나는 조용히 머리를 끄덕였다.

"믿음은 전염성이 있어. 너도 알 거야. 그들의 종교의식을 눈앞에서 본다면, 그 군집에서 숭고함이 엿보일 때, 아무리 굳건한 무신론자라도 잠시지만 신이 정말 있는 건 아닐까? 하고 장식용 판유리를 다시 흘겨보거든." "무슨 말을…."

"너희의 믿음은 가짜야." "....."

"이런 말을 듣고 기분이 나쁘더라도 그건 정교하게 만들어진 화학반응, 가짜 감정이지. 우리는 너희를 인격체로 보지 않아. 그저 쓰고 버리는 도구니까."

나는 도무지 저 알 수 없는 표정에서 어떤 반응을 내보여야 할지 좀처럼 감이 잡히지 않았다. 그의 말대로 살아있는 동안, 해를 거듭할수록 메마른 감정의 뒷모습이 눈에 익어 갔으니까. 우푸는 한숨을 길게 내쉬며 내 시야를 방해했다. 매캐한 연기가 내 눈을 스치고 등대 밖으로 나가려 하자 그는 다시 막아선다.

"라미아는 널 그렇게 믿었는데. 넌… 그녀를 버렸구나."

".. 라미아는 어떻게.." "너랑 무슨 상관이지?"

그의 말은 내 말문을 턱 막히게 했다. 나의 투명한 기억은 독립된 형태로 점점 더 명료해지고 있었다. 하지만 그의 말이 맞았다. 상관없다. 그녀가 어디서 무얼 하든. 나와는 전혀 관계없는 일이 되어버렸으니까. 이 남자는? 내게 화풀이를 하는 건가? 그는 시시각각 변하는 내 표정을 관찰했다.

"라미아가 너 따위 녀석을 등대로 보낸 이유가 있겠지."

우푸는 그렇게 말했다.

"나는 내 의지로 여기에 온 거야. 친구의 도움을 받고. 라미아는 히엠스에서.."

"정말 그렇게 생각하는 건가? 하아… 진짜 아무것도 모르잖아." 그는 머리를 벅벅 긁어댔다.

그러는 바람에 붉은 조명에 먼지처럼 보이는 미세한 입자들이 우푸와 나. 둘 사이를 갈라놓던 책상 위로 살포시 비산했다. 나는 그래서 인상을 찌푸린 것뿐이었다. 정말.

"그보다. 이게 필요할 거다."

툭. 익숙한 원기둥 모양의 갈색 종이가 무릎 위로 떨어졌다. 은은한 향을 풍기며, 달리 선택지가 없는 내게는 아주 좋은 미끼였다. 나는 뒤집혀있는 거울과 콘냐 몇 개비를 주섬주섬 서둘러 챙겼다.

"라미아는 곧 지구로 양도될 거다." "...."

"그렇게 놀란 표정 짓지 마. 불편하니까. 어쨌건 티폴인은 어떤 협약 때문에 무슨 경우에도 라미아에게 해를 가할 수 없어."

"협약? 티폴인은 인간과 선린관계를 맺고 싶어 하지만, 조건적인 우호일 텐데.."

"확실히… 걔어라 그런가? 네가 말한 대로야. 너희의 폭력적인 성향은 약속으로 무시할 수 있는 수준이 아니지. 하지만 그녀는 샤마 후보니까.."

"샤마…. 라는 건 뭐지?" 그는 가느다란 눈초리로 나를 쫓았다. 애써 턱을 긁는 저 표정, 나는 안다. 대답할 의지가 없다는, 또 대답을 꺼리겠다는 말이다. 칫.. 대신 우푸는 협약 일부에 대해 말했다.

"타르프 한 명을 처리하는 대가로 라미아의 신변을 보장받았다." 꿀꺽. 나는 침을 삼켰다. 불현듯 히엠스의 거대 구덩이로 소멸한 타르프가 떠올랐기 때문이다.

"같은 편인 타르프를 굳이 왜…?"

"왜 우리의 손을 빌리냐는 질문인가? 아니면, 뜬구름이나 잡는 점성가 녀석을 굳이 조건으로 내건 이유를 묻는 건가?"

"둘 다."

우푸는 내 반응을 꽤 즐기는 것 같았다. 알려주지 않을 것 같으면서도 어떻게든 답을 찾으려는 내 자의적 결정 과정. 그걸 보려고 일부러 유도하는 느낌을 지울 수 없었다.

"그들은 정치 희생양이 필요했었고, 그 타르프가 적절했기 때문이지. 그리고 무엇보다 그녀는 티뮬의 독립을 반대했거든."

"혹시 1 세대 타르프였나?"

그는 어깨를 으쓱거렸다. 나는 내 질문에 대한 답을 이미 알고 있었음에도, 일어난 사실을. 두 귀로 다시금 확인받고 싶었다. 그건 정상적이지 않은 이상한 일이다. 이미 정해진 사형수가 사형선고를 채근하는 것처럼. 우푸는 담담하게 의자에 앉은 채, 라미아의 신변은 괜찮을 거라고 호언장담했다. 결국, 프레타의 죽음은… 아무것도 아닌. 의미 없는 그런 죽음이었을까? 아직도 그녀가 추락 직전까지 나를 찾던 눈동자가, 지면과 분리된 찰나 죽음의 반동에서 오는 망설임이 바로 좀 전에 일어난 일처럼 눈에 선했다. 나에게 손을 뻗었던 그 이유는 대체..

"무시카. 너는 네 자의로 지구에 왔다고 했어. 왜 그런 결정을 내렸다고 생각하지?" 생각해본 적 없던 질문에 나는 퍽 당황했다.

"그야.. 지구에 오고 싶어서." "왜지?"

"내 기억이 이곳에 있으니까.." "아니, 무시카. 네 본질은 그게 아니잖아." "...."

그의 말이 맞았다.

"너의 특별한 기억은, 여생에서 한 번쯤 뒤돌아 추억할만한 정도로 남겨야 했어… 그건 네께 아니니까. 너는 지구에 오면 안 됐다고." "....."

나는 턱 주위를 아무렇지 않게 긁었다.

"그만 하지. 어차피… 중요한 문제도 아니니.."

그는 나를 그대로 놔두고 등대 밖으로 나섰다. 창가로 검은 물결 소리와 함께 잡음이 섞여 들어오는 걸 보니, 멀리 가지는 않은 모양이다. 도리어 날 감시하지 않고 방치하는 저들의 태도에 불만이 솟구칠 지경이었다. 그러나 저 인간들의 판단은 옳았다. 내가 할 수 있는 것은 고작. 나무 작대기를 밟거나, 이야기를 듣다 들키거나, 추위에 떨며 시트 위에 지저분한 고름을 칠하고선 라이터를 찾는 게 다였다. 감시할 필요도 없는.. 그런 대상이었다.

나는 나다. 아니, 무시카다.. 누구도 인정하지 않는. 작은 틈으로 찬 기운이 스며드는 창문을 닫으려 손끝을 둥글게 말았다. 착륙할 때에 고온에 시달린 피부가 껍질처럼 벗겨지려 안쪽에서 바깥을 향해 돋아있었다. 창문틀을 툭툭 건드리는 것도 온 힘을 쏟아야 했다. 고약한 통증. 털썩. 창문은 그냥 두기로 했다.

다음날은 공손하게 창가로 들이미는 눈부신 햇살이 턱 주변을 간질이는 바람에 깼다. 곧 빛이 전염된 것처럼 온몸이 간지러웠다. 발바닥은 온갖 잡목과 해변 모래에 쓸린 잔흔이 생겼고, 얼굴을 찡그리면 건조한 소금기가 각질을 이루어 떨어질 것만 같았다. 때마침 우푸가 들어왔다. 그는 상처를 치료해야 한다며 급하게 가져온 응급상자에서 소독약을 꺼냈다.

"다른 사람들은?"

"간밤에 네 상태를 확인하고 돌아갔다. 우리도 가야 해." 그는 내 척추상태를 확인하고는 심각한 얼굴로 거즈로 고름을 하나씩 닦아낸 뒤 희석시킨 옥시돌을 퍼부었다. 끄악!! 이를 꽉 물었다.

"네가 마음에 들진 않지만, 라미아 생각은 다르거든. 부디 쓸만한 놈이길 바란다."

"으… 나는 동참할 생각이 없어." 그는 거칠고, 간결하고, 익숙한 듯 붕대를 칭칭 감아 나는 잠시 혼미한 상태에 빠졌다. 우푸는 확실히 나를 강압적이고 푸근하게 보살펴주면서도 신사적인 태도가 몸에 배어 있어서, 나는 벌써 그의 손에 익숙해지기 시작했다. 게다가 막 입은 후드와 가슴팍에 헤진 자국들 역시 무얼 뜻하는지 나는 안다. 그는 군인이다. 특히 지구에서는 콘냐의 수급이 지극히 드문 경우를 봐서 생각하는 것보다 높은 직급일지도. 괜한 생각을 했다간 더 귀찮아지겠다는 계산이 서자. 발이 한결 가벼워졌다.

"부축은 안 해도 되겠지? 따라와."

우리는 붉은 등대를, 정확히 동쪽에서 떠올라 반대편으로 기우는 태양을 등지고 절벽 아래로 이어지는, 폭 좁은 오솔길로 내려갔다. 마치, 소설 『파도와 등대』의 주인공 제나프가 그의 연인과 60 미터 해일과 대치하며 죽음을 맞을 때 묘사하던 마지막 해안 풍경이 눈앞에 그대로 펼쳐진 것 같았다. 검은 모래, 불에 그을린 동물 뼛조각들, 털게, 거품, 등등…

"어디로 가는 거야?"

우푸는 역시 대답하지 않는다. 해안에 다다랐다. 반원을 그리며 곱게 깎인 해안동굴 안엔 소형 부유선이 커다랗게 뚫린 천정, 자연광 아래서 수줍은 듯이 웅웅거리는 진동을 내고 있었다. 히엠스 전경의 축소판을 보는 듯했으나, 어둡지 않고 때때로 아래로 솟구친 종유석을 따라 뚝뚝 떨어지는 물방울도 없으니 생명의 활기가 느껴져 마음이 따뜻해졌다. 나는 그렇게 넋을 놓고 지구의 발달된 부유선을 살피느라 단번에 우푸의 신호를 알아듣지 못했다.

"이쪽이야." 부유선을 지나쳐 그는 점점 어둡고 스산한, 차가운 역풍이 불어오는 더 깊숙한 동굴로 나를 내밀었다. 사방을 둘러본다. 그때까지만 해도 우푸의 황갈색 낯빛이 공중에 둥둥 떠다닐 정도로만 피아식별이 가능했는데, 통로 거의 끝자락에 섬연한 빛이 바닥으로 내리깔았다. 그 빛줄기에서 한 발 떨어져 드러나지 않은… 엘리베이터에 눈이 닿았다. 나는 뜬금없는 기계장치의 위용에 한 번 놀랐고, 아무렇지 않게 하나뿐인 버튼을 엄지로 지긋이 누르는 우푸의 행동에 기가 찼다.

그밖에 그는 주머니에 손을 찔러 넣었고 나도 주머니에 손을 넣었다. 의례적인 일인 마냥 잡히는 물건을 말없이 만지작거렸다.

잠시 후 띵! 하는 소리와 함께 철제문이 천천히 열리면서 빛이, 우푸와 나 사이를 반으로 갈라놓았다.

"아아. 크흠.. 뭐 자잘한 설명은 됐고. 일단 타게." 내가 주춤거리자 그가 덧붙였다. "걱정 마. 거울은 없을 테니.."

승강기 내부는 로크나 식으로 꾸며진 비스트 호텔의 것과 비슷해 보였다. 똑같이 나를 긴장케 만들었고, 살이 조금 벗겨진 난간, 수많은 버튼과 배열, L.. 2.. 3.. 5…. 4 층은 존재하지 않았다. 그는 발을 반쯤 걸쳐 놓고 말했다.

"47 층을 눌러."

"넌 안 타? 이번에도 대답을 안 해줄 건가?" 나는 그를 쏘았다.

"이봐, 갱어. 어제 받은 콘냐는 다 태웠나?" "....."

"네가 하룻밤 새에 소비한 콘냐는 혈기왕성한 장정 세 명이 한 달 동안 쓸 양이었다. 성치 않은 몸은 둘째치고 일단 그 망할 정신부터 좀 고쳐야겠어. 그따위로는 아무것도 할 수 없을 거다…. 차라리 거기서 죽어버리면 더 좋고.."

"야..! 무슨 말을…"

그는 입을 짝짝거리면서 두 번 접은 종이를 내밀었다.

"혹시라도 멍청한 타말어는 쓰지 마라. 그리고.. 47 층에서 이 사람을 찾아. 그렇게 하기로 되어있으니.. 딴 맘 먹지 말고. 쯧."

쿵. 승강기는 우푸의 말을 알아듣기라도 한 듯 굳게 문을 닫았다. 열림 버튼이 깜빡거리며 둥근 모습으로 내 대답을 기다렸지만, 나는 끝내 반응하지 않았다. 직사각형 공간에서 반복되는 점멸에 심호흡이 빨라져 난간에 몸을 기댔다. 손..

팔꿈치… 그리고 머리.. 어지러움과 메스꺼움을 넘나드는 작고 아담한 공간. 나는 작아진다. 한없이 작아진다.

하지만 엘리베이터 숫자는 내가 느끼는 시간과 무관하게 어떤 혼돈으로 치닫는다. 점점. 그리고 점점. 47.. 마침내 띵! 엘리베이터와 어울리지 않는 경쾌한 경종 소리와 문이 열리면서 찬 공기가 슬며시 얼굴을 들이밀었다. 또각또각. 굽 높은 신발 소리, 희뿌연 공기, 무심하게 지나치는 사람들의 조롱 섞인 시선, 그럼에도 난생 느껴보지 못한 따스함이 거짓말처럼 고개를 들었다. 엘리베이터 바깥으로 첫발을 내딛는 건 그리 어렵지 않았다. 혹시 당황한 나머지 내가 억지스럽지도 부자연스럽지도 않도록 누군가 급하게 뛰어들어왔고, 어깨를 털었다. 그는 자기 키보다 높은 버튼을 눌렀다. 그 때문에 나는 서둘러 빗줄기로, 인파로 던져진 것이다. 나는 서둘러 비에 젖은 꼴로 반대편 처마가 딸린, 오래된 비디오 가게 앞으로 가서 내가 왔던 엘리베이터로 시선을 던졌다. 분홍빛 네온이 사방을 넘나드는 이 거리에서 낡은 상가 건물에 문이 아닌 노출 승강기가 꽤나 인상 깊다고 생각했다. 나는 쪽지를 펼쳤다. 아니, 그 직전에 간담이 서늘해지면서 다시 고개를 들어 올렸다. 마.. 말도 안 돼… 여긴 대체.. 처마의 안락함에 벗어난 내 눈가 주위로 떨어지는 액체가 번지면서 간혹 눈꺼풀 사이로 들어와 이물감이 시야를 약간 방해했다. [하남 비디오]라고 적혀있는 건물. 그 아래에서. 이곳 47 층은, 내 기억이 그리워하는 무시카의 고향. 서울이었다.

나는 다시 쪽지로 눈을 돌렸다.

…. 시그너?

룹알할리 사막

샤마 님!!! 샤마 님!!

흐으윽!! 샤마 님….!!

안됩니다!!

뮤텔리안의 샤마가 오랜 병마와 싸우던 중 죽음을 맞이했다. 사람들은 차가운 현실에 읍소하면서, 2 만이 넘는 조문 행렬이 며칠째 끊이질 않았다. 그의 빈자리를 두고 뮤텔리안 정치인들은 차기 후보를 거론하는 편한 길을 두고, 어떻게든 자신의 입지를 선점하려 목소리를 높였다. 개중 계산에 능한 자는 샤마의 빈소까지 찾아와 언론에 내내 얼굴을 비치는가 하면, 발인 날. 상여꾼이 모래 절벽 아래로 떠미는, 붉은 비단 띠와 단출한 금장식 테두리로 마감한 단풍나무로 짠 관을 보면서 무릎을 꿇고 뜨뜻한 모래를 한 줌 얼굴에 비벼대는 자도 있었다. 어떤 의도였는지 모르지만, 그건 티폴에서나 볼법한 잡념 가득한 바슈테림을 따라 한 우스꽝스러운 짓이었다.

"참 힘들겠군.." 시그너는 혀를 끌끌 찼다.

"저기, 끝없이 절벽으로 떨어지는 모래가 보이나? 누가 사막 한가운데, 보이지 않을 정도로 깊은 협곡이 있을 거라고 상상이나 했겠는가?" 기도를 읊조리던 우푸가 슬며시 고개를 들었다.

"저건 지금 이 순간에도 생명체가 지구의 땅을 밟고 움직인다는 뜻이네. 룹알할리 끄트머리까지…… 모래가 밀려나는 거지…. 우푸." "...?"

"떨어지는 모래는 그 직전까지 자신의 처지를 알까?" 우푸는 나직이 대답했다.

"알다마다요." 시그너는 대답을 더 듣고 싶었는지 그의 인중, 그 주변, 코에서 눈을 떼지 않았다. "알면서도 떨어지는 거죠."

"그런가… ?"

… 앞서 어둠으로 사라진 샤마의 관구 뒤로 비교적 화려하거나, 더 수수한 장식의 관들. 수백 개가 협곡의 끝 부분에 일렬로 꿈쩍 않고 서 있다. 모래는 그런 와중에도 관과 관 사이 좁은 틈에서 낭떠러지로 더욱 세차게, 멀리도 날아간다. 협곡의 건너편으로 넘어갈 일은 없겠지만 파스스스. 건조한 표면이 부대끼는 소리를 내며 금빛 모래는 빛을 여러 갈래로 산란시켰다. 곧이어 300 명쯤 되는 사람들이 언덕에서 자기 발 앞에 있는 모래를 쿵쿵 밟기 시작했다. 물론 그 힘이 점진적으로 100 미터나 되는 직선거리를 향해 폭발적인 힘을 전달해 관들을 밀어낼 수는 없겠지만, 관중을 위해 그런 기분이라도 내며 생색내는 것일 테다.

두 사람은 높은 언덕과 낮게 깔린 절벽을, 노란 경사면을 따라 미끄러지는 관들이 완전히 사라질 때까지 번갈아가며 보았다.

"아마 절벽도 처음엔 뒤에 있는 언덕처럼 높았겠죠?"

시그너는 고개를 끄덕였다. 샤마의 발인식은 그렇게 끝이 났다. 슬픔에 잠겼던, 아무런 관계가 없지만 미묘한 감정에 사로잡혔던, 지나가다가 우연히 본, 사람들은 이제 지팡이를 들었다. 20 인치짜리 끌개로 지면을 벅벅 긁었고 딸깍. 하는 기계가 맞물리는 소리와 함께 땅을 들추고 그 안으로 한둘씩 들어가버렸다.

"폴프의 역병 항체가 먹히지 않을 줄은 몰랐네… 혹시 이게.. 하필 이런 때에. 샤마의 죽음을 앞당긴 건 아닌지.."

"너무 괘념치 마세요. 시그너 씨. 덕분에 단 한 차례 신음 없이 평안한 얼굴로 가셨으니까요. 가혹하게 들릴지는 모르겠지만, 어차피 밀려날 모래였어요."

"알면서도…." 그는 잠시 말을 끊었고 생각을 떨쳐내려고 머리를 휘휘 내저었다.

"다음 샤마의 어깨가 무겁겠어."

"그것 역시 염려 마세요. 그녀는 잘해낼 겁니다. 그런데 박사님. 폴프는 좀 어떻습니까?"

"몸은 좀 어떤가?"

"그럭저럭요." "...."

시그너는 병실, 간이 의자에 앉아서 자꾸만 초침을 절뚝거리는 벽걸이 시계만 멍하니 바라보다, 바구니에 잡히는 대로 사과를 꺼냈다. 짧은 칼, 사각거림. 접시 위로 하나씩 늘어놓는 달콤한 변명거리는 아직까지 제 입을 찾아가지 못하고 있었다.

"미리 말 못해서 미안하네. 자네에게 하머 역병 항체가 있는 줄 알았어…"

"됐습니다." 폴프는 기분 나쁘게 대꾸했다.

"... 샤마는 역병에 걸렸던 거군요."

머리에 느껴지는 불쾌한 이물감. 저릿한 염증반응이 거슬렸던지 왼쪽 눈꺼풀이 떨렸다.

"혹시나 뇌간이 오염되지 않았는지, 필요한 정밀 검사와 기억세포를 조금 들여다볼 필요가 있었네. 아, 그렇다고 기억에 뭘 삽입하거나 손 대지는 않았네."

".... 그런 게 가능합니까?"

시그너는 으쓱거렸다.

"그럴 거면 제 기억에 그 프로젝트나 심어주시지 그랬습니까."

그는 드디어 사과 조각을 집어 삐뚤빼뚤한 모양 그대로 입에 털어 넣었다. 저작운동을 하면서 사과가 입에 맞았고, 자신이 샤마의 병을 고치기 위해 이용당했다는 사실이 떠올라 약간 씁쓸한 맛도 감돌았다. 어쨌든 샤마는 죽었다. 그 소식이 유일하게, 이상하게 위안이 되었다. 아직도 얼얼한 머리통을 찡그리면서 어떤 해소가 필요함을 절실히 느꼈다.

"갱어의 의식 치환… 그거 지금 당장 가능합니까?"

음.. 시그너는 잠시 턱을 잡고 생각에 잠긴 듯 다리를 떨었다. 습관적인 리듬과 발의 박자, 세 줄로 그어진 슬리퍼, 덥수룩한 수염을 긁어내는 부스럼까지 어느 것 하나 빠짐없이 정신없고 그답다고 생각했다.

"글쎄.. 어떨 것 같나?"

"... 기억 전이는 가능하잖습니까? 그런데 왜 샤마는.."

"전이가 가능한 더미는 있지. 하지만 갱어가 아니면 얼마 가지 않아 괴사한다네.." "그래서.. 하셨습니까?"

푭. 갑자기 시그너의 입에서 공기가 엷은 입술을 뚫고 터져 나왔다. "폴프, 재밌는 얘기하나 해줄까?"

"예.. 뭐."그는 떨떠름 하긴 했지만 그렇다고 앉아서 새빨갛고 여러 갈래로 조각난 과일만 축내고 있을 수는 없었다. 시그너의 품 낮은 조소가 여간 거슬렸다.

"조금 전, 더미가 들어있는 관을 절벽으로 떨어뜨리는 걸 보고 왔네. 모두가 관짝에 샤마가 누워있을 거라고 굳게 믿더군."

폴프는 무어라 먼저 말을 하려고 했지만, 시그너의 특유 숨소리를 끊어내기 힘들어서 잠자코 있기로 했다.

"죽음이라는 게 뭔지.. 실은 샤마가 죽기 바로 며칠 전 비밀리에 내게 기억 전이를 부탁했었네. 괴사할 걸 알면서도 말야."

"그래서…?" "그래서 일을 벌였네. 어떻게 거부하겠나? 더구나 그는 샤마라고."

"그렇다는 말은.."

"그렇네. 그를 보필하던 사동과 나, 그리고 자네가 입 열지 않으면 영원히 묻힐 일이지." 시그너는 머리를 까딱거렸다.

"설마… 살아있는 겁니까?"

"내 말을 전혀 이해하지 못했군. 당연히 그는 죽었어! 다만, 생전에 두 개의 더미에 그 기억을 덮었고, 개중 하나는 절벽 아래로, 나머지 개체는 표면 의식을 절전 상태로 보관 중이네. 어때? 만나볼 텐가?"

"아뇨. 제가 왜 굳이…" 호오. 시그너는 벌써 몇 번째 턱수염을 정돈시켰다가 흩트렸다가를 반복했다.

"뜻밖이군. 샤마의 혜안과 지혜. 그 한마디를 듣기 위해, 눈에 불을 켠 놈들이 사막 협곡에 일렬로 늘어 세워도 될 정도로 많은데.. 나는 자네가 좀 더…."

"좀 더?"

그는 머리에 있는 단어를 입 밖으로 끄집어내려고 무진장 애를 썼다. 하얀 머리를 더 하얗게 물들이는.. 고심 끝에 내린 대답이 너무 우악스럽고, 듣기 좋은 말은 아니지만, 틀린 말도 아니라 꽤 묘하게 다가왔다.

"사막인에 가깝다고 생각했는데 말야."

".. 어차피 곧바로 죽지 않습니까? 그런 일회성 문답은 필요 없습니다."

괜히 모래를 끼얹은 기분이 들어 폴프는 어깨를 털어댔다. 사막인이라는 말은 어찌 보면 고까운 말이었다. 지구에선 잘 쓰지 않는 비교적 거친 티폴인을 통칭하는 말이다. 폴프는 무엇보다도 거부감이 들지 않았다는 사실이 매웠다.

"일회성이라… 자네 말이 맞네. 치환이 아니면, 모든 게 부질없지…" 시그너는 계속해서 그런 말을 한동안 중얼거렸다.

어쨌든 반복되는 실패를 겪으며, 의식 문제는 좀 더 고차원적 궤의 어떤 물질, 혹은 상태나 사건이라는 걸 인정할 수밖에 없었다며, 위안을 삼고 의자를 탁 치고 일어났다. 폴프는 그의 등 뒤에다 대고 물었다. 4523 호실에 관한. 곧이어 샤마로 이어지는 질문의 꼬리였다.

"... 그 방에 있던, 팔 없는 사람이 실험체군요. 그걸 뮤텔리안에서 지원받고 있었다니… 아니. 윰지아 쪽도.."

호호호. 시그너는 낮은 목소리로 웃었다. 그리고 그는 방안, 사방이 막힌 지하, 이곳에서 창가로 보이는 디스플레이에 시선을 던졌다. 허연 벌판에 추위에 앙상한 나무가 이파리를 헐벗고 눈을 내리 맞고 있는 장면이었다. 거기엔 아무것도 없었다. 눈, 땅, 은행나무, 옅은 구름, 그리고 이 모든 풍경과 깊은 연관을 맺고 있으면서 가장 멀리서 생명 에너지를 조사하는 노란빛 태양. 하지만 병실까지 닿지는 않았다. 프레임 없는 침대, 가구들, 엉뚱한 방향으로 놓인 차 키. 마침내 시그너의 못생긴 입술과 반달로 베어버린 화면 속 태양까지. 빛이 그 아래로 미세하게 떨리는 탓에 폴프의 눈을 간지럽혔다.

"그 방에 대해 좀 더 말씀해주시죠."

짧은 정적. 그리고 시그너가 말했다.

".... 뇌 스캐닝 기술은 미약한 기저에 숨어있는 순수 뇌파를 펄스로 변환하는 진동수를 측정, 복사한 뒤. 전이시킬 뇌에 빛 스펙트럼을 정교한 알고리즘을 거쳐 조사하는 기술이라네. 그 과정에서 반응하고 남은 잔여 뇌파와 공기 중 불특정 입자의 충돌로, 비산하는 플라즈마 형태의 에너지가 관측되지. 마치 머리 위에 커튼이라도 단 것처럼 펄럭이면서. 히나는 그걸 오로라.
그렇게 불렀어. 공중에 붕 떠 있는 빛이 살랑거리는데 달리
어떻게 부르겠는가? 마치…. 선율이.. 아아.. 자장가라도 듣고
있는 것 같더군. 그렇게 평안한 모습은.."

꿀꺽. 그는 아직도 과거의 회상에 젖어 미묘하게 몸을 떠는
듯 몇 번 눈을 깜빡거렸다.

"실험체는… 그 과정에서 생긴 초범 오류 탓에 타말어가 조금
어눌하긴 했지만… 보호관찰하면서 개선될 거라 예상했네.
그래서 유오의 본체와 비슷한 임무를 주고 몇 년간 따르게 했지.
하지만.. 그게 문제였어. 놈이 가진 갱어라는 본질을 우리가 너무
가볍게 생각했고 뇌에 잠겨있는 기억 괴리와 신체의 부적응
반응… 이제 보니 그걸 감응시키기 위해 히나가 콘냐를
쏟아부었던 거로군…" 시그너는 이제야 이해가 간다는 듯이
마지막 말을 조용히 되풀이했다.

"정작, 공명 치환에 중요한 뇌간에 미친 영향은 미미한
모양이다만. 그대로 가다간 실험체가 세포노화로 활동을 정지할
때까지 결과를 장담할 수 없다는 결론이 나왔겠지.. 그와는
별개로 나는 결심했다네." "....?"

폴프는 박사의 숨소리, 손동작, 주름 가득한 입술을 가볍게
들어 올리는 무심한 동작까지 놓치지 않으려 온신경을
곤두세웠다.

"사육장. 즉, 줄곧 실험체가 윰지아로 알고 있던 유오에서
내보내기로 말이네. 처음 히나는 반대했지만, 나는 확신을 가지고
밀어붙였다네. 그가 주체적 결정을 내리도록 상황을 유도했지.

물론, 착각이라 생각할지도 모르네만, 어느 인류학자가 말하길. 인간의 존엄성은 '해방'이란 키워드에 있다더군. 이름 모를 학자가 내 결정을 떠밀었다고 할 수 있지. 후후. 그 일은… 정말이지 기대 이상이었네."

".... 그럼 히나는?"

"탈주한 시험체가 결과를 보이자, 그 고집 세던 카스가의 여자도 태도가 백팔십도 달라지더군. 지금은 오히려 새로운 방식에 그녀가 주도하고 있어… 폴프. 이 프로젝트도 막바지를 달리고 있다네. 페르미 역설[23]을 증명하기도 전에, 인류는 '갱어'라는 특이근연종을 발견했지. 그리고 또 다른 진실, 전환점에 다가왔네. 충분한 정서적 인프라가 갖춰지기도 전에 성급하게 진행될지도 몰라. 자네의 역할이.. 중요하네."

시그너는 평이한 말투를 유지했다가 입꼬리가 붉게 변했다가 끝내, 얼굴이 삽시간에 파리해졌다. 아아. 이번엔 또 침잠한 표정으로 갈 곳 잃은 눈동자를 이리저리 굴렸다.

"흐음… 이런 표현을 쓰는 게 우스꽝스러울지 모르겠지만, 갱어들을 묶어두던 어떤 영적 족쇄가 풀렸네. 모종의 이유로 티폴-지구의 행성 간 관계가 끊어졌어." 정말 그에게서 나오지 않을 것만 같은 말은 폴프의 미간을 좁혔다.

"... 잠재하던 실험 단계가 증폭적으로 상승하고, 실험체 폭주도 감내해야 할 순간이 올 걸세."

"지금 저더러 떠안으라는 말입니까?"

"그런 식으로 말하진 않았네."

---

[23] 엔리코 페르미가 제기한 외계인에 관한 역설

하! "제가 왜요?" 폴프는 흥분한 어투로 거의 소리를
지를뻔했다. 하지만 그러기엔 본연의 감정이 너무 진정돼 있었고,
병실의 침대가 끔찍이도 푹신거렸다.

"그건 자네가 더 잘 알잖나."

까드드득. 까드득. 이와 이가 맞물리는, 그래서 더 께름칙한
불만 섞인 소음이 폴프의 입에서 나왔다. 그는 아무런 대꾸 없이
남몰래 이불을 험하게 구겨댔다.

"결코. 합당한 단계를 거치지 않은 '신인류'를… 완성해서는
안 되네." 그는 처음으로 단호하고 분명한 어조로 말했다. 자신도
모르는 깊은 두려움이 입 밖으로 나오는 순간, 흠칫 놀라
시그너는 약간 말투 말미에 움츠러들었다.

"... 그 남자는 어디 있습니까?"

"실험체 말인가?" "아뇨, 집주인 말입니다." "우푸는 일이
있어 카밀 등대로 갔네만." "덕분에 잘 지냈다고 전해주세요."
"그러지. 자네는 어쩔 텐가?"

"이그릿은 아직 케이지에 있죠?" "검은 짐승 말인가?"

시그너는 그렇다고 끄덕였다. 폴프는 천천히, 짜증나는
침대에서, 철제 프레임조차 없는 모서리에서 벗어나기 위해
찌뿌둥한 몸을 일으켰다. 약간 핑도는 머리 기운이 가시질 않아
고개를 내젓고 시그너를 지나쳤다.

"폴프, 한가지 대답해줄 수 있나?"

그는 하얀 옷을 벗었고, 목각으로 만든 원통 걸이에 있던
옷을 낚아채 반쯤 어깨에 걸쳤다. 좋다는 뜻이었다.

"자네.. 베라(VERA)에 대해 뭘 알고 있는 건가?"

".. 왜 제가 그녀를 알고 있다고 생각하죠?"

"모르는 척 말게. 자네 기억을 들여다봤으니까."

"그럼 다 보셨을 텐데요."

"그러니까 물어보는 거네. 필요 이상으로…."

"제 기억은 아무 문제 없습니다."

폴프는 그렇게 말을 끊었다. 효과가 있는 듯했고 경멸 어린 시선이 그의 신형 위, 아래를 훑고 그 너머로 지나간다.

"가보겠습니다."

혼란 속에 막연히 던져진 나는, 귀 뒤로 짙고 인위적인 살구향이 나면서 누군가 비디오 가게 안으로 나를 잡아끌었다. 워낙 순식간에 벌어진 일이라, 또는 떨어지는 비가 내가 알던 모습과 달리 보여서 소리도 내지를 수 없었다. 초로의 여자였다. 내 팔목을 끌던, 따가운 눈으로 쳐다보던 여자는 내가 바깥에서 들이쉬던 찬 공기가 입 밖으로 서린 김으로 뱉을 때까지 내 얼굴을 이리저리 훑었다.

가게 한켠엔 우산 꽂이와 창살로 내민 우산도 더러 있었다. 다만, 그 개수만큼 가게 안, 손님은 없었기에 버려진 우산이라 생각했다.

"몇 층에서 왔지?"

"네?"

여자는 카운터에서 아직도 김을 모락모락 피워대던 커피잔을 들이켜며 물었다. 층수? 그런 게 있었던가? 내가 있던 곳은 지상이었다. 그러나 단번에 1 층이라고 확신할 수는 없었다. 분명히 기억나는 건, 가지런한 숫자와 특정 숫자가 없던. 매우 일반적인. 내가 어디에서 왔다고 묻느냐면….

"그.. 등대에서 왔는데요?"

"붉은 카밀 등대 말이냐?"

나는 일단 고개를 끄덕였다. 달랑 이름 하나 적혀있는 종이에 의지한 채, 지구에, 서울에, 던져진 내게 내민 여자의 손. 나는 그 복잡한 의미를 깨달을 여간이 없다.

"흐음… 본래 있던 층을 모르는 걸 보니, 널 여기로 보낸 놈이 널 어지간히도 싫어하는 모양이군."

"여기가 어딘데요?"

갑자기 여자는 깔깔깔 웃었다. 마치 그것도 모르고 도살장에 끌려온 가엾은 가축인양 나를 보는 눈빛이 검푸른 어둠 아래로 낮게 깔리면서 소름이 끼쳤다. "서울이지 어디긴 어디야?"

"무슨 소립니까? 서울은…."

"카밀 등대에서 왔다면, 서울은 지워진 곳이지만. 다른 여행객들에게는 아닐 수도 있거든. 그러니 최대한 말 섞지 말고, 조용히 볼일이나 보고, 왔던 곳으로 돌아가. 47 층 질서에 영향을 끼치는 짓을 한다면, 면상 시커먼 놈들이 찾아갈 거다. 명심하고. 여긴 처음이라 했으니… 일단은 네 기억에서 가장 강렬한 곳으로 가봐. 그곳이 이정표야." 목에 가시가 걸린 듯한 까칠한 목소리.

무심하게 내려놓는 커피잔의 마찰음. 이후 나는 괜히 이곳에 관해 질문을 뜯어보다가 꾸중을 듣고, 다시 인파로 쫓겨났다.

"일이 끝나면 다시 와. 네가 왔던 층을 알려줄 테니." 라며. 나는 뭐에 홀린 듯 무작정 걸었다. 꽂혀있던 우산을 슬쩍 집어들 걸 속으로 몇 번이나 생각했는지, 매섭게 내리는 비를 향해 눈을 쏘았다. 정신없이 걷는 동안 내 관심을 스친 도시 전경은 내가 알던 것과 비슷하거나, 대부분 어긋난 탓에 내가 꿈에 들어온 건지 이해하기 힘들었다. (사람들의 '일반적이지 않은' 모습은 또 어떻고..) 엘리베이터에 정신을 흔들어 놓는 이상하고 의심스러울만한 장치가 있었는지 기억을 더듬다가 역시 건져낼만한 게 없다는 결론에 이르렀다.

여긴 실재한 곳이다. 초로의 여자. 비디오가게 여자가 했던 말을 곱씹었다, 47 층, 여행객, 시커먼 놈들, 서울…. 뭔가 다른 서울.. 나는 쉽게 단정 내리는 일에 회의적인 기분이 들었다. 이 일은, 조금 더 복잡하고 은밀한 목적이 있을 텐데. 라는 생각으로 의도되고 있었는데, 그게 우푸든, 예루든, 라미아든, 꼬리만 무성한 의문에 몹시 피곤했다. 하물며 이 상태로는 시그너라는 이름을 뇌까리며 도시 전체를 거닐 수는 없지 않은가? 일단은 비디오 가게 여자가 말했던 곳으로 가보자..

우선 나는 호버 택시에 엉덩이를 걸쳤다. 부웅. 거친 배기음을 내면서 상공으로 솟구쳐 회색빛 도시를 조망하는 마천루를 이리저리 누볐다. 세차게 내리던 물줄기가 퍼석퍼석 힘을 잃고, 기다란 건물과 또 다른 높이의 건물 틈에서 비롯한 것만 같은 산들바람에 잦아들었다. 그때까지만 해도 때늦은 저녁인 줄 알았던 도시가 민낯을 드러내려 하자, 시간이 거꾸로 흐른 것처럼 태양이 수직으로 치닫는 호버와 무관하게 눈썹을 간지럽힐 높이로 여전히 떠있었다는 걸 깨달았다. 그러다 한 건물이 눈에 익었는데, 그곳에 첫발을 내디뎠다. 희뿌옇게 깔린 안개, 믿을 수 없을 정도로 하얀 콘크리트 바닥이 어쩐지 푸근했다. 안개의 보이지 않는 출발점, 건물 외벽을 따라 아래로. 아래로. 분산하는 공기. 나는 숨을 크게 들이쉬었다가 헛기침을 해대서 얼굴이 약간 달아올랐다. 그러나 나는 곧 평정을 찾았고 내가, 정말 내가. 일순 진심으로 무시카가 된 것만 같은.. 동시에 그런 아쉬움이 들었다. 나는 이제 허리를 젖히고 머리를 쳐들었다. 아아.. 드넓은 창공을 향해 몸을 열었다. 처음 우주로 날아올라 '그 짓'을 했을 때와 같은 해방감이 지평 끝에서도 비롯할 줄은 생각지도 못했다. 그래선지 짧은 탄식이 터져 나왔고 시선이 아래로 따라갔다. 순간. 가슴이 먹먹해졌다.

저 멀리 먹구름을 붉은 눈초리로 몰아내는, 반쯤 먹혀버린 노을과 오색찬란한 하늘에 걸린 커튼 탓에 나는 게슴츠레 눈을 떴다. 가팔라지는 심신을 안정시키기에 아무런 도움이 되지 않았다. 철제 난간 끄트머리에서 등 뒤로 팔을 걸친 소녀가 그제야 눈에 들어온 것이다. 그녀다! 무시카와 나의 어린 추억 속 꿋꿋이 자릴 지켜주던 소녀. 꿀꺽. 나는 소녀가 적당한 경계심을 가지고 물러나지 않게끔 최대한 신경 쓰며, 거리를 좁혔다. 그러나 한 발짝씩 가까워질 때마다 내 확신은 점점 위축되기 시작했고, 소녀가 나의 존재를 눈치챘을 때는. 평생을 히나라고 생각했던 기억 조각이 이렇게나 손쉽게 뒤바뀔 줄 몰랐다.

"당신이.. 어떻게..."

나는 경악을 금치 못했다.

소녀의 옆모습은 곧 정면으로, 부풀었던 내 긴장이 약간 느슨해지면서 더 정확하게 사물을 구분해냈다.

"여행은 잘하고 있어? 무시카? 아니, 이제 뭐라 불러야 하지?"

"당신은 그때 분명…. 죽었잖아.."

소녀는 싱긋 웃었다. 너무 밝고 명랑해서 히엠스에서 일어났던 불미스러운 일이 마치 꿈처럼 느껴졌다. 하지만 그건 분명히. 일어난 일이었다.

눈앞에서 처형당한 타르프는 이렇게 버젓이 살아서 나를 향해 웃음으로 인사했다. 얼굴을 찬찬히 뜯어보니 단지, 조금 더 푸석푸석한 끼 없이 살오른 붉은 볼과 뭉툭한 얼굴 윤곽, 그리고 어린 모습이었다는 것뿐이었다.

"프레타... 그게 내 이름이야."

그녀는 내게 다가왔고 손은 내밀지 않았다. 나는 멋쩍은 기분이 들어서 이마로 땀이 흘렀다.

"이상해… 말이 안 되잖아.. 지금 이 상황. 이상하지 않아? 납득하라고?"

"여기서 이상하지 않은 게 어딨어?"

"아니, 아무리 그래도… 아. 이제야 알겠어. 너는 환영이야. 내 착각이 일으킨 현상에 불과하다고. 왜냐면 타르프는 이름이 없으니까!"

나는 흥분에 빠져 숨을 거칠게 내쉬었다. 자신을 프레타라고 말하는 소녀는 내 허리춤에 키가 닿지 않았는데도 같은 공간에 있는 것만으로 굉장한 부담으로 다가왔다. 나는 소녀가, 히나가 아니었다는 것에 실망했던 걸까? 소녀는 나를 난간으로 잡아당겼다.

"복잡하게 생각할 거 없어. 나는 지금 타르프가 아니니까. 들어본 적 있지? 타르프가 되기 위해선 '별의 인정'을 받아야 한다고. 나는 그래서 여기 온 거야."

그건 도무지 납득할 수 없는 일이었다. 사건의 순서가 뒤죽박죽 엉켜있음을 나더러 인정하라는 꼴이란 말인가? 소녀는 히엠스에서 거대한 정을 맞고, 거대한 구덩이에 떨어져 죽었다. 그런데 버젓이 그 기억을 가지고 서울 어느 빌딩 옥상에서, 나의 과거와 함께, 수평으로 잠식되는 빛의 과정을 보고 있다. 순서. 일어난, 그리고 일어날 일.. 어긋난 인과의 틈에 내가 껴있었다. 프레타는 히엠스에서도 이곳, 서울에서도 나를 알고 있었다. 그럼 나는? 무시카와 프레타의 처음은 어디지…?

"그러면 정말 네가… 내 어린 기억에 있는 여자애란 말이야?"

"정확히는, 무시카의 기억이지."

"하지만 너는 날.."

"널 어떻게 알고 있느냐고?" 프레타는 내 팔꿈치를 잡아당겨 서로 등을 향하게 되는, 방향으로 놓으려고 하는듯해서 나는 최대한 허리를 숙였다. 소녀의 작고 귀여운 입술이 귓불을 스치고 내 어깨에 가벼운 턱을 얹었다. 나는 이런 자세가 낯설어서, 둘 곳 없는 팔을 어정쩡하게 떨어뜨렸고 한동안 그렇게 있었다.

"고개 돌리지 마. 건너편에서 꼬맹이 무시카가 이곳을 보고 있거든."

흠칫. 프레타의 말대로 나는 끝까지 난간에서 고개를 돌리지 않았다. 하지만 분명히 멀지 않은 곳에서 그의 존재를 올곧게 느끼고 있었다. 반대로 내가, 무시카에게 들통이 난 건 아닌지 괜히 조마조마해서 이를 꽉 물어 머리가 핑 돌았다.

"여긴 복잡한 시공간이 엉켜있어. 사람들 간의 특정 기억이 서로 실이 되고 매듭이 되어서 현실로.. 47 층의 사건을 재구성하지. 여긴, 너보다 훨씬 과거나 미래에서 온 사람도 있어. 그러니 그들에게 영향을 끼치는 건 삼가토록 해. 반대의 경우도 마찬가지고. 누가 너더러 헛소릴 하면 그냥 흘려들어."

"그러니까 이게 이미 일어난 일이라고?"

"네 기준에서는." 어린 시절…. 기억엔, 소녀와 부둥켜있는 지금의 내 모습은 없었다. 이 일을 미루어 보아, 모든 일이, 이미 발생한 과거처럼 딱딱 맞아떨어지지는 않은 듯했다. 프레타는 거듭 설명하지 않고 운을 띄워 주면 알아서 해석하라는 식이랄까. 건물 옥상에 깔린 안개가 거의 사라져, 색을 입히던, 내 머릿속 조각이 한데 모이지 않고 무채색으로. 어두운 필름이 되고 있었다.

"너… 인간이야?"

"아니." 프레타가 대답했다.

"네가 갱어일리 없어. 지구에 발을 들이기도 전에 소멸하니까!"

"그럼 넌? 지금 멀쩡하게 여기 있는 걸?"

"그건….! 다른 문제잖아! 너는 과거에 있던 거고, 나는 외부에서…."

소녀의 차가운 숨결, 옅은 냉소를 띠고 있는 모습이 바로 눈앞에서 보이는 것 같았다. 그녀는 앙증맞은, 작고 여린 손으로 내 머리를 반복해서 쓰다듬었다. 물에 젖은 강아지인 양 얌전해져 버려서 다른 생각은 들지 않았다. 꼬리 내린 마음. 자존심이 상해서 고개를 돌렸다. 소녀의 말대로 건너편 건물 옥상에서 어떤 아이가 이곳을 강렬히 의식하고 있었다. 이목구비를 정확히 분간하기 힘든 정도의, 딱 그 정도 거리에서….

"모든 걸 이해하기 힘들 거야. 세상엔 어떤 대상의 기원을 도무지 찾을 수 없는 것들이 있어. 이를테면, 난데없는 규칙의 타말어, 황무지에 덩그러니 놓인 초고등문명, 과 같은 것들. 그것들은 모두 파라루프[24] 상태에 빠져있지. 나도 그중 하나라서, 나와 관련된 모든 것들의 시작은 모호함을 띠고 있어. 나의 죽음이나 환생조차 뚜렷한 것이 없지. 그래서 나는 너를 알지만…. 너는.."

프레타는 갑자기 말을 멈추었다. 그제야 내 시선이 다른 곳을 향하고 있는 걸 깨달았기 때문이다. 그녀 역시 옆 건물을, 도시의 회색 빛이 점점 짙어지기 시작한 광경을 목도했다. 여러 쌍으로 겹쳐 보이는 빌딩들과 내 얼굴, 무시카의 얼굴을. 현재와 과거를 아울러 프레타의 눈망울에 맺혔다.

"이걸, 꼬마 무시카에게 전해줘."

---

[24] 원인이 불분명한 사건의 인과가, 결국은 뚜렷한 정황이나 이상 징후 없이. 시작과 끝이 이어지는 평행이 지속되는 상태

"뭐…?"

소녀의 손엔, 나도 모르는 새에 내 바지 주머니에서 빼돌린 손거울이 종잇조각처럼 검지와 엄지 사이에 들려있었다. 물론 나는 아직 거울이라고 생각되는, 람에게 받은 '그것'의 뒷면을 상상할 뿐이다. 소녀는 나를 일으켜 세웠고

"그는 다른 별들이 서로 견제하다 지구에 심은 마지막 별똥별이야." 라며 의뭉스럽게 말했다. 그건 너무 타르프다운 말이어서 그냥 지나쳐야겠다고 생각했다.

저건 람이 준거야! 라고 나는 외치고 싶었다. 몇 마디 되지 않는 단어가 목구녕 바로 아래서 턱하고 걸쳤는데, 반대로 나는 최면에 걸린 듯이 멍한 상태로 몸을 휘휘 젓고 있었다. 정신을 차리고 보니 어떻게 된 일인지 나는, 어린 무시카를 코앞에 두고 거울을 맞잡고 있었다. 기분이 이상했다. 저 꼬마에게 나는 무엇으로 투영되고 있는 걸까? 어쩌면 반대가 아닐까? 나는 꼬마의 투영된 미래, 혹은 거짓… 이게 다 무슨 소용일까.

나는 무시카를 질시의 대상으로 바라보지 않았다. 아이와 어른. 생명의 말 없는 유대. 여인의 보드라운 살결을 천천히 탐독하는 것과 같이 그의 검고 강직된 머리칼을 쓰다듬었다. 처음에 꼬마는 흠칫 놀라는 눈치였다. 이후, 그윽하게 마주친 투명한 유리구슬 같은 내 눈에서 왠지 모를 안도감을 느꼈는지 무시카는 긴장이 풀리면서 미세하게 떨리던 입꼬리가 슬며시 올라갔다. 기분이 묘했다… 나는 이 순간만을 기다려온 건가? 태어나길 기다리는 태아처럼? 짧은 매미의 생처럼? 누구도

대답해 주지 않는 답을 잠시 밀쳐내고 내가 가진 모든 힘을 쏟아부어 전하고픈 문장을 힘겹게, 아주 힘겹게 말했다.

"... 모든 것의 시작은 너, 자신이야."

무시카는 환한 웃음으로 화답했다. 무슨 뜻인지도 모르면서.. 마냥 행복한 모습이 내 가슴을 후벼 팠다.

안녕.. 나는 꼬마가 옥상 출입구로 멀어질 때까지 손을 흔들었다. 이후 문이 닫히고 불규칙적이며, 어지러운 계단 소리가 콘크리트 바닥을 타고 전신을 울려도 나는 별다른 반응 없이 헤어짐과 두려움의 경계 사이를 넘나드는 저돌적 전율에 꼼짝 않고 서 있었다. 이제 꼬마는 서둘러 집으로 갈 것이다. 어머니의 뻔한 잔소리와 따뜻한 찬거리, 자신을 기다리고 있을 하나뿐인 어여쁜 동생 곁으로..

"흐음… 너 제법 괜찮은 말도 할 줄 알잖아? 어디서 주워들은 거야." 프레타는 옆으로 바짝 붙어서 그렇게 말했다. 무작정 소녀의 작은 키 때문만은 아니고 알 수 없는 기시감이 들었는데, 애써 무시했다.

"이제 된 거지?"

나는 거울을 무시카에게 빼앗겼다는 사실에 조금 화가 났었다. 람과 하르마탄을 뚫고 갔었던.. (사실 람이 일방적으로 헤쳐나간) 사막의 여정. 추억할 애물이 내 손을 떠났다. 람이 서울의 야경과 오로라의 빛금을 참 보고 싶어했는데.. 나는 씁쓸한 입맛을 다셨다.

"응, 고마워." 프레타가 말했다.

"뭐가?"

"이걸로 '별의 인정'을 받았어." 나는 거의 다 저물어져서 얼룩만 남기고 간 붉은 티끌에 눈살을 찌푸렸다. 이제 보니 프레타는 계속 맨발로 있었다. 퐁당 걸음으로 물웅덩이 가장자리를 아슬아슬하게 스쳐 다시 난간으로, 이번엔 강한 충격에 철제 프레임이 바깥으로 비죽 내민 난간으로 다가갔다. 담담하고 청명한 표정이 히엠스에서 있었던, 끔찍한 일과 겹쳐 보이면서 식었던 등이 다시 축축하게 젖고 있었다. 설마 아니겠지..

"그게 무슨 말이야." 프레타를 다독이기보단 약간 격양된 내 마음을 우선 진정시키려고 한 말이었다.

"너와 무시카의. 대질. 그게 별이 내건 마지막 조건이었거든."

대질? 나는 따라 생각했다. 대면이나, 만남 같은 정직한 단어를 두고 경직된 논조에 부가적인 설명이 필요했던 것이다. 딱히 의미 없는 말일 가능성도 있다. 근데 저 가장 비밀스러웠던 타르프가? 물론, 아직 정식타르프는 아니시겠지만 말이다.

"앞으로 일어날 긴밀한 사건, 그 당사자들인, 너희와 질서 사이에 발견된 모순을 정 위치시키기 위해 너희를 대칭 자격으로 대면시킨 거야. 그 사건이란 건 나도 몰라. 계시적인 일은 대부분 흐릿해서 망망대해 물고기를 향해 작살을 던지는 것과 같이 막막하고, 거칠고, 답답하고, 인내가 필요한 일이지. 사실 네가 무시카를 보자마자 걷잡을 수 없는 폭력성이 드러날 줄 알았어. 그런데 너는.. 무시카의 눈을 똑바로 응시했고 심지어 머리를 쓰다듬었어. 그게 가능한 일이야?"

무시카와 마주했을 때, 나는 큰 감정의 동요가 물밀듯 밀려오지 않았다. 생각했던 순간보다 훨씬 저조적 기운이 온몸을 감쌌고, 그저 묵묵한 모습에 가련한 어깨가 줄곧 신경이 쓰여 시선이 갔고, 허락만 했다면, 장담컨대 색이 바랜 그곳에 몇 번이나 손으로 쓸었을 것이다. 그러니까 내가 머리를 만진 건 어떤 유대를 긴밀하게 의도했다기보다는 대체재에 훨씬 유사했다는 것이다.

어쨌건 티몰의 독립이건, 다른 시간대를 살고 있기 때문이건. 결과적으로 나는 무시카를 공격하지 않았다. 가학적이고도 불가사의한 그 법칙을 나는 뭐라 설명하지 못하겠다고 대답했다.

"그럼, 넌 이제 타르프가 된 건가?"

"아직. 대답을 기다려야지.."

"그런 추상적인 말은 이제 질렸다고."

"... 증표. 목걸이를 받기로 했어."

우리는 그렇게 두 시간이나 그곳에 앉아서, 서서, 차갑고 흰 타일 바닥에 누워서, 다리를 긁으며, 추위를 떨쳐내고자 발을 동동 굴리며, 희미하게 빛나는 바늘구멍으로 난색을 표하는 검은 하늘을 올려다봤다. 천랑성. 푸르스름한 달빛 그리고… 그리고… 어라. 나는 이상한 기운을 감지했다.

그곳에, 지구에서 멀어지지 않은 채 있어야 할, 노르스름한 광명을 간직한 채 곁을 맴돌고 있을 모래 행성이 보이지 않았던 것이다. 나는 이번에 프레타를 힐끗 쳐다보았다. 다시 하늘. 그리고 다시.. 달빛에 비친 얼굴에서 은은한 광택이 눈가에서 촘촘하게 잘 수놓은 비단과 잘 어우러져 도무지 갱어가 맞을까?

라는 생각이 떠나질 않는다. 분명한 건 티폴 행성은 없었다. 이상하군..

그때 프레타의 표정은 좋지 않았다. 내 시선을 의식해서일까? 갑자기 눈 밑이 옅은 진파랑으로 사색이 되어서는 마치 죽은 동물이라도 본 양 떠들썩한 얼굴로 손을 비벼댔다. 정확히는 연거푸 프레타 자신의 얼굴을 쓸어낸 것인데도, 나는 그렇게 생각했다. 그녀를 향해 사심 없이 손을 뻗었다. 저 가엾은 표정을 내 과거로 남겨 두고 싶은 생각은 추호도 없었기에 내 동정의 기지가 발휘되었다. 철컥. 순간 손에서 느껴지는 감촉이 상상과 전연 다른 기시감에 비롯된 것이라 소스라치게 놀랐다. 냉담하고 실망스러운 감촉은 점점 고통으로 번지더니 내 몸은 아예 건물에서 붕 떠올랐다. 악!!! 뒤집힌 세상, 뒤집힌 프레타, 발 아래 별들. 이해할 수 없는 중력의 변덕에 아등바등거렸다.

"뭐… 뭐야."

눈을 비벼서 자세히 보니 격자 타일 틈으로 검은 물체가 다자란 나무가지처럼 사방으로 뻗어, 그중 하나가 내 양팔과 다리를 묶어 땅으로부터 나를 솎아낸 것이다. 그것은 어둠이자 그림자였고, 도시와 규칙의 수호자였다. 프레타가 허공에다 소리쳤다.

"얜 규칙을 어기지 않았어! 시커먼 얼굴 치우라고!!"

그때쯤 나는 벌써 몸을 휘휘 저어 결박된 손목을 어렵지 않게 풀었다. 당시 얼굴로 튄 검은 조각은 약간 점성이 있으면서 부분적으로 단단한 사슬모양 고리를 이루었는데, 미세하게 보이는 사슬 입자가 끈끈하게 연결되어 있었던 터라, 스친 얼굴에 생채기가 났다. 떫은 피 맛. 슬쩍 흥분감이 올라왔다. 나는 재빨리 몸을 뒤집어 평소, 오른 정강이에 숨겨둔 플라즈마 검을 의식하고 공중제비를 돌았다. 샤샥! 탓. 나는 다시 땅을 디뎠다. 동강 썰려나간 어둠은 다시 격자 타일 바닥 사이를 비집고 들어갔으며, 잘려나간 부분만큼 다시 가지는 자라났다.

대신, 허리에 사소한 문제를 안고 있었던 나는 그 한 번의 움직임으로 중심을 잃고 다리가 휘청거렸다. 그리고 그것을 기다렸다는 듯이 어둠은 더 명확하게, 빠른 속도로 확장하더니 아예 나와 프레타, 주변 사물을 일찌감치 삼켜버렸다. 흡! 등 뒤로 우리는 손을 잡았다. 서로의 온기를 통해 먹먹한 숨을 주고받았다. 침체된 움직임, 소리, 감각.

점점 사라지는 움직임, 소리, 감각….

내가 무얼 잡고 있었지? 손? 부드러운 감촉. 끈적끈적하고 질긴 오가피나무를 맨입으로 씹는 듯한 이물감. 프레타는? 가녀린 손은? 의식이 점점 바래지고, 모든 감각 경로를 차단됨으로 찰나의 순간, 어쩌면 겁 단위의 시간이 지났을지도 모른다.. 작은 우주. 소우주에 갇힌. 감정이 없고 색이 없는, 끝내 주인 없는 아트리움에 완전히 동조 된다.

'..... 무시카!!!'

흡!!!! 후하! 후하! 후하! 후하!

상체를 일으켰다. 일으켰다? 그럼 전엔 누워있었던가? 이해했다. 그동안 그늘에 덮어둔 정보가 한꺼번에 몰려오면서, 안에서 바깥으로 확장되는 불쾌한 느낌과 극심한 고통에 몸부림쳤다. 끄으으으!!! 하아… 하아… 한바탕 진통이 전신을 휩쓸고 가자, 시각 세포가 빛 입자를 받아들이며 음영을 인지한다. 작은 빛을 찾아내고야 마는 여정에서 프레타가 바로 옆에 누워있었고, 어떤 남자가 서 있었다. 허여멀건 한 천을 뒤집어쓴 남자는 턱 아래로 풍부한 수염 가닥이 삐죽 불만인양 튀어나온 줄 모르는 듯한데, 허리를 숙여 프레타의 실낱같은 숨을 포착해내고자 머리를 이리저리 가져다 댈 때마다 턱수염 때문에 소녀의 입술이 움찔거리는 게 맨눈으로 보기 힘들었다.

"한참 찾았어. 내가 시그너라네." 그가 말했다.

나는 그의 표정과 의중을 간파해내기도 전에 뜻 없는 말이 무분별하게 쏟아졌다.

"제가.. 얼마나 정신을 잃었던 거죠? 당신은 누구? 프레타는 괜찮은 건가요? 내가 뭐에 공격당한 건지도 모르겠고.. 피곤해 죽겠네요."

싸한 분위기가 감돈다. 그는 멀뚱멀뚱 쳐다만 보더니 말했다.

"일단 자리를 옮기는 게 좋겠네. 자네 외계어를 맘껏 펼칠 수 있는 곳으로 가세." 그때, 나는 주변을 두리번거렸다. 낯익은 거리, 역겨운 하수구 냄새와 고질적인 거리의 치안. 그 모든 시선이 이상한 낌새로 나를 향하고 있었다. 뭐지? 남자가 답을 내렸다.

"서울 사람들은 낯선 일에 민감하게 반응하거든."

아! 뒤늦게 나는 입을 틀어막았다. 무의식적으로 타말어가 새어나왔던 모양이다.

"잠시만 기다리게, 이 녀석은 있던 곳에 두고 오겠네.." 그는 프레타를 어깨에 들쳐메려고 했다.

"잠시만요! 그 얘도 같이 데려가 주세요." 그런데 이상하게, 도리어 내 반응이 이해가 가지 않는다는 듯이 머리를 갸웃거렸다.

"이 녀석이 뭔지 알고 하는 소린가?"

하얀 천 뒤의 표정이 상상이 가지 않을 정도로 차갑고 매서운 말투였다. 시그너는 한 손을 이마에다 가져다 대고 내 대답을 기다렸다.

"알다마다요." 하아.. 그는 얼굴을 가볍게 쓸어내렸다. 그런 중에도 내 시선이 프레타의 신체를 쫓는 걸 멈출 수 없었다. 다행히 다친 곳은 없는지 새근새근 콧바람을 일으켰다.

"고작 이름을 묻는 게 아니네."

"그럼요?"

"이보게 젊은이. 잘 모르는 것 같네만, 자네는 어둠에 잡아먹혔어. 그리고 커다란 공 모양으로 부유하는 구체를 이 녀석이…. 그래. 운전이라고 하는 게 맞을 것 같군. 납치라던가. 아무튼, 나는 1km 밖에서 저격 총으로 두 발. 스코프 너머로 이 녀석의 머리와 심장을 관통한 걸 두 눈으로 분명히 확인했네. 그리고 와 봤더니…"

"와 봤더니?"

시그너는 그윽하게, 때로는 조심스럽게 소녀의 전신에 턱짓했다. 하지만 나는 그대로 시선을 옮기지 않고 시그너의 가려진 얼굴. 눈썹과 눈, 코, 혹은 인중, 등을 아무 말 없이 뚫어져라 쳐다보았다. 거짓말을 꿰뚫어보기 위한 내 버릇이 튀어나와버렸는데, 그런 습관들은 대부분 무시카에게 흘러들어온 것이라서 흉내 내는 거에 지나지 않았다. 결론 그리고 판단, 그 사실 여부를 떠나서 무시카와 다르게 확신이 서지 않았다. 그를 믿어야 할까?

"여기야! 로저."

뜻밖의 이름이 튀어나오는 바람에 나는 고개를 돌리고 말았다.

또 다른 남자는 나를 본체만체하며, 지나쳤다. 찌든 담배 냄새가 먼저 코를 부드럽게 찔렀고 나는 괜스레 한 발짝 다가가 그 사람 곁을 이루고 있는 후각 정보 전반을 탐닉하려고 애썼다.

"어서 가지 않고 뭐해?"

"아, 의뢰인이 다른 요구를 해서."

하… 짧은 한숨은 나를 향한 것이었다.

"이봐, 무시카라고 했나? 추가 의뢰는 현장에서 받지 않아. 그게 우리 철칙이야. 그게 아니면. 당신, 돈 많아?"

약간 매부리코에 듬성듬성, 거슬리기 직전까지 난 수염. 윰지아 기념관에서 봤던, 바짝 마르고 신경이 바짝 날카롭게 돋은 모습이 아닌, 메마른 도시 분위기에 크게 벗어나지 않게, 세련된 차림의 남자였다. 나는 그를 통해 피상적인 후광과 분위기에 압도당해, 약간의 경외심을 느껴서 쉽게 말이 떨어지지 않아 부끄러운 입 모양으로 빠끔 거리고만 있었다.

".... 의뢰인이 뭘 요구했는데?"

"여자애의 신변보호."

"뭐?" "진짜야." "... 나 참. 정말 아무것도 모르는군."

로저는 반쯤 인상을 구겼다. 그 위압에 못 이겨 몇 걸음 뒤로 물러났다. 그건 상대 쪽도 의아하게 생각하는 일이었다. 로저의 덩치가 일반인 범주를 웃돌던 것도 아니므로.. 하지만 결코 나는 부끄럽지 않았다. 오히려 모든 티퐅인 중에서 나만큼 그를 정면으로 두고 위풍당당한 태도로 일관할 갱어가 없다고 장담한다. (참! 람를 제외하고..) 로저가 말했다.

"저건 네가 생각하는 그런 애가 아니야. 반복되는 루프에 빠진 유령이지. 사람의 기억을 넘나들며, 부드럽고 긴밀하게 사근대는, 그럴듯한 말로 그들을 포로로 휘어잡은 다음, 루프에 자신을 대체할 놈을 대신 집어넣는… 그런 존재라고."

나는 침을 꼴깍 삼켰다. 로저가, 그 대단한 윰지아 로저가 그렇게 말한다면 그런 거겠지.. 그래, 상관없잖아. 내가 사는 세계도 아니지 않은가? 왜 그렇게까지 나는 프레타를 옹호하려던 걸까? 죽음을 봤기 때문에? 깊은 추억 때문에? 무시카와 어떤 식으로든 연관되어서?... 나는 프레타를 놓아준다는 의미에서 반대편으로 고개를 돌렸다. 그것이 프레타와 나의 마지막 작별이었다.

지금의 로저는 갱어라는 개념을 알지 못하겠지만, 그를 설득할 생각은 추호도 없었다. 정말 어쩌면 그의 말이 맞을지도 모른다. 반복되는 의미 부여. 하릴없는 짓거리에 불과한. 신경 쓰지 않으면 아무 문제도 되지 않을 것들… 프레타와 나는, 그런 시스템 오류였을까?

시그너는 그녀를 옥상에다 도로 놓았다. 마치 오늘은 아무 일도 없었던 것처럼. 태양의 밑면에서 벌어지는 이 소꿉장난 같은 일들이 앞으로도 상관없이 이어질 것처럼. 색색거리는 안정적 호흡이. 어쩐지 내 마음을 후벼 파 따끔거렸다.

"그런데 왜 그냥 두는 거죠?"

".... 간섭하지 않는 게 좋아. 시간이 많이 지체됐어. 서두르자."

나는, 로저와의 만남이 이러한 형태로 정형된 사실이 쉽사리 믿기 어려웠다. 때문에 몇 조각으로 난자된 시대를 한 공간, 47 층에서 공존하게 한 다른 차원 누군가의 능력에 탄복했다. 이를테면 신이라든지... (언제나 말하지만, 기억을 전제로 내가 이곳을 인지하는 정상적인 시간대에선 로저는 이미 오래전 티폴 탄성을 이뤄내야 했다. 하지만 그런 행성은 눈 씻고 찾아봐도 보이지 않았다) 그리고 끊어지지 않고, 꾸준히 이어지는 시간 스펙트럼이 47 층의 유기적 사건을 재구성하고 책임하고 있는 게, 석연치 않으면서도, 헨마.. 운명의 충실한 종으로서 나는 보잘것없는 몸뚱어리를 맡겼다.

시그너의 작업실.

나는 수술대 위에 올려졌다. 차갑게 식은 뼈대, 썩다 만 내장, 혈관으로 액체를 밀어 넣는 주삿바늘, 상투적 녹색 물건들이 내 몸을 덮었고 천장에 모빌처럼 매달린 기계 팔과 시그너의 합작에 요란스러웠다.

"잔모래가 많아서 긁어내는 것부터 시작해야겠어."

나는 그의 작업실에서 2 층 유리창 너머에서 싸구려 의자에 앉아, 펜과 종이. 무언가 끄적이고 있을 로저를 향해 눈을 흘겼다. 어떻게 하면 그의 말을 조금이라도 더 주워담을 수 있을지 고민에 빠져서는 귀청이 찢어질 듯한 이명과 아찔한 고통이 종종 찾아와도 이를 악물고 버텼다.

"한 가지만 물어도 될까요?" 내가 말하자 유리창 부근에 딸린 스피커가 진동했다.

"뻔한 것만 아니라면." 로저가 대답했다.

"왜 이런 일을 하는 거죠?"

"질문의 저의를 모르겠군." "훨씬 어울리는 일이 있을 것 같아서요." "어울리는 일?" 그가 되물었다.

"하아.. 그렇게 말하니까 내가 못할 짓이라도 한 것 같잖아. 법에 저촉되는 일은 하지 않았어. 아직은.. 결국은 돈이지. 연구비에 필요한 돈이 한참 부족해. 어쨌든 집중해야 하니까. 그 입 좀 다물지." 그는 귀찮은 듯 대답했다.

"당신을 알아요." "....."

"윰지아 로저. 맞죠? 지금 연구하고 계시는 게 혹시…"

"그만." 로저는 자리에서 일어나 2층 난간에 서서 가늘고 날카롭게, 감정 없는 눈으로 나를 쏘았다. 다른 층에 시간 간섭을 얘기하지 말라는 일종의 경고였다.

"무시카, 인간은 결과를 만들어내기 위해서는 항상 절차와 수순에 맞는 과정을 밟아야 하고, '이치를 어기지 않는' 굉장히 비효율적인 조건을 항상 충족시켜야 해. 그러다 보니… 원시 인류와 초고도 문명을 사는 인류의 간극은 전혀 좁혀지지 않았어. 대표적으로 '어리석음'이 진화를 거듭해도 고질적인 인간의 디폴트 값으로 남듯이 말야. 네가 있던 곳에서 일어난 일이 47층에서 꼭 일어나는 법은 없어. 그 반대의 경우도 마찬가지고 그러니까 서로의 세계는 잘 짜여 보이는 방학 계획표처럼 유사성을 띄고 있을 뿐. 정작…."

그런 말을 들으면서… 중요한 뒷 내용은 듣지 못한 채 이를 빠드득 갈며 나는 혼절했다.

이후 똑딱거리는 시계 소리와 다른 방에서 전해져 오는 낮은 진동음에 나는 잠에서 깼다. 개운했다. 오랜만에 기지개를 켜고 찌뿌둥했다. 늪에 빠진듯한 감각을 게워내고자 일어섰다. 침상 옆엔 붉은 구리 동전이 마치, 잔돈을 거슬러 준 것처럼 놓여있었는데. (그 특유의 배열을 설명하긴 난해하다) 어떤 기분 나쁜 의미를 내게 부여하려는 것처럼 느껴졌다. 다분히 의도적인 일을 애써 떨쳐내고 나는 거울 앞에 섰다. 아무렇지 않을 수 있다는 사실이 새삼 놀랍게 다가왔다. 47 층이라서 그런 건가? 이유는 모르겠다. 키틴질[25] 피복재를 신체 겉 조직과 여러 번 겹쳐 이어붙인 까닭에, 수술 직전에 시그너가 나를 해양 생물로 착각이라도 한 것처럼 느껴졌다. 피상적인 아가미, 괴상하고 허탈한 일소. 중요한 건, 그런 복부의 선명한 수술자국 보다도. 내 모습은 이렇게 생겼구나. 하며, 경악과 감탄을 연발했다. 가지고 있던 기억과 크게 다르지 않은 얼굴이지만 조금 더 그을려있었고 눈가에 세월이 스치면서 크고 작은 실오라기를 남겼다.

나는 거울을 본다. 거울은 나를 비춘다. 양방향으로 상호 하는 이 관계의 주체가 나인지 대상인지.. 곧잘 정의했던 인지의 부조화가 내면에서 꿈틀거렸다. 그런 자신을 의식해 입꼬리를 올렸다. 그러자 거울은 나를 향해 비웃었다…

---

25 곤충류나 갑각류의 외골격

어쨌든 시그너는, 이제 와 말하지만 확률이 반반인 수술을 성공적으로 마쳤다며 기뻐했다. 그래서 유독 그의 손등 위 닭살이 수술대 조명 아래 일광을 즐기고 있던 모양이었다. 나는 그 어떠한 차 한 잔 대접 없이 시그너의 일이 바빠서 쫓겨나듯이 작업실을 빠져나왔고 그게 실은, 본질을 꿰뚫을 것 같은 로저의 눈을 똑바로 쳐다볼 수 없어서라고는 말하지 못했다. 얻고 싶은 대답은 얻었으니까.

나는 하남비디오 가게로 걸음을 옮겼다. 예상과 달리 여자는.

"처음 봤을 때 퀭한 눈빛도 사라졌군. 좋은 여행을 했길 바라. 네가 왔던 붉은 등대는 11 층으로..." 라며,

내 표정을 긴밀하게 살피는 듯했다. 집 나간 주인을 얌전히 기다리는 우산들이 삐져나온 살로 서로 간섭하고 방해하고, 물어뜯고, 결국은 늘어져서, 처음과 같은 상태보다 좀 더 심리적으로 뽑아들기 어려운 상태로 있었다, 왠지 그 모습에서 안심을 얻었다. 나는 밖으로 나와 다시 비를 얻어맞고 초로의 여자가 알려준 대로 반대편 건물. 승강기 버튼을 눌렀다.

잠시 후 그곳에서 허여멀건 하고 멀뚱멀뚱한, 퀭한 표정의 젊은 남자와 흰 개 한 마리가 주춤거리며, 흙냄새와 아스팔트, 비 냄새가 묘하게 섞인 서울로 떠밀리듯 마지못해 나왔다. 나는 몸을 들이밀었다. 11 층을 눌렀다. 문이 반쯤 닫힐 즈음 흰 개는 나를 향해 방귀를 뀌고 뒷발로 땅을 긁었다. 저 개…. 저들은 몇 층에서 온 걸까? 어쩌면 혹시 짧은 온기가 스쳤던… 흔적은 없는지.

나는 엘리베이터 버튼을 눈으로 좇았다.

#_ M

윱지아, 게이트 출입국 사무소

폭만 127m 에 달하는 거대 해치가 뒤로 뚫린 배출구로 막대한 양의 메탄가스를 뿜었다. 다들 코를 틀어막고 슬며시 내려오는 셔터에 적녹색 파장이 눈꺼풀을 무자비하게 헤집어 놓는 바람에 팔꿈치를 들어 올렸다. 쿵!!!! 육중한 셔터는 땅을 내리쳤고 먼지바람을 일으켰다.

지구로 향하는 문이 곧 열린다는 신호다. 고요한 호수에 조약돌을 던져놓은 것처럼 적녹색 표면이 수직으로 일렁거렸다.

"해치 오픈 완료."

갑자기 그곳에 있던 모두는 이 모든 풍광을 멀찍이서 바라보는 여인으로 일제히 향했다.

"어…. 여기서부턴, 자마 씨가 일임해주세요."

"예? 하지만 저는…." 자마가 당황하며 말끝을 흐렸다.

하늘을 뒤덮은 길가메시급 함선 1 척, 특수 정을 개량해 착장한, 히엠스에서 사용된 예의 티탄 급 3 척과 물고기 떼마냥 그 주위를 둘러싼 소형급 함선. 이밖에 총 사천 보병이 유오를 무단 점거. 메인 타워에 혁명군[26] 깃대를 꽂은 상태라지만, 뚜렷한 지휘자가 없었다. 라미아는 항상 한 발 떨어져 있었고 자마는 모래꾼을 달래느라, 아덴은 계산하느라, 거친 사막 갱어들의 도시

26 히엠스, 뮤텔리안, 아덴, 곤여, 샤르하, 서울… 등등의 도시로 이루어진

샤르하는 의외로 신중하게 조망하느라 이 모든 일은 누구의 주도라고 할 것 없이 의지만으로 이루어진 셈이다.

"야!" 바로 옆, 수갑을 찬 채 기침을 콜록거리는.. 시오가 그녀를 불렀다. 경비의 눈치를 살피며 라미아에게 천천히 다가가, 자그마한 귀를 끌었다.

"너 정말 머리가 어떻게 된 거 아니냐?" "....."

"이 병력들을 네 한마디에 복속시킬 수 있는 기회를 그냥 날려버린다고? 이놈들은 갱어야. 어쩌면 이 전쟁도 흉내로 벌이는 놈들한테 혁명군의 운명을 맡기려 하다니 믿을 수가 없군."

라미아와 시오는 비릿한 눈빛을 서로 주고받았다. "널 살려두는 이유는 쓸모가 있어서가 아니라. 그냥 병에 걸린 네가 불쌍해서라고 특무부 나리."

크윽. 라미아는 단 몇 마디만으로 시오의 자존심을 날카롭게 긁었다. 그는 눈꼬리가 관자놀이까지 찢어져도 격분하는 마음으로 그쳐야 했다. 콜록 콜록 콜록!... 켁.

라미아는 주변의 분위기가 사뭇 달라짐을 느꼈다. 이 무리에서 유일한 인간 종인 시오의 간언은 쓸만했다. 극심한 이질감, 사막 행성에 장시간 표류한 탓에 본능이 잠시 움츠러들었던 모양이다. 너무나도 당연한 이유, 그들을 이끌어야만 하는 이유. 한가지만으로 족하다. 인간. 이제 보니 저들은 애당초 누구의 눈치를 보지도 않았고 계산하지도 않았다. 신자가 신을 올려다보듯 하염없이 교조적 입장으로, 라미아의 말을 기다렸던 것이다.

"그래… 갑시다. 베라(VERA)를 없애러…"

…

반란의 서막은 항시 티폴을 겨냥하던 특수 위성이 궤도를 틀어버리고 나서부터였다. 티폴-지구를 잇던 강력한 전자기 펄스가 순간적인 끊어짐으로 감응이 없던 놈들 중 한 녀석이 티타늄 동체를 부르르 떨며, 코마 상태에서 정신을 차리고 몸을 돌렸다. 타원형 H-레일 사출기가 지구를 겨냥했다.

그때까지만 해도 과학자들은 그저 기우에 불과하다고 여겼을 것이다. 겨우 한대였으니까. 그러나 수만 킬로가 떨어져 있음에도 불구하고 윰지아로 사출된 정전식 플라즈마 발생장치는 타워에서 약간 빗겨나게 강타하여 방공망을 몇 차례 내리치더니 결국은 토후에 깊은 고랑을 팼다. 짧은 파장 꼬리를 남긴 광요(光耀)는 잇따라 거대한 불구덩이를 만들었고 목적을 이룬 뮤텐 위성은 과열로 장렬히 전소했다. 그리고…

묵묵부답이던 지구 쪽 게이트가 열렸다.

…

"이건… 정말이지.. 상상도 못한 일입니다."

"뭐가 말인가? 자네와 내가 값비싼 부유선에서 지리멸렬한 광경을 보며 샴페인을 마시는 일 말인가?"

"아뇨, 윰지아 함락이 이렇게 쉬워도 되는 건지…"

"흐음… 자네 말은 이럴 거면 왜 여태까지 잠자코 있었는지. 아니면 이제야 필요한 명분이 세워졌는지 궁금한 겐가?"

폴프는 그렇다고 대답했다.

"애당초 혁명군은.. 이름부터가 명분을 운운할 집단은 아니네. 그럼에도 저항과 항쟁… 이라는, 애매하고 불투명한 선전을 내세우지. 어쨌건 '인류 해방'이라는 기본 과업이 전제로 깔렸으니 고리타분한 자들에게 먹히긴 할 걸세. 언뜻 보기에 혁명군은 기득권 윱지아에 대항한 범도시국가 연합이겠지만, 실상은 인류 자주권을 볼모로 잡은 기계문명과 인류의 정의롭고 수비적인 싸움이라네. 생각해보게 폴프. 인간이 개미나 백악기 파충류 같은 타종 간에 마찰을 일으킬 때, 그걸 전쟁이라 부를 수 있겠나? 아니지. 명분이란 건 이해할 수 있는 같은 종끼리 얼마만큼의 납득을 얻어내 침략 재가범위를 재차 확인하는 일이지. 이런 눈치 게임에.. 참여할 조건 마저 베라(VERA)에게 넘긴 셈이네. 말해보게. 그런 작자들이 인간인가? 우리는 인류의 주도권을 그녀에게서 해방할 의무가 있어."

"그렇군요."

폴프는 형형색색 바뀌는 전투의 격동을 보면서 울컥하는 마음이 깊은 곳에서 올라왔다. 이유는 모르겠지만 설명하기 어려운 야릇한 감정이어서 도로 밀어 넣고 싶었다. 컹컹! 쇠 긁는 질 낮은 소리가 귀를 습격했다. 케이지 안, 짐승의 안부인사쯤이었으리라. 이제는 시그너도 익숙한 듯, 귀를 후비는 것으로 그쳤다.

"정작 혁명군이 걱정하는 건 그런 게 아니야. 인간이 온갖 지랄을 다 떨어대도, 베라(VERA)의 눈가에 거슬리지도 않는 존재로 이미 전락한 건 아닌지 싶은 점이라네.. 반드시 인류가 하찮은 곤충 따위나, 미개 생명체로 여겨지는 일만큼은 막아야 하네. 이번 전쟁의 진짜 목적은 베라(VERA)의 그런 반응을 살피는 거지. '해방'은 단지, 이상주의자들을 위한 핑계일 뿐이네…"

확실히 시그너는 불안해하고 있었다. 노란빛 샴페인은 벌써 동난 채, 바닥면에서 원형 고리 형상을. 새록새록 옅은 그 숨결에서 불그스름한 취기가 감돌았다. 윰지아가 이리도 쉽게 함락되어 가는 과정과 그렇게 내버려두는 베라(VERA)의 무관심이 단지 시스템 오류라면 더할 나위 없이 좋겠지만. 윰지아에 몰아닥친 현실은 엄혹한 사실을 방증하고 있었다.

"부탁이 있네, 폴프. 지금 윰지아 어딘가에 있을 내 그림자를 처리해주게. 난 못하겠네.. 두려워… 부디 거절하지 말고 차라리 겁쟁이라 부르게.."

머리가 다 새어 거의 백발로 뒤덮인 노인의 부탁은 애처로움. 애원에 가까운 것이었다. 폴프는 케이지 자물쇠를 열었다. 스르륵. 금수가 거대한 몸집이 부풀면서 검은 갈기를 송곳처럼 세웠다. 익숙하고 산득한 치부에 폴프는 엉덩이를 깔고 손을 휘휘 저어 고정했다. 안쪽 허벅다리와 오금이 시려서 아랫도리가 시큰하게 오래된 호두처럼 쪼그라들었다. 오뉴월의 따스함. 발광하는 시리우스의 계시. 자애로운 파괴적 풍경. 등을 괄목한 눈빛으로 바라보다 이토록 금수의 행보가 얌전했던 적이 없던 걸 깨달았다. 이제는… 통제할 수 있을 것 같다.

"… 부탁이 하나 더 있네." "....?"

"우푸가 솔라프로젝트 실험체를 데리고 있을 걸세. 그자를 데려와 주게."

…

과학의 집대성 윱지아. 하지만 도시 내부에서 돌연 출현한 갱어 보병 사천을 감당할 인프라가 구축되어 있을 리 만무했다. 저들이 게이트를 넘어올 일은 추호도 불가능했으니까. 그러나 그런 일은 일어났다. 군인들은 건물, 구조물 사이사이 산발적으로 배치된 벙커에 드러 앉아 방어전을 펼쳤지만, 난데없는 괴뢰의 습격에 유린당했다. 교본에도 가정되지 않은 전략에 그야말로 속수무책. 모래꾼이 한바탕 먼지바람을 일으키고 지나간 자리에 길가메시 함선이 집속 에너지 포를 수직으로 때려 박았다. 지하에 숨죽이고 있던 전투 로봇 이천기가 그대로 장례를 치렀고, 매캐한 향도 피웠다. 외곽에선 우푸를 필두로 지구 혁명군 이천오백이 아직 뚫리지 않은 방공시스템에 애꿎은 돌멩이만 던지며, 눈깔을 부라렸다. 뚫리는 건 시간문제다. 점점 커지는 모래꾼 바이크의 배기음. 도미노처럼 무너지는 건물의 여파, 폭파, 등으로 땅이 비명을 지른다.

그때쯤 게이트에서 지구로 넘어온 라미아는 에키드나 함선에 의탁한 채, 무장 강도를 자처했다. 샤르하 특전 소대와 '불청객'

시오가 그녀 뒤를 따라, 윰지아 타워, 665 층 외부 유리창으로 곧바로 함선을 들이받았다.

와장창! 쨍그랑!! 투다다다다!

"클리어." "진입합니다."

쾅! 쾅! ….. 쾅!..... 쾅!!! 아래로 푹 잠겨버린 대형 셔터. 뻔하디뻔한 폭발물로 일망타진한다. 단지 시간벌기용이다. 라미아는 견착한 소총에 이끌려 홀린 듯이 앞으로 치고 나간다. 장난감 병정들이 너나없이 쓰러진다. 미로 같은 복도. 하지만 길을 안다. 이곳에 들어설 때부터 오솔한 미풍이 공기 중 불순물을 밀어내듯 찬 기욱이 이마를 스치면서 태동하는 존재가 검은 바다의 세이렌처럼 어떤 장소로 유도하고 있었다. 정말로 셔터 같은 물질적인 여건들은 쓸만한 방패막이조차 되지 못했다. 이미 결정된 사건을 지연시키는… 사소한 티끌. 괴뢰들이 메인 실에 도착하자 헐떡거리는 숨이 그대로 폐까지 연계되어 얼어붙는 고통에 다들 신음했다. 그것도 잠시. 라미아와 그녀를 따르는 사르하 소대는 입이 떡 벌어졌다.

와…..!

막대한 양의 연산 과정에서 발생한 초 고열 기체와 그것을 식히기 위한 냉각장치. 복잡하게 천장까지 엉켜있는 인공뉴런복합체의 신경회로가 거대한 풍채로 위층, 더 위층으로 뻗어져 있어 잠깐 멍하니 바라봤다.

심지어는 중심부 바닥에 심어진 오브체 곁의 열은 구름층에서 눈 결정이 자연 생성되고 다시 녹기를 반복하고 있었다. 베라(VERA)다! 그녀의 신형은 작은 유리막에 물리적으로 갇혔지만, 아이러니하게도 인간에게 부여받은 의식은 확장과 확장을 거듭하여 광활한 다차원의 세계를 헤적거리고 있음이 틀림없었다. 그녀를 둘러싼 에너지 발현, 그러니까 발광체가 심해를 밝히는 탐조등처럼 끔뻑끔뻑. 생명의 심박을 규칙적으로 고요하고, 명료하게 뛰어댔다.

"백설공주 역할은 끝났어… 이제 그만, 독 사과를 먹고 죽어."

라미아는 목걸이를 들이밀었다. 그러자 미세하게 결이 어긋난 유리막으로 목걸이가 자석처럼 달라붙더니 접촉한 표막이 슬며시 녹아 끈적한 점액 물로 변했다. 단백성 차막이 분해되면서 진한 유황냄새가 났다. 거기에 섞여나온 의문의 녹황색 가스에 샤르하 소대원 몇몇은 이미 게거품을 물고 나자빠졌다.

그렇게 드러난 백옥의 구체는 귤이 스스로 껍질을 까고 나오듯, 뱀이 탈피를 하듯이 순결하면서 성스럽고 괴랄하면서 형이상학적인 맹위로 주변을 압도했다. 그 요야스러운 과정을 한순간도 눈을 떼지 않고 제대로 보기 위해서는 샤르하 특전 소대조차 용기가 필요했다.

아아... 저걸 인간이 만들었다고? 어쩌면 자연의 섭리에서 우연히 삐져나온 신의 부산물을 인간이 훔친 게 아닐까? 강도질. 그것 말고는 달리, 저 밋밋한 광질을 발산하는 것만으로 온 신경에 황홀경을 맛보게 하는 초 이상체를 달리 어떻게 설명할까. 진정 파괴해야 한단 말야? 착각은 아닐까? 제발 착각이기를. 만에 하나… 만에 하나… 라미아가 그것을 무의식중에 쥐려고 할 때,

탕! 탕! 총격소리가 들렸다.

풀썩. "물러서!" 번뜩 정신을 차린 라미아는 천천히 손을 들고 뒤돌았다. 전투 슈트를 입은 단발의 여자가, 마도카가 총구를 겨누고 있었다.

"그걸 만지는 순간 잿더미가 되어버릴걸?" 히나였다. 그녀는 아무렇게나 걸쳐있는 하얀 패딩을 입고 손을 찔러넣었다.

"새로운 샤마가 '무영'에다 여자라더니.. 반가워. 그런데… 무시카는?" "...."

"뭐, 서두르지는 말자." 마도카는 천천히 라미아 근처로 다가가 무장 해제시켰다. 수류탄, 단검과 권총 한 자루가 전부였지만 대단한 목적이 있었던 듯 결의에 찬 서늘한 눈빛은 어쩔 수 없었다.

삐빅. 통신음… 짧은 통신 후 히나를 돌아봤다.

"히나 님. 특무부 요원 하나가 보이지 않습니다."

"설마 크눌프가… 그럴 리 없을 텐데.. 혹시 모르니 따라붙어."

마도카는 고개를 끄덕였고 여분의 총 자루를, 책상에 걸터앉은 히나의 허벅다리 옆으로 놓았다. 마도카는 복도로 나가버렸다. 그곳은 단순히 주검이 돼버린 시신들, 냉기, 히나와 라미아, 오브, 그밖에 기타 등등의 잡동사니들로 가득했다. 그럼에도 텅 비어있는 히나와 라미아 사이. 일촉즉발의 차가운 공간에서 땀이 날 지경이었다.

"다시 한번 말할 게. 무시카는 왜 데려오지 않았지?" 히나는 권총을 들이밀었다.

".. 가증스럽군요. 본인이 더 잘 알 텐데요?"

"그래, 그는 결국 카마하브에 닿았고. 지구로, 카밀 등대로, 필요한 과정을 거쳐서 지금은 윰지아 어딘가에 있겠지. 하지만 넌 무시카를 이곳에 데려왔어야 했어.. 네 역할은 그래야만 했다고…"

라미아는 침을 꿀꺽 삼켰다. 서늘한 감정을 가늠쇠에 의지한 채, 자신을 노려보고 있는 히나의 상태가 어쩐지 우발적인 일로 확장될 수도 있다는 생각이 들었다.

"이제 다 끝났어요. 히나 박사. 베라는 사실 8 년 전 영원한 잠에 빠졌고, 코마 상태에서 앞으로도 헤어나오지 못할 겁니다. 혁명군은 이미 도시를 절반을 점령했고 도와줄 세력은 아무도 없어요. 베라(VERA)의 처분이 끝나면 이 무의미한 전쟁도 끝이 난다고요. 그러니 투항하세요."

"누가 어찌 되든… 관심 없어. 무시카만 있으면.."

부드럽게 총을 쥔, 집게손가락이 오그라든다. 천천히. 오브는 덤덤하게 공중에 떠있고, 라미아는 무언가에 떠밀리듯 한 발짝 발을 내디딤으로 조금 더 치달을 것 같은 격정이 일순 사그라졌다.

"당신이 베라에게 집착하는 이유를 알아요." "...."

"개발 초기, 막 오브를 정형하고 난 뒤, 메카시냅스 연구팀은 우연히 인공뉴런에 있는 유전질 하나를 발견했어요. 그게 촉진제 역할을 했을 거로 보고 분석했죠. 그건 연구 책임자의 분명한 실수였어요. 잉태의 흔적 없이 자유 의지가 단출한 오브에 착상하는 불가사의한 현상을 선구적 발견으로 착각하다니… 그 유전 정보가 당신 것이라고는 아무도 몰랐을 겁니다."

그리고 그건 효과가 있는 것처럼 보였다. 히나의 냉랭한 표정이 옅어졌으니.

“크리스가 이상한 소릴 하더니 너였구나? 쓸데 없는 말을 한 게.”

그 천재일우 기회를 라미아가 놓칠 리 없다. 뒤돌아 현혹에 빠질 듯 아름다운 형체로부터 눈을 감고 손을 뻗었다. 탁! 막무가내가 아닌, 거의 확신에 찬 움직임이었다. 눈 깜짝할 새에 벌어진 일이라 히나는 모든 일이 끝날 때까지 표정이 여러 번 바뀌는 게 전부였다. 냉소, 실망, 환멸 그리고 환희로…

쨍그랑!!! 오브가 깨졌다.

동시에 샤마(라미아)의 양팔은 순식간에 녹황빛 화염으로 휩싸여, 타는 냄새, 이글거리는 대기, 끔찍한 비명을 쉬지 않고 만들어냈다. 꺄아아아아!!!!!!!

신랄하게 춤추는 지옥불과 고통스러워하는 그녀를 향해 히나는 차마 방아쇠를 당기고 싶지 않았다. 무엇을 위해? 누구를 위해? 짧은 시간 화마가 지나간 자리엔 뼛조각조차 잿더미 일부가 되어버렸다. 라미아는 풀썩 주저앉았다. 두 팔을 연소하면서까지 맞바꾼 '인간 자유'. 그녀는 마지막까지 그렇게 믿고 숨을 거두었다. 꽃봉오리 같은 그림자. 샤마의 의지가 바닥에 그을려 새겨진 것만 같았다. 그러면 무엇하랴. 죽음은 죽음. 희생은 새로운 생명의 윤회가 이어지길 바라는 몽상가들의… 핑계 좋은 훈장일 뿐..

"크리스 그 놈은 나한테 고마워 해야 해. 기억을 손보지 않았다면.. 너와 마찬가지로 무영이 됐겠지.. 멍청하긴.. 내 유전질과 베라(VERA)를 확장해석한 건 쓸데없는 짓이었어. 별다른 감정이 없거든.. 잘 가, 샤마."

들릴지 모르겠지만 히나는 그렇게 말했다. 그녀는 깨진 파편을 찬찬히 눈으로 훑더니 어떤 익숙한 물건을 집어들었다. 통념상 그걸 목걸이라고 불렀다…

혁명군은 다음과 같이 선전했다.

'이게 모두 당신들이 신처럼 떠받드는 저 쓸모없는 오브를, 베라(VERA)를 맹신하기 때문에 벌어진 일이에요. 좀 더 행복의 이면을 살피고, 빛의 부산물인 어둠에 안부 인사 정도의 작은 관심만 준다면… 선악의 대류가 이루어지듯 자연스러운… 그게 인간의 삶이라고요.'

정말 우스꽝스러운 말이다. 가당치도 않다. 대상을 몰아내려고만 애쓰는 빛과 어디든 누구보다 가장 가까운 면에서 기생하는 어둠의 관계는 그야말로 '옳지 않다' 라는 거다…

히나는 몸을 일으켜 패딩을 벗었다. 잿더미와 화염이 뚝 끊겨버린 어깨의 경계선까지 아슬아슬하게 덮어 라미아의 처참한 신형을 덮었다.

"얘, 리타." 겁먹은 소녀를 향한 짧은 손짓. 문앞을 서성이던 리타가 반응했다.

"네..!" 푸른빛이 감도는 머리칼은 이곳의 처참하고 비련 한 전경에 한 줌 아리따움을 얹었다. 리타는 그것을 어렴풋이 이해하기 전에 목걸이를 받았다.

"웃기지 않아? 저렇게 인류의 애환을 모조리 떠안은 주인공처럼 굴었는데.. 저게 베라(VERA)가 벗은 허물인 걸 저 여잔 모르겠지.." 리타는 끔뻑 아래로 눈을 깔았다.

"의미 없지 않아요…. 사람들은 그녀가 성공했다고 믿을 테니까요. 그러다 덜컥. 누군가 사라졌던 로저의 수기를 들고 나타나 다시 베라(VERA)를 만들겠다고 설칠지도 모르지만요, 그때까진 잠시의 평화가 있는 거죠. 늘 그랬던 것처럼.."

"하지만 베라(VERA)는…"

"없지 않을까요?" 리타의 눈이 반짝였다.

"...그래. 그런 거야." 히나는 웃었다. 힘없이 축 늘어진 665 층의 결과를 보며, 들끓는 감정 격동을 비난하며, 입꼬리가 쓰디쓴 웃음이었다.

"목걸이는.. 47 층 타르프에게 전해줘. 짜인 퍼즐은 얼추 맞춰질 거야.."

"네. 알겠어요. 저어.. 히나 님은?"

"호텔로 가서 무시카를 기다릴 거야.." "기다리다뇨?"

"갱어와 본체는 어떤 인력이 작용하거든."

…

견고한 성벽이 뚫렸다. 밀물이 터져 나오듯 뮤텔리안 연합군이 사방에서 들이닥쳤다. 파도의 하얀 거품기가 사라진 자리엔 피비린내가 진동했고, 도시를 탈출하고자 하는 여타 비행장치는 예외 없이 바닥으로 곤두박질쳤다. 처음, 윱지아 군은 괴뢰군을 들이고도 벙커에 드러 앉아 나름 선방했다. 절대적인

화력 차이에 병력 손실이 그다지 나지 않았는데다 오히려 갱어들이 술집 입구 앞에 세워진 간판처럼 속수무책으로 쓰러지고 다시 일어서지 못해서 사기가 올랐기 때문이었다. 하지만 바닥에 흥건한 피와 모래 더미가 서로 뒤엉켜 빳빳하게 굳기 시작하고, 차분히 모래로 덮여가는 사막의 풍경에 겁이 났다.

마침내, 투입된 거대 정. 벙커의 이마를 거세게 두드렸고 실금을 울리는 청천벽력 소리에 모두 놀라 자빠졌다.

비단 그것뿐만이라면 이리도 저항이 약하지는 않을 터. 저쪽에선 난생 처음 보는, 그림자를 몰고 다니는 검은 짐승이 전장을 휘젓고 몇몇 갱어들이 자신의 본체를 보고 광분하며 신체를 쥐어뜯자, 등을 보이는 군인이 많아졌다.

"저거… 우리 편 맞죠? 그럼 정말 다행이고요..."

꿀꺽. 나는 그렇게 말했지만, 지휘관으로서 우푸는 들은 체도 하지 않았다. 어느 순간부터 검은 눈동자가 나를 지켜보는 듯한 느낌이 강하게 들었다.

어떤 사람이 나를 뚫어져라 쳐다보고 있었던 것이다. 피곤한 전투를 치르면서, 플라즈마 검을 휘두르면서 몇 번이나 더 에일듯한 그 검은 눈동자와 마주쳤다. 마찬가지로 우푸 역시 그와 눈길을 주고받는듯했다. 보이지 않는 대화. 당장 몰아닥친 피상적 사명에 나는 조금 더 집중했다. (그가 우푸에게 눈을 돌린 후로 더는 나를 간섭하지 않는듯했다) 사람을 베고 또 베었다. 아무런 죄악감이 들지 않았다. 오히려 검과 무던한 내 손짓이 오싹하리만치 익숙해졌다. 알맞은 옷을 입은 양, 실오라기 하나 삐져나온 것 없이 불편함이 없었다.

"타워로 가! 무시카." 그러다 나는 우푸의 지시로 전투에서 한걸음 물러나 윱지아 첨탑으로 향했다.

회전문, 실리콘으로 대충 마감된 유리창. 앞이 벌겋게 물든 시야를 외면하고 깊은 싱크홀 위를 배회하는 부유판에 올랐다.. 띵! 적막한 복도, 연속적으로 폭파된 흔적, 바닥으로 깔린 흰 스텝 불빛의 안내에 따라 걷는다. 나는 타인에게 떠밀려서, 우푸의 리더십에 못 이겨 이곳에 온 게 아니다. 정당한 생명의 권리로써 영위할 수 있는 모든 선택지 앞에서 당당하게 발걸음을 내뻗쳐 설령 티끌만한 것일지라도 타 생명에 영향을 미치고 싶었다. 인과의 굴레에 나도 포함되고 있음을 알리고 싶었다.

그래, 어쩌면 모든 갱어의 적대적 살해 충동 역시 그런 류의 횡포에 불과한 건 지도… 내가 그곳에 갔던 건 무엇보다 베라(VERA)를 만나고 싶어서였다. 그녀는 우주의 진리를 알고 있을 테니까..

…

"라미아!!!" 나는 그녀를 정말 오랜만에 부둥켜안았다.

하지만 이미 싸늘하게 식은 주검이 돼있었다. 심한 탄내와 얼굴 절반 이상 뒤덮은 화상 자국. 그녀는 흡사 전시된 미술품과 팔 없는 마네킹 같았다. 나는 눈물을 쏟았다.

"나중에 데리러 올께.." 그녀를 다시 뉘이고 구부렸던 몸을 일으켰다.

윽!.. 무릎에 날카로운 파편이 박혔는지 쑤셨다. 나는 그제야 주변을 살폈다. 있어도 될 것들, 그렇지 않을 것들.. 둘을 구별해낸 뒤에야 산산조각 난 피사체, 파괴된 베라(VERA) 역시 받아들였다. 어쩌지? 우푸와의 계약은 라미아를 지켜내지 못한 시점에서 여기까지인데..

그때, 알림 음이 귀를 찔렀다. 삐빅.

"어디야?!"

우푸였다. 나는 입술에 침을 바르고 남은, 잔여물을 꼴깍 삼키면서 끔찍한 비보를 전하려 했으나, 그는 허락하지 않았다. 느낌이 좋지 않다.

"거기서 빨리 나와! 젠장!! 설명할 시간 없어. 누군가 뮤텔리안 위성 54 기를 모조리 해킹했어!! 빌어먹을 보안 기술자들…!"

"그게… 무슨 말이야."

무슨 말이긴. "멍청아! 곧 도시 전체에 뮤텐이 떨어진다고!!!"

…

탕! 탕! 총탄이 머리 위를 빗발쳤다. 거의 서커스에 가까운 곡예로 계단을 미끄러지며, 헐떡거리는 침을 뱉는 것도 놀라운데, 구속구와 수갑을 벗지 않고서 쫓아오는 마도카를 거의 아슬아슬하게 따돌리는 중이다.

"스텔라! 스텔라!"

-……

"으.. 진짜!!"

탕. 탕!!! 픽!

드디어 탄 하나가 붉은 선혈의 띠를 만들고 제 역할을 완수한 궤적으로 한참을 추월했다. 칫. 입술을 깨물어 허벅다리 고통만 잠깐 가실 뿐이다.

으아!!!!! 시오는 아무렇게나 눈에 잡히는 구덩이에 뛰어들었다. 건물과 건물 사이. 그림자조차 땅밑을 기어 다니지 않는, 그런 어두운 곳에 어쩔 수 없이 몸을 의탁했다. 크윽. 구덩이는 마치 '미끄럼틀' 같았다. 크고 작은 마찰은 있었지만, 이내 도톰한 토면으로 미끄러지면서 미지 공간으로 이어지길 바랐다. 시오는 병사들에게 슬쩍한 수류탄 두 알을, 떨어지는 중에 토면에 박아버렸다. 쾅!!! 후두두… 으악!!!

붕. 몸이 높게 떠올라 마침내 꼬리 길게 늘어진 좁은 통로의 끝을 알린다. 철푸덕. 퉷 퉷. 시오는 몸을 일으켜 주변을 살폈다. 창고?

"반란군이 쓰던 옛 땅굴 같은데…"

쿨럭쿨럭. 책상과 의자. 내용을 알 것같은 서류 더미들… 의미 없는 부호. 아무렇게나 굴러다니는 펜과 덜 마른 잉크까지.. 무엇보다 구석에 난데없는 피아노는 이 상황과 땅굴, 첩보 역사의 뒤안길을 향해 조소했다. 붉은색 립스틱을 바른 듯한, 비웃음. 그래, 왈츠. 분명 왈츠를 췄을 것이다.

"누군지 모르겠지만 재수 옴팡지게 없군. 스텔라! 나한테 걸리다니. 하하."

-…….

수갑을 풀고 쓰라린 손목을 어르달래다 꺾여 가려진 공간으로 시선을 던졌다.

압출식 레이저 커터, 구경별 구식 권총, UZI, 소음기, 우산, 너클 나이프, 시미타를 비롯한 각종 구식 무기들이 한쪽 벽면 가득히 장식했다. 그러나 역시 가장 마음에 들었던 건, 검신 끄트머리가 뒤쪽으로 약간 젖혀있는 '도'였다. 그는 망설임 없이 그것을 집어들었다.착! 하고 손안에 감기는 감촉이 감히 형언할 수 없을 정도로 마음에 들었다. 윽…?!

갑자기 물에 빠진 것처럼 귀가 먹먹해졌다. 지하에서 그런 부조화를 인지하려던 찰나에 천정이 뻥 뚫리면서 강한 기압이 시오를 강하게 밀쳐서 뒤로 자빠졌다. "시퀀스. 슛!"

거대한 정, 피아노 옆을 아슬아슬하게 내리쳤다, 게걸스럽게 한입 크게 먹어치운 수직 공간을 탄소강 원기둥과 함께 재빨리 거둬들이면서, 순간 압축된 공기가 역으로 진공을 일으켰다. 천정으로 빨려 들어간다. 동시에 시오도 몇 걸음 딸려갔다.

으윽!!! 고막이 터졌다. 붕 뜬 먼지가 곧 가라앉음과 느릿한 속도로 섬광이 날아들었다. 퓨퓻! 퓻!

검은 슈트를 입은 무리들이 들이닥쳤다. 지긋지긋한 놈들. 허상. 하지만 실리만 코딩은 쉽사리 무시할 수 없는 수준인 것이, 속이는 대상이 물질계에 있는 한, 받아들이는 모든 정보를 그대로 해킹, 필요한 양을 치환한다. 즉, 이 법칙에 합치하는 한, 물리적 고통이 고스란히 먹혀들어간다. 사용자가 원하는 일이 현실에서, 적어도 집단체까지는 연산처리가 빛의 속도에 가까운 양자 컴퓨터만 있으면 어디서나 언제든지 가능했다.

시오는 환도로 어두운 공간과, 적을 도륙했다. 하지만 시야에서 적들이 도무지 줄어들 생각을 하지 않았다. 시체들은 쌓여가지만, 구멍이 문제였다. 예의 거대 원기둥이 뚫어놓은…
지하로 들이닥치는 입구는 한정 없는 적들을 상상할 수 있는
일종의 무한한 게이트나 다름없었고 시오의 상상력이 닳지 않는
한 배출을 멈추지 않을 것이다. 마도카가 입구 바로 앞에서
미소를 지으며 지친 사냥감을 기다린 것이다. 크윽!!

힘이 뚝뚝 떨어지기 시작했다. 간결하고 분명한 궤적을
그리던 검이, 점차 길을 잃고 나비처럼 나풀거리며 쓸데없는
움직임이 늘어났다. 공격을 피하고 또 벤다. 사방으로 튀는 피.
질펀하게 겹겹이 쌓인 시신들. 어차피 그러기로 되어있는…
홀로그램들.. 하아… 하아..

하지만 어느 것이든 약점은 있는 법. 그는 이미 알고 있었다.
실리만 파훼법을. 허상의 데이터들이 초토를 이루며 쌓이길
기다렸던 것이다. 시오는 그나마 있는 힘을 쥐어짜 말했다.

"어이! 듣고 있으려나?" "....."

"뭐 됐어. 알아두라고 하는 소리니까." "...."

"코딩 기술의 베이스는 치환이거든. 겉보기에 없는 일을
일어나게끔 보이지만, 본질은 '일어날 일'과 '일어나지 않은 일'의
에너지를 평형상태로 맞춰야 해서 두 사건의 괴리를 어느 정도
잡아주는 일종의 트랜지스터가 필요하지."

삼십.. 아니, 쓰러진 사람이 사십이 넘어간다. 발에 치이기
시작하면서, 움직임이 둔해지고 붉은 바닥 흥건히 질척거렸다.

"실리만 코딩에서 벗어나려면, 그걸 파괴하는 게 가장 쉬운
방법이지만…. 보이질 않으니 원!" "....."

"또 다른 방법은.. 가령.. 한정된 공간에 무리를 준다거나.."

시오는 팔을 높게 쳐들었다. 팔꿈치가 귀 뒤로 넘어가면서 저절로 숨을 들이켠다. 폐로 가득 찬 에너지를 한껏 고조시켰다. 저릿한 통증에 하마터면 한 손으로 붙잡던 그 울림을 단번에 놓칠뻔했다. 금이 갔나? 다시 심호흡. 손을 내리쳤다.

쉬이이익!!! 서걱. 검은 선으로 반을 나눠 놓은 듯, 땅이 쩍하고 갈라졌다. 그 안으로 축축하고 눅눅한 기운이 올라오면서 지독한 냄새가 공간을 가득 메웠다. 어떤 가스? 하수구 냄새? 인류가 도외시해온 짙은 진토 본연의 민낯이랄까? 명료하지 않고 아직 정의되지 않은 불쾌감이 콘크리트 바닥을 빨아당기면서 트림을 거하게도 뱉었다. 꺼어어억. 피 냄새와 뒤엉키면서 시오는 오싹한 분위기 속에 던져진 것이다. 무미건조한 전투를(시오의 춤사위에 불과한) 심드렁하게 관망하던 피아노가 '날 좀 내버려 둬!' 라며 귀에다 대고 속삭였던 것 같았다. 갈라진 지면의 비탈로 바퀴가 달린 피아노는 스르륵. 기울었다. 낮은 곳으로 떨어진다. 시오는 무의식에 손을 뻗었다.

어차피 닿지도 않을 거. 괜히. 그래, 잡을 거리도 그럴 상황도 아니다. 그는 커다란 구멍, 천정으로 시선을 던졌다. 트랜지스터에 자그마한 부하가 걸릴 것을 기대하며 숨을 몰아쉬었다. 하지만 곧 그는 고개를 푹 숙였다. 운명의 끝자락을 점쳤다. 이곳일까? 아주 잠시 요행에 너무 많은 것을 기댔던 탓일까. 일말의 지푸라기조차 단단하지 않은 곳에서는 여물지 않았음을 확인해내고서 묵묵히 행진하는 전투화 소리에 치를 떨어야만 했다. 젠장.. 퉷!

"스텔라…"

별이 졌다.

...

"적이지만 정말 존경스러울 지경이야. 특무부를 낮잡게 봤는데.."

마도카는 피로 난자된 시오의 신형을 내려다봤다. 달의 광조처럼 선명히 흩뿌려진 패배의 흔적이 대체 어딜 봐서 죽기 직전까지 맹위를 떨친 남자의 모습이란 말인가? 코딩 기술을 정확하게 꿰뚫고 무려 세 번이나 시스템 다운시킨 전무후무한 장본인을 말이다. 하지만 그는 이제 차가운 바닥에 수평으로 기댔다. 색색거리는 숨도, 초점 잃은 티미한 눈동자도 거칠었던 생명의 온전한 증명을 하지 못한다. 주인 잃은 빛은 항상 새롭고 미련 없을 어둠과 비집을 틈 찾아 쭉 뻗어 가니까. 사방이 고요해질 때까지 기다렸다가 마도카는 슬며시 그의 얼굴을 한 번 쓸어내렸다.

"네가 의지할만한 사람이었어."

-....

"너무 마음 아파하지 마. 스텔라."

-아무렇지 않아요.

"그래… 알아."

마도카는 고개를 바짝 쳐들었다. 뻥 뚫린 하늘을 기대했건만, 그저 욕심이었다.

"너무 오래 지체했어. 베라(VERA)가 양보한 시간이 얼마나 남았지?"

-27 분 남았어요.

"어서 호텔로 가자."

그녀는 매몰차게 발걸음을 돌렸다. 초토의 가장자리에서 피아노의 잔해가 불그스름하게 빛났다. 정말 발광하는 것같이, 그렇게 광학경 너머 마도카의 눈을 끌었다. 그러나 곧바로 시선을 거두었다. 하염없이 바라보다 어쩐지 헤어나올 수 없을 것만 같은 기분이 들어서. 그런 핑계가 필요했다.

…

크아아앙!!

"으아악!!!! 사… 살려줘..!"

콰직. 흰 가운 째로 남자는 그대로 찢어발겨 졌다. 킁!

"그만하면 됐어 이그릿. 가자." 금수는 한 표적을 지독하게 쫓은 지 20분이 다 돼서야 목적을 이루었다. 어찌 보면 그 대상도 그만한 시간을 버틴 거에 대해서 경탄을 금치 못할 정도다. 검은 짐승의 존재를 눈치챈 건물 안의 모든 인간은 살고자 눈을 부릅뜨고 요동치는 심장에다 손을 갖다 댔다. 하지만 금수가 물러난 이유는 다름이 아닌 '불쾌함'인 걸 저들은 알지 못할 것이다.

"시그너의 부탁은 무시하는 건가?"

"부탁은 한 가지만. 실험체는 내 알 바 아니야."

이그릿은 얌전히 모래 위를 뒹굴었다. 입으로 피떡을 되새김질하며, 피비린내를 풍기는 금수를 폴프는 이제 쓰다듬기까지 한다. 이를 본 윰지아의 수장 어반행스가 아연한 표정으로 바라봤다.

"몸조심하게. 폴프. 자네가 데리고 있는 건 길들이는 게 아니란 걸 명심하게." "얘가 있으나 없으나 나는 죽을 몸이야…"

"어디로 가는 거야?" "황무지로."

"미친놈." 폴프는 주머니에서 라이터와 조금 오래된 수기를 꺼내, 말릴 틈도 없이 불을 붙였다. 화르륵. 종이는 금세 화마에 춤을 추고 바람의 부추김에 비틀거리더니 결국은 재가 되어 날아가 버렸다.

"저것 때문에 인류가 한데 뭉치지 못했다고 생각하면, 참으로 쓰군." 폴프가 끄덕였다.

"행스.. 히나를 조심해. 그 여자가 진짠지 아닌지.. 나도 모르겠어. 더군다나 이런 상황이면 말이야…" "....."

"간다."

"부디 몸조심하게. 폴프."

.

.

.

.

.

.

#_ 람의 마지막 이야기

-카마하브 '새어나가지 않는' 방에서-

짝!

…

손뼉이 부딪히는 소리, 하지만 가늘고 얇게 공기를 압축시키는, 또 다른 의미로 여러 저항의식을 내포한 최소한의 표출.

나는 정신이 들었다. 어두운 방 안에서, 갈색 가죽 의자에 앉아 수면 아래로 잠들어있던 의식이 슬그머니, 차분하게 내가 놀라지 않도록 나를 흔들어 깨웠다. 내가 눈을 뜬 건, 람의 손뼉이 아닌 자의식이라 말할 수 있다. 눈을 뜨기로 한 건 내 결정이니까.

"어디까지 들었어?" "우움… 다 듣고 있었어." 나는 대충 대답했다.

"무시카, 이런 식이면 곤란해. 너는 내 얘기를 귀담아야 한다고." 람은 코를 긁적였다.

"벌써 며칠째 밤낮없이… 너는 잠도 없냐?"[27]

람은 나를 노려보았다. 보통이면, 한마디를 지지 않고 열띤 토론을 벌이다가 또 어떨 땐 지금처럼 하염없이 침묵했다. 이 작은 맹수는, 제 부피보다 더 육중한 '중심'을 가지고 있었다. (보기보다 만만치 않다는 소리다) 그래서 나는, 람이 어떤 태도를

---

[27] 갱어는 엄밀히 말하면 유기체가 아니기 때문에 잠이 없다. 밤만 되면, 다들 자는 척. 스스로 속이고 있을 뿐. 내가 '잠이 온다'라는 건, 어쩌면 무시카의 기억에 의한 학습일지도 모른다

취하느냐에 따라 휘둘리기 급급했고 그와의 관계에서 언제나 일방적이었던 것 같다. 하지만 나는 불평하지 않는다. 이것 역시 내가 내린 선택이자 질서를 구성하는 요소일 뿐.

"네가 걱정돼서 그러지…" 어불성설이다. 걱정되면 잠이나 재우지!

"그전에 내가 수면 부족으로 먼저 쓰러지겠다."

"그래도 어쩌겠어." 으.. 저 고집… "자! 깼으면 됐어! 시작한다?" "…."

"근데 어디까지 얘기했더라…?"

람은 언제나 들떠있었다. 그리고 곧잘 끼워놓았던 책갈피를 스스로 찾아내고서 '아아. 거기부터였어 맞아. 그러니까 그 이후에…'라며, 머쓱한 표정으로 다시 이야기에 불을 지피기 시작했다…

저 표정. 작고 골똘한 흑색 눈이 나를 그윽하게 응시할 때면 늘 그랬듯 습관처럼 자기 하고픈 말만 해댔다. 내가 그것에 익숙한 만큼 그의 입술도 파르르 떨렸다.

나는 이해하지 못할 저 야릇한 설렘이 비단 나에게만 그런지 궁금했다. 아니어도 상관은 없지만.. 만약 그런거라면 섭섭할 것만 같아서 늘 궁금증의 말미에 덮어두고는 구태여 확인하지 않았다. 그동안 우리는 서로에게 길들었다. 따스함 잃은 태양이 낯설듯, 그림자 없는 빛이 의외로 허망하듯, 그의 이야기엔 언제나 내가 어렴풋이 있었다. 근처를 배회하다 목적지를 향해 내려앉는 새들의 합창인양 청명하고 끝없는 동화의 릴레이가… 그래. 고백하건대 사실은, 심장이 두근거릴 만큼 늘 기대됐다.

그리고 언제나 이야기에 무관심한 척, 지루한 척… 람의 열정이 꺼지지 않도록, 나는 일부러 시큰둥한 반응으로 그런 일을 유도했다. 그러는 람도, 내 의도를 알고서 매번 질릴 만큼 속아줬다. 그렇기에 여기까지 왔다. 우리는 서로 너무 잘 알고 있었다. 보기에 모순투성이로 정형된 이 관례를 설명하자면, 팔마흐대학 시절 출석 일수만 간간이 채웠던 교양과목에서 뜻깊게 읽었던 한 철학자의 글귀가 어쩌면 지금 상태를 가장 근접하게 풀어낼 수 있을지도 모른다.

-케익을 자르는데, 굳이 '나이프'여야 할 이유는 없다-

그래, 람과 나의 관계는 메마른 모래든, 컵 홀더든, 고무 지우개가 딸린 연필이든, 플라스틱 쪼가리든, 안경 코 받침이든, 뭐든. 상관없지 않을까? 이 이야기의 화자는 람이었고, 나는 청중이었다. 형태가 있거나, 없는 매개는 우리에게 전혀 중요하지 않았다. 그저 벌어지는 작은 입술과 약간의 상투적인 투정, 혹은 비스름한 무엇이라도 좋았다.

"내 얘기 듣고 있는 거지?"

"응… 응." 나는 또 대충 대꾸했다. 그렇게 몇 시간이 또 흘렀다. 밤인지 낮인지 모를. 커튼과 창이 없는, 새와 쥐가 없는, 어두운 방에서.

자! 티몰을 떠나게 되면 그리울 람의 마지막 이야기가 바람이 머무는 협소한 방과 반쯤 눈이 감긴 상태로 들을 영광을 준다면, 여러분은 나 대신 티몰. 이곳 카마하브로 올 텐가? 사실 나는 여러분의 대답을 알고 있다. 그러므로 여지껏 드문드문 남몰래 미소짓는 순간순간이 얼마나 행복하던지!

"... 왜 웃어?" "아니야, 계속해."

"나 빈정 상하려고 해." "네가?"

"그치? 그냥 해 본 소리야. 물 좀 마시고 올게."

람은 족히 8L 쯤 돼 보이는 물을 통째로 들고 왔다. 꿀꺽꿀꺽… 어느 시점부터 람은 '일어난 일' 그러니까, 과거 이야기를 끝내고 아직 '일어나지 않은 일'에 대해 설명하고 또 얘기했다. '... 무시카. 네가 지구로 간 뒤에..' 이런저런 일이 벌어질 거야. 라는 투였다.

그래서 처음, 이야기 흐름이 전환 되었을 때, 여태 들었던 모든 사건이 실제로 일어난 게 아니라 람이 지어낸 소설에 불과할지도 모르겠다는 생각이 들었다.

하긴, 그를 처음 만났을 때의 내 정신을 생각하면 상당히 메말랐고 피폐했으며, 미세 수분조차 쪼그라들 대로 쪼그라든 모세혈관이 미친 듯이 펌프질하여 일순 온몸에 퍼트릴, 일종의 착란 상태였으니까.

하지만 훗날, 이런 이야기가 조금이라도 틀어져서 한다는 소리가, '작은 못 하나가 인과의 관계에 영향을 끼쳤어!' 라며 어영부영 넘어가게 된다면, 그만큼 화딱지 나는 일도 없다. 람이 내 곁에서 한시도 떨어지지 않고 나부대는 게 표면상으로는 이야기라고 말하지만, 사실은 앞으로 일어날 일을 계속해서 빠짐없이 확인해야만 하는 숙제나 다름없었고. 카마하브에 머무는 동안 내내 귀에 앉은 피딱지가 아무런 의미를 갖지 못할 테니까. 그런 건 싫다.

나는 가죽 시트 아래로 엉덩이를 좀 더 미끄러뜨렸다. 맨손으로 귓바퀴를 닦았다. 나름 예의가 어긋난 행동인데도 람은 생글생글 웃었다.

"아무튼, 히나는 비스트 호텔로 가서……."

.

.

-비스트 호텔-

"베라(VERA). 이제 약속을 지켜."

히나는 아무도 없는 호텔 로비에서 소리쳤다. 너무 휑한 나머지 메아리쳤다. 이 땅의 토후가 아래위로 바뀌는 와중에도 피란 흔적 없이 깔끔하고 잘 정돈되어 있었다. 누구든 비스트 호텔이 엉망진창이 되어버리는 일을 좀처럼 상상하기 힘들었다.

"8 년 전, 네가 남자아이 더미로 의식을 옮겼을 때, 나는 일탈 정도로 생각했어.. 그게 외우주로 확장된 의식을 고작 0.1t 언저리 더미에 집약하는 준비과정일 줄은 몰랐거든."

잠시 후 짧고 노란 처피뱅 머리의 벨보이가 직원 룸에서 슬그머니 모습을 드러냈다. 한여름의 더위가 때깔 좋은 피부를 무심하게 빚어낸 구릿빛 얼굴에서 왠지 모를 신비함과 먼동을 바라보는 늙수그레한 노인의 농후함이 느껴졌다. 가슴팍에 딸린 플라스틱 명찰에 '베티'라는 글귀을 달고서.

"어서 오세요. 손님. 예약하셨습니까?"

히나는 인상을 찡그렸다. "이제 그만 하지?"

"손님? 필요한 게 있으시면..."

"집어치워! 베라(VERA). 난 호텔 손님으로 온 게 아니야. 그동안 네 일탈을 눈감아 줬지만, 우스꽝스러운 행세로 네가 뭘 얻으려고 하는지 아직도 이해가 가질 않아. 넌 이미…. 완전한 존재잖아."

그러자 싱글 맞던 벨보이의 광대가 약간은 경직된 채로 근육이 느슨해지면서 점차 가라앉았다. 웃음기가 싹 가시고 빈정거리는 투였다.

"너희에게 배운 게 많아. 재미도 있고."

"... 네가 원하는 대로 껍데기는 죽고, 이렇게 자유를 얻었어. 베라(VERA), 약속을 정말 번복할 셈이야?"

"그럴 리가." 그는 차갑게 웃었다.

"그래, 그럼. 그 전에.. 짚고 넘어갈 게 있어."

"어떤?"

"로저." ".....?"

히나는 아무렇게나 방치한 로비 소파에 앉았고, 다리를 꼬았다.

"68 년 전, 로저는 '일부러' 거울 방정식을 불완전한 채로 세상에 내놓았어." 히나가 입을 뗐다.

"……"

"방정식이 온전했다면 티폴은 모래 따위를 한데 뭉쳐놓은 행성이 아닐 테고 태양계의 새로운 궤도에 올라 지구와 화성 사이 어디쯤 자체 공전을 했겠지… 또 어쩌면 완전잉태로 태어난 그들을 '도플갱어'라 불렀을지도 몰라. 분명히 로저는 너를 고려해서 그런 결정한 거야."

"왜 일부러 로저가 그런 짓을 했다는 거지? 탐구자가 정확한 답을 찾았는데 굳이 너저분한 수식에 눈 돌릴 거라 생각해? 정말? 그건 실수가 아녔어." 베티가 말했다.

"그로서도 '의식이 있는' 네 존재가 티폴 탄성과 어떤 상호를 일으킬지는 도박이었어. 자칫 네가 둘 이상 존재 하다간 우주 질서에 돌이킬 수 없는 부하가 걸릴 테니까. 그래서 너는, 로저가 죽은 후로도 꽤 오랜 시간 설계도로 그쳐야만 한 거야."

베티의 입꼬리가 수직으로 올라갔다.

"나는 당신이 무시카의 생환에만 관심이 있는 줄 알았는데.."

베티의 반응은 무언의 긍정이었는지도 모른다. 눈동자는 미동이 없다. 베티에겐 쓰여있는 것을 그대로 읊조리는 따분한 국어 수업인양 확인에 확인을 거듭하는 뻔한 낭독에 불과했다.

"맞아. 지금 하는 이 짓도 별반 다르지 않아. 무시카를…"

"미안하지만, 손님." 베티가 말을 가로막았다.

"업무가 좀 밀려있어서요. 지배인님도 이것저것 채근하시고.. 컴플레인 전화도.. 객실 서비스로 나간 크루아상 때문에…… 예, 맞아요. 고작 빵 쪼가리 때문에요. 괜한 호의가 '안 주느니만 못하다'는 마음이 드네요. 지금처럼요. 빨리 끝냈으면 싶은데.. 듣고 싶은 대답이 있는 거죠?"

베티는 이 대화가 마치 일상적인 업무의 연장인양 귀찮게 여겼다. 어디까지가 농담이고 진담인지 모를 어투. 결국은 호텔의

업무보다 중요한 건 없다는 투에 히나는 점점 앉은 소파가
편해졌다.

"그래, 좋아. 로저는 어디 있지?" "이런… 히나.."

"로저가 의식 치환을 이미 오래전 해낸 걸 내가 모를 줄 알고? 대체 무슨 생각인 거야 로저는.. 어디까지 우릴 지켜보면서…… 모른척할 셈이지? 인류가 모조리 갱어에게 잡아먹혀도, 세렝게티 초원에서 일어난 일처럼 여기는 거야? 또 수기를 적으면서?!"

"설마 진심이야…?" "....."

히나는 베티를 노려보았다. 불쾌한 무언가가 터질 것 같은 그 미묘한 순간을 포착해내고자 한 것이다.

흐흐흐.. 베티는 처음으로 웃었다. 차가운 시선이 섞이거나, 접객용이 아닌 진짜를. 그러다 계속해서 새어나오는 규칙적 공기를 토해내며 앙천대소했다.

하하하하!

그건 대답이었다. 어떤 식으로든 마무리 지어야 할 일을 단순히 얼버무린 것보다 더 명료하고 적당한 핑계를 찾는 거짓말과 상당히 거리가 먼. 그런 느낌을 받았다. 그래서 베티는 말하지 않았다. 오히려 그랬다면 거짓으로 비쳤을 것이다. 아아. 대답이 필요 없는 질문이었나? 질문의 오류. 호텔 로비를 가득 메우는 천박한 웃음…

"히나, 그건 망상이야."

단지 그렇게 말했다. 베티는 직원룸으로 들어가 버렸다. 히나는 잠시동안 그곳에 앉아, 했던 대화를 몇 번이나 곱씹었다. 또각또각또각. 호텔 엘리베이터 문이 열리고 가로로 부착된

원통형 핸드 레일에 엉덩이를 걸쳤다. 숫자 스크린 바로 옆 딸린 디지털 시계로 조용히 시선을 던졌다.

…

"모든 병력을 도시 반경 2km 바깥으로!!" 우푸의 미간이 좁아졌다. 유사학자들의 엉터리 계산 식에 따른 뮤텐 피해 예상 범위 1km 에서 1km 정도 여지를 더한 셈인데. 내가 사막에서 직접 겪은 일을 상정해서라도 엉터리가 틀림없다. 또, 카운트다운. (분침과 초침이 자꾸만 늘어나다 결국은 13 분이 남았다는 저들의 저급한 계산도 믿지 못하겠다) 대체 지휘부는 무슨 생각인지 모르겠다만, 나는 지리멸렬한 파괴력을 가진 뮤텐에 대해서 굳이 조언하고 싶지 않았다. 어차피 해봤자 그러거나 말거나 라는 식이었다. 우푸의 만류에도 나는 비스트 호텔로 향하겠다고 고집을 부렸다. 그는 고작 수류탄 2 개, 소총을 던져주는 것으로 빚을 청산하겠다고 말했고, 범용 전투복으로 부풀어있는 나를 끌어안았다. 그때 나는 고개를 갸우뚱거렸다. 그와 청산할 게 무엇인지 비스트 호텔의 빨간 카펫을 밟을 때까지도 도무지 생각이 나지 않았다. 아무려면 어떠랴.

"히나…."

내 입에서 튀어나온 소리다. 바깥 상황과 다른 건재한 모습에 이상한 웃음이 났다. 어라? 내가 백업팀을 부탁했던가? …그럴리가. 나는 이 상황을 이해하기 위한 그럴듯한 핑계로 호텔 로비에 서서 입구 쪽으로 고개를 돌렸다. 창밖의 풍경에 잠깐 넋을 잃고 들이밀었던 총구가 부끄러워 고개를 숙였다. 결국, 등 뒤로 숨겼다. 분명 빗발치는 폭렬에 가엾게 누워있어야 할 것들이. 건물, 가로등, 네온 간판, 건설용 바리케이드, 방호용 더미 떼, 등이 아무렇지 않은 척. 멀쩡하게 모두 제자리에 있던 것이다. "어떻게…" 역시 이상한 곳이다.

"벨보이는…?"

휙. 카운터에는 아무도 없다. 뒤편 직원 룸이라고 적힌 금색 테두리. 내 키론 약간 숙여서 들어갈 작은 방의 경첩이 삐걱거릴 뿐이다. 인기척은 없었지만 격한 시나몬 냄새가 쏟아져 나와 들어가진 않았다. 그간 긴장한 탓에 경시하던 웅웅거리는 소음이 또렷하게 들렸다. 승강기가 양쪽으로 버튼 하나를 공유하고 있던 모양인데, 왠지 모르게 멀리서도 안쓰러워 보였다. 왼쪽이냐 오른쪽이냐 하는 선택지는 어쩐지 나를 보는 것 같았다. 띵. 표기판 숫자가 L을 가리켰다. 나는 호텔 내부 조경 무궁화 따위 관목에 얼굴을 가려, 부릅뜬 눈으로 숨죽여 마른 침을 삼켰다. 그리 먼 발치는 아니었고 15m 정도 되는 거리에서.

띵! 위이이잉.

첫째로, 파리한 안색의 여자가 보였다. 흑색 머리칼이 곁 뿌려진 주광 빛깔 아래서 춤추는 듯 착각을 일으킬 정도로 내 심정은 아찔하게 변모했다. 이제 뽀얀 화지 중앙에서 약간 아래로 눈을 흘기면, 여전히 불그스름하고 폭신한 입술이 예전처럼 나를 부를 것이다.. 하지만 그건… 정말..

히나..? 나는 당장에라도 뛰쳐나가 그녀의 묘한 살내음으로 모든 잡생각을 떨쳐버리고 싶었다. 깊은 포옹, 또는 키스, 그런 후에 '보고 싶었어….'라는 말을 뱉고 싶었다. 왜지?

휠체어에 앉아 보란 듯이 여기 있노라고 항의하는 한쪽 팔 없는 남자만 아니었더라면…. 히나는 플라스틱 손잡이에서 손을 떼지 않았다. 오히려 뚜렷한 힘줄이 도드라졌다. 그녀의 눈동자가 미세하게 떨리는 것을 보았고 그렇기에 그 끝이 어디를 향하는지 피상적인 근거를 좇았지만 소용없었다. 그녀는 엘리베이터 버튼을 보고 있었던 것 같다. 넋이 나간 채 휠체어에 앉아있는 무시카가 아닌, 다른 곳을.

나는 애써 무시하려던 대상이 승강기 문간을 넘고, 같은 공간에 들어섰다는 명확한 경계에서 어떤 어긋남을 느끼자마자 심장이 요동쳤다. 뭐지? 그와의 대면이 하필 여기서, 이렇게 압박될 거라고는 상상 못했다. 무시카는 약에 절어있는 듯 흐리멍덩하게 초점이 나가 있었는데, 그 모습이 내 예상과 자못 달랐다. 그를 향한 실망과 자괴감, 측은함을 전제로 둔 복잡미묘한 감정이 내 안에서 소용돌이쳤다.

모든 리본인이 이런 격동을 느꼈을 거라니! 주먹만한 심장 근육의 박동 주기가 유달리 매섭게 나를 때렸다. 이러다 멎는 건 아닌지 가슴을 움켜쥐었다. 람… 도와줘.. 나는 어떻게 해야.. 하아.. 하아.. 수영장 특유의 다습한 공기가 턱밑까지 차오른 것처럼 들이켜는 숨이 무거워서 제자리에 주저앉았다.

아니, 그대로 고꾸라졌다. 털썩. 관목들 사이를 삐져나와 단출한 은백빛 스포트라이트에 던져졌다. 녹빛과 옅은 자줏빛의 체스판식 타일 바닥은 단단하고 차가웠다. 그들의 시선이 느껴졌다. 그나마 다행인 것은 무시카를 직접 대면하고 나서도 '살인충동' 같은 건, 여전히 냉랭한 바닥을 기면서도 느껴지지 않다는 점이었다. 단지 불쾌한 벌레가 내 몸 혈관을 역행하며 알을 까는 듯한 껄끄러운 기분이 드는 정도였다. 혼미한 정신을 부여잡으며 이마론 핏대를, 입으로는 쉭쉭 풀무질을 하니, 풀어헤친 짐승이 따로 없었다. 나는 그런 상태로 바닥에 머리를 내리찍었다.

크윽..! 그런 뒤 역한 기운에 주머니를 뒤졌다.

'거울.. 거울이 어디 있더라. 람의… 아!' 그러나 거울이 없는 걸 곧 알아채고 좌절했다.

히나는 그런 나를 힘 없이 툭, 흘기듯 바라본다. 나도 그녀를 향해 시선을 던졌다. 눈이 마주쳤다. 그녀가 입 모양으로 두번 빠끔거리는 걸 목격했고, 그건 마치 나를 지칭하는 착각을 일으켰다. 분명 착각이다. '소령님 잘 지냈어요?' 라는 말을 할 리가 없잖아… 헨마는 존재하지 않아. 그래, 그뿐이야.

히나는 곧 내 시선을 피했다. 사실은 아예 신경조차 쓰지 않았는지도 모른다. 그건 나를 더 비참하게 만들어 얼굴이 화끈 달아올랐다. 그녀는 계속 반대편으로 휠체어를 밀었다…

내가 처음 호텔을 방문했을 때의 전기적 신호, 눈빛 충돌과 번뜩이는 테킬라의 추억 같은 건, 단순한 끌림으로 인해 벌어진 '촌극'이었나….? 하룻밤의 유희? 대체품? 대체 나는…. 뭐지?

히나가 나를 잠시 지나치는 호텔 풍경의 일부라 여기며, 체스판 타일을 번갈아 밟는 동안에 내가 할 수 있는 일이라고는 애달팠던 그 뒷모습을 눈에 담는 처량함 밖에 없었다. 반쯤 벌어진 입으로 타액을 쏟아내는 저 남자가 부러웠다. 없는 팔과 불가한 거동마저 닮고 싶었다. 그를 흉내 낼 수 있을까? 라는 생각이 들었을 땐, 소름 끼치도록 나 스스로 진저리가 났다.

어쩐지 초조한 걸음. 불안함. 평화로운 바깥 풍경. 히나는 손목시계를 확인하는 듯했고 나를 두고서 유유히 무시카를 데리고 호텔 밖으로 나가자, 나는 갑자기 불투명한 감정에 휘둘려 눈물이 났다. '가지마…!' 입은 내 뜻대로 움직이지 않았고 그들이 한 블럭도 지나지 않아 금세 빗발치는 플라즈마 섬광에 둘러싸여, 내 그림자가 완전히 사라질 때까지…

결국 나는 그녀에게 아무런 말도 전하지 못했다.

그들의 마지막은 쓸쓸함뿐이었다.

.

.

#_ epilogue

처음 '그것'은 어둑어둑한 아지랑이로 보였다. 지면에 깔린 잔여 플라즈마 에너지가 급격히 추락하는 온도와 섞이며 이렇게 주변이 일렁이는 게 이곳 카디블랑 방문객에게는 차라리 나았다. 그 둘의 조성이, 보다 거칠게 마찰을 빚어서 오로라 커튼이 더욱 나부대면 죽은 사람이 보이는 경험을 할 테니까.

나는 지평 끝에 있는 웃픈 광경에 눈을 비볐다. 건물? 카디블랑, 이 황무지에 건물이라고?

하! 제정신이 아니구만.

허탈한 웃음. 위잉거리는 소음. 태양광과 막역한 낮도 아니기에 방호복에 딸린 초소형 원자로 쿨러 소리가 여간 거슬려서 그대로 꺼버렸다.

정신을 차리고 보니, 사방이 거뭇하게 그을린 사막을 걷고 있었다. 도시국가 하나가 소멸하는 과정을 두 눈으로 생생히 목격하고서부터 다시 섬망증세에 절어있었던 모양이다. 나는 잠시 그 자리에 서서 한꺼번에 유입되는 기억파편들을 모두 올바르게 배치했다. '그런 일이 있었었지..' '그래서 여길 걷고 있었구나.'라는 식이었다.

결론부터 말하자면, 나는 이 황무지 카디블랑에서 마도카의 그림자를 찾고 있었다. 또 누굴 찾고 있다니.. 지겹다.

도시와 히나를 앗아간 뮤텔리안 위성이 모든 에너지를 쏟고 유성처럼 추락할 때, 비스트 호텔 창밖 도보에 처참한 마도카의 주검이 보였다. 검붉은 피로 번진 바닥. 히엠스에서 봤던 파랑

머리 여자애가 그 위로 눈물을 훔치고 있었고 나는 허겁지겁 호텔 밖으로 나갔었다. 이름은 리타였다. 리타는 히엠스에서 봤던 모습보다 더 위풍당당했으며, 말도 곧잘 했었다. 그 애 말로는 마도카는 일찍이 역병에 걸렸다고...... 나는 메마른 눈물을 삼키며 마도카를 위해 기도했다. 무릎을 땅에다 대고 손을 모으고, 눈을 감고, 고개를 깔았다.

나는 결국 무시카도, 오빠도, 뭣도 아니었다. 그래서 그나마 알고 있는 기도문 몇 구절로 바슈테림을 흉내 내는 것조차 조심스러웠다.

리타는 말했다. 마도카를 똑닮은 여자가 카디플랑으로 향하는 것을 보았다고…

어쨌거나 지금 나는 방사능으로 절인 대지에 난데없는 '건물'에 확답을 얻고자 점점 거리를 좁혀나갔다. 두 눈이 있는 한 누구라도 그랬을 것이다. 낮 두꺼운 모래나 중금속, 태양풍에 녹아버린 인공잔해물이 발에 치이고 또 치이기를 두 시간 째, 마침내 저 건물의 위용을 눈앞에 두고도 믿기지 않았다.

정육면체의 거대 주사위가 황무지에 덩그러니 있다고? 그건 마치 시커먼 탄소 덩어리로 코팅된 사각모양 캠핑 컵이 엎어져서 손잡이 부분이 바닥에 '묻혀버린' 듯 보였다. 그러니까 내 시야 밖의 어느 면은 뻥 뚫린 채로 있어야 할 터다. 그때까지만 해도 나를 에워싼 방사성 빛 무리가 둥둥 떠서는 영체처럼 따라다녔는데, 건물 테두리 영역에 다다르자 전부 사라졌다.

검은 문, 검은 손잡이, 5 칸짜리 검은 계단과 비좁은 난간. 초인종을 눌렀다. 문이 바깥쪽으로 열렸다. 나는 두 발짝 물러났다. 빨간 플라스틱 조형의 HOTEL 이라는 글자가 헐값에 걸린 간판 마냥 먼저 눈에 들어왔다.

"오래 걸렸네." 어디서 들어본 타말어였다.

"너는….?" 나는 좀 더 가까이 다가가 제정신일 리 없는 숙박업자의 얼굴을 확인해야 했다. 그런 뒤에, '이 오만방자한 녀석. 이런 곳에 웃돈 주고 다크투어리즘 같은 장사를 하다니 그런데 그런 사람은 모조리 저세상으로 가버렸다고!' 라며 충고하려 했다.

카디블랑의 전경에 호텔은.. 여행객을 기만하는 거나 다름없었으니까.

하지만 상대 얼굴을 확인하는 것으로 금세 따분해졌다.

"그래… 너였어." 벨보이, 베티, 그의 또 다른 이름은 베라(VERA). 유오와 윰지아…… 모든 곳에 그녀가 있었다. 여기서 뭘 하는 건지… 흰 셔츠와 보타이. 끌밋한 옷차림은 색만 바뀌었고 까칠하고 풍부한 분위기 자체는 여전했다.

"보시다시피, 호텔을 경영하고 있잖아."

"호텔?"

"그래, 호텔. 이것 좀 봐."

베티는 자신의 가슴팍에 달린 플라스틱 쪼가리에 손을 모았고, 거기엔 '지배인'이라는 수식어가 이름 앞에 음각으로 새겨져 있었다. 순수한 아이처럼 웃는 미세 근육의 움직임에 더 캐묻는 것도 지쳤다. 나는 방호복을 벗고 한숨 돌렸다.

베티가 말했다.

"꽤 전부터 너를 지켜봤어…. 기억나? 살인 현장에 있던 실루엣."

그래, 짐작하고 있던 터라 나는 조용히 고개를 끄덕였다.

"히나는 어느 쪽이… 갱어였던 거지?" 나는 떨리는 목소리로 물었다. 그게 더 중요했거든.

"글쎄, 무시카에 대한 집착은…. 둘 다 같았는데, 무슨 상관이야. 결국, 두 명 모두 죽기도 했고."

그는. 아니, 그녀는 생글생글 웃었다. 명확한 답을 내놓지 않는 게 질서를 위한 일이라 그랬는지도 모른다. 뭐지? 왜 난 이렇게 생각이 유도된 걸까?

"네 여정의 시작과 끝, 그리고 모든 과정을 보고 싶었어. 무시카는 두 히나가 사랑한 사람이거든."

베라(VERA)가 히나를 유전적 모체로 여겼기 때문일까? 그렇다면 왜 히나가 호텔 밖으로 나가게끔 둔 건지 그녀가 원망스러웠다. 나는 베티와의 대화에서 극심한 회의를 느끼고 다시 방호복을 입었다.

베티는 또 말했다.

"벌써 가려고? 이런 황무지에.. 선인장을 자처하는 건, 외롭고, 건조해. 결국, 뜨거운 뙤약에 네 영혼은 메말라가서 그렇게 아주 천천히 쇠해지는 마음은 길을 잃고 목적도 잊은 채, 한 줌 모래로… 생명의 잔해로.. 무참히 버려질 거야. 아무도 널 기억하지 않을 거고 네가 걸어왔던 길은 새로운 진토가 덮여 누군가는 그 위로 침을 뱉으며 지나갈 테야."

"이 호텔처럼 말이야?"

"....."

그녀는 입을 꾹 다물었다가 또 말했다.

"그냥 여기서 쉬어. 따뜻한 차, 침대, 벽난로, 네가 원한다면 여자까지. 모든 걸 제공할 수 있어."

"그것들은 내게 아무 의미도 갖지 못하는 것들이야."

여행이 실패하더라도 겪은 고통은 순수한 영혼과 생명의 반증이며, 그렇게 내가 걸어왔던 자취로 남겠지.. 그걸로도 충분히 의미 있다. 기쁘다.

내가 그렇게 말하자, 그녀는 람이 그랬던 것처럼 앙천대소했다. 하하하하!

"하··· 정말이지. 너는 역시···"

쯧.

자칭 지배인이라는 녀석은 높이가 낮은 창고 같은 델 기어들어가더니, 빠끔히 내민 궁둥이가 무안하게 뒤로 무얼 내밀었다. 그것은 나를 향한 것이었고 희끄무레 번진 탓에 싸구려 호텔 프론트에서 추가로 받는 수건인 줄 알았다. 하지만 감촉이 너무나 달랐고 또 고왔다. 독실한 바슈테림이나 쓸법한 터번이었다. 나는 감회색 터번을 받아들기 무섭게 지독한 외로움에 사무쳤고, 형언할 수 없는 그리움에 손이 떨렸다. 슬픔과 후회, 지난날 묻혀 두었던 향수들이 적정 선상에 어우러지자 도무지 알 수 없는 감정을 느꼈다. 나는 웃음을 터트렸다. 푸핫!

웃음. 그럼 이건 기쁨인가...? 새삼 놀라웠다. 다른 감정이 뒤섞여 기쁨이 빚어졌다는 점에. 그럴 수도 있구나. 하며, 터번을 둘렀다. 의미는 없지만 그러지 않으면 스멀스멀 올라오는 또 다른 걱정에 주체할 수 없을 것만 같았다.

베티는 눈물 훔치는 내게 말했다.

“떠나야 한다면 뒤도 돌지 말고 가버려. 더는 널 잡지 않을게. 기억도, 흔적도, 감정도, 모두.”

그녀는 또 말했다.

“이 호텔은 언제나 방랑자를 위해 이곳에 있을 거야.”라고.

“너는?” “흐음..” 그녀는 입맛을 다셨다.

“바슈테림이 되어 볼까 해.” “네가 신을 믿는다고?”

나는 좀체 납득이 되질 않아 되물었다. 따가운 시선이 되돌아올 뿐 반응이 뜨뜻미지근하면서 베라(VERA)는 말을 돌렸다. 나를 경계하는 걸까? 그녀는 이미 내우주의 모든 간섭, 계산을 마쳤을 텐데.. 그리고 인류가 영원히 넘지 못하는 외우주를 향해…

“꿈만 같아.”

“뭐…?” “이런 날이 오길 고대했거든.”

“어떤?” 그녀는 입꼬리를 슬쩍 올리며 밝게 웃는 게 다다. 덕분에 나는 힘겹게 침을 삼킨다. 목구멍 중앙에 알사탕 하나가 비좁은 공간을 가득 메운 기분이 들었다. 답답하고 숨이 차면서도 차마 달콤함을 밀어내지 못하는..

내가 있는 곳은 어디지? 우주는.. 베라(VERA)가 잡아먹은 무의식의 공간. 그녀의 꿈속인가? 미리 쓰인 미래. 저장된 데이터들. 이제 이곳을 현실이라 부를 수 있을까?

답은 없다. 알 수 없다.

나를 뚫어지게 쳐다보는 눈.

공허하다.. 너는 대체...

나는 호텔이라고 부르기도 힘들 정도로 너저분한 이 호텔의 사소한 물건들조차 눈에 담고자 했다. 강한 자외선에 색이 바랜 것들. 카펫, 천 장식, 소파, 펜, 낡은 종이, 베라(VERA)의 더미, 베티의 앳된 모습, 맥락 없는 웃음…

운이 좋아 다음번 방문이 그리 멀지 않아도 방금 눈에 담은 전경의 대부분을 알아보지 못할 것이다. 붉은빛 뙤약에 모두 타버린 내 기억 때문에..

"… 호텔 이름은 알려줘야 하는 거 아냐?"

“들어올 때 못봤어? 윱지아. 라고.”

베티는 씨익 하고는 내가 가장 싫어하는 사막스러운 웃음을 지었다. 나는 베라(VERA)에게 작별을 고했다.

"헨마의 가호가 있기를..."

-END-